ДАРЬЯ АСЛАМОВА

Дарья
Асламова

Приключения
дрянной
девчонки

ЭКСМО
ПРЕСС

1 9 9 9

УДК 882
ББК 84(2Рос-Рус)6-4
   А 90

Оформление художника *Е. Савченко*

В оформлении книги использованы слайды,
любезно предоставленные газетой «СПИД-Инфо»

Асламова Д. М.
А 90   Приключения дрянной девчонки. — М.: ЗАО Изд-во
ЭКСМО-Пресс, 1999. — 512 с.

ISBN 5-04-002378-2

Женщины любят риск и приключения не меньше, а, может быть, даже больше мужчин. Дарья Асламова не исключение. В «схватку» с ней вступало немало мужчин, чему примером скандально-громкие истории с Александром Абдуловым, Русланом Хасбулатовым, Николаем Травкиным. Она убеждена, что жизнь — это авантюра, а любовь — сражение между мужчиной и женщиной. «Приключения дрянной девчонки» с их потрясающей выразительностью и подкупающей откровенностью, вплоть до самых интимных подробностей, по праву снискали ей титул «русская Эммануэль».

УДК 882
ББК 84(2Рос-Рус)6-4

Приключения
дрянной
девчонки

1

Посвящается моему мужу
Андрею Советову

Кто научил вьетнамцев жарить селедку? Случилась суббота, и тошнотворный запах вышеупомянутой рыбы плыл по коридорам общежития. «Жарят, твою мать!» — выругался какой-то пятикурсник и сплюнул в ближайшую урну.

Суббота в ДАСе (Доме аспирантов и стажеров МГУ) славится тем, что все народы дружно готовят на общей кухне праздничные обеды. В сказке про свинопаса у Андерсена принцесса держала руки над волшебным горшочком, чтобы узнать, что у кого в городе готовится на обед. В ДАСе достаточно выйти в коридор, подставить нос сквозняку — и все можно определить по запаху.

У богатых африканцев обычно курица. Они готовят ее в огромных тазах в ожидании нашествия многочисленных родственников. К вечеру ДАС заполняют солидные негры в ослепительных костюмах и галстуках-бабочках, под утро все мирно напиваются.

Латиноамериканцы вечно бедны и довольствуются рисом, который готовят очень искусно с большим количеством пряностей. А вот и наши ребятки поволокли на кухню кастрюльку с магазинными пельменями и бдительно следят, чтобы ее не сперли свои же однокурсники.

Каюсь, я тоже воровала. Для успеха этого мероприятия я и моя подруга Неля шли на общую кухню, где с задумчивым видом помешивали что-нибудь в миске, дожидаясь отхода хозяев соседних кастрюль. Потом Неля не спеша подходила к чужой кастрюле, приподнимала крышку и яростно тыкала туда вилкой, насаживая куски мяса. Я в это время стояла на карауле. Однажды нас «застукали». Не теряя достоинства, Неля сказала: «Я хотела посмотреть, не подгорело ли ваше кушанье». Лгала Неля в совершенстве, ни у кого больше я не видела такого невиннейшего выражения лица. Хозяева мяса, застенчивые, плохо знающие русский язык иракцы, были благодарны незнакомой советской девушке за заботливое к ним отношение и потом с ней долго дружили.

Мне всегда нравилась роль адвоката человеческих пороков, а не прокурора. Мелкое воровство до сих пор пользуется моей симпатией, поскольку живо напоминает мне времена борьбы за выживание. Тогда мы воровали книги из магазинов, хлеб и плавленые сырки, прихватывали посуду из кафе и ресторанов. Моя подруга Юлия, очаровательная дама чрезвычайно почтенного и вызывающего доверие вида, питала слабость к изящной посуде. Когда она гордой походкой выплывала из зала ресторана, в ее сумочке ритмично позвякивали бокалы на длинных ножках, которые она ловко утаскивала со стола.

Самое сильное чувство юности — голод. Молодость должна быть голодной. Желание набить себе желудок — главная движущая сила природы. Острое чувство голода по новым блюдам, новым людям, новым приключениям вносит в нашу жизнь волнующий дух предприимчивости.

Еда и сейчас остается для меня самым главным делом жизни. У меня сохранился запасливый аппетит нищего человека. Привычка есть впрок сделала мой желудок бездонным. Но, несмотря на волчий аппетит, я остаюсь худой, как щепка.

Я помню, что яичница была для нас страшно дорогим удовольствием. Помню, что на первом курсе у меня было больше знакомых, чем у любого студента, потому что я ко всем ходила «пить чай». Помню, как мои подруги, зная мою обаятельную предприимчивость, отправляли меня «стрелять» продукты по общежитию, из которых мы потом готовили какое-нибудь нехитрое варево. Однажды я «настреляла» продуктов на целый борщ. Помню, как мои родители прислали мне из дома красную икру, и мы ели ее, морщась, ложками из банки, так как у нас не было денег на хлеб и сливочное масло.

С икрой у меня вообще связано много воспоминаний. В моей жизни был период, когда я так остро нуждалась в одиночестве, что мечтала о мгновенной смерти всех своих подруг. Оставьте меня в покое, и я сотворю жизнь заново. Один приятель уступил мне свою квартиру, где хранились ящик черной икры, ящик вишневого ликера и большая коробка шоколада. Я лечилась от сомнений бездельем, пила с утра ликер и плевала в потолок. За продуктами я ленилась ходить, и на целый месяц моей пищей стали икра, ликер и шоколад. Дело было осенью, и когда выдавались теплые деньки, я ставила кресло на балкон, усаживалась с утра поудобнее, укладывала ноги на перила и рассматривала с 22-го этажа великий и равнодушный город. Рядом со мной всегда стояла бутылка ликера, я бездумно жмурилась на солнышке и неторопливо пила, добиваясь сладкого головокружения. К полудню бутылка наполовину пустела. В то время я, как никогда, была близка к алкоголизму. Единственной моей закуской была черная икра, к которой я с тех пор питаю недоверие.

В студенческие времена я приобрела хорошую способность — всеядность. Разве что дерьмо не ели, а так все перепробовали. Когда Неля с ума сходила от любви, она все пересаливала. Целый месяц мы ели переперченные и пересоленные блюда. Однажды Неля, для которой смысл жизни состоял в праздниках, устроила очередную фиесту. Коронным блюдом был бешбармак — это куски мяса, плавающие в крепком бульоне. После первой же ложки на лицах гостей появилось одинаковое стоическое выражение. Главным компонентом бешбармака являлась соль. Плакали, но ели, сознавая, что такое дорогое блюдо нельзя не есть.

На втором курсе я дружила с крохотной, похожей на ребенка девушкой из Малайзии по имени Фисали. Ее называли «колибри ДАСа» за пристрастие к ярким, цветастым платьям и блестящим побрякушкам. В этом экзотическом, заморском чуде жила невероятная энергия, с самого раннего утра до позднего вечера она семенила по ДАСу на тонких, как у птички, ножках, наполняя все вокруг движением и шумом. Фиса любила готовить чудовищно переперченные блюда своей родины, к которым приучила и меня. Перед каждым гостем ставился стакан холодной воды, чтобы залить пожар во рту.

После года жизни в Москве Фиса, что называется, «разошлась» — сменила шаровары и длинные балахоны на нелепые короткие юбки и научилась кокетничать. Ей стали нравиться крупные русские мужчины, которые обращали на нее внимание не больше, чем на клопа. Хитрая Фиса ли готовила огромные кастрюли еды и зазывала всех мужчин в гости. Вскоре для наглых мужиков ее комната стала благотворительной столовой. Закончилось все трагически. Предмет ее любви, большой вальяжный Паша, долго принимал ее ухаживания, а потом начал жаловаться товарищам: «Ну, как я могу ее, такую маленькую, трахнуть?! Там просто некуда!» Фиса рыдала по ночам, а днем накладывала толстые слои косметики, которые делали ее похожей на жалкую раскрашенную куклу. Почему горе маленьких, некрасивых людей выглядит таким смешным? Любая их трагедия словно написана языком фарса.

ДАС был перенасыщен любовными треугольниками. Каждый вечер по коридорам слонялись «юноши бледные со взорами горящими», страдая от сердечной боли. Любовная трагедия в юности — это то, что нужно. Первое страдание дает юному человеку зрелость и новые глаза. Не познав первого поражения, трудно двигаться дальше.

Но тогда мне было легче терять любовь, чем сейчас. Я не была одинока. Избыток людей, который в обычные дни раздражает, в трудное время становится кислородной маской. Всегда найдется человек, который тебя выслушает. Но лучшим утешением служит мысль, что в этот период по меньшей мере сто человек в ДАСе переживают такую же любовную драму. Постучись в соседнюю комнату, там обязательно кто-нибудь плачется в жилетку.

Сейчас я уже не вынесу потери любви. Тогда я была гибкой, во мне был сок, и я знала, что гибкость всегда окупается. Я лишь гнулась под невзгодами, но стоило погоде перемениться в лучшую сторону, я вновь выпрямлялась. Теперь я старше и суше и боюсь надломиться.

Я люблю бесстыдство женских пьянок в общежитии.

Когда студентки небрежным, многоопытным тоном рассказывают что-нибудь зазорное, в глазах их светится удовольствие сообщничества. Они сидят на жалких, бесстыжих кроватях, на которых несколько поколений студентов делали любовь, вздрагивая от бесцеремонного вторжения соседей и будоража воображение тараканов. Девочки-женщины в совместных беседах изучают самые древние тайны своего пола, и яд струится из их глаз, когда они говорят о мужчинах. Мне нравятся щекочущие нервы разговоры о сексуальных приключениях, обсуждение основных правил тончайшей и страстной игры Адама и Евы. Главная задача высокой женской стратегии — как выесть сердце у мужчины. Начинается оргия воспоминаний, от вина в словах появляются опечатки. И вот уже чей-то голос ломается в рыданиях по невозможному прошлому, по несостоявшейся любви. И наперсницы, объединившись в сладкой ненависти к мужчинам, утешают страдалицу.

Женщина перед свиданием — это воительница перед битвой. Комнату заполняет косметическая муть духов и кремов, у подруг конфискуются украшения и наряды. Этот древний ритуал — наводить глянец на тело, брить ноги, заниматься косметической живописью, взбивать волосы — хорошо знаком проституткам и хорошеньким студенткам, у которых всегда бездна времени. Немытое, нечесаное существо, слоняющееся с утра по грязным коридорам общежития, к вечеру превращается в гладкую, благоухающую статую. В походке — вызов, в глазах — предвкушение сражения. Последняя проблема — брать или не брать с собой зубную щетку, оставаться на ночь или вернуться домой.

Я всегда завидовала мужчинам — у них в постелях оказываются теплые, нежные, округлые тела, надушенные и мягкие. Мужчины же редко берут на себя труд ухаживать за собой. И только привычка или любовь одаривают женщин слепотой — они не замечают круглое брюшко, дряблые мышцы, торчащий кадык, повышенную волосатость. Единственное, чего можно добиться от мужчин, — заставить их чаще бриться.

Если и есть что-то красивое на земле, так это женское

тело — сияющее и торжествующее. Все мы вышли из раковин теплых морей. Каждое утро я начинаю в ванной, бормоча под нос любимые слова: «Господи, как я хороша! У меня мягкий щенячий живот и маленькие дерзкие грудки, ни у кого нет таких породистых щиколоток, как у меня. Какие же счастливчики мужчины, что иногда им достаюсь. Мои хитрые тонкие пальцы так много умеют, а тело столько знает. Дайте мне любого мужчину на две недели, и он будет есть у меня с руки». Женщины нуждаются в самовлюбленности, как растение в воде. Говорите чаще со своим телом, и оно начнет жить.

Общежитие развивает лесбийские наклонности. Трудно жить с красивыми подругами и не влюбиться в них. Особенно домогаются девственницы, у которых в лобке уже горит пламя, а груди вот-вот лопнут от желания. «Почеши мне за ушком», «погладь спинку», «повороши волосы» — и под внимательной рукой девочка цепенеет от блаженства. Все начинается как игра — поцелуйчики, прижимания, пугливые ласки. И вот мы, раскрасневшиеся и возбужденные, почти отталкиваем друг друга и глупо хихикаем, остановившись перед опасной чертой. Бедные, одичавшие без ласки кошечки.

Иногда для этих целей мы без зазрения совести использовали мужчин. Помню одного фотографа, которому я и моя подруга Юлия позволили нежить себя. Ошалев от привалившего счастья, он метался от одной кровати к другой. Благодаря его опытным ласкам мы тихо выкрали свой нектар оргазма, а потом спокойно выгнали его. И сидели, облизываясь от удовольствия, две сытые наглые кошки, смеялись над незадачливым фотографом, радовались маленькой удаче — отомстить за прежние поражения хотя бы одному мужчине.

Мир вокруг был переполнен сексом. Каждую ночь в моей комнате в такт скрипели кровати, и я притворялась спящей с целью подслушать звуковые эффекты. Господи, что происходит там, в жаркой, кружащей голову тьме? Теоретически я знала все благодаря болтливой женской дружбе. То, что услышали мои девственные уши об отношениях между мужчиной и женщиной, годилось скорее для описания любви пары бездомных собак.

Меня пугала анархия чувств. Я крепко держалась за свою драгоценную независимость и одевала свою уязвимость в броню многоопытности. Но умные мужчины быстро догадывались, что за умелым кокетством ничего не стоит и что тело мое еще пребывает в мире. Два года я, как дикая козочка, не подпускала к себе мужчин и не обращала внимания на подкусывания подруг.

Я не хотела есть зеленый виноград и набивать себе оскомину. Пусть мое тело созреет, подойдет, словно тесто для пирога, тогда я впущу в себя таинственного гостя. Невинность — бесценный и чудесный дар. В чем его достоинство? В полной, безграничной свободе. Плоть — это страшная кабала. Став женщиной, приобретаешь беспокойные ночи и суетные дни, в вечном поиске мужчины.

Невинность — самое мощное оружие против грязи. Она спасает, как шапка-невидимка. Сколько раз, натянув короткую юбку, я выходила во влажную ночь одна на поиски приключений, садилась в машины к незнакомым мужчинам, неумело курила сигареты, симулировала всезнающую скуку. Но никто не посмел обидеть — все только улыбались, глядя на мои голые коленки и ярко накрашенный рот. Господи, как хорошо ничего не знать о жизни и шагать вперед, не замечая препятствий и не зная поражений. В голове — ветер, в глазах небесная пустота, дешевая юбка обтягивает узкие, как у мальчишки, бедра. Ты ребенок, ты храбрая невинная девочка и готова обуздать весь мир. Нежное эхо детства, бумажный кораблик, пустившийся в опасное плавание.

Первые уроки женских уловок давала мне моя Неля. Ау, Нелечка! Как ты там в своей Америке? Тебя унесло последней волной эмиграции, когда страну покидали самые молодые и упрямые в поисках денег и успеха. Ты сменила высокие тонкие каблуки, на которых ты так бесстыдно покачивала бедрами, на удобные ботинки, изящные, не скрывающие ни одного деликатного изгиба твоего тела платья на джинсы и мужские рубашки. И философию свою ты так же легко поменяла, как змея сбрасывает кожу.

Ничего не осталось от твоей восточной, расслабляющей лени, теперь ты — воплощенная американская энергия. Твое лицо скрывает от меня туман времени. Я не хочу знать тебя новую, я помню только ту стерву высокого класса, которая так захватила мое воображение.

От Нели исходило какое-то жаркое томное свечение. Мне нравилось наблюдать узоры ее движений, любоваться ее плавностью и светскостью. Особенно хороша она была, когда полулежала на кровати и мурлыкала под гитару своим наисексуальнейшим голосом глупые песенки. Один ее друг при расставании написал ей записку: «У вас теплый голос в холодные московские ночи». От одного ее присутствия наша жалкая комната приобретала особый шарм. Она была одаренным рассказчиком, и ее хорошо модулированный голос удерживал внимание слушателей часами напролет.

Я никогда больше не встречала женщины, которая бы так сильно томилась желанием брать и давать любовь, как Неля. Целыми днями она холила свое тело и превращала лицо в чудо косметического искусства. Долгое время я жила ее влюбленностями и разочарованиями, ее беременностями и выкидышами. Она забирала меня целиком, развертывая кольца своего вкрадчивого и неотвязного обаяния.

Она учила меня всему — как одеваться, как нужно красиво курить, как двигаться, как садиться в лифт, чтобы он не дрогнул под твоей тяжестью, даже как изящно давать деньги таксистам. Весь набор искусных уловок, способных прельстить мужчину, был в полном ее распоряжении.

Я на все смотрела ее глазами. Естественно, когда Неля влюбилась в латиноамериканца, она и мою жизнь постаралась заполнить Латинской Америкой. Неля до безумия любила праздники. Ее излюбленным занятием было сидеть всю ночь в центре шумной, желательно мужской компании, угощать друзей блюдами собственного приготовления (а для того, чтобы блеснуть своими кулинарными способностями, она готова была дом спалить) и смотреть, как люди едят и пьют. Сама она почти ничего не ела и никогда не выпивала. Разве что бокал шампанского.

Когда Нелю спрашивали, почему она не пьет, она говорила так: «Мое нормальное трезвое состояние напоминает состояние человека после двух выпитых бутылок шампанского».

Она действительно всегда готова была петь, танцевать и смеяться. Единственное, что Неля не любила делать, — это работать. Ей удивительно подходил стиль жизни латиноамериканцев. Это народ шумный, но добродушный и ленивый, а главное, неутомимый в своей способности радоваться жизни, лежа на кровати или танцуя. Просыпаются они к трем часам дня, редко кто из них подозревает о существовании утренних занятий в университете. К вечеру люди оживают, покупают у таксистов водку и приступают к выяснению отношений...

Я знала одну бразильскую семью, в которой муж регулярно порывался выбросить жену в окно. Эта сцена сопровождалась бешеными криками и битьем посуды, в конце концов в доме осталась только металлическая посуда. Их соседи молились, чтобы муж осуществил-таки свое намерение. В таком случае ежевечерние скандалы затихли бы сами собой.

После латиноамериканского периода пришло время дружбы с неграми. Самого первого негра в своей жизни я увидела в Москве летом 1986 года в ДАСе. Меня захлестнула волна почти комического сострадания. «Угнетенный», — со страхом и замиранием сердца подумала я. Мне приходилось столько слышать и читать о расизме и борьбе негров за свои права, что я решила тут же, не сходя с места доказать первому встреченному мной негру, что мне безразличен цвет его кожи. Негр отнюдь не выглядел несчастным. Как это свойственно черной расе, он явно любил все яркое и очень эффектно выглядел. Мои прочувственные взгляды он расценил однозначным образом — пригласил меня к себе в комнату, включил музыку и начал приставать. Я в слезах выбежала из комнаты. Так плюнуть мне в душу! Я к нему как к человеку, а он... Да, вот так рушатся иллюзии.

Чувство жалости к неграм быстро прошло, зато появилось чувство восхищения. Черные, как туз пик, лоснящиеся и пружинистые, как коты, — как они хороши! Какая у них нежная кожа, похожая на засушенный лепесток розы, теплая и упругая. С какой грацией диких животных они двигаются! Мне нравится смотреть, как они, танцуя, двигают бедрами. Сколько в них ничем не прикрытого сладострастия. Это похоже на секс без единого прикосновения. Их толстые губы растягиваются в вызывающей улыбке.

Негры открыли нам радости заграничной жизни. От них пахло тонкими, изысканными духами, они курили вкусные сигареты с незнакомыми названиями. Это негры научили меня курить. Мне дали длинную сигарету с золотым ободком у фильтра. Этот ободок меня доконал. Всю жизнь я имела слабость к блестящим штучкам. У сигареты был вкус нездешней жизни.

Мы крепко сдружились с негритянской компанией. Каждый вечер один из наших новых приятелей, Клод из Анголы, зажигал в своей комнате цветные гирлянды огоньков, жарил курицу, закупал вино и устраивал праздник с бесстыдными плясками. Через некоторое время я прочитала нацарапанную на стене надпись, рядом с телефоном в общем коридоре: «В 526 комнате живут шлюхи». Надпись наполнила меня гордостью. Тогда вся наша жизнь была настроена на скандал, на вызов. Стать предметом сплетен и по-королевски не замечать их — вот дело для хорошенькой 18-летней девочки.

Душой нашей компании был толстый и веселый негр Жан. Этот вдохновенный врунишка сочинил для нас красивую легенду. «Я военный атташе Заира», — так он всегда представлялся дамам. Мы свято верили его словам, тем более что мнимый военный атташе часто менял «Мерседесы» и приезжал в общежитие с мешками подарков. Даже когда выяснилось, что Жан работает всего-навсего шофером при посольстве Заира, ореол могущества вокруг него отнюдь не померк. Первое яркое впечатление оказалось сильнее скучной, серой правды. Жан доказал мне, что блеф дороже денег. Люди, сделавшие блестящую и быструю карьеру, обычно принадлежат к породе умных лгунов.

Моя подруга Юлия работала в информационном агентстве с громким именем и пустым кошельком. Агентство держалось на честном слове. Однажды Юлия разговаривала по телефону с журналистами-телевизионщиками из Ленинграда, которые собирались приехать в командировку в это агентство. «Мы не можем везти с собой аппаратуру, — жаловались журналисты. — Не могли бы вы дать нам камеру в Москве?» — «К сожалению, мы не располагаем большим количеством аппаратуры и не можем вам помочь», — начала объяснять Юлия. Мимо проходил директор агентства. «Ты с ума сошла, — накинулся он на нее. — У нас есть все. Запомни это. Лучше пообещать много и не выполнить ничего, чем честно говорить о своих возможностях и выполнять максимум. Если б не наше милое вранье, агентство давно бы приказало долго жить».

Сейчас в нашей стране расцвет блефа. Только в период хаоса можно из воздуха делать состояние, а из звонких фраз положение в обществе. Иногда блеф достигает высот искусства, иногда опускается до беззастенчивого вранья.

Но вернемся к моему милому лгунишке Жану. Он хорошо знал женщин. Сначала дайте даме подарки, конфеты и вино, потом она сама плюхнется к вам в постель, как перезрелый персик. Он баловал нас, не знавших, что такое баловство.

Однажды Жан приволок меня и мою подругу Катю в свой дипломатический дом. Мы тайком пробирались мимо милиционера на входе, нервно хихикали и чувствовали себя дешевыми проститутками. В квартире Катюшей занялся грустный негр Бобо — он танцевал с ней медленные танцы, томно прижимался к ней всем своим длинным телом и что-то шептал ей на ухо. А меня, подвыпившую и объевшуюся шоколадом, Жан затащил в ванную комнату. Там он залез под мою длинную юбку, стянул с меня дешевые трусики и медленно, нежно стал целовать все мои потаенные места. Меня покачивало от выпитого и мутило от желания. Я, как всякая хитрая и опытная девственница, знала, что, если позволить ему еще немного потереться об меня, я тихо кончу. Поэтому я молча таращила на него свои бессмысленные глаза и осторожно добиралась до своих сладких облаков, пока его толстые жаркие губы всасывали мой клитор. Облака сгустились, кончили обильным дождем, я хихикнула, оттолкнула тяжело дышавшего Жана и томно прошептала: «Милый, ты же знаешь, что я еще не женщина».

Жан меня больше не интересовал. Гораздо больше я заинтересовалась его ванной комнатой. В этой мужской ванной висели женские белые халаты, изящные дамские трусики, сладко пахло дезодорантами, а полочки ломились от разнообразной косметики. Одних только лаков для ногтей я насчитала 12 штук. Но самой соблазнительной мне показалась коробочка с зелеными блестками. Недолго думая, я вымазала себе на веки полкоробки блесток, но пальцы после этой сложной операции вымыть поленилась.

Меня и Катюшу, пьяных, ленивых и невинных, уложили вскоре спать вдвоем на диванчик, а в семь утра галантный Боб разбудил нас и подал в постель кофе со сливками.

В восемь утра я уже сидела на экзамене в университете. Преподавательница посмотрела на меня с нескрываемым интересом. Потом сказала: «Идите, деточка, в туалет и умойтесь». Господи, какое лицо глянуло на меня из зеркала. За ночь жирные зеленые блестки растеклись по всей физиономии, а я сияла, как елочная игрушка. Неисправимая сорока-воровка, готовая украсть любую блестящую погремушку.

В детстве у меня, как у всякого нормального советского ребенка, почти не было красивых, ярких вещей. Самое грустное воспоминание детства — это приезд японских гостей в наш детский сад. Нас долго готовили к этому торжественному событию. Мы разучивали песни, танцы и стихи, рисовали картинки, чтобы подарить их гостям. Наша воспитательница под страхом сурового наказания запретила нам брать у японцев конфеты, жвачку и различные безделушки. «Вы не должны уронить высокое звание советского ребенка», — строго сказала она нам. Но пятилетние дети твердо знали, что японцы народ щедрый и любящий малышей и под шумок у них можно будет выпросить подарки.

Наступил великий день, прибыли долгожданные гости. Чистенькие, румяные, одетые в лучшие наряды советские дети бросились вручать неизменно улыбающимся японцам свои рисунки. Иностранные гости полезли в карманы за фломастерами, ручками, конфетами, игрушками. Только та японская тетя, которой я подарила свой рисунок с домиком и коровками на лугу, погладила меня по голове и ничего не дала. Горю моему не было предела. Подружки уже запихивали в рот жвачку и хвастались подаренными карандашами, а я стояла одна, всеми брошенная, без подарков. Слезы текли так часто, что я тут же захлебнулась ими и убежала на веранду всласть поплакать в одиночку. Но кто-то наябедничал воспитательнице, что Даша ревет из-за того, что ей ничего не подарили. На веранду ворвались две разъяренные воспитательницы и заведующая детским садом. В три голоса они стали орать на меня: «Ты позоришь советских детей, бесстыжая, наглая девчонка! У тебя все есть, ты ни в чем не нуждаешься! Хочешь, мы завтра принесем тебе три кулька конфет, чтоб ты ими подавилась?!» Я перестала плакать и сказала: «Хочу». Заведующая переменилась в лице и сказала: «Завтра придешь с мамой». На следующий день я действительно привела маму в детский сад и никак не могла понять, почему мне не дают обещанные три кулька конфет.

Мне давно уже не пять лет, но страстная тяга ко всему яркому, вкусному и красивому осталась та же, детская. В своей погоне за удовольствиями я когда-нибудь сломаю себе шею. Я честно верю каждому новому обещанию, но чаще всего тянусь за большой конфетой, разворачиваю красочный фантик, а там ничего — пустышка.

А с Жаном потом было вот что. Как-то я и Катя после очередной вечеринки остались у него ночевать на нашем любимом диванчике. Жан в пять утра куда-то уехал. В шесть часов нас разбудил звонок в дверь. Пошатываясь, Катя добралась до прихожей и отворила дверь. На пороге стояла пышнотелая высокомерная негритянка, которая кинулась на нее, как тигрица, и в энергичных английских выражениях объяснила ей, что такую проститутку, как Катя, и убить не жалко. Я удивляюсь, как эта темпераментная женщина не выкинула нас с балкона. Спас нас Жан, который явился в десять минут седьмого и устроил своей подруге скандал, переходящий в драку. Мы с Катей почувствовали себя лишними и быстро смотались.

После этого случая я не видела Жана несколько лет. Потом встретила его на рынке зимой, среди прилавков, заваленных фруктами и овощами. Мы кинулись навстречу друг другу и радостно расцеловались на глазах у расистски настроенной московской публики. Жители южных республик угрожающе заворчали, наблюдая, как Жан слизывает у меня с губ помаду.

Жан был, как всегда, весел и рассказал, что собирается открыть в Москве кафе и остаться здесь навсегда. Не знаю, соврал он мне или нет. Потом Жан схватил мою сумку и стал набирать в нее помидоры, персики, лимоны, апельсины (любил Жан делать широкие жесты). Он щедро расплатился с торговцами, посадил меня в такси и помахал вслед рукой.

* * *

Негритянский период плавно перетек в хипповский. Правда, название выбрано весьма условно, мы позаимствовали лишь внешние атрибуты жизни хиппи, не затрагивая сути. Это была нормальная игра молодых. Некоторое время мы ходили в драных джинсах, стоптанных кроссовках, носили «фенечки» (нечто вроде браслетов, сплетенных из ниток). В кодекс чести входили также бедность (поиск пяти копеек на метро), слушание рок-музыки, чтение Кортасара, ненависть к официальным силам, поездки в Ленинград, в знаменитое тусовочное кафе «Сайгон».

Все это неплохо, лишь бы не тянулось слишком долго. Есть казенное выражение «неформальное движение». Тут, мне кажется, произошла ошибка в определении. Все эти интеллектуальные и музыкальные «тусовки» носят чаще всего формальный характер. Суть не в том, какая идея объединяет молодых людей (она обычно неопределенна и расплывчата). Удовлетворение им приносит сознание своей исключительности, элитарности — мы выделяемся, мы круче всех! Кроме того, в юности человек не может быть один, значит, нужны единомышленники. Вот вам и подсознательная формула таких «тусовок»: «Мы вместе и мы против всех!»

Компания необходима в 18 лет, но, когда человек взрослеет, срочно надо уходить. Нет ничего консервативнее молодежных компаний. Года через два-три она становится болотом, уровень отношений с течением времени не поднимается, а опускается. Нужно уходить еще до того, как склоки и ссоры разорвут дружеские узы.

Всех своих подруг я отшвыривала, как старые башмаки, если чувствовала, что сникаю под влиянием их воли. Это жестоко, болезненно, но это необходимо делать, если не хочешь превратиться в чей-нибудь придаток. Я слушаю, собираю, впитываю все лучшее, что есть у моих знакомых, потом тихонько ухожу. Я в любой компании гость, который имеет право уйти, когда захочет. Дайте мне погреться у вашего камина, но не заставляйте участвовать в его растопке. Я вас всех люблю, но не позволю грабить меня и растрачивать мое время. Мир так велик, что я хочу до смерти узнать его и обуздать.

18 лет — время разговоров, я проговорила с 18 до 20 лет со всеми, кто встречался на моем пути, — начиная от бомжей и кончая политиками. В 21 год я пришла к мысли, что хватит выплескивать себя и слушать чужие советы. Наступает время молчания и накопления внутренних сил. Надо слушать себя, и делать себя, и отталкивать любопытных.

Когда я стану старой брюзгой, то, видя пробегающих мимо щенков с новой идеей в их бестолковых головах, я непременно буду кричать им вслед: «Было, дети мои, все уже было! Ваши новые боги отличаются от наших старых только прической и костюмом. Бегите от шумных компаний, они вас задавят. Посторонние люди высосут ваши соки и силы и оставят лишь корки от апельсина. Оставайтесь в одиночестве. По-волчьи огрызайтесь на всякого, кто лезет к вам в душу. Только, я умоляю, оставьте немного места для любви».

В 18 лет, увлеченная общим «тусовочным» порывом, я

сподобилась съездить в Ленинград (Петербург), эту Мекку всех рокеров, поэтов, художников и профессиональных лентяев. Мне всегда нравилось сумрачное, проникающее в душу очарование этого города.

Пошлявшись по Невскому проспекту, я отправилась в тусовочное кафе «Сайгон». Кафе ничем не поразило мое воображение — грязное и с плохой жратвой. Народ здесь сразу раскусил, что я «чужак», — слишком хорошо и ярко одета, слишком сильно накрашена, при деньгах и вообще не «своя». Сначала ко мне подполз какой-то ублюдочного типа малый и попросил 20 копеек. Я не успела ответить, как в дело вмешался мой сосед по столику: «Нашел у кого деньги просить. Это же дамочка. Вали отсюда!» Слово «дамочка» прозвучало без иронии, даже с оттенком уважения. Ублюдочный сделал реверанс, пропел изысканные извинения и исчез.

В кафе ко мне возник повышенный интерес. Подошел какой-то поэт с налетом мировой тоски и давно не мытой головой и прочел очень дерьмовые стихи. Поэта отодвинул наглый красавец с блудливыми глазами, который назвался Антоном и спросил, что я тут делаю. Я ответила, что приехала посмотреть Ленинград, но остановиться мне негде и знакомые посоветовали сходить в «Сайгон», поспрашивать народ. Это было вранье, у меня были в городе друзья, и проблемы с жильем не существовало, но всегда интересно пойти незнакомой дорогой.

Мой новый знакомый Антон напоил меня пивом и сказал, что надо идти по всем «стрелкам» искать мне жилье (сам он ютился в комнате вместе с тремя товарищами). За два часа мы обошли четыре места, где собиралась оборванная длинноволосая молодежь. Антон о чем-то шептался с разными подозрительными личностями, пил пиво, а я скучала. Как я потом выяснила, таким образом устраиваются на ночлег, а иногда и на долгие месяцы проживания сотни молодых людей, приезжающих из разных городов страны. В последнем «тусовочном» месте всех этих мальчиков и девочек, которых не мешало бы хорошенько вымыть, спугнула милиция. Они заметались, как воробьи при приближении кота.

По-видимому, Антон что-то выяснил, потому что после долгого плутания по улицам мы пришли наконец в мрачный двор-колодец. На веревках висело невероятное количество белья, а у одного из подъездов стояло пять мотоциклов.

Мы зашли в квартиру, в которой отсутствовала входная дверь. В одной из пяти комнат квартиры нас встретили молодой человек с простоватым добрым лицом и улыбчивая старая женщина. Молодого человека звали Костя, а пожилую даму представили как бабушку Кости. Бабушка варила кашу на маленькой электрической плитке. Единственной мебелью в комнате были два матраса, на один из которых меня пригласили сесть. В стенке Костя прорубил окошко в соседнюю комнату, чтобы можно было общаться с соседями, не передвигаясь по дому.

Молодой человек оказался художником, как считает его бабушка — гениальным, потому и кинулась старушка из Саранска за внуком в Петербург. И живет эта трогательная парочка в терпеливом ожидании грядущей славы, когда в городе Саранске установят памятник скромному, но талантливому художнику Косте.

Костя предложил нам посмотреть его последнюю работу. Картина изображала, как мне объяснили, беспредельный космос, почему-то розового цвета, в котором плавало животное, подозрительно похожее на обычную корову. Из животного вываливались кругленькие какашки. Я постеснялась спросить, какое отношение какашки имеют к космосу.

Бабушка, ласково улыбаясь, спросила, как мне нравится картина. Я ответила, что в целом замысел интересен. Костя расцвел и сказал, что он займет у соседей матрас и мы сможем оставаться ночевать. Я пробормотала что-то вроде: «Мне не хочется вас стеснять». Бабушка сказала: «Если ты, деточка, боишься рокеров, которые во дворе живут, то я тебе вот что скажу: хорошие они люди, к вечеру просыпаются, уезжают в город на мотоциклах и возвращаются только к утру». «А кто еще живет в доме, кроме рокеров?» — спросила я. Выяснилось, что проживает великое множество поэтов, один художник, который рисует исключительно русалок, один колдун и личности без определенных занятий (бабушка назвала их «чудиками»).

В квартире крепко воняло мочой. Ах, бедный воробушек Костя! Славная у тебя бабушка. Мы пожелали Косте творческих успехов в изображении космоса и сказали, что непременно еще зайдем. Мне вдруг захотелось свежего воздуха и нормальных людей.

От Антона, который, насосавшись пивом, сделался томным и начал позволять себе всякие вольности, я избавилась следующим образом. Сказала, что хочу в туалет, нашла проходной дворик и попросила его постоять за углом, покараулить — не идет ли кто, и тихонько улизнула.

Мне нравятся люди, которые постоянно находятся на грани помешательства, я легко увлекаюсь сумасшедшими идеями художников и поэтов, но вот чего я никогда не понимала, так это поэзию бедности. У меня начинается нервный тик, как только у меня заканчиваются деньги. А вот друзья моей юности считали деньги пошлой вещью.

У меня от природы слишком много здравого смысла. Практичность досталась мне от мамочки, которая всю жизнь работает товароведом. Мой отец, талантливый поэт, учил меня летать по небесным высям искусства. Мама всегда опускала меня на землю. В нашей семье говорили: «Папа пишет стихи, мама таскает мясо».

Мама всегда чует гнилой душок, который идет от моих мнимо-романтических выходок. Когда я восторженным голосом рассказываю ей по телефону об очередной своей благородной затее, мама кричит мне из города Хабаровска, что движут мною, как всегда, зависть, жадность до всех удовольствий жизни, распущенность и непомерное раздутое честолюбие. Мама отлично знает: если ее любимое непутевое дитя заговорило высокими словами, значит, жди подвоха.

Практичность моя довольно странного свойства. В делах житейских я отличаюсь редкостной тупостью и рассеянностью. Зато влюбляюсь всегда инстинктивно в мужчин, которые могут или уже заработали большие деньги, которые умеют готовить и стирать и любят детей. Это уж как пить дать. Мой инстинкт самосохранения срабатывает раньше всех прочих чувств. Впрочем, и ко мне, ленивой, распущенной и неразумной, влечет почему-то всегда умных, хозяйственных и заботливых мужиков. Так что мне ничего больше не остается, как передать в руки очередного хозяина свои дела.

Война разума и чувства, деловитости и романтизма идет во мне каждый день. Но обычно легко вооруженная пехота возвышенных чувств терпит поражение под натиском тяжелой артиллерии доводов рассудка. Стоит мне легкомысленно влюбиться в нищего человека, как тут же во мне оживает Даша № 2 и противным скрипучим голосом начинает издеваться надо мной: «Эх! Голубки! Надолго ли хватит, милая, твоего воркования? Когда порвутся последние колготки и надоест ездить на автобусе, у тебя быстро выскочит из головы дурь. Любовь без денег, что печка без дров».

Мама твердила мне все детство: «Даша, не ходи замуж за поэта». Мама прекрасно знала, наученная горьким опытом собственного замужества, что из творческих людей единицы становятся богатыми. Кроме того, натуры художественные в основном на редкость капризны и ненадежны, и с ними лучше не связываться.

Несмотря на такое строгое воспитание, я достаточно снисходительно отношусь к поэтам. В конце концов, если у человека есть талант и сила воли, придет и его звездный час, будут и у него деньги. Но есть другой, трагический, тип талантливых людей. Это люди, которые всю жизнь создают только одно произведение — самих себя. Они поглощают огромное количество разнообразной литературы, они разбираются в музыке и живописи, они обаятельны и остроумны, но все это никчемное дарование и бесполезное образование. Потому что эти люди бесплодны, потому что их тонкие, изысканные души брезгуют черной работой и никогда не возьмут на себя труд чем-либо разродиться. Что тому виной? Может быть, это знаменитая русская лень, может быть, это своего рода душевный столбняк, паралич воли.

В Америке, если человек не хочет работать, он может получать пособие, но общество его презирает. В России, если человек валяет дурака, считает себя поэтом и философом, но чурается работы, которая докажет миру его талант, он все равно будет почитаем и любим, у него будут свои поклонники, которые, нажравшись водки, будут кричать, что общество обывателей не может понять столь возвышенного человека. Я видела много таких сцен. Все это смешно, и глупо, и противно.

Есть тихие таланты — люди, щедро одаренные природой, но их пруд с годами зарастает тиной, ни одна волна не пройдет по его зеркальной глади. Эти люди даже сами себе не хотят сказать: «Я могу».

Мою прекрасную, чувствительную Катюшу увел человек такого сорта — тихий, монашески кроткий, с улыбкой лунатика Кис. Увел в мир, настолько далекий от реальности, что, когда спустя два года они расстались, Катя сказала мне: «Я была словно слепая, у меня только сейчас глаза раскрылись, и я начала осматриваться».

Впрочем, одно сильное оружие у Киса было. Однажды я увидела его голым на нудистском пляже. Боже мой! Там было от чего потерять голову! Между ног у него болтались половые органы невероятных размеров. За таким членом вполне можно было идти в мир бедности, философии, книг и безмятежного спокойствия. Этот член сам был такой сильной реальностью, что весь остальной мир терял смысл. Катя потом говорила мне с горечью: «Как же мне хочется отрезать его член, положить в карман и спокойно уйти. Мне больше ничего не нужно».

Кис и Катюша поселились в очень странной квартире, где часто менялись жильцы. Не менялась только хозяйка, добрейшая славная Рита. Она пускала пожить в свою трехкомнатную квартиру своих друзей, просто знакомых, друзей друзей, знакомых знакомых. Иногда в доме засыпало пять человек, а просыпалось шесть, и проснувшиеся пятеро гадали, кто эта странная шестая личность, очевидно пришедшая ночью. Кроме приблудных людей, в квартире обычно проживало четыре-пять человек постоянно, в течение двух лет. Потом народ менялся.

Я тоже жила в этом доме неделю, по каким-то причинам, кроме меня, никого в нем не было, что случается крайне редко. Мне было очень хорошо и спокойно. Просыпалась я в два часа дня (этот дом приучает к ночной жизни), потом часами напролет пила чай на кухне, где на стене кто-то нарисовал двух влюбленных рыб, слушала прекрасную музыку (ах, какие там можно найти пластинки!), рассматривала картины, которые оставили прежние жильцы, а ночью читала великолепные книги и слушала, как воет сигнализация в коммерческом киоске. Туда, наверное, опять попала бестолковая крыса и сидит сейчас там, полумертвая от ужаса, ждет приезда милиции, которая должна ее освободить. Я даже привыкла к мусоропроводу — он проходит прямо через кухню и время от времени издает песенные рулады.

Дом живет своей, особой жизнью, время в нем давно остановилось. Там, за окном, идут революции, войны, меняются правительства, повышаются цены, а в доме продолжается тихая, сонная, пахнущая пылью и старыми вещами жизнь, какие-то люди пьют чай, водку, шампанское на кухне и ведут остроумные изящные беседы, часами плетут замысловатое словесное кружево. Кажется, что дом этот уже давно стал призраком на туманном острове прошлого, а люди, его населяющие, либо спят, либо умерли. Но надо просто стряхнуть с себя это наваждение, отклеиться от стула, оставить недопитую бутылку вина, собраться и уйти, хлопнув дверью так, чтобы треск пошел по никогда не ремонтированным комнатам.

Многие жильцы странной квартиры так и делали. Уходили добиваться жизненного успеха, уезжали в далекие страны, забывая здесь вещи, даря этому дому кассеты с записями собственных песен, свои картины, любимые игрушки, пластинки, книги, рисунки на стенах, надписи на кафельной плитке в ванной. Поэтому в доме слишком много вещей без хозяев — от дырявых носков до кукол с лысыми головами. Я думаю, лет через десять в этой квартире можно будет делать музей всех молодых и талантливых художников, поэтов, музыкантов, философов, ученых, которые здесь когда-то жили.

А Катюша, лишенная напрочь чувства реальности, упустила тот момент, когда надо было уходить, и живет в том доме до сих пор, медленно сатанея и превращаясь в красивую опасную ведьму. Катя создана быть музой, бродильным началом. Никак не могу понять, как такая тропическая птица родилась в таком скучном провинциальном городе, как Горловка. Родилась и выпорхнула из своего гнезда с ума сводить глупых мужчин своим блестящим оперением. От Кати, томной, медленной и грациозной, идет сексуальный ток, действие которого ощущают не только мужчины, но и женщины.

Когда нам было по 18 лет (мы с Катей ровесницы), она редко удостаивала меня своим вниманием, хотя мы жили в одной комнате. Катюша представлялась мне взрослой загадочной женщиной, имеющей тайные приключения, о которых мне, девственнице, знать не полагалось. Вся атмосфера вокруг, томная, сладкая, жгучая, доводила меня до исступления. Я завела себе пластмассового Чебурашку, у которого свободно вращались уши. Всем своим знакомым я торжественно объявила, что в день лишения невинности поверну уши Чебурашке выпуклой стороной наружу. Теперь наши гости, входя в комнату, первым делом осведомлялись, в каком состоянии Чебурашкины уши.

Выбор мужчины — ответственное дело. Я перебрала в памяти всех мальчиков, с которыми целовалась, и всех взрослых мужчин, которые терлись об меня и тяжко сопели в ухо, — ни одного из них я не представляла в постели. Нужен был новый человек, красивый, нежный, воспитанный, умный, с кем приятно потом завести роман, а главное, которому можно доверить собственную невинность.

Такой человек нашелся, его звали Кирилл. Ему было 26 лет, и он жил со своей сокурсницей, красивой взрослой женщиной. Меня мало мучили сомнения по этому поводу.

Учтите, мне было 18 лет, я еще не знала поражений и считала, что мое хорошенькое личико, наглый взгляд и самоуверенность заставят любого мужчину от 16 до 70 лет делать то, что мне вздумается. Мне Кирилл нравился, так какое мне дело, нравлюсь ли я ему? Должна понравиться! Мы были знакомы, несколько раз болтали в коридоре, у него приятные манеры.

Объект выбран, но где найти место, чтобы произвести столь сложную операцию? Место нашлось очень легко. Моя подруга Ирина снимала комнату в доме неподалеку от общежития. В первую мартовскую субботу она вместе с хозяйкой квартиры собиралась уехать за город. Я выпросила ключ, объяснив Ире, что очень устала от людей, хочу послушать пластинки в одиночестве и обещаю не гадить в квартире.

В пятницу я поймала Кирилла в коридоре общежития и сказала, что назначаю ему свидание в пустой квартире. Кирилл внимательно посмотрел на меня веселыми карими глазами, потом рассмеялся (я всегда его почему-то смешила) и сказал, что непременно придет. Мы договорились встретиться на трамвайной остановке в семь часов вечера.

В субботу у меня было состояние ребенка в канун Нового года. Я ждала праздника и какого-то чудесного подарка судьбы. Днем я отправилась на квартиру, чтобы все прибрать и приготовить к вечеру. Боже мой, какое жалкое жилище! Старые полинявшие обои, разбитый паркет, ободранная мебель. Неужели здесь пройдет самая важная ночь в моей жизни?! А где же свечи, бархатные покрывала, цветы в хрустальных вазах и мебель красного дерева? Ведь именно так я представляла в отроческих снах свою первую ночь. Как там писала одна моя подруга в стихотворении? «Приснись, приснись мне грешный сон, я наяву грешить не смею». Но я-то смею грешить, и хватит корчить гримаски только оттого, что реальная жизнь куда грязнее и неуютнее, чем мои сны. В конце концов, ночью все кошки серы, если выключить свет и зажечь маленький ночник, комната станет теплой и нежной. А эту дырку в обоях можно заклеить плакатом с голой девицей.

В половине седьмого вечера меня так затрясло от волнения, что я достала из шкафчика бутылку дрянного коньяка и отпила глоток. Противная острая жидкость обожгла мой пустой желудок, и меня чуть не вырвало. Я в десятый раз вычистила зубы и подмылась в ванной, дрожащими руками вылила на себя полфлакона дешевых духов «Красная Москва». На хозяйской тумбочке я нашла приторно сладкий болгарский дезодорант и надушила подмышки, которые, сколько ни мой, все равно от страха становятся влажными.

Был мягкий, словно шелковый вечер, невыразимо нежный и грустный. Мы встретились на трамвайной остановке, и я повела его к нашему дому, нашему на сегодняшнюю ночь. Я была в совершенной растерянности и не знала, о чем говорить, и мы всю дорогу молчали. Тихо, как воры, мы проскользнули в квартиру, чтобы не увидели соседи.

Кирилл наморщил нос и осуждающе оглядел нищие комнаты, потом достал бутылку шампанского и плитку моего любимого шоколада «Вдохновение». Все стало просто. Шелест фольги от шоколада, ворчание чайника на плите, плевок пробки из бутылки, милая домашняя суета с передачей друг другу чашек и бокалов, шипение вина. Теперь можно спокойно посмотреть в глаза мужчине.

«Ты знаешь, дорогой, что я девственница?» — «Будто бы, — сказал он и рассмеялся. — Девственницы не находят пустые квартиры и не приводят туда мужчин. Все бывает совсем не так». — «А как бывает?» — спросила я, страшно нервничая оттого, что что-то делаю не так. «Ну-у, — в задумчивости протянул он, — это всегда неожиданно для девушки, обычно против ее воли».

Я уже выпила шампанского, мой страх прошел, и меня понесло. «Сейчас ты убедишься, что ты у меня первый», — решительно сказала я, взяла Кирилла за руку и повела его к кровати. Я быстро разделась, стараясь, чтоб он не заметил, как у меня дрожат руки, и нырнула под одеяло.

Странно, каким тяжелым может быть мужское тело! И почему он так часто стал дышать, как будто пробежал кросс? Как угрожающе заворочался его нелепый отросток!

Меня испугали яростные движения его крепкого тела. «Но, в конце концов, все через это проходят», — подумала я и легла на спину, чтобы впустить в себя таинственного гостя. Я чувствовала в себе храбрость молодого зверя.

Кирилл быстро подмял меня под себя и впился в мою бедную плоть. Теперь до меня дошло чудовищно грубое народное выражение: «Это же надо, в живого человека хуем тыкать». От боли у меня перехватило дыхание, и я издала древний, как мир, крик. Но движение чужой плоти внутри меня не прекратилось. Я пришла в ярость и попыталась отползти, но ударилась головой о спинку кровати. Тут я запросила пощады: «Миленький, отпусти меня. Не могу больше, больно». Но «миленький» довел свое дело до конца и затих.

Первой моей мыслью было то, что я испачкала чужие простыни. Я подскочила и при свете ночника тщательно исследовала белье. Крови не было. Кирилл ласково обнял меня и прошептал: «Дашенька, зачем же ты притворяешься, ведь ты уже давно женщина». — «Да нет же, — чуть не плача, закричала я. — Мне подруги говорили, что у некоторых девушек крови не бывает. А может быть, ты еще не сделал меня женщиной?» — подозрительно осведомилась я. Теперь Кирилл начал оправдываться. «Для надежности нужно еще разок попробовать», — решила я. Даже неприятное ощущение кола, воткнутого между ног, не остудило мою решительность. Мы же все воспитывались честными комсомольцами — раз надо выполнить задачу, значит, надо, и нечего хныкать.

Закусив губу, со слезами на глазах, я отмучилась второй раз, чувствуя себя пациенткой, которой делают сложную операцию без наркоза. Господи, зачем ты придумал для людей такой нелепый половой акт, такие некрасивые унизительные позы?! Все начинается луной, поэзией и поцелуями, а заканчивается смешным месивом тел на смятых простынях.

Вы думаете, мне дали поспать в эту ночь? Как бы не так! Кирилл потом рассказывал мне, как он был возмущен тем, что хитрая девчонка (то бишь я) притворяется девственницей и кричит якобы от боли, чтобы крепче привязать его к себе. Еще трижды за ночь он брал меня почти силой.

Утром у меня болели даже те мускулы, о существовании которых я даже не подозревала, но во мне была гордость солдата, который достойно выдержал свой первый бой.

Совместный сон на удивление быстро связывает людей. Утром лицо этого чужого, почти незнакомого мне человека вдруг показалось мне странно родным. Во мне поднималась волна теплой, неловкой нежности, хотелось приласкаться, но я не знала, как это делается.

Я решила показать себя хорошей хозяйкой. Правда, мама все детство твердила мне, что у меня руки не из того места растут, и единственное, что я умею делать, — это яичница. На мое счастье, в холодильнике нашлись яйца.

Это было мое первое утро с мужчиной. Как славно я хозяйничала! Звенела ложечкой в стакане чая, резала загрубевший хлеб толстыми кусками, жарила яичницу, второпях обожгла пальцы о сковородку. За два года жизни в общежитии я так истосковалась, изголодалась по домашней жизни, что приняла это утро как подарок — мне почудилось, что я снова дома.

Я вернулась в общежитие как победительница. В нашей комнате шумел очередной праздник — негры, арабы, русские сидели на зеленом ковре, пили шампанское и почему-то обсуждали первый полет человека в космос. Не отвечая на шумные приветствия, я прошла через всю комнату, взяла Чебурашку и демонстративно повернула ему уши задом наперед. Что тут началось! Грубый, циничный народ расчувствовался до слез, мне тут же налили шампанского, и началась настоящая оргия воспоминаний. Самого испорченного человека воспоминание о первой ночи делает сентиментальным и слезливым. Мне надарили подарков, дали множество практических советов и нежно благословили на будущие подвиги.

А на следующий день я рыдала так, что, казалось, слезы брызнут у меня из ушей. При встрече Кирилл не пожелал меня узнать. Он шел под ручку со своей дамочкой и посмотрел на меня стеклянным взглядом. В тот же день хозяйка квартиры, где мы занимались любовью, устроила скандал из-за пропавших яиц. Она справедливо заподозрила, что один человек не мог съесть такое количество яиц, следовательно, в доме был мужчина!

Это был день, когда кончилась моя счастливая самоуверенность, мое «Я все могу». Мой первый сильный ожог, мое первое поражение. Меня, пуп вселенной, не заметили! Судьба вручила Кириллу в подарок прелестную нетоптанную курочку, а он вернул ее за ненадобностью, ощипанную и полинявшую.

Я тогда еще не знала, что в любом поражении есть смысл и любой удар судьбы только на пользу моему характеру. Я всегда интересуюсь только тем, что дорого достается. За безнадежное дело я готова ожесточенно драться. Удар рождает сопротивление, в самой сильной усталости кроется непримиримость. Я дала себе торжественную клятву, что заполучу этого мужчину, мой час еще придет, а пока буду учиться быть счастливой.

Но науку счастья я осваивала с трудом. Я мечтала о забытье, которое приносит любовь, и готова была, как лиана, уцепиться за ближайшее дерево. Вся весна прошла в случайных связях. Я прыгала из постели в постель, никого не согревая, и сама дрожала от холода. Вряд ли я доставляла удовольствие своим партнерам — неуклюжая, стыдливая девочка, не знающая даже азов постельной науки.

Самый печальный эпизод был связан с одним журналистом. Его звали Олег. Он довольно хорошо исполнял роль усталого циника, о своих пороках рассказывал с оттенком скуки. Избалованный женщинами, сам пробившийся в жизни, он обладал какой-то сатанинской гордостью. Впервые я встретила человека, для которого связь с женщиной была не удовольствием, не веселой игрой, а лишь средством для удовлетворения своего тщеславия, возможностью потешиться властью над более слабым человеком.

Олег быстро заволок меня в постель. С мучительной неловкостью я ощущала собственную беспомощность. Мне казалось, что тысячи прожекторов направлены на меня, хотя в комнате было темно, и какие-то люди подсматривают за нами, смеются и показывают пальцами на абсурдную постельную возню. Олег обошелся со мной без грубости, но с таким пренебрежением, что я почувствовала себя униженной. Не мог этот человек обладать женщиной без гордыни. Почему некоторые мужчины нежность считают слабостью?

«Ты знаешь, в моей жизни это только вторая ночь с мужчиной. Извини, если я делаю что-то не так», — сказала я. «Знаю, можешь ничего не говорить, — зло оборвал он меня. — Как только я беру в постель очередную женщину, как она тут же заявляет, что я у нее второй мужчина в жизни. Ничего не выйдет, голубушка». Лучше бы он меня ударил.

В дверь позвонили, мы быстро оделись. Пришли какие-то друзья Олега. Через пять минут мы уже сидели на кухне и пили шампанское. Чем больше Олег пил, тем больше он злился и темнел лицом. Взгляд у него стал столь же ласковым, как у замороженной рыбы. В этом человеке происходила какая-то внутренняя драма, ему нужен был объект для ненависти, я просто оказалась под рукой. Он сидел и с тихой злостью говорил мне гадости и радовался, что это слышат его друзья. Мне казалось, что я вижу, как из его рта выползают змеи, маленькие, злобные, ядовитые. Я взяла стакан с шампанским и выплеснула ему в лицо. Лучший способ отрезвить человека. Потом я молча взяла сумку и ушла.

Только на улице я позволила себе расплакаться. Меня захлестнуло невыразимо горькое и жгучее чувство одиночества. В теплой, трепетно-светлой слабости расставленных повсюду ловушек, Господи, не обижай меня, ты отнеси меня на зеленые луга моей любви. Я так голодна, и нет такого хлеба, который утолил бы мой голод. Моя заблудшая юность изголодалась по любви.

Как я завидую простой, налаженной жизни немудрящих людей. Жить с мужчиной, который не мучит себя вопросами, грубым и сильным. Он приходит усталый с работы, я жду его, беременная, в своем теплом, мягком птичьем гнездышке. Он ест с волчьим аппетитом сваренный мною борщ, сыто рыгает, выпивает рюмку водки и берет меня без всяких затей. Ведь бывает такое счастье! А мне подавай что-нибудь с перчиком, с изюминкой, со страданиями и страстями.

Мне так тогда надоело выступать в амплуа маленькой неумелой девочки, что я решила найти себе мальчика, для которого я буду опытной, пожившей матроной. И такой мальчик нашелся! Косте еще не исполнилось пятнадцати лет, когда мы с ним познакомились. Ангел, сущий ангел, с голубыми глазками, губками бантиком и светлыми кудряшками. Я твердо решила с ним переспать. Один его друг уступил нам свою квартиру на ночь.

В 11 вечера у моего ангела подскочила температура до 39 и 8 градусов. Его трясло как в лихорадке, золотые кудряшки взмокли от пота. Мне пришлось отказаться от мысли трахнуть больного, несчастного ребенка. Я вызвала «Скорую помощь», Косте вкололи лошадиную дозу какого-то лекарства, и до утра он спал спокойно. Зато я всю ночь промучилась от вожделения и в 8 утра начала активную атаку на нетрахнутого ангела. Я долго мяла его нежный членик, хранивший еще остатки ночного жара, но членик был безнадежно вял. Костя виновато улыбался и шептал: «Я просто плохо себя чувствую, поэтому сегодня не в форме. Извини меня, дорогая». Эх, не удалось побыть стервой!

Я веселила себя разными способами. В период летних экзаменов я подружилась с покерной компанией. Это были студенты экономического факультета, с утра до вечера играющие в покер. Я тоже пристрастилась к этой увлекательной игре и для удобства общения переселилась к ним в комнату. Я жила с четырьмя здоровыми мужиками, которые меня совершенно не домогались. Это меня изумляло и подстегивало к различным выходкам, но дело не двигалось с мертвой точки. У каждого мужчины имелась своя законная девушка, которой он свято хранил верность.

Днем мы спали, к вечеру продирали глаза, наскребали денег на еду, а ночью начиналась игра. Тогда я впервые увидела взгляд игрока — это взгляд охотника, высматривающего добычу, взгляд противника на дуэли. Покерное бесстрастное лицо и опасные чертики в глазах. Меня забавляло полное пренебрежение к роскоши и уюту у людей, которые с такой страстью пытаются выиграть побольше денег. Невозможно себе представить более жалкую и нищую обстановку, чем в той комнате, где мы жили.

Ребята ставили гроши, но играли так много, что некоторые неудачники проигрывали стоимость магнитофона. Другой их страстью была политика. Они печатали на допотопной машинке воззвания в защиту Ельцина, который в тот период был в опале, и расклеивали их ночью по Москве. Впрочем, я думаю, ими двигали не столько политические пристрастия, сколько желание борьбы, маленькой опасности.

В этих людях жил дух предприимчивости и авантюризма. Они не из тех, кто проводит свою жизнь в ожидании. Просто в то время в стране было мало простора для деятельности, вот они и вкладывали весь свой азарт и жажду деятельности в игру. В них чувствовался аппетит к жизни, и они мне нравились гораздо больше, чем наши болтуны-журналисты, которые целыми днями сидели в кофейне общежития в клубах сигаретного дыма. Гоша, Гера, Сережа, Славик, Витя — я еще встречусь с вами в этой книге, когда вы повзрослеете, возьметесь за ум и начнете ворочать делами по-крупному.

Во время покерного бума я окончательно разодралась со своей подругой Нелей. Произошло это великое событие с помощью Люды, необычайно интересного, на мой взгляд, человека. До нее я никогда не встречала людей с такой эластичной совестью и алчной тягой ко всем благам жизни.

Люда приехала из провинциальной Рязани с твердой целью покорить Москву. У нас у всех была такая цель, только видели мы это покорение по-разному. В Людином случае — это получение московской прописки, выгодное замужество и большое количество денег. Я думаю, вопросы славы, первостепенные для нас, ее мало волновали.

Эта крепкая дельная женщина обладала искусством алхимиков из всего делать деньги. Что-то покупала и продавала, работала в студенческом баре, немножко вытягивала деньги из мужчин, но главным ее умением была способность заводить дружбу с нужными людьми. Я в число нужных людей не входила, так что и подругой не стала. Притом мы инстинктивно друг друга невзлюбили, поскольку обе неисправимые эгоистки. Я знала, что этой женщине нельзя переходить дорогу, она, не раздумывая, свернет мне шею.

Неотразимо вульгарная, она, как и все мы, с годами обтесалась. Мне нравилось ее красивое, волевое лицо и ее неудержимый эгоизм, неуемная жажда жизни. Такие люди опасны, потому что не обременены предрассудками и моралью, но и привлекательны, так как искренни в своей откровенной жадности до всех жизненных утех. Сок и силу давала Люде ее родная рязанская земля, девочки-москвички по сравнению с этой молодой волчицей были просто слепыми котятами. Вообще нам, провинциалкам, они оказались не конкурентками, нежизнеспособные, бесплодные и тепличные создания.

Наша подспудная война с Людой закончилась генеральным сражением летом, после второго курса. В этот период мы по мелочам ругались с Нелей. Мне надоели бесконечные праздники в комнате и постоянный грабеж моего личного времени (на такие шутки Неля была великий мастер). Я решила уходить, но не знала, как это сделать. Наконец подвернулся удачный случай. Мы устроили элементарную бабскую перепалку, во время которой я применила запрещенный прием — назвала Нелю блядью. Неля минут пять ловила ртом воздух, поскольку крепких слов органически не переносит, потом побежала ябедничать Люде.

Люде было совершенно наплевать на наши ссоры, но у нее был свой счет ко мне. Я отбила у нее любимую подругу Юлию, а Люда не прощала, если у нее что-то отбирали.

Она вошла в комнату с целеустремленностью танка, и я поняла, что пришел мой смертный час. «Значит, ты у нас честная женщина, — сказала она со своей неизменной улыбочкой. — Сама возвращаешься по ночам в разорванных до последней ниточки колготках, а Нелю называешь блядью. Ах ты, шлюха паршивая!» — неожиданно заорала Люда и отвесила мне такую пощечину, что я рухнула на кровать. Мы сцепились с яростью диких кошек, но весовые категории были неравны. Мощная Люда легко подмяла меня под себя и пустила в ход свои длинные, каменной твердости когти. Вжик-вжик! И на моем подбородке, шее и руках появились красные полосы. Да, женщины дерутся подло — царапаясь, кусаясь и выдирая друг другу волосы. Рядом бегали взволнованные свидетельницы этой сцены, Неля и Ирина, и пытались нас разнять: «Господи, бабы! Вы с ума сошли! Перестаньте сейчас же!»

Тогда Люда поднялась, страшная и спокойная, и, не переставая улыбаться, вывернула ящик моей тумбочки, вытащила оттуда фотографии, где я была снята в обнаженном виде, и, потрясая ими, заявила: «Я пошлю эти фотографии твоей мамочке, в Хабаровск, и она убедится, что ее дочь — порядочная женщина». Это была жестокая угроза.

Я не помню, где я провела остаток той сумасшедшей ночи, но помню, что, проснувшись в своей комнате утром одна, я долго смеялась. Надо же, никогда не драться в детстве и сцепиться со взрослой женщиной в возрасте 18 лет. Ночная сцена оказала на меня сильное живительное действие и хорошо встряхнула. Я была довольна, что мои нервы спустя несколько часов после событий еще волнующе вибрируют.

Впоследствии мне стал часто сниться один сон. Невероятных размеров мурлыкающая белая кошка с длинными женскими ярко накрашенными ногтями медленно подкрадывается ко мне, а я лежу, зачарованная, не в силах пошевельнуться. И вот прыжок, длинные алые ногти впиваются в мою шею, я слышу нежное мурлыканье. Я задыхаюсь в густой белой шерсти и млею под тяжестью теплого тела. Сладострастный, изнуряющий сон.

Юлия и Люда после этого случая не разговаривали целый год, хотя жили в одной комнате. Если им нужно было что-то сообщить друг другу, они писали записки и даже подарки ко дню рождения оставляли молча на столе.

Это оказалось тяжелой пыткой для обеих, и к концу года у них сдали нервы. Люда, как разумная женщина, все-таки вернула мне фотографии, тем и закончилась эта история.

Теперь Люда — леди до кончиков ногтей. Говорит мягко и чуть-чуть жеманно, одевается очень элегантно, ходит в театры, делает вид, что забыла все крепкие словечки, почти не пьет и совсем не курит. Она так старательно смывала черты своего прежнего вульгарного облика, что ее старые знакомые при встрече с ней иногда ее не узнают. Она окончила курсы этикета, научилась аккуратно пользоваться вилкой и ножом и набросила на все свои отношения с людьми розовый покров вежливости. Люда, конечно, умница, но огонь жизни, когда-то сверкавший в этой женщине, теперь погас. Игра в леди убила в ней все самое страшное, но и самое привлекательное. Мы изредка встречаемся с ней и ведем вежливые разговоры, но иногда мне хочется взять ее за плечи и встряхнуть. «Люда, милая, твоя тщательно скрываемая жизненная ненасытность гораздо симпатичнее искусственной светскости. Оставайся собой».

Я тоже в свое время занималась собственной переделкой. Очистила свою речь от матерных выражений, изменила стиль одежды, поменяла даже интонации голоса — они стали плавными и светскими. Но однажды, на великолепном банкете, меня взяла страшная тоска. Я увидела себя со стороны — скучную, жеманную, натянутую — и поняла, что теряю главное свое сокровище — свою бесподобную непосредственность. Мне хотелось станцевать на столе, громко рассмеяться, выругаться, запеть, крепко, взасос, поцеловать своего соседа по столу, но я была слишком воспитанна, чтобы рассказать всем, какие картины проносятся у меня в голове. С тех пор я твердо отстаиваю свою драгоценную независимость — да, господа, я леди, но до известных пределов. Я не боюсь грязи, и, если понадобится постоять за себя, я снова стану той маленькой шаровой молнией по имени Даша, которая приехала в Москву из провинции шесть лет назад.

А с Людой мы только раз поговорили искренне. Когда я была в гостях у нее на квартире, которую она снимает за большие деньги (а она, разумеется, получила вожделенную московскую прописку, выгодную работу и деньги), мы разговорились на тему путча 1991 года. Я, как водится, пела свою любимую романтическую песню о храбрости и борьбе за демократию. Люда холодно посмотрела на меня и сказала: «А мне плевать. Я при любом строе смогу хорошо жить. Если бы путч победил, я бы уехала в деревню, схоронилась бы годик, подождала, пока бы все забылось, потом вернулась и начала снова пробивать дорогу. Я не из тех, кто идет на баррикады. Я постою и посмотрю, что из этого получится. Я слишком дорого ценю свою жизнь, чтобы подставлять ее под случайные пули». Несколько мгновений мы смотрели друг на друга, ощетинившись, потом взяли себя в руки и перевели разговор в более спокойное русло.

Но вернемся в то жаркое беспокойное лето, когда я маялась без Кирилла. Я тогда впервые напилась, на дне рождения у Катюши. Несколько выпитых мною бутылок пива дали ошеломляющий эффект. Я хохотала как безумная, поливала чью-то лысую голову пивом и уверяла, что на ней непременно вырастут волосы. Потом я легла спиной в торт и обнаружила это только в тот момент, когда один из моих приятелей стал меланхолично слизывать крем с моей рубашки. Дальнейшее помню смутно. Какой-то мужчина уволок меня в ванную комнату, там он раздел меня, долго и нежно отмывал мою спину от шоколада, выстирал мою рубашку, завернул меня, голую и дрожащую, в полотенце и уложил спать в своей комнате. Закончилось все, конечно, утренними слезами и трудной с похмелья головой.

В то горько-веселое лето я оставила Кириллу записку в редакции еженедельника «Собеседник», куда его взяли на работу. Кирилла в это время не было в Москве, и я надеялась, что, вернувшись на работу, он прочтет мое трогательное послание с уверениями в любви и обязательно найдет меня. Я узнала, что он расстался со своей дамочкой Галей, которая укатила из Москвы в далекий Севастополь. Следовательно, путь свободен и надо действовать.

Оставив записку, я уехала во Владивосток отдыхать. Правда, отдых оказался очень специфическим. Я беспробудно пила и никак не могла добраться до моря. Наконец в одно славное утро я твердо решила хотя бы посмотреть на море и отправилась на пляж.

Вдоль всей полоски городского пляжа тянется обрыв, один из способов подняться наверх — красивая витая лестница, по которой почему-то никто не ходит. В жаркий роскошный полдень я соблазнилась этой воздушной лесенкой и стала медленно подниматься по ней наверх. Приблизительно на десятом витке я остановилась, перегнулась через перила и с высоты любовалась переполненным пляжем. Кто-то торопливо поднимался по лестнице, но мне было лень повернуть голову и посмотреть на идущего. Внезапно чьи-то руки с силой прижали меня к перилам, и хриплый голос сзади произнес: «Посмей только закричать, я тебя сброшу вниз». Дав мне несколько секунд подумать над такой неприятной перспективой, эти грубые руки развернули меня, и я увидела перед собой мальчишку лет семнадцати. Пожалуй, красивый мальчишка, если б не его странные темные немигающие глаза, в которых таился беспредельный страх и столь же беспредельная решимость. Я видела, как дергается от волнения его твердый молодой кадык. Одной рукой он крепко прижал меня к перилам, а другой торопливо расстегивал ширинку. «Как глупо, — подумала я. — Днем, на пляже, когда внизу тысяча человек купается и загорает, оказаться изнасилованной каким-то сумасшедшим мальцом. Эх, если бы закричать, но ведь он и вправду невменяем».

От страха у меня вспотели ладошки. Одна рука у мальчишки занята ширинкой, он сам перепуган, следовательно... Я инстинктивно выбрала единственно верную тактику, заговорила мягким, успокаивающим тоном: «Сейчас, миленький, сейчас. Только спустимся пониже». Я тащила его за собой вниз, впечатываясь в перила и обдирая руки, и даже улыбалась при этом. Он был сильнее меня, но все же он еще пацан, мой ровесник. Чтобы показать мои добрые намерения, я потрогала его ширинку, где уже бился небольшой, истекающий соком член.

Добравшись до пятого этажа и почувствовав близость земли, я с ненавистью ударила его сумкой в лицо, резко оттолкнула и бросилась бежать. При этом я выкрикивала все матерные выражения, которые только хранились в моей памяти. Добежав до конца лестницы, я упала на песок и зарыдала. Пляжный народ рассматривал меня с большим интересом. Наверное, это было забавное зрелище — разъяренная фурия, бегущая по лестнице и изрыгающая проклятия на матерном языке.

Сколько мужчин за лето пытались разрывать и осквернять мою маленькую дырочку! А мне хотелось одного-единственного, и я приехала к Кириллу. Он жил тогда в маленькой уютной гостинице «Юность» рядом с Новодевичьим монастырем. Редакция «Собеседника», куда его взяли на работу, не смогла дать ему московскую прописку, а уж тем более квартиру. И на целый год замшево-плюшевый мягкий номер гостиницы стал нашим домом.

У меня были трудности с проходом в отель. Надменный швейцар вечно тормозил меня и требовал документы. Но со временем то ли он привык ко мне, то ли я научилась делать нейтральное, чуть усталое лицо человека, спешащего после трудного командировочного дня в свой законный номер, — во всяком случае, я уверенной походкой проходила к зеркальному лифту, и никто меня не останавливал. Горничные тоже быстро привыкли ко мне и даже полюбили, баловали, одалживали в трудные времена чай и сахар и давали множество советов, как надо жить.

Я люблю жить в гостиницах. Все здесь случайно, временно и ненадежно. Воздух насыщен приключениями и желаниями. И даже семейная жизнь вдвоем не бывает скучной, потому что на нее не давит быт. Ловкие горничные сменят белье и аккуратно пропылесосят полы, утром в кафе ждет вкусная яичница и даже неплохой кофе, вечером можно спуститься в ресторан, и никогда не приходится искать по ночам у таксистов водку, ее всегда можно достать в гостинице. Но самое главное, постоянная смена людей вокруг, новые знакомства, встречи и прощания.

В замкнутый мирок любовной пары вторгается сама жизнь — капризная, своенравная, неожиданная. Кто только не бывал у нас в номере, кокотки и игроки, наркоманы и хиппари. И для каждого находился стакан вина. Помню случайную компанию из трех мужиков, которая забрела к нам, кажется, в поисках сигарет. Потом они остались выпить чаю, это уж как водится, а в результате мы устроили марафон анекдотов, которые рассказывали все по очереди до пяти часов утра. Мы так хохотали, что разбудили соседей за стеной и они ожесточенно стучали нам в стенку.

Я люблю подслушивать через стенку, что делается у соседей. Кто-то бренчит на гитаре, кто-то скандалит и бьет товарищу морду, кто-то занимается любовью, и равномерный скрип кровати нас дико возбуждает, вот кого-то рвет после выпитого спиртного. Я люблю дразнить утром горничную, когда она скребется к нам в номер, надеясь, что мы уже встали, а мы тут же затихаем. Я люблю неспешное воскресное утро, когда можно валяться до двенадцати часов, затем спуститься вниз за бутербродами, перемолвиться словечком с дежурной по этажу, со вкусом допить остатки вчерашнего шампанского. Хорошо лежать вдвоем в постели, не трахаясь, а просто прижимаясь друг к другу, лениво целоваться, болтать глупости. А вот уже бьют колокола в Новодевичьем, значит, можно одеться и пойти погулять на кладбище среди могил, перебирая обрывки стихов и напевая забытые мелодии.

Я с нежностью перебираю гербарий прошлого — засушенные лепестки цветов моей юности с легким ароматом. Воспоминания больше не останавливают сердце, они смягчились до горьковатой ностальгии.

Я тогда училась любить мужчину. Это очень серьезное и важное занятие. Но мне не хватало терпения. С резкостью юности я бралась за выяснение отношений и чаще всего терпела поражения в наших схватках. Я еще не знала удивительного закона любви: запасы нежности не бесконечны и заканчиваются в тот момент, когда любовь пытаются оформить словами. Но я по своей журналистской привычке всегда все пыталась объяснить, растолковать, докопаться до сути в том тонком деле, в котором слова вообще не нужны. Я анализировала свои чувства как ученый, вспарывала, как неумелый хирург, внутренности нашей бедной любви. Я старательно ковыряла бутончик, тормошила его и распрямляла лепестки, надеясь, что он скоро превратится в розу, а бутончик взял да увял.

Лицо Кирилла расплывается во времени, в памяти осталась только плоская фотография. Его любовь ко мне была жалостью, нежностью к маленькому спотыкающемуся зверенышу, который засыпает на его груди, утомленный первыми забавами любви. Пробуждение безучастного тела длилось очень долго. Я равнодушно подчинялась его умным рукам и лишь спустя три месяца впервые почувствовала радость в мускулах.

Ах, милый Кирилл! Какой же огромный у тебя член! Первое время, когда ты пропихивал его в мое бедное узенькое влагалище, я постанывала от боли. Потом оно разносилось до такой степени, что все остальные мужские члены болтались там, как карандаши в стакане. Тебе нравилось заниматься любовью в экзотических местах. Помню, как ночью мы разговаривали с тобой в коридоре общежития и вдруг безумно захотели друг друга. Я была в шубке, а ты в толстой неудобной куртке, но это не помешало тебе мгновенно разобраться в бесчисленных складках одежды, развернуть меня к окну и взять меня сзади, страстно шепча мне на ухо: «Я тебя ебу, мою маленькую сучку, я подкрался к тебе сзади, а ты не успела убежать, мое покорное животное». Я уткнулась носом в стекло, передо мной качались ночные огни города, а в небе кувыркались звезды. «Так, наверное, делают любовь эскимосы, — думала я. — Там же холодно, они не могут раздеться. Они задирают полы шуб и совокупляются сквозь проделанные в одежде дырочки».

В коридоре послышались чьи-то шаги и голоса, но мы не прекратили наше ритмичное движение навстречу друг другу. Мимо прошла целая компания и не обратила на нас никакого внимания. То ли просто не заметили (с виду мы напоминали романтичную парочку, которая изучает в окне звезды), то ли не захотели заметить. Ведь влюбленные в ДАСе всегда могут рассчитывать на сочувствие.

У Кирилла было все, что должно быть у мужчины, а лицо сохраняло очаровательное мальчишеское выражение. Его все любили и баловали. Его обаяние, такт и внутренняя грация производили неизгладимое впечатление на женщин. Когда он пускал в ход свою застенчивую улыбку и все лицо озарялось милым мечтательным сиянием, его сразу хотелось притянуть к себе и погладить. Пожилым матронам он нравился за свою врожденную вежливость.

Мне нравилось наблюдать, как Кирилл, человек отменного воспитания, с крепко взнузданным половым инстинктом, превращается в постели в неуправляемое животное. Супервежливый интеллигентный молодой человек в момент райского блаженства изрыгает столь чудовищные выражения, от которых даже портовый грузчик залился бы румянцем смущения. Это его второе, звериное, «я» возбуждало меня до крайности. Приятно было сознавать, сидя с ним в светской компании, что, как только гости выйдут за порог и он доберется до меня своими щупальцами, мигом слетит с него маска деликатности и добропорядочности.

Кирилл утверждал, что единственная поза для любви — это поза животных, когда кобель набрасывается на сучку сзади. «В этом положении самка не может укусить, — говорил он. — Так делали любовь наши предки. Первобытная женщина наверняка не находила удовольствия в сексе и считала его грустной неизбежностью. Она, как всякая сучка, сопротивлялась и убегала от своры самцов. Значит, надо было ее поймать, бросить на землю и яростно взять ее, рычащую от злобы».

Недавно я посмотрела фильм о брачном периоде у жаб. На одну самку приходится десяток ошалевших от страсти самцов. Чтобы спасти свою жизнь, бедной самке нужно удрать в тихое место с одним из возлюбленных, иначе вся свора бросится на нее и разорвет в порыве страсти. Это жуткое зрелище: месиво сумасшедших жаб давит одну беспомощную самочку и беспорядочно спускает сперму. Иногда в своих снах я убегаю от брызжущих спермой змей, и в сладком ужасе сжимается сердце, когда этот клубок докатывается до меня. Гигантские змеи, теплые, гладкие, чувственные, с сияющими глазами, сдавливают меня в объятиях и просовывают меж моих губ свои длинные трепещущие жала. Я задыхаюсь от тяжести их тел и захлебываюсь от стекающего в рот яда, у которого почему-то вкус спермы.

Наши красивые желания теряли часть своей притягательности, когда в дело шли презервативы. О противозачаточных таблетках тогда даже и не слышали и пользовались толстой советской резинкой. Но и эти гладкие презервативы были дефицитом. Поэтому нам приходилось стирать уже использованные презервативы и развешивать их сушить на веревке. После стирки они лишались смазки и превращались в грубую шершавую резину, натужно скрипящую при входе в нежные стеночки моего влагалища. Иногда, развлечения ради, мы наливали в презервативы воды и развешивали по комнате забавные водяные шарики, шокирующие гостей.

Под ДАСом росло чудо природы — «презервативное» дерево. Ленивые студенты выбрасывали использованные контрацептивы не в мусорное ведро, а прямо за окно. В зимний период, когда сильный ветер унес последние желтые листья с деревьев, растущих под общежитием, только презервативы продолжали держаться на голых ветках, как стойкие солдаты фронта любви.

Лопнувший советский презерватив послужил причиной моей огромной беды — я забеременела. Кончилось мое детство. Кирилл взывал к моему здравому смыслу — у него нет никакой прописки, и по советским законам мы даже не можем пожениться, мы живем на птичьих правах в гостинице, он зарабатывает слишком мало денег для того, чтобы снять квартиру и содержать ребенка. Все это так, но новая жизнь, завязавшаяся во мне, не признает никакого здравого смысла, она сама единственный здравый смысл. «Ты должна сделать аборт, — твердил Кирилл. — Ребенок для нас сейчас просто гибель». А я думала о том, что дитя, которое я ношу, должно быть привлекательным, как первый ребенок, рожденный на земле.

Ведь мы молоды, красивы, здоровы и зачали его в момент непередаваемого блаженства. Когда Кирилл засыпал, я со страхом рассматривала его лицо, отстраненное и таинственное. В спящем незнакомом мне человеке проступал второй облик, в нем не было ни мягкости, ни великодушия. Я обнаружила, что он жесток и упрям и если что-то задумал, то не отступится.

В это и без того тяжелое время меня выгоняли из университета за прогулы. Я была слишком занята своей любовью, чтобы думать об учебе. Приказ об отчислении уже отдали на подпись декану, но я собрала всех своих подруг и отправилась с ними просить о помиловании. Декан факультета журналистики Ясен Николаевич Засурский, добрейшей души человек, спас в свое время от отчисления множество талантливых, но легкомысленных журналистов. Он принял нас, ораву плачущих и ноющих девиц, в своем кабинете и, посверкивая стеклами очков, строго сказал: «Чтоб это было в последний раз». Казнь отменили.

В тот же период я выиграла конкурс красоты «Мисс Московский университет». Как всякую здоровую, полную сил женщину, беременность меня только украсила — я слегка пополнела, грудки у меня больше не острились, как у молоденькой сучки, а налились соком и стали крепкими, как яблочки.

Конкурс проводился в ДАСе силами студентов и большого успеха не имел. У меня было всего четырнадцать соперниц. В конкурсе чувствовалась самодеятельность и доморощенность. Так что с самого начала мое гордое звание «Мисс МГУ» было основательно подмочено. Мне вручили корону из картона и огромный торт. Мой папа назвал меня картонной королевой. Свой титул я носила с гордостью и сразу стала пользоваться бешеным успехом у горячих южных мужчин. «Лица кавказской национальности» придают огромное значение престижу. Поскольку я оказалась «престижной» женщиной, со мной надо было дружить. С этого момента я стала одним из самых ярких объектов сплетен в ДАСе.

Внутри меня поселился слоненок. Я всегда немного стыдилась своего аппетита, но тут отбросила всякие стеснения и стала есть за троих. Мой аппетит стал очень капризен. Сегодня я с ума сходила по апельсинам и съедала их по восемь штук зараз, а завтра я смотреть не могла на цитрусовые, зато стаканами пила помидорный рассол. Меня совсем не тошнило, но я потеряла всякий интерес к спиртному и сигаретам. Моя кипучая энергия в период беременности только возросла — мне хотелось бегать, прыгать и танцевать. По-видимому, я принадлежу к тому редкому типу женщин, у которых беременность только увеличивает их силы.

Чем основательнее мой организм перестраивал свою работу, чтобы лучше растить ребеночка, тем горше мне сознавать, что все его хлопоты напрасны. Природа старалась сделать из меня хорошую мать, а я твердо решила прервать ее великолепную работу.

И все же материнский инстинкт сильнее любых расчетов. В период беременности я как-то шла по улице в гололед. Разумеется, поскользнулась и упала. Моим первым инстинктивным движением было защитить живот. Я с трудом поднялась и, нежно поглаживая выпуклость живота, стала приговаривать: «Тихо, мой маленький, не плачь. Мы ведь не больно ударились, правда? Больше твоя глупая мамка не будет падать». Ласковый бессознательный лепет, обращенный к ребенку, которому не суждено родиться. Когда ужас ситуации дошел до меня, я закусила губы, чтобы не разрыдаться. Я не могу позволить этой боли разрастись, иначе она задавит меня.

В период беременности мои сексуальные желания достигли апогея. Я начала понимать смысл наслаждения и тайное, неземное блаженство объятий. Исполнилась моя смутная мечта — свернуться клубочком в теплом восхитительном убежище, набираясь сил после сладко изнурительного поединка.

Но за такое острое, почти нестерпимое счастье всегда приходит расплата. Пришло время ложиться в больницу на аборт. Самое ужасное в этот момент — это заботливая суета мужчин, когда они пихают яблочки и бутерброды в сумки для своих возлюбленных, укладывают в пакеты ночные сорочки, трусики и теплые носочки и ласково подталкивают своих дам к входу в больницы, стыдливо пряча глаза.

Нас в палате было пятеро — трое русских, одна кубинка и одна вьетнамка. Кубинку со слезами провожала толпа шумных друзей, которые умудрились пробраться даже в приемный покой и там дать ей последние наставления, сопровождая их поцелуями и объятиями. У кубинки была удивительная фигура, идеал восточной поэзии — небесно легкая верхняя половина тела и тяжелая, земная нижняя часть. Ее звали Мерседес, мы с ней подружились и общались потом в течение трех лет, пока она не уехала к себе домой, на Кубу. Вьетнамка пришла одна, без мужчины, и, глядя на ее миниатюрную и нежную фигурку, трудно было представить, что завтра холодные металлические инструменты начнут в этой хрупкой плоти свою страшную работу. Она почти все время молчала, поскольку плохо знала русский язык.

Палата оказалась чистой и уютной. О предыдущих жертвах напоминали только матрасы, пропитанные кровью, которые мы быстренько застелили свежим бельем. Мы сблизились мгновенно — так, наверное, сближаются пассажиры на палубе тонущего корабля. Все продукты, принесенные из дома, сложили в общую кучу и с аппетитом принялись за еду, так как скудный больничный ужин только раздразнил желудок.

В палату к нам заглядывали скучающие беременные женщины, лежащие в больнице на сохранении. Они с большой гордостью демонстрировали свои огромные животы и с легким презрением рассматривали наши бледные напряженные лица. На стенах висели красочные плакаты, с убедительностью доказывающие преступность наших намерений. «Надо бы содрать эти чертовы плакаты со стены, — ожесточенно сказала моя соседка, красивая 22-летняя Наташа. — Знаешь, когда я забеременела в первый раз и собралась рожать, от меня ушел мой муж. Я была уже на седьмом месяце, и вот захожу в туалет, снимаю штаны и вижу, как у меня из дырки крохотные ножки торчат. Закричала так, что прибежала мать, отвезли меня в больницу. Оказалось, выкидыш — выпал из меня маленький мертвый мальчик. Мне с тех пор все время снятся детские ножки. А сейчас мне трын-трава — живу, как сорняк в поле».

Из холла больницы я позвонила Кириллу. «Ты должна решить все сама, — сказал он. — Я устраняюсь. В конце концов, это твой ребенок». Опять сама, мячик снова прикатился ко мне. Какое страшное одиночество таится в беременности! Ты одна со своими страданиями, и никто не может тебе помочь — ни любимый, ни друзья.

Наша комната пропахла страхом, и время стало тягучим и липким, как клейкая бумага, на которой корчатся мухи. В складках наступившей ночи таилась опасность. Никто не мог спать. Лежа в зловещей темноте на убогом ложе, я чувствовала тошнотворный запах крови, исходивший от тюфяка. Сколько женщин до меня мучились бессонницей на этой кровати! Господи, вот чем закончились все мои честолюбивые мечты, жизнь спустила меня на общий уровень.

Мысли расползались, как пауки, которых мы в детстве ловили, сажали в коробочку, а они все равно уползали, когда кто-нибудь случайно поднимал крышку. Нельзя молчать, иначе тишина раздавит нас. Мы болтали о всяких пустяках, пока не услышали крики с улицы: «Маша! Поз-дра-вля-ем!» Так кричали друзья какой-то счастливой роженицы.

Утром нас разбудила бодрая медсестра: «Девочки, поднимайтесь на аборт!» У меня сердце стучало, как у зайца, когда я первой зашла в операционную (всегда не любила ждать). Просмотрев мою медицинскую карту, одна из сестер сказала: «Эта девочка пойдет последней. Она переболела желтухой». — «Ничего, — произнесла густым басом мужеподобная акушерка, — я ей вручную сделаю». Она закатала рукава, и я со страхом увидела ее руки, способные порвать пасть аллигатору.

Ах, какой чудесный разноцветный сон я увидела под действием наркоза. Я снова была маленькой и играла горячими камешками на берегу моря. Солнце припекало, и я надела на голову панамку. «Эй, просыпайся», — кто-то с силой тряс меня за плечо. Я открыла глаза и с нежностью прошептала наклонившейся надо мной медсестре: «Вы из моего детства». Она рассмеялась: «Мне уже сто раз это говорили. Поднимайся, девочка. В коридоре очередь ждет». Внешний мир стал проступать в сознании. «Мне уже сделали аборт?» — спросила я. «Да-да, вставай, — ответили мне. — Сама до палаты дойдешь?» Я кивнула и осторожно поднялась. Не может быть, чтоб из меня лилось столько крови. Я вышла из палаты с блаженно-идиотской улыбкой на лице, чем страшно перепугала моих соседок. Какая-то нянечка глянула на меня и, вздохнув, сказала: «А лицо-то у нее совсем зеленое. Отведите, девоньки, ее в палату и положите лед на живот».

Через час я уже хотела есть и чувствовала себя сильной и бодрой. Последней пришла, пошатываясь, вьетнамка. Она свернулась на кровати в беспомощный комочек и застонала. Бедная девочка напоминала раненое животное, безнадежно приготовившееся к смерти. Ее тщедушное полудетское тело вздрагивало от толчков боли, идущей изнутри.

На следующий день я сдавала экзамен в университете. Нас выписали из больницы всех, кроме вьетнамки. У нее к вечеру поднялась температура, и ее оставили на второй аборт (на больничном языке это называется повторной чисткой).

Сразу после удара почти не чувствуешь боли. Спасительный инстинкт самосохранения задвигает черные мысли глубоко в подсознание. Внешне я была весела и спокойно сдавала экзамены, но единственной моей мечтой было уехать домой зализывать раны. С отчаянием ребенка я рвалась к маме, в теплый уютный дом, где пахнет пирогами, на полках стоят любимые книги, где я, несостоявшаяся мама, сама стану любимым и избалованным дитем.

* * *

Дома я ожила и отогрелась, но уже на второй день каникул я стала замечать на себе следы какой-то ужасной болезни. По всему телу быстро распространялись маленькие язвочки. Через некоторое время они разрастались и превращались в большие гноящиеся незаживающие раны. Я заживо гнила, сначала ноги покрылись сплошной коростой, потом руки. А однажды утром я не узнала в зеркале свое прелестное личико — странная болезнь оставила на нем свои отметины.

«Нервная экзема» — такой диагноз поставили врачи. «Ваша дочь перенесла какое-то тяжелое нервное потрясение, — объясняли они маме. — Пока она не успокоится, болезнь будет развиваться».

Начались кошмарные дни. Утром я вставала с постели и видела намокшие за ночь от гноя простыни. Уши превратились в одну сплошную язву, и с них постоянно капал гной. Когда за мной никто не мог наблюдать, я раздевалась и с отвращением рассматривала собственное тело. Неужели это я, Мисс МГУ, самая хорошенькая девочка в университете? Неужели моя кожа навсегда останется такой и ни один мужчина не захочет спать со мной? Безобразная ящерица, покрытая чешуйками.

«Плачь, Дашенька, легче станет. Почему ты не плачешь?» — спрашивала мама и сама заливалась слезами. «Мама, перестань. Я не могу плакать, не могу, понимаешь?» — говорила я. Когда женщина не может плакать, это страшно. Я, устраивающая истерики из-за порванного чулка или пропавшей ленты, теперь не могла выдавить из себя и слезинки. Душа моя уже не была податлива, как воск, она затвердела.

Едкий запах лекарств пропитал всю квартиру. Мне не разрешали мыться, и вскоре собственное тело стало мне противно. Меня водили к умным важным профессорам, которые рассматривали меня, как невиданную зверушку, ощупывали и показывали в качестве научного пособия студентам. В венерологический диспансер я ходила как на работу и, ожидая приема врача, разглядывала большой портрет Ленина, который висел над дверью кабинета, где принимали анализы, с подписью: «Ленин жил, Ленин жив, Ленин будет жить».

Когда кончилась вера в науку, мама потащила меня к колдуньям и знахаркам. Мне нравилась старушка, к которой меня возили. Она была маленькая, сморщенная и аккуратная, вечно что-то бормотала под нос и всю меня тихонько гладила. Старушка утверждала, что меня сглазили, кропила меня святой водой и порекомендовала травы.

Спустя месяц после болезни отчаявшиеся родители наварили несколько ведер трав, и я с наслаждением выкупалась в черной, остро пахнущей воде. Потом меня намазали медвежьим и енотовым салом, которое принесли папе в подарок из тайги сильные большие мужчины, и уложили спать. Я подумала, что вполне сейчас сойду за индианку — они тоже пахнут травами и мажутся жиром.

Единственный человек, который верил в то, что я снова буду красивой и здоровой, это была я сама. Даже если я терплю поражение, я не признаю себя побежденной. Каждый день я глотала огромное количество таблеток-транквилизаторов и получала порцию успокаивающих уколов, которые мне делала наша соседка, огромная тетя Наташа. Она работала в сумасшедшем доме, и у нее был большой опыт успокоения самых буйных пациентов. Каждый вечер я с ужасом смотрела, как она приближается ко мне, похожая на гигантскую добродушную сову, с иголкой в руках и ласковыми словами. Я получала такое количество наркотиков, затормаживающих эмоциональную жизнь, что в конце концов потеряла всякую ориентацию в пространстве. Большую часть суток я спала, потом вставала, бродила по дому, как сомнамбула, и в рассеянности натыкалась на косяки дверей.

Пришла весна, я почти выздоровела и в буквальном смысле сменила по-змеиному кожу. Новая кожа оказалась бледной, с жуткими синюшными пятнами, но почти гладкой. От прежней Даши остались только крохи нежности и наивности, родилась новая женщина, опасный позолоченный скорпион, готовый укусить любого, кто приласкается. Слишком много яда накопилось в сердце. Я чувствовала необходимость избавиться от анонимности — в течение месяца я была только пациенткой для врачей и больным ребенком для родителей. Нужно вернуться в Москву, чтобы снова стать Мисс МГУ, красивой, имеющей множество поклонников женщиной, умным собеседником, а главное, возлюбленной.

Но с любовью вышло все не так, как я ожидала. Ее аго-ния длилась еще несколько месяцев. Мы ругались с Ки-риллом, он прогонял меня, а я возвращалась, потому что истинная любовь не знает ни самолюбия, ни гордости. Я узнала иной восторг — саморастворения в другом суще-стве, падения в прах, унижения и ползанья в пыли только ради минуты счастья.

«Я не могу жить с тобой, — говорил Кирилл. — Ты меня забираешь целиком. Когда ты рядом, я живу только твоими проблемами, только твоей жизнью, а не своей соб-ственной». Он был прав, он хотел излучать свой свет, а не мой, отраженный. Как человек эмоциональный, Кирилл нуждался в равновесии и покое, как человек творчес-кий — в постоянной похвале и поощрении. А я сама была сплошным фейерверком и дня не могла прожить без ком-плиментов.

От всех моих страданий меня отвлекла летняя практи-ка в пресс-центре Министерства внутренних дел, куда я попала благодаря знакомству с одним любопытным чело-веком. Назовем его Иваном Владимировичем.

Его поведение изобличало в нем человека, знакомого только с приятными сторонами жизни. Сибарит и эпику-реец, он был похож на избалованного сытого кота, кото-рому лень поймать мышь. Но под бархатной перчаткой его мнимого добродушия чувствовалась железная рука. Я и по сей день не знаю, чем он занимался в пресс-центре МВД, знаю только, что он был Большим Человеком. То бишь его вечно все искали, перед ним заискивали и все время отводили в сторону пошептаться. Он был неуловим, как привидение, неизменно весел и всегда широко улыбался. Его жизнелюбие, апломб и хроническое веселье действо-вали на окружающих как вино. Мне кажется, если бы рух-нуло здание МВД, он бы вылез из-под обломков живой и невредимый, с вечной прибауткой на устах: «Эх, черти!»

Но я хорошо знала цену его улыбки — какой бы со-лнечный полдень ни сиял в нижней части его лица, глаза цвета серого льда никогда не улыбались. После короткого знакомства (я, кажется, брала у него интервью) Иван Владимирович сказал, что очень озабочен моей судьбой, и предложил встретиться вечером у метро «Колхозная».

Мы пришли в очень странную, почти пустую квартиру, где были только стол и диван. На столе уже очень умело был сервирован ужин на двоих с шампанским для дамы и коньяком для кавалера. «Что за дом?» — удивленно спросила я, заметив, как привычно Иван Владимирович открыл дверь своим ключом. «Одного приятеля», — был ответ. Только потом я узнала, что эти «явочные» квартиры, используемые высокопоставленными сотрудниками милиции для пьянок и гулянок, принадлежат людям, отсиживающим в тюрьме долгие сроки. Иногда за большие деньги или по знакомству туда заселяли влиятельных мужчин и хорошеньких любовниц, не имеющих московской прописки и квартиры. Однажды мне и мой подруге Жанне тоже предложили подобную квартиру, но, когда мы узнали, что там произошло убийство, у нас пропало желание жить в столь приятном месте.

Иван Владимирович налил мне шампанского и повел задушевные разговоры, налегая на коньяк. После того как бутылка опустела, а речь моего собеседника осталась четкой и размеренной, я поняла, что это человек старой закваски, крепкий во хмелю. Разве что чуть сильнее заблестели глаза и чуть откровеннее стало хвастовство. Он рассказал, что был помощником Чурбанова, министра МВД времен застоя и зятя Брежнева. Чурбанов в тюрьме, а он, Иван Владимирович, на свободе и наслаждается жизнью. Рассказывал, как первым поздравил Брежнева с каким-то очередным орденом, как видел на даче купающуюся в ванне развратную Галю Брежневу, которая не стеснялась показаться перед ним голой.

Чем больше он говорил, хвастаясь своими сильными связями, своей ловкостью и умением жить, тем отчетливее вырисовывался образ человека отменного здоровья, с хорошим аппетитом к жизни, уверенного в себе и беззастенчиво пренебрежительного к другим. Шутливая легкость его тона выдавала нетерпеливость желания. Он придвигался все ближе, я уже чувствовала его дыхание на своей шее. Вдруг он запрокинул мою голову и крепко поцеловал в губы. Меня возбудил этот вкусный коньячный поцелуй, но из благоразумия я отодвинулась. Тогда он стал обещать мне золотые горы, по его словам, я буду как сыр в масле кататься, если воспользуюсь его дружбой. «Простите, Иван Владимирович, что я так откровенна, но между нами ничего не будет», — сказала я и попыталась улыбкой смягчить отказ. Надо отдать должное этому человеку, он умел проигрывать, вернее, умел выжидать. «Что ты, милая, — сказал он ласково, — я ведь тебе просто работу предлагаю, а с любовью ты решай сама».

Я привела на летнюю практику в МВД двух своих хорошеньких подруг, и началась веселая жизнь с ресторанами, презентациями, пьянками, только работы для нас не было. Везде Ивана Владимировича встречали с почетом и даже некоторой долей подобострастия, из чего следовал вывод, что милицию у нас ценят и уважают. Наш всемогущий куратор был щедр и иногда дарил нам мелкие суммы денег «на конфеты». Но стало ясно, если мы хотим добиться большего, надо переспать.

Одна моя подруга из чистого любопытства с ним переспала, и выяснилось, что секс для него лишь способ самоутверждения. Ему важно знать, что красивая женщина была у него в постели, а на удовольствие он уже не способен. Любовница — это так же престижно, как дорогая машина. А еще важнее, чтоб окружающие думали, что все его сотрудницы переспали с ним. Этой цели служат щипки за пикантные места, намеки, улыбочки, фривольный тон, но не надо пугаться, за этим ничего не стоит. Главное — хороший блеф.

Только один раз мы с Юлией испугались по-настоящему. Однажды нас на черных «Волгах» холодной октябрьской ночью отвезли за город, в какой-то санаторий. Сторож уже был предупрежден, по-видимому, не первый раз сюда приезжали веселые милицейские компании. В маленьком домике нас ждал накрытый стол и кровати, застеленные свежим бельем. Мы с Юлией обменялись испуганными взглядами и, кажется, спросили вслух с коротким смешком: «А для кого кровати приготовили?»

Отпросившись в туалет, мы зашли за угол дома и обсудили ситуацию. Ночь, незнакомое место далеко за городом, компания мужиков и наша полная беспомощность. «Юлия, прикидываемся дурами, — сказала я. — Ничего не понимаем, глупо хихикаем, друг от друга ни на шаг не отходим. В конце концов, не будут же они нас всерьез насиловать. Ты запомни, если одну уволокли в уголок, то у второй просто выхода нет. К ней тут же начнут приставать».

Далее спектакль шел как по маслу. Мы с аппетитом ели, умеренно пили, а через час запросились домой. С полным непониманием мы смотрели на заигрывания мужчин. Нас увели гулять по лесу, но и тут мы не отстали друг от друга, а если терялись, то аукались. После прогулки раздраженные мужчины отвезли нас домой. Моя карьера в пресс-центре МВД на этом закончилась.

Осенью у моей любви случился приступ бабьего лета, последние сладкие сумасшедшие денечки. Мы занимались с Кириллом любовью до томительного головокружения, и во мне поселилась наивная надежда, что все еще, может быть, сложится.

В конце октября Кирилл уехал в командировку, и я несколько дней наслаждалась в одиночестве уютной жизнью в гостинице «Юность». Как-то днем раздался междугородный звонок, и, хотя Кирилл запретил мне отвечать на телефонные звонки, я сняла трубку в полной уверенности, что звонит моя мама. «Алло, скажите, а где Кирилл?» — спросил взволнованный женский голосок. Я отвечала, что он уехал в командировку. «А вы кто такая?» — требовательно спросила женщина. Я разозлилась и гордо ответила: «Я его невеста. А в чем дело?» Несколько секунд в трубке была тишина, потом голос растерянно сказал: «Но я тоже его невеста».

Далее в течение получаса невидимая женщина выливала на меня свой гнев. Она оказалась той самой Галей из Севастополя, с которой Кирилл жил в общежитии полтора года назад. «Как вам не стыдно! Вы просто хищница, а я его люблю, и он меня любит. Я была беременна, но у меня случился выкидыш. Вы не имеете права с ним жить». — Я выслушала этот бессвязный монолог оскорбленной любящей женщины. Во мне проснулась женская солидарность, я попыталась объяснить, что мы с ней в одинаковом положении, я тоже оскорблена и обманута и, в конце концов, её гнев должен относиться не ко мне. Она бросила трубку.

Через минуту раздался еще один звонок. Услышав мягкий голос Юлии, я разрыдалась: «Юленька, приезжай быстрее, я умираю». Пока Юлия ехала ко мне, я успела еще дважды поговорить с Галей, которая в полной истерике выкрикивала совершенно необоснованные обвинения. Я оказалась в дурацком положении: утешать плачущую женщину, когда сама находишься на грани истерики, чрезвычайно трудное дело. Положив трубку, я в раздражении подумала: «Меня бы кто утешил! Почему я, двадцатилетняя, должна утешать дамочку, которая старше меня на восемь лет?! Она старше, значит, должна быть умнее и опытнее. В конце концов, это мой первый мужчина и первая любовь, я должна просто на стенку лезть от горя».

Приехала умница Юлия, и я залилась слезами. Выслушав мой рассказ, Юлия побледнела и сказала: «Ну и сука! Я не знаю как, но мы должны отомстить!» «Если он свинья, значит, и я могу быть свиньей», — решила я и вытряхнула содержимое ящика письменного стола на пол. В течение часа мы перебирали шуршащие, как луковая шелуха, конверты, бесцеремонно читали нежные письма, пока не нашли еще одну жертву роковой влюбленности — некую Свету из города Волгограда, которую время от времени навещал любвеобильный Кирилл. Три романа в разных городах за один год — неплохой урожай для ловеласа средней руки. Как нелепо закончился мой восхитительный и скоротечный сон!

«Я знаю, что надо делать! — вдохновенно сказала Юлия. — Мы отомстим по-своему, по-журналистски. Мы выпустим разоблачительную стенгазету с выдержками из писем, жестокую и непристойную». Через некоторое время комната превратилась в маленькую, но боевую редакцию. Решив, что мое моральное состояние непригодно для сочинения язвительных заметок, Юлия сама взялась за работу. За окном была сырость и скука холодной октябрьской ночи, а в нашем номере стучала пишущая машинка, плавал сигаретный дым и кипел на маленькой плитке бульон из гадких магазинных шницелей — Юля сочла, что у меня бледный вид и меня надо покормить. (Кстати, ничего более вкусного, чем этот вонючий бульон, я в жизни не ела.) Профиль Юлии под светящейся лампой напоминал профиль римского военачальника — столь же суровый, целеустремленный и каменно-непреклонный. А я, периодически всхлипывая, ползала по полу и наклеивала на кусок ватмана ее блестящие иронические заметки.

В два часа ночи у нас кончились сигареты, и мы разбудили соседей-американцев. Мальчик лет двадцати, завернувшийся от холода в одеяло, слегка покачивался от недосыпания и выслушивал мою речь на невнятном английском о проблемах журналистской работы без сигарет. Потом он сказал «о'кей» и ушел на другой этаж будить своих курящих друзей, поскольку сам не курил.

К трем часам ночи нетленное произведение под неприличным названием «Кирилл, или Вечно стоящий хуй» было готово. В этом истинно женском сочинении каждая фраза источала яд, каждая строчка была укусом. По нашему мнению, после прочтения газеты Кирилл должен был бы утопиться. Этого не случилось, хотя великолепный слог, профессиональный поиск информации и подача материала были им оценены по достоинству.

С того времени я часто плачу во сне и вижу себя больной и бедной, в обносках, странствующей по плохой дороге в поисках давно утраченного счастья. Иногда я нахожу кружевной беломраморный дворец, в котором ветер гонит осенние листья под какой-то странный пронзительный мотив. Я брожу по огромным пустым залам и дохожу до маленькой закрытой двери. От моего осторожного толчка скрипят давно не смазанные дверные петли. Передо мной небольшая уютная комната. В ней тепло от горящего камина, и сюда не доносится холодный ветер из дворца. За столом сидит Кирилл и, как всегда, что-то пишет. Увидев меня, он бросает ручку, подбегает ко мне и нежно обнимает. В комнату входит кто-то еще, но я боюсь оглядываться. Кирилл сам берет меня за плечи и поворачивает к двери. На пороге стоит маленькая золотоволосая девочка, очень серьезно смотрит на меня и не улыбается. «Познакомься, — говорит Кирилл, — это моя дочь». Лицо мое становится мокрым от слез, я выбегаю из комнаты и несусь по мертвым залам в надежде найти выход. Но потом останавливаюсь, хочу вернуться назад, в ту маленькую комнату, но уже не могу и долго плутаю по коридорам и лестницам. Уже нет возврата в мою невозможную юность, в мой рухнувший карточный домик, в мою зачарованную страну.

Кирилл сейчас женат на Гале и, наверное, уже отец. Но, надеюсь, судьба никогда не покажет мне его ребенка — все могу вынести, только не это. Чтобы окончательно развязаться с ним, скажу, что после нашего расставания он бросил журналистику и ушел в экстрасенсы. Стал довольно известным врачом, по иронии судьбы лечил за хорошие деньги именно мою болезнь — нервную экзему. Как-то он пытался даже меня лечить, но все его манипуляции надо мной и его отрешенное застывшее лицо только смешили меня. По-видимому, к экстрасенсу надо относиться с долей внутреннего трепета, иначе пропадает весь эффект лечения.

Кирилл оказался брешью в крепости моей юношеской самоуверенности, трещиной, через которую утекала моя сила. Выгоревшая и опустошенная, я несколько месяцев жила в состоянии какого-то странного душевного окоченения. Меня спасло то, что я никогда не была одна. Рядом, в соседних комнатах, происходили точно такие же любовные трагедии, ко мне постоянно кто-то приходил плакаться в жилетку, и я убедилась, что в своем жалком тщеславии каждый считает, что он несчастнее другого. Люди раздражали меня и иногда доводили до бешенства, но я поняла: если останешься один, сожжешь всю душу. Нельзя замыкаться в свою отчужденность зверя-одиночки.

Говорят, что молодость удивительно быстро исцеляется от ударов судьбы. Это не совсем так. Действительно, пока человек молод, он способен, как дерево, выбрасывать новые зеленые побеги, и на месте старых ран через некоторое время распускаются цветы. Но болезнь уже поселилась в нем и медленно, исподволь подтачивает его силы. И когда думаешь, что уже поправился, что все самое страшное позади, боль вдруг напомнит о себе — безжалостно и жестоко. Сразу после несчастья наступает состояние экзальтации, убивающей всякую способность рассуждать, и только потом, спустя несколько месяцев, сидя среди друзей на каком-нибудь шумном празднике и поднимая бокал с вином, вдруг сознаешь, что остался совсем один, золотой остров счастья давно растаял в тумане, и сердце сжимается единственной потерянной любовью.

Кирилл был первым крепким орешком, который стоило бы расколоть, и я благодарна судьбе за опыт, пусть даже приобретенный ценой страдания. В основе каждой незаурядной личности лежит любовная неудача. Я тогда еще не знала важного закона — только несчастья выявляют скрытые сокровища человеческого характера. Только страсть делает девушку женщиной, только благодаря страданию она поднимается в полный рост.

Природа наградила женщин способностью к возрождению. Во мне медленно просыпалась злость: я ему покажу, каким сокровищем он пренебрег! Главной моей заботой было восстановить утраченное чувство уверенности в своей красоте. Я боялась своего испорченного болезнью тела и занималась любовью только в черных чулках. Все лето я парилась в колготках и стеснялась пойти на пляж. В конце концов в августе я уехала отдыхать на Волгу и по восемь часов в день лежала на берегу реки, жарясь на адском солнце. После того как я прозагорала неделю, кожа стала слезать с меня клочьями. Я с удовольствием сдирала с себя тонкую коричневую пленку и радовалась, что теперь, прокаленная солнцем, я могу показаться мужчинам.

Но окончательно я поверила в себя после участия в конкурсе «Мисс Университет Восточная Европа» в Болгарии. Наша русская команда проиграла конкурс, но это было неважно. Я была красива, желанна и с полным правом находилась среди очаровательных женщин как их достойная соперница.

На предварительном конкурсе в Московском университете отобрали пять человек, но итальянское телевидение, которое спонсировало этот конкурс, по фотографиям выбрало только двоих — меня и Наташу, девушку с профессионально красивым лицом европейского типа. После обид, слез и скандалов в Софию поехала вся пятерка.

Мы приехали покорять мир, но первый же совместный ужин в ресторане охладил наш пыл. С девочками из Румынии мы столкнулись в лифте и сразу почувствовали себя маленькими и несчастными. Величественные, как статуи, они были на голову выше нас и снисходительно улыбались нам с высоты своего роста. Нас посадили за один стол, и выяснилось, что румынки не только красивы, великолепно одеты, но еще и обладают прекрасными светскими манерами. Я и Наташа, первый раз приехавшие за границу и почти никогда не бывавшие в хороших ресторанах, не знали, что какой вилкой есть, как правильно вести себя за столом, о чем говорить. Мы восхищенно любовались непринужденными движениями наших соседок. Они одаривали нас любезными улыбками, красиво и с большим аппетитом ели и сидели очень прямо. Чувствовалось, что царственная осанка столь же естественна для них, как правильные, изысканные модуляции голоса.

После ужина был прием в красивом, сияющем огнями зале гостиницы, который весь уставили цветами и тропическими деревьями. В углу какая-то дама играла на белом рояле джазовые мелодии. Нам подали холодные закуски, всевозможные сласти и напитки с незнакомыми названиями. Мы попробовали все, что предлагал томный официант во фраке, нам хотелось напиться, чтобы подавить свои комплексы и растерянность.

Мы увидели всех своих соперниц в полном блеске. Они входили в зал, ослепительные и надменные, блестя золотой и серебряной чешуей вечерних платьев. Нам и в голову не приходило, что на коктейль нужно переодеться в вечерние туалеты. Впрочем, и надеть нам было нечего. Красавицы из бедной страны, это ужасно — быть красивой и не уметь это показать.

Перед поездкой на конкурс нас привезли в Московский дом моделей и разрешили выбрать только по два платья. Среди изобилия нарядов и помпезных украшений мы почувствовали себя пьяницами, добравшимися до винного погреба. Но два платья, дневное и вечернее, хватит только на один день. А в чем ходить всю неделю, какие туалеты надевать на приемы?!

Одна портниха обещала мне сшить длинное белое платье. На стипендию мне удалось купить только белую ткань для портьер и оконный тюль. Мне пришлось выдерживать утомительные примерки. Портниха шила платье прямо на мне, я застывала в позе манекена, а она ползала вокруг меня на коленях, закалывая непослушную портьерную ткань точно по моей фигуре. «Если ты потолстеешь хотя бы на один сантиметр, ты не сможешь влезть в это платье», — твердила она. Спустя несколько дней я увидела в зеркале девушку, облитую нежной белой тканью. Платье обтягивало ее так, как будто она только что вышла из воды, оно стекало белоснежным потоком и разбивалось внизу легкой пеной кружев. Из портьер и тюля портнихе удалось создать настоящее произведение искусства. Это было мое первое длинное платье, вечерний туалет юной женщины, выросшей в провинциальном городе, где светская жизнь существует только в воображении пятнадцатилетних школьниц и где поход в скверный ресторан является событием.

К платью нужны украшения. Я и Юлия обошли все комнаты в общежитии, собирая дань из побрякушек. Мы демонстрировали мой новый наряд и объясняли, что в Болгарии я буду представлять прежде всего ДАС. Ради такого дела народ из солидарности опустошал свои шкатулки.

Сколько денег нужно, чтобы превратить хорошенькую женщину в красивую! Только богатство может дать достойную оправу красоте. Драгоценные камни не могут сверкать в темноте, а вот вынесите их на свет праздной и пышной жизни, и вы удивитесь их сиянию. Дайте женщине сытую жизнь и большую роскошь, тогда из ее глаз исчезнет затравленность беззащитного зверька, сомнения, связанные с бедностью, недостойная высшего существа суетливость, и вы падете ниц перед новым идолом.

На коктейле, где нас ошеломили все эти небесные создания, вынырнувшие из сверкающей пены жизни, мы почувствовали себя столь же неуместными, как полевые цветы среди оранжерейных растений. Бедным московским воробышкам, залетевшим в тропический лес, надо было сменить оперение, чтобы почувствовать свою силу.

На почетном месте в зале сидел маленький высокомерный итальянец, спонсор конкурса, — так смотрит кот на компанию мышей, которые уже попались в ловушку. Время от времени он делал знак распорядителю, и тот подводил к нему одну из девушек. Спонсор, не поднимаясь с кресла, говорил ей несколько любезных фраз и по-королевски милостиво отпускал отдыхать.

На следующий день определились фаворитки. Временное положение королевы заняла белокурая чешка. Она только что приехала из Америки с конкурса «Мисс Мира», где вошла в десятку лучших, и все показывала журнал со своими фотографиями. Вообще вся команда чешек держалась очень обособленно и долгое время делала вид, что не знает русского языка. Но когда эти девушки снисходили до разговоров, то делали это с видом аристократок, вынужденных общаться с плебеями, — надменно и небрежно. Две польки щебетали только между собой, у венгерок был отсутствующий вид. Только болгарки держались приветливо — к этому их обязывало положение хозяек. Я и Наташа изо всех сил пытались растопить лед отчуждения и с готовностью принимали малейшие попытки к общению. Тяжело было существовать в ледяной, пропитанной ядом атмосфере. К вечеру у меня скулы сводило от улыбок, я усердствовала до тех пор, пока одна из наших девушек, Света, не сказала мне жестко: «Даша, плюнь на них. Не хотят здороваться и замечать — это их проблемы. Будь тоже стервой и держи себя как принцесса».

Любуясь этими холодными, блестяще-красивыми, колючими, как ежи, созданиями, я поняла, что действительно выбрала неверную тактику. Я обнаружила, что неприступный, высокомерный вид чрезвычайно идет красивым женщинам. Ореол королевской гордости, игра в Снежную Королеву поднимает акции красавиц.

Каждое утро начиналось с репетиции. По семь часов в день мы расхаживали по сцене в красных купальниках, на высоченных каблуках. Однажды я так устала, что решила тихонько улизнуть со сцены и спрятаться в полутемном зале. Спустившись по ступенькам вниз, я увидела в десятом ряду нашего руководителя группы Володю. Надо сказать, он редко нами занимался, зато с истинно русской страстью к спиртному надирался каждый вечер на банкетах. Я подошла к нему поболтать и села на ручку его кресла.

Через некоторое время Володя спросил: «Даша, это ты раскачиваешь кресло или у меня голова с похмелья кружится?» В самом деле, кресло под нами дрожало. Одна из девушек, идущая по сцене, вдруг покачнулась и в страхе присела. С тихим мечтательным шелестом двинулся потолок. «Беги», — строго сказал Володя и подтолкнул меня к выходу, как командир, спасающий новобранца.

Землетрясение! Через минуту сцена превратилась в ад. Крики «Мама!» понеслись на итальянском, болгарском, румынском, венгерском, русском языках. Вся эта толпа, визжащая на предельно высоких нотах, давя друг друга, кинулась к выходу.

Когда мы выбежали из Национального дворца культуры, земная дрожь уже утихла. Теперь мы другими глазами посмотрели на это чудо бывшего социализма — страшно представить последствия раскола гигантского здания.

Перед дворцом культуры уже скапливались люди, которых поразило это странное зрелище — сборище красоток в красных купальниках, щебечущих на разных языках. Этакое вавилонское столпотворение! Ночью толчок повторился, и вся София в трусах и простынях стояла на улице, обсуждая природное возмущение. Спокойно спали только наша и венгерская команды, которые так нализались вечером в ресторане, что никакое землетрясение не в силах было потревожить их сон.

Наступил день конкурса. Гримерную заполнили женщины из мира, не имеющего ничего общего с реальностью, — красивого и праздничного. В изысканной, одурманенной ароматами атмосфере колдовали парикмахеры, и гримеры показывали чудеса косметического искусства. Среди духов и пудры царила богиня кокетства.

Я чувствовала себя как в лихорадке и совершенно не могла сосредоточиться. Чьи-то руки укладывали мои волосы, что-то рисовали на моем лице, застегивали колье на шее, я путалась в складках длинного платья, в спешке сломала ноготь и порвала чулки. Но когда все было кончено и я подошла к зеркалу, то ахнула от изумления. Это не мое лицо и не мои волосы. Эта женщина не я, но как же она хороша. Волнующая незнакомка в зеркале не была похожа на вульгарную смешную девочку, приехавшую в Москву четыре года назад. Эта новая женщина демонстрировала высокую степень уверенности в себе. Я наклонилась к зеркалу, чтобы рассмотреть мельчайшие детали макияжа. Бог мой, какие сверкающие звезды я вижу в своих глазах! Почему в них столько вызова? Ведь внутри меня все дрожит от страха. Если бы меня мог сейчас видеть Кирилл! Впрочем, какое мне дело до Кирилла! Если я захочу, у меня будет десять таких Кириллов и я добьюсь господства над любым мужчиной.

Я оглянулась и увидела своих сопериц — их плечи, гордо несущие тяжесть украшений, дерзко выставленные вперед груди, взбитые переливающиеся волосы. Женщины, сделанные из самых драгоценных материалов матушки-природы. Они с уверенностью разглядывали свои отражения в зеркале, не боясь той правды, которую скажет неподкупное стекло.

Девочка из Чехословакии, владелица большого сильного тела и ослепительной улыбки, спросила меня: «О чем ты думаешь, когда выходишь на сцену?» «Наверное, о том, что я самая красивая», — ответила я. «А я думаю так: ну, я вам сейчас покажу! Вы у меня все попляшете!»

Ничего нет для женщины более сладкого, чем стоять на помосте полуголой и смотреть сверху вниз на волнующихся, вожделеющих мужчин в зале. Взгляды пяти тысяч человек действуют, как электрический ток. Это лучше вина, сильнее наркотика, слаще конфет. Смотрите на меня, двуногие твари! Я стою в позе укротительницы, щелкающей хлыстом перед тиграми. Я одна из пятидесяти красоток, занимающих ныне вечером ваше воображение. Это мой краткий триумф, когда я сойду с помоста, вы отомстите мне за мою минутную власть. Но пока я на сцене, именно я привожу в боевую готовность ваши половые органы.

Когда мы не вышли в финал, мы почувствовали настоятельную потребность надраться. Русские — народ запасливый, и наша практичная команда захватила с собой на конкурс бутылочку вишневого ликера. За кулисами негде было сидеть, мы расположились прямо на полу, аккуратно разложив длинные парчовые и бархатные платья. Бутылочка пошла по рукам. В углу рыдала, размазывая косметику, проигравшая красавица венгерка семнадцати лет, пришлось чуть не силой влить в нее глоток ликера. Вскоре образовалась очередь желающих выпить, и по меньшей мере двадцать пар хорошеньких губок приложилось к знаменитой бутылке.

Ко всеобщему удивлению, в финал вышла неприметная полька Жаннета, не входившая в число фавориток. В дни репетиций, без косметики, с пучком волос на затылке, она походила на маленького симпатичного мышонка. Единственное, чем она поразила наше воображения, — это ее летняя шубка из белых кружев, в которой она спасалась от утреннего холода.

В день конкурса у Жаннеты пошли месячные, и часто ее лицо искажалось гримаской боли. Тональный крем создал ей абрикосовый загар, искусный грим превратил бесцветную девочку в хорошенькую дорогую куклу с лихорадочно блестящими глазами. Но главное, она распустила свои чудесные светлые волосы, похожие на мерцающее золото. За этот радужный ореол вокруг головы публика окрестила ее Златовлаской. Ее спокойная уверенность и отточенность движений профессиональной гимнастки выгодно отличались от нашей шумной суетливости. Я думаю, Жаннета держала себя так естественно именно потому, что совершенно не думала о победе. Она напрочь была лишена холодного высокомерия, присущего профессиональным красавицам, ее милая улыбка предназначалась решительно всем, Жаннета казалась простой и доступной. И мужчины, ошеломленные кастовой гордостью красивых женщин, выбрали именно ее, Жаннету, не холодную далекую звезду, до которой не дотянуться, а теплый солнечный луч, ласкающий сердце.

Когда Жаннету объявили победительницей, она вскрикнула и отвернулась от зрителей, закрыв лицо руками. Но это было лишь временное замешательство. Несколько томительных мгновений, и вот она уже улыбается восторженной публике и величественно идет за короной, навстречу своей королевской судьбе.

После конкурса был банкет, на котором я впервые увидела столько декольтированных женщин и послов в безупречных фраках. Банкет представлял для меня известные трудности, поскольку я уже приняла приличную дозу спиртного. Я долго искала по всему залу стулья, пока официанты не объяснили мне, что на приеме «а-ля фуршет» сидеть не полагается. Я ужасно хотела есть, но не могла добраться до бутербродов, поскольку в одной руке я держала бокал с шампанским, а в другой сигарету в опасной близости от шелка платья. На мой длинный черный шелковый шлейф постоянно наступали гости, и в результате он стал напоминать половую тряпку. Я чуть не спятила, когда вдобавок ко всем несчастьям с моих ушей свалились тяжелые блестящие клипсы прямо в тарелку с холодным мясом. К моему удивлению, остальные участницы конкурса держались очень непринужденно, как на привычном домашнем празднике.

К моей соседке по столу, белокурой красивой Свете, приставал какой-то маленький француз, кажется из дома моды. Он с похотливым блеском в глазах рассматривал ее пышную грудь и говорил: «Это конкурс селедок. Все плоские, бледные, худющие. Вот вы — другое дело, вот то, что я люблю». Я уже выпила столько, что мне казалось забавным, я начала хохотать как сумасшедшая. Заметив недоуменные взгляды окружающих, я поняла, что надо уходить.

Ах, какая нежная ночь встретила меня на улице! Умиротворенная и пьяная, я брела по ночному городу, а за мной печально тащился безнадежно затоптанный шелковый шлейф. Мое платье твердо соблюдало условия договора, который заключают между собой наряд и женщина. Оно возвышало и вдохновляло меня, и тонкая фигура, затянутая в черный шелк и сверкающая обманчивым блеском мнимых бриллиантов, перемещалась по улицам Софии, как видение сумасшедшего, привлекая внимание автомобилистов.

Рядом со мной затормозил «Мерседес» серебристого цвета. «Мадемуазель, я знаю, что вы русская участница конкурса красоты, я видел вас на банкете. Не хотите ли прокатиться по городу?» — заговорил низкий мужской голос из салона. Не раздумывая, я села в машину и только тут заметила еще одного пассажира. «Это мой друг из Голландии, он не говорит по-русски», — объяснил хозяин автомобиля.

«Мерседес» взял хороший старт и помчался в горы. Вскоре город остался далеко внизу, машина поднималась все выше и выше. Судя по бешеной скорости и крутым виражам, хозяин и автомобиль находились в наилучших отношениях, но на особенно опасных поворотах я закрывала глаза от страха. Алкоголь потихоньку выветривался, и до меня наконец дошло, что я нахожусь в машине с двумя незнакомыми мужчинами, которые везут меня неизвестно куда. Но я не чувствовала опасности, так приятно было пассивно подчиниться течению событий.

— Позвольте узнать, куда мы едем? — спросила я у незнакомца за рулем.

— Это гора Витоша, здесь находятся прелестные бары и рестораны. Вы ведь хотите выпить? — осведомился он.

— Непременно.

После двух вдохновенно приготовленных коктейлей в маленьком баре я почувствовала себя значительно лучше. Потом мы доехали до небольшой площадки, с которой открывался чудесный вид на Софию. Город сиял внизу, как драгоценный камень, затмевая кроткие звезды. Я окончательно рассмотрела своего спутника-болгарина (на голландца я совсем не обращала внимания, он молча тащился за нами, как тень). Болгарин оказался приятным молодым мужчиной во фраке, над верхней губой темнела щеточка усов. «Если меня изнасилуют, — лениво подумала я, — то, во всяком случае, это сделают во фраке. Всё произойдет высоко в горах, романтической бархатной ночью».

— У вас сейчас такой вид, — прервал мои мысли болгарин, — как будто вы ждете, что я на вас брошусь.

— Честно говоря, я этого опасаюсь, — ответила я. — Ведь я даже не знаю вашего имени.

— В этом нет нужды. Я тоже не знаю, как вас зовут, да и не хочу знать. Просто я увидел на банкете красивую девушку и пригласил ее покататься. Скажите мне, почему женщины так склонны видеть в незнакомых мужчинах сексуальных маньяков?

— Наверное, потому, что изнасилование — явление нередкое. Вообще, давайте оставим этот глупый разговор. Вы ведь не собираетесь меня насиловать?

— Была такая мысль, но сейчас желание куда-то пропало. Давайте лучше посмотрим на ночную Софию.

Мы несколько минут молча любовались сверху искрящимися водоворотами жизни.

— О чем вы сейчас думаете? — вдруг спросил мой спутник.

— У меня поэтическое настроение. Я думаю о том, что всех людей ожидает разный конец. Одни станут земной пылью, другие звездной, одних забудут сразу, как только заколотят гроб, другие поднимутся на небо. Грустно, если мне не суждено стать небесной пылинкой.

— У вас печальное лицо.

— А какое у меня должно быть лицо, если я проиграла?

— Вы еще так молоды и не знаете важное жизненное правило: проигрывать нужно с веселым лицом. Это помогает выстоять, тем более что это не последний ваш проигрыш.

— Вы что, пророк? Может, предскажете мою судьбу?

— Нет, я не гадалка. Но одно могу сказать: у вас есть силы. Женщины вообще сильнее мужчин, потому что они ближе к природе. Они способны обновляться, как деревья весной, когда они выбрасывают новые зеленые побеги. Посмотрите на месяц, сейчас он мал и свет его слаб, но пройдет некоторое время, и он станет полной луной. Так и вы возродитесь, как луна. И еще запомните: удар, который отбрасывает вас назад, придает вам, если вы не тряпка, наступательную силу.

— Вы просто поэт и философ.

— Почти. А сейчас я вас отвезу в отель, у вас уже закрываются глаза.

У входа в гостиницу ко мне кинулся какой-то мужчина с криком: «Синьорита, позвольте вас проводить». Такие сумасшедшие часто поджидали нас в надежде познакомиться. Я захлопнула дверь перед самым носом поклонника. Укладываясь спать, я сонно бормотала: «Я еще возродюсь... или возрождусь... или возрожусь. Впрочем, не важно».

На следующий день я пришла в собор святой Софии, величественный, как гимн. Его торжественность не соответствовала моему легкомысленному настроению и мелким целям. В таинственный мир горящих свечей и коленопреклонений я корыстно несла собственные неутоленные желания. Я все время пыталась заключить с Богом сделку: «Милый Боженька, если ты исполнишь мои просьбы, я непременно буду хорошей девочкой». Так в детстве я торговалась с мамой: новая кукла за хорошие отметки, конфеты за вымытую посуду.

Я поставила свечку перед ликом Божьей Матери, и вдруг я почувствовала себя удивительно легкой, как воздушный шарик. Никто в целом мире не знает, где я нахожусь, никто не может предъявить мне счет, я свободна и независима.

Единственное, что я упрямо просила у Бога, — это славы. Не любви, не здоровья, не счастья — как все в молодости, я твердо верила, что это придет само собой. Меня сжигала чахотка тщеславия. Все мы приехали в Москву в погоне за блестящим и насмешливым призраком славы. Честолюбие нашептывало нам сказки о настоящем успехе и вечной юности. Мы обладали кипучей энергией, радостью и силой молодых зверей и безграничными, как море, амбициями. Нас привлек этот алчный, ненасытный, губительно неотразимый город, пожирающий ежегодно десятки тысяч молодых надежд. Мы вкусили его ядовитых плодов и уже не могли от них оторваться, хотя все здоровое и естественное должно было бежать из этого города. Не имея ни прописки, ни денег, ни связей, ни хороших манер, мы ринулись в погоню за удачей, стремясь зацепиться в Москве, пустить здесь корни. Нас отличала от московских мальчиков и девочек, этих тепличных, изнеженных созданий, пришедших в журналистику по стопам родителей, здоровая волчья хватка. Мы рванулись к победному финалу с резвостью и задором дворняжек, обгоняющих своих породистых собратьев.

Но у нас был козырь — новое время, потребовавшее крепких, жилистых и худощавых. Мы оказались тут как тут. Иногда было больно, очень больно, мы падали и поднимались, разочаровывались и вновь тешили себя надеждой. Но каждый раз, когда на меня накатывает тоска по теплому покинутому очагу, по тихой налаженной жизни, я вспоминаю маленький провинциальный русский городок Осташков, в который я приехала после первого курса на практику.

Для туристов Осташков — райский уголок. Великолепное озеро Селигер, нежная русская природа, старые церкви. Хорошо здесь отдыхать на каком-нибудь маленьком острове, ловить рыбу и бездельничать. Но жить в этом городе — такая страшная тоска, что лучше удавиться, и то будет развлечение. Я поражалась замордованности местного населения, мелочности и вздорности его жизни. Как вяло и бесхитростно тянется время! Экран воображения здесь быстро мутнеет. Порывшись в мусоре затхлой жизни, я, такая живая по природе, сама потускнела и замолчала на целый месяц. Единственное развлечение здесь — кино, где за короткий сеанс можно собрать прекрасные цветы чужой фантазии. Но потом в зале загорается свет, и ты видишь мужчин с глазами, залепленными житейской грязью, женщин, не знающих, что такое поцелуи. На их лицах еще полыхают отблески другой, праздничной жизни, которую они, увы, никогда не увидят. Эти умственные трупы не созданы для радости и цепляются за страдания. Я со всей беспощадностью юности судила их, презирала их умственную отсталость и ожидание гроба. Мне хотелось трясти их, кричать им в уши, бить по щекам, чтобы привести их в чувство, пока я не поняла, что такой пресный удел устраивает большинство.

Меня забавляла провинциальная напыщенность, стремление придать значительность своей жизни. Однажды случай забросил нашу компанию на маленькую станцию Пено, где мы высадились в четыре часа утра и тут же провалились по колено в грязь. Протопав с километр в предрассветных сумерках по улице, находившейся в жидком состоянии, мы наконец прочли на одном из домов название: «Проспект Коммунаров». Мы хохотали до упаду, забыв про наше жалкое положение. Чем меньше городок, тем больше в нем проспектов с роскошными названиями. Насколько я знаю, единственным развлечением молодежи деревеньки Пено была ежедневная прогулка на станцию с целью полюбоваться на вечерний поезд.

Еще более жалкое впечатление на меня произвел старинный город Торжок, издали похожий на игрушку с маковками многочисленных церквей. Вблизи убеждаешься, в каком жалком состоянии находятся чудесные старые здания. За городской монастырь, в котором раньше была тюрьма, взялись наконец реставраторы, но колючую проволоку еще не успели убрать. Особенно меня поразила одна заброшенная церковь, загаженная человеческими экскрементами и дохлыми кошками.

Девочки-москвички, бывшие со мной на практике в Осташкове, воспринимали русскую провинцию с любопытством экскурсантов. Она им не грозила в будущем. А нам, общежитьевским котятам, светило впереди страшное слово «распределение» после университета, такие города могли стать местом нашей работы, где мы медленно и верно шли бы к творческой гибели. Для нас русская провинция была страшной реальностью.

В этих сумерках безнадежности декорации никогда не меняются, люди рождаются и умирают в полной уверенности, что других декораций нет. Мужчины талантливые и неординарные воспринимаются в провинциальном омуте как чудаки, людям с творческой жилкой приклеиваются ярлыки сумасшедших, женщины, обещавшие стать прелестными, вянут, не успев расцвети. Если есть в тебе Божья искра, бежать нужно из этого болота, бежать без оглядки, тоскуя по родному городу, болея и мучаясь им.

Самое тяжелое воспоминание Осташкова — кожевенный завод. Запахи разложения и гнили, запахи смерти, отвратительные шкуры убитых животных. В этом морге передвигаются люди-автоматы, чьи реакции можно предвидеть заранее. Примитивный ход их мыслей так же ясен, как если бы их череп был из стекла. Пьянство, свинство, низменные утехи, у мужчин драки, у женщин — побои мужа, кухня, вопящие дети. И даже скуки не чувствуют эти мертвые индустриальные тени — потому что для скуки нужно воображение. Ценой короткого погружения в заводские нечистоты я поняла, насколько важно в юности быть решительным.

Но когда я устаю от дерзких странствий, мне хочется приехать в тихую деревню, где ни одно желание не распространяется дальше бутылки водки и вкусной еды, где все так просто и тихо, что, кажется, события, волнующие мир, и вовсе не существуют. Помню одну такую деревеньку Париж, чьи жители называли себя «парыжанеми». Как-то в разговоре с председателем колхоза я упомянула Мону Лизу. Председатель совершенно искренне спросил: «Это кто такая? Она в нашем колхозе работает? Что-то я ее не знаю».

В деревеньке у меня нежно плесневели мозги. Чистосердечность, радушие и доброта ее жителей почти переходили в слабоумие. Однажды, распаренная баней и чаем, я сама завела долгий разговор о щах, вареньях и соленьях, в чем ровным счетом ничего не смыслила. Я впала в блаженную прострацию, обсуждая подробности домашних заготовок. Вытащила меня из этого состояния верная Юлия со словами: «Если бы ты еще поговорила так минут пятнадцать, то превратилась бы в полную идиотку».

Провинциальность — это отметина, остающаяся на всю жизнь. Каких бы успехов ты ни добивался, внутри все равно остаются сомнения и неуверенность, а все ли ты делаешь правильно. Чем больше я добивалась успехов у мужчин, тем более я чувствовала себя вороной в павлиньих перьях, сереньким воробышком, который стремится стать многоцветным колибри. Несмотря на весь свой гонор, я в глубине души всегда оставалась легко уязвимой. Встреча с одним незаурядным человеком заставила меня остро ощутить свое социальное клеймо.

Однажды зимой я «поймала» красную машину с двумя красивыми молодыми мужчинами, один восточного типа, другой — высокий блондин, породистый, сильный, с хищным взглядом, этакая ницшеанская «белокурая бестия». Блондин назвался Петей и напросился в гости, но объявился почему-то через месяц, когда я и думать про него забыла.

Сразу было видно, что это не медяшка, а чистое серебро. 36-летний красавец в зените своей внутренней жизни, избалованный женщинами и научившийся смаковать, точно деликатес, любовь, сын академика, воспитанный в очень респектабельной, интеллигентной семье, сам большой умница, богач, владелец двух машин. Ежедневное утоление страстей обеспечивало ему полное спокойствие. Всякая женщина, даже отягощенная годами и жизненным опытом, хранит в сердце сказку о принце, который вот-вот придет, но почему-то опаздывает на годы.

Я растерялась, как девочка, под невозмутимым взглядом холодных светлых глаз моего принца, остужающих мой темперамент. Я потеряла свой эгоизм, который играет важную роль в деле покорения мужчин. Не зная, какое выбрать амплуа, я охотно поступалась своим самолюбием, лишь бы подольше быть с ним рядом. Рядом с этим чистокровкой я остро чувствовала свою беспородность, за ним стояла его среда, блистательный фон, оттеняющий его достоинства. Чувство высшей расы пропитало его плоть.

Начало было очень красивым. Как-то ранней весной, вечером, Петр привез меня к себе на дачу. Я тогда не подозревала, что у простых советских людей могут быть такие дачи — большой трехэтажный дом в чудесном сосновом лесу, с верандами, лоджиями и камином. Было так тихо, что, казалось, можно услышать дыхание земли, спящей под снегом.

Петр усадил меня на тахту, подал шампанское и шоколад, а сам занялся камином — колол дрова, собирал щепки, умело разводил огонь, подкармливал жадное пламя. Все, что ни делали его чуткие музыкальные руки, выглядело удивительно светски, по-королевски. Первый раз я видела мужчину, который, выполняя даже черную работу, умел выглядеть барином.

Петр опустил шторы на окнах, внешний мир был отсечен. В этот необыкновенно мягкий предвесенний вечер мы остались вдвоем. Шел легкий, чересчур красивый плавный разговор, мягко перекатывались шарики закругленных фраз, острота цеплялась за остроту. Старая как мир беседа-игра, за барьером слов чувствуется томное желание. Мне казалось, что мы обмениваемся репликами на сцене, не мучаясь смыслом слов. Математически точно я рассчитала время поцелуя, он последовал за какой-то ремарковской фразой, долгий, сладкий, опытный. Мне понравились губы этого человека, сухие, твердые и в то же время нежные. Почему-то у 18-летних мальчишек губы всегда мокрые и вялые, как тряпочка, разве что слюна не капает. Они присасываются всем ртом, как щенки к материнской груди. Чем старше становится мужчина, тем суше, требовательнее и подвижнее его губы.

Губы моего нового любовника доставили мне удовольствие и в то же время разочаровали. Все в этом любовном дуэте было предсказуемо, известно до последних деталей, лишено взволнованности, неожиданности и нежности. Я не питала иллюзий насчет королевских побуждений. Мужчины такого типа идут к цели без трепета, извлекают максимум из того, что дано. Если в эту ночь дело не дойдет до секса, я его разочарую, если мы станем любовниками, он быстро меня позабудет. 36-летний мужчина торопится получить удовольствие и не позволяет любви взломать замки своего сердца.

После вполне приемлемого секса мы поехали в город.

Было шесть часов утра, небо светилось наинежнейшими красками, и я вдруг остро почувствовала, что таких рассветов у нас с Петей будет немного. Я получила еще один нерасколотый орех. «Понимаешь, Юлия, — объяснила я потом своей подруге, — все слишком красиво, как в сказке: шампанское, ночь с идеальным мужчиной в лесу, вовремя найденные слова. Это так хорошо, что не может быть правдой. И потом: я боюсь ему не понравиться, не могу быть с ним самоуверенной. Я вообще с готовностью принимаю тот облик, которого от меня ждут сильные мужчины. Если меня считают маленькой девочкой, я глупею прямо на глазах. Я слишком рано в него влюбилась, надо было подождать, пока он сам попадет в капкан».

Как я и предполагала, сказка моя закончилась очень быстро, а мораль, зачитанная в конце трескучим голосом житейской мудрости, такова: влюбленный человек слаб и уязвим, не способен мыслить разумно, попросту говоря, становится дураком. Мне бы очень хотелось встретить прежних любовников сейчас и попытаться уравнять наши нравственные силы.

За несколько месяцев поисков любви я переменила много постелей, лица некоторых партнеров совсем стерлись из памяти, но одну ночь я помню очень отчетливо.

Тогда в стране появились первые кооператоры — нахальное племя молодых людей с жуликоватыми глазами, занимающихся не слишком законными сделками. Они носили непременные кожаные куртки и золотые перстни, гуляли в ресторанах с большой помпой, окружали себя женщинами невысокого сорта и по-детски радовались неожиданно привалившим деньгам. В нашем студенческом языке появилось даже выражение «мужчина кооператорского вида», от таких субъектов мы воротили нос и держали себя с ними крайне высокомерно. А тип преуспевающих интеллигентных бизнесменов тогда еще не родился.

Однажды я попала в общество таких кооператоров. Мы приехали ночью шумной компанией в контору какого-то кооператива посмотреть новые видеофильмы. Вокруг были молодые ядреные парни, не обремененные интеллектом. Мне хотелось в ту ночь чего-нибудь примитивного — молодого здорового тела, секса без прелюдий, рассуждений и последствий. У меня уже полмесяца не было мужчины, и я выбрала первого попавшегося, который больше всех приставал. Кажется, его звали Миша.

Лицом Миша не вышел, зато у него было тело атлета и мускулы каменной твердости, а мне в тот вечер больше ничего и не требовалось. Он утащил меня в соседнюю комнату, и после нескольких классических объятий мы занялись любовью на узкой кровати. Меня убаюкали ритмичные движения его крепкого тела, я дождалась его тихого удовлетворенного рычания и струи семени, ударившей внутрь.

Шумная компания уже уехала, в конторе остался только охранник. Вдруг дверь нашей комнатки без стука отворилась, вошел охранник с двумя стаканами чая. Свет падал на него сзади, и в нашей темной комнате он выглядел Христом, появившимся внезапно на пороге. Меня ослепила его красота — умное, значительное лицо и тело, обещавшее массу удовольствия. Господи, где были мои глаза?!

Охранник посмотрел на нас блуждающими глазами, поставил стаканы на тумбочку и сказал фальшиво-радостным голосом: «Я тут вам чайку принес». — «Ты хотя бы постучался», — недовольно сказал Миша, натягивая на себя одеяло. «Нам только третьего не хватало, может, приляжешь?» — нервно хихикнула я. «Я только этого и хочу», — странно-тягучим голосом ответил охранник, и не успела я даже вскрикнуть, как он бросил на меня сверху свое крепко сбитое, бодрое тело. Мгновенно он расстегнул ширинку, и я почувствовала, с какой стремительностью входит в меня его плоть. Дико возбужденная, я тем не менее стала царапаться, кусаться и визжать, как ошпаренная кошка. Миша удивленно смотрел на эту сцену. «Да помоги же, черт тебя побери, вытащи его из меня», — заорала я на Мишу. Он наконец пришел в себя и стал отталкивать охранника, завязалась маленькая драка. Когда они ушли в соседнюю комнату выяснять отношения, я, вся дрожа от возбуждения и клацая зубами, стала одеваться.

Вернулся Миша. «Даша, ты с ума сошла, ночью я тебя

никуда не пущу. Ну прости меня за все. Я думал, тебе нравится». Я опускаю дальнейшие пререкания, слезы, короткий сон. В семь утра я проснулась, быстро оделась, вытащила из Мишиного бумажника десять рублей на такси и бесшумно вышла из конторы.

Дело было поздней осенью, утром пошел первый мокрый снег. Я шлепала по ледяным лужам лаковыми туфельками, мой холодный наряд — тонкая куртка и мини-юбка — совсем не подходил к погоде. «Я выгляжу совсем как проститутка после ночного гулянья, — подумала я и зарыдала от жалости к себе. — Господи, кто же меня починит, склеит разбитые куски? Кирилл, миленький, посмотри, как мне плохо без тебя, я мерзну, я плачу, я страдаю. Ну приди же ко мне, утешь меня, я совсем запуталась». Прохожие смотрели на меня с легким презрением, одна старушка перекрестилась и плюнула, бормоча какие-то угрозы. Во мне тихо нарастала злость: «Ах ты, старая ведьма! Небось зависть тебя мучит к моей молодости. Какая же я дура! Надо было мне поваляться в этом месиве тел, в блаженной грязи, получить удовольствие, а не строить из себя скромницу. Пропадать, так с музыкой!»

Передо мной был завораживающий пример саморазрушения — Катя. В течение двух лет эта причудливая девушка расточала себя без робости, без оглядки, очертя голову. Алкоголь, наркотики, рискованные приключения, безудержный секс с партнерами, меняющимися каждый день. Наше циничное выражение тех лет: «не успев подмыться, попал в следующую постель». Но это действительно сильное ощущение: когда еще слышишь запах спермы прежнего любовника, пускать в себя нового. Катю тогда увлек образ Калигулы, человека, одержимого восторгом разрушения собственной жизни, римская история захватила ее воображение. А может быть, ее пленяла мысль заниматься абсурдным строительством: крушить какую-то часть собственного здания, а потом с увлечением восстанавливать ее.

Катюша, обаятельный демон, не чующий собственной

власти. Меня всегда поражала ее странная сказочная грация гибкого животного, плавная изломанность всех движений, слоняющаяся ленивая походка. Лицо совершенно детское: ласковые карие круглые глаза, как у плюшевого медвежонка, простодушная улыбка. Верхняя часть светлокоричневого тела как у подростка: тощие грудки, похожие на собачьи сосцы, еще не сложившиеся тонкие руки и плечи. Но все это спускалось к круглому крепкому задику и стройным грешным ногам.

Она спала до трех часов дня, потом находилась в долгой прострации и оживала только к ночи: выходила на улицу, ловила такси и неслась навстречу неизвестности, напивалась до невменяемого состояния (могла выпить в одиночку бутылку коньяка), тайно писала чудные стихи или читала, лежа в ванне, философов ночи напролет.

Какой-то период Катя увлекалась Тантрой. Если я не ошибаюсь, суть этого учения в том, что за короткий срок необходимо осуществить все сумасшедшие желания с максимальной силой с тем, чтобы избавиться от них. Ее чувственная ненасытность распространялась не только на мужчин, но и на женщин. Это она научила меня любить собственное тело и влюбляться в женскую красоту. Но нечто похожее на секс было у нас всего один раз. Однажды мы вдвоем напились шампанского в номере гостиницы, я болтала по телефону, а Катя начала медленно и нежно ласкать меня. Она работала надо мной с таким утонченнейшим пониманием, на которое не способен ни один мужчина. Я старалась продлить телефонный разговор, громко смеялась, разговаривала о пустяках, потому что знала — как только положу трубку, все это закончится. Ведь если мы станем любовницами, наши чудесные дружеские отношения прекратятся.

Катя обычно была молчалива и не верила в силу слов. Она быстро захлопывалась от любой неосторожной фразы. Но за ее молчанием таился неведомый сад, сокровища женственности. Вино развязывало ей язык, и в ней, такой тихой, вдруг разгорался дьявольский огонь. В глазах плясали чертики, вся она играла и искрилась, как шампанское, и становилась хороша до щемоты в сердце.

Катя пожирала саму себя, но была так обаятельна в своем стремлении к гибели, что я надолго попала под ее влияние. Трудно найти такую лужу, в которой бы она не выкупалась. Грязь неотразимо притягивала ее, она шла к тому, что ее больше всего отвращало, к мужчинам, которых она презирала, и к отношениям, над которыми смеялась. В Библии написано, что есть время для каждой цели под небесами: время родиться и время умереть, время убивать и время исцелять, время плакать и время смеяться, время скорбеть и время танцевать, время молчать и время говорить, время любить и время ненавидеть... Я бы продолжила эту библейскую фразу: время купаться в дерьме и время парить в небесах. Дерьмо обладает просто волшебным влиянием на юные души. Подходить с меркой морали к этому периоду просто смешно.

Мы превратились в очаровательных позолоченных гадюк и беспощадно жалили доверчивых мужчин, для любви места в сердце не находилось. Катя как-то рассказала мне прелестную эскимосскую сказку о сути женщины. Преподношу ее вам.

Однажды ворон катался с ледяной горки. Его увидел волк и попросил дать ему разок прокатиться. «У тебя ведь нет крыльев. Ты упадешь в реку и утонешь», — отвечал ворон. Но волк не послушал ворона, скатился по горке, упал в реку и стал тонуть. Ворон невозмутимо наблюдал за его гибелью. «Что ж ты смотришь! Помоги мне!» — закричал волк. «А что ты мне за это дашь?» — спросил ворон. «Я дам тебе в жены мою сестру», — предложил несчастный волк. «Ладно», — согласился ворон и вытащил волка из реки. Волк решил отомстить ворону, пошел в лес, собрал птичьего помета и слепил из него женщину. Потом он привел женщину к ворону, как свою сестру, и тот на радостях закатил свадебный пир. Ночью ворон лег спать с молодой женой, стал обнимать и целовать ее. От его тепла женщина растаяла, и ворон оказался в куче дерьма. Вот что такое женщина с точки зрения эскимосов.

Раскаяния Катя не ведала, она очень легкомысленно относилась к смерти и загробной жизни. Для нее смерть была совершенно естественным процессом, не заслужива-

ющим внимания. Это объяснялось тем, что в детстве ее
отец, хирург, брал ее с собой на работу в больницу, потому
что девочку не с кем было оставить дома. Там он ее оставлял на попечение старушек, работающих в морге. Так что
ребенок быстро привык резвиться среди трупов. Более
того, смышленая детка приводила в морг своих друзей, где
они играли в «мертвяков» — кто-нибудь ложился на но-
силки и притворялся трупом, остальные весело перетаски-
вали его с места на место.

Когда Катя подросла, то с увлечением занялась препа-
рированием лягушек — ее интересовало, как у них там
внутри устроено. А в пятнадцатилетнем возрасте, когда
она резалась с друзьями в домино во дворе, ее партнера по
игре случайно убил из самострела какой-то подросток.
«Он сидел рядом со мной, стрела вонзилась ему прямо в
горло, — рассказывала Катя. — Я увидела, как хлынула
сильной струей кровь, но меня почему-то это не взвол-
новало. Несчастный случай, вот и все». Потом приехала
«Скорая», забегали, засуетились взрослые, милиция до-
прашивала детей. Но это никак не повлияло на обычно
впечатлительную Катюшу и не испортило ей сон и аппетит.

Катя убедительно доказывала мне, что смерть не стоит
того, чтоб о ней столько думать и говорить, что люди зря
забивают себе голову проблемой, которую все равно не
разрешить. Катюша предпочитала обсуждать чувственные
кутежи.

Одно время мы с ней мечтали о том, как хорошо было
бы покупать за деньги молоденьких мальчиков с красивыми здоровыми телами, без мозгов, зато с хорошей эрек-
цией, на потеху женской плоти. Избавьте нас от высоких
чувств! Мы почувствовали себя сильными быстрыми сам-
ками, которым нужен только крепкий фаллос. Этот вакхи-
ческий жар спасал от душевной муки безлюбой жизни.

Чтобы окончательно освободиться от власти мужчин,
я открыла для себя тайны мастурбации. Мне хотелось падать все ниже и ниже, в бездну удовольствия, где можно
затеряться. С помощью воображения я утрачивала последние остатки стыдливости. Мне чудились голые толстяки с

колыхающимися животами, которые давят своей тяжестью маленькую проститутку и хихикают от радости. Мне представлялась солдатская казарма и грубый деревянный стол, на котором я лежу, раздвинув ноги, как на гинекологическом кресле. Я вижу десяток молоденьких солдатиков с пушком на бритых головах, они выстроились в очередь ко мне и дрожащими от возбуждения руками расстегивают ширинки. Эти бедные мальчики так давно не видели женщины, что у них уже мокро в штанах. Я потягиваюсь всем телом от приятного предвкушения. Я лишь сосуд, в который они сейчас спустят свою теплую сперму.

Еще я видела себя пятнадцатилетней школьницей в белом передничке и пышных бантах, которую поймал после урока поджарый учитель физкультуры и затащил в раздевалку. Он поворачивает меня лицом к стене, задирает короткую юбку, спускает мои штанишки и грубо берет меня. От каждого толчка я бьюсь лбом в холодную школьную стену, на которой кто-то написал «хуй», и разглядываю сверху свои спущенные вязаные колготки, стесняющие свободу передвижения. От таких видений я всегда достигала свирепого оргазма.

Ненависть к мужчинам доходила до такой степени, что для нас стало делом чести разорять их, вытягивать у них последние деньги. Мы научились держаться высокомерно, как принцессы, сверху вниз смотреть на глупеньких, ошалевших от страстей кобелей и, не выполняя постельную повинность, брать у них деньги с видом великого одолжения.

Одно время Катюша жила так бедно, что не имела денег на сигареты и закрашивала потертые туфли чернилами. Я приходила к ней в гости, выкладывала на стол изысканные сигареты и читала лекцию на тему «что нам делать с этими мужиками». «Катюша, спать с мужчиной и брать у него деньги — это проституция, — объясняла я, — но я ведь занимаюсь совсем другим. Они никогда не получат мое тело, будут сгорать от желания и платить мне только за один вечер, проведенный со мной. Мы красивы и обаятельны, мы умеем разговаривать, и у нас есть что рассказать, мы умеем тонко и романтично флиртовать. Почему бы за общение не брать деньги? Кроме того, я делаю это очень изящно».

У каждой хорошенькой, жадной до жизни женщины бывает время распутства и время добродетели. Неразборчиво перепробовав множество кушаний, она наконец привыкает к какому-нибудь одному блюду. Плотно заколачиваются двери в доме супружества, опускаются ставни, и разве что случайный сквозняк занесет любовную авантюру, которая больше напоминает рябь на зеркале пруда, чем океанские волны. Недаром говорят, что лучшие жены — бывшие проститутки.

Желание «перебеситься» свойственно не только мужчинам, но и женщинам, но несправедливость состоит в том, что женщина, смело идущая навстречу эротическим приключениям, приобретает дурную репутацию, а мужчина, потворствующий любой прихоти своего тела, в глазах окружающих выглядит героем-любовником. Слабому полу отказывают в способности быть активной стороной и навязывают роль безвольной жертвы, попавшей по испорченности характера в сети сластолюбивого паука. Помню разговор с одним мужчиной, который с сожалением отозвался о нашей общей знакомой: «Бедная! У девушки загублена судьба. С ней переспали все мои коллеги». Глупец! Это она с ними переспала! И почему, собственно говоря, бедная?

Мужчина желает получить в жены и грешницу, и ангела, но так не получается. Взяв в супруги паиньку и быстро превратив ее в кастрюлю, муж устает от ежедневных скучных сопряжений и бежит от пресной плоти жены к более пикантным удовольствиям. Зато институт брака остается священным!

Наши мамы учили нас в детстве: «Гуляют с красивыми, женятся на порядочных». Но что это за порядочность с завязанными глазами, добродетель, не знающая, что такое порок! Гораздо достойнее, на мой взгляд, верность женщины, знающей жизненную грязь и сумевшей отказаться во имя любви от соблазна.

Человеческая природа такова, что молодость, красота и нравственность плохо увязываются между собой. Все мы были нищими, хорошенькими, мечтающими о московской прописке, славе и выгодных браках. Жизнь, позлащенная блеском славы, казалась нам необычайно прекрасной, а знаменитые люди — секс-гигантами, умницами и джентльменами. Только пустите нас в этот блестящий мир, где есть вино, вкусная еда, рестораны, автомобили и известные мужчины, и нас, плохо одетых, вульгарно накрашенных и наивных, обязательно полюбят. Дверца в этот мир открывалась гораздо проще, чем мы думали, только пускали нас не дальше прихожей. Так что к третьему курсу самые привлекательные из наших девочек могли похвастать грустными миниатюрными романчиками с популярными актерами, писателями и политиками.

* * *

Сейчас я вас угощу приключениями из собственной жизни. Прибой случая выносил на мой скромный бережок разных знаменитостей, о некоторых капризах моей судьбы я и расскажу.

К Руслану Имрановичу я попала совершенно случайно. Однажды жарким июльским вечером я слонялась по общежитию, страшно скучая, и встретила своего приятеля, журналиста Володю. Мы пожаловались друг другу на жизнь, посплетничали, и я выразила желание поесть и напиться от души. «О чем разговор, — сказал Володя, — я сейчас еду в гости к своему профессору-экономисту, очень интересному человеку. Кстати, он попросил меня захватить какую-нибудь хорошенькую девочку, чтобы мы не заскучали за деловыми беседами. Там есть то, что тебе нужно, — вкусная еда и хорошая выпивка». «А он не будет ко мне приставать?» — подозрительно осведомилась я. «Что ты, — возмутился Володя. — Сама не захочешь, никто тебя трогать не будет».

Дверь нам открыл мужчина средних лет, невысокий и приятный, но не герой моего романа. Хозяин квартиры назвался Русланом Имрановичем, сказал, что семья его на юге, поэтому угостит он нас тем, что сам сумел приготовить. Меня Володя представил как Мисс МГУ. (В то время я носила этот сомнительный титул с той же уверенностью, как и свои короткие юбки.)

Мы совершили экскурсию по комфортабельной квартире. Руслан Имранович похвастался своей обширной коллекцией трубок и пригласил нас к столу. Надо отдать должное хозяину, еда и сервировка были отменные. Пили мы в тот вечер польскую лимонную водку.

Мужчины занялись нудными, на мой взгляд, разговорами, и я сразу потеряла интерес к беседе, с удовольствием налегая на водку. В тот период у меня были неприятности в личной жизни, и я лечила их далеко не лучшим способом — обилием спиртного и сменой мужчин. Заскучав, я порылась в ворохе пластинок, скормила проигрывателю пластинку Антонова и в припадке сентиментальности, который у меня всегда вызывает водка, крутила ее несколько раз, доводя своих собутыльников до белого каления.

Чем больше я пила, тем больше мне нравился хозяин дома. Люблю мужчин с кипучей энергией, мечтающих перекроить мир по собственной мерке. Мне нравятся люди с грандиозными амбициями, с ними не соскучишься. Руслан Имранович показался мне человеком действия с хваткой бульдога. Он знал женщин, умел с ними разговаривать и явно хотел меня. А вряд ли найдется в мире женщина, которой не понравится любовный огонь в глазах мужчины, пусть даже ее поклонник вылитый Квазимодо! Кроме того, у Хасбулатова есть одна черта, импонирующая женщинам, — самоуверенность. Слабый пол любит опираться на мужчин, которые знают, чего хотят, и, не обременяя себя сомнениями, идут вперед. Терпеть не могу слюнявых поклонников с собачьими глазами, которые мучаются вопросом — поцеловать или не поцеловать. Если любовь — это сражение, так атакуйте же, черт побери!

Изрядно напившись, наша компания от деловых бесед перешла к светским. Руслан Имранович любезно расспрашивал меня о трудностях жизни в общежитии, о моих планах на будущее и даже заметил, что, может быть, в институте найдется для меня секретарская работа. (Этим предложением я втайне оскорбилась, так как считала свои способности неизмеримо выше секретарских.)

Я люблю беседу о пустяках между мужчиной и женщиной, которая только прикрывает нетерпеливость желания. Обе стороны уже прекрасно понимают друг друга, но затягивают прелюдию, чтобы продлить удовольствие предвкушения. Наконец под каким-то крайне прозрачным предлогом (кажется, осмотр библиотеки) мы удалились в соседнюю комнату, бросив на произвол судьбы надравшегося Володю. В этой комнате мы и занялись любовной зарядкой. И я была уже не я, а только дикое молодое животное, шепчущее похабные слова, чтобы подстегнуть воображение.

Далее я с большим трудом совершила обряд омовения в ванной комнате, так как меня мотало из стороны в сторону. Потом мы фасонисто раскланивались с гостеприимным хозяином, обещали непременно созвониться.

Я смутно помню, как Володя волок меня до такси, сам плохо держась на ногах. Заснула я в комнате общежития в безмерном удивлении: почему это потолок вертится, как волчок?

Спустя некоторое время я все-таки позвонила Руслану Имрановичу, пококетничала, подала надежду на свидание, но так и не встретилась с ним, разумно решив, что если в пьяном состоянии первый опыт был удачен, то никто не гарантирует, что без выпивки этот мужчина мне понравится.

Маленькая авантюра с Русланом Имрановичем произошла тогда, когда он еще не был знаменитым человеком. А вот с председателем Демократической партии России Николаем Ильичом Травкиным я встретилась в период зенита его славы, в ноябре 1990 года, в городе Одессе.

В то время Михал Михалыч Жванецкий организовал Всемирный клуб одесситов и затеял по этому поводу блестящий карнавал. А если Жванецкий берется устраивать праздник, можно ручаться, что это будет незабываемое зрелище. Он собрал на этот карнавальный разгул интеллектуальные и артистические сливки страны, очаровательную, сумасшедшую банду писателей и артистов — Клару Новикову, Ефима Шифрина, Карцева и Ильченко, Михаила Мишина, Юрия Роста, Анатолия Днепрова, Юрия Щекочихина, Анатолия Приставкина, Ларису Долину. Несколько дней шампанское лилось рекой. Гости достигли той непринужденности чувств, когда все друг в друга влюблены, состязаются в остроумии и шалят. А руководил этими пантагрюэлевскими пиршествами маг и волшебник Михал Михалыч, воплощенное Развлечение.

Я приехала в Одессу поздно вечером и до гостиницы «Красная» добралась только в 2 часа ночи. Когда я увидела свой номер, то всю мою сонливость как рукой сняло. Надо признать, я видела в жизни немало роскошных апартаментов, но в этой гостинице был особый шарм. Говорят, что в старые добрые времена здесь останавливались самые почетные гости города Одессы.

Номер представлял собой небольшой зал для приема гостей с высоченными потолками и был обставлен чудесной мебелью старинного вида. В нем свободно можно было заниматься балетом. В углу зала находился альков, где за длинными занавесями прятались широченные кровати. Прекрасный уголок для свадебного путешествия двух голубков.

Праздник уже начался, но без меня, попасть в светскую тусовку гостей оказалось нелегко. Пожилая, стервозного вида дама, главный организатор всех мероприятий, с непередаваемо одесской наглостью отшила все мои попытки достать билет на бал в Театре музкомедии. Вот тут-то мне и помог Николай Ильич Травкин. Знаменитый демократ жил в той же гостинице, что и я. Позвонив к нему в номер, я напросилась на интервью. Николай Ильич принял меня с большой непринужденностью, и через полчаса мы уже болтали, как старые приятели. Он показал мне свою речь, которую готовился прочитать на балу в театре, и попросил ее отредактировать. Я с удивлением обнаружила, что речь написана профессионально, с юмором и блеском. Дело в том, что я тогда мало интересовалась политикой и почти ничего не знала о популярности Травкина. Он ассоциировался у меня со смутными воспоминаниями о бригадном подряде.

Под покровительством Травкина я с почетом отправилась на бал и даже получила лучшее место в ряду гостей Жванецкого. Николай Ильич прогуливался со мной в фойе под любопытными взглядами зрителей и сиял, как начищенная сковородка. Одесское купечество, умильно любуясь знаменитым политиком, пригласило Травкина к себе за стол. Николай Ильич сказал пару слов о демократии и залихватски выпил рюмку водки. Меня народ рассматривал с таким откровенным вниманием, что я начала чувствовать двусмысленность своего положения, хотя мне и льстило явное внимание известного человека.

Раздался звонок, и все поспешили в зал. Я сидела между Травкиным и Юрием Щекочихиным. Юрий почему-то нервничал и все время тряс ногой, так что мое кресло тоже забилось в истерике. Кстати, у меня такая же мерзкая привычка. Какой-то человек в очках неподалеку от нас шумно реагировал на все происходящее на сцене, ржал громче всех, аплодировал с остервенением и вообще вел себя с непосредственностью школьника. Я шепотом спросила: «Кто этот человек?» Мне ответили, что это знаменитый журналист Юрий Рост.

Спектакль шел своим чередом, Жванецкий въехал на старой кляче на сцену, всем зрителям дали шампанского. В антракте личные гости Жванецкого удалились на интимный банкет, прихватив с собой и меня.

Началась настоящая русская оргия, длившаяся до утра, — пили, ели, орали. Всеобщее оживление вызвал здоровенный поросенок, которого тут же безжалостно разодрали. Клара Новикова держалась королевой бала (в тот вечер ее великолепно принимали зрители). Ефим Шифрин успеха не имел, потому был грустен и стрелял сигареты. Юрий Рост танцевал танго, Михаил Мишин пел. Какой-то пьяный писатель долго рассказывал мне историю своей первой любви, пока его не увела молодая ревнивая жена. Но царил на этом пиршестве, конечно же, Михал Михалыч, ослепляя всех фейерверком острот. У Жванецкого удивительная манера говорить комплименты — он делает это так, что каждый чувствует себя обласканным. Николай Ильич напился до положения риз, стал хватать меня за коленки и прижиматься. В пять утра я тихонько слиняла.

Этим дело не закончилось. На следующий вечер был прием у мэра города в роскошном особняке, куда съехались бледные и дрожащие с похмелья гости. Но — немного шампанского, и все пустились в пляс. Я перетанцевала со всеми, даже сплясала с Ильченко ламбаду. На медленный танец меня с пугающей торжественностью пригласил мрачный Травкин. Волнуясь и трепеща, он предложил мне стать его... официальной любовницей! «Я знаю, что после Одессы все будут говорить о наших с тобой отношениях, — сказал он серьезно. — Но я готов к этому. И советую тебе долго не раздумывать. Это твой шанс, ведь я могу дойти до вершин власти». Я не знала, что мне делать — смеяться или плакать. Грустно, когда солидный пожилой человек пускается в любовную авантюру, даже не зная, как это делается.

Я сбежала от Травкина и отправилась вместе с журналистом «Московских новостей» Витей Лошаком прогуляться по ночной Одессе. Было то чудесное время года, когда в воздухе еще чувствуются благоуханные остатки лета. Вернувшись с романтической прогулки, Витя отправился к себе в номер и пообещал заварить для меня чая. А ко мне ворвался совершенно пьяный и решительный Николай Ильич. «Куда ты сбежала с приема?» — набросился он на меня. «Я отправилась погулять, и вам нет до этого никакого дела», — ответила я. «Ты подумала над моим предложением?» — спросил он. Я сказала, что тут и думать нечего и этого не будет никогда. Он схватил меня за руки и сжал с такой силой, что я вскрикнула от боли. По-видимому, это означало нечто вроде грубой ласки. В этот момент вошел Витя с чаем и прервал наш неприятный диалог.

Когда мои гости ушли, я улеглась спать, но всю ночь меня будили чьи-то звонки. Потом кто-то стал энергично стучать в дверь, но я твердо решила не подавать признаков жизни.

В 8 утра я проснулась от наглого звонка и дотащилась наконец до телефона. В трубке услышала грозный голос: «Где ты была всю ночь?» — «Кто это говорит?» — «Это Николай Ильич. Я стучал к тебе в дверь. Почему ты не открывала?» — «И не собиралась открывать. Какого черта вам вообще надо?! Оставьте меня в покое!» Я бросила трубку.

Оставшиеся до отъезда часы мы вели себя вполне корректно и старались не замечать друг друга. На этом закончились наши странные отношения. Я думаю, что поступки этого обычно уравновешенного человека можно объяснить той феерической расслабляющей атмосферой, которая царствовала в Одессе. Правду говорят французы: «Любовь даже ослов заставляет танцевать».

А с Михал Михалычем Жванецким я встретилась потом еще раз. Мы провели с ним прелестный вечер тет-а-тет в его театре, куда я пришла брать у него интервью. К слову, интервью он мне так и не дал, зато накормил превосходным борщом и угостил шампанским. Для любопытствующих сообщу, что ничего в тот вечер, кроме флирта, не было.

Одно печальное любовное приключение навсегда отучило меня от связей со знаменитыми людьми. Было это три года назад. Я и моя подруга Юлия работали тогда на телевидении в программе «Монтаж» у талантливых ребят Димы Диброва и Андрея Столярова. Вернее, пытались работать, так как почти ничего не умели. Как-то мы решили снять сюжет о Чебурашке — сделать смешное интервью с большеухим актером, якобы ставшим прототипом мультгероя. Для этой цели известный ныне художник Боря Краснов привел меня в Театр Ленинского комсомола и познакомил в баре с Александром Абдуловым. Я проходила под кодовым названием Чебурашка.

Абдулов пригласил меня в свой кабинет, куда как раз нагрянула компания каких-то коммерсантов, заключающих договор с театром. Из шкафчика извлекли коньяк и рюмки, в буфете купили бутербродов, и началась спонтанная шумная пьянка.

Александр Абдулов, очаровательный циник и гениальный актер, обладает даром увлекать людей по своей собственной колее. Его умная безнравственность обезоруживает даже самых застенчивых. Трудно хоть сколько-нибудь продвинуться в сердце этого человека. Он видел уже столько хорошего и дурного, что его невозможно ничем удивить. Во всяком случае, не 19-летней девочке пытаться его покорить.

Все мы были воспитаны на «Обыкновенном чуде» и грезили о юном принце. Какой разительный контраст между мечтою детства и тем человеком, который со вкусом пьет коньяк, рассказывает похабные анекдоты да еще и делает это так соблазнительно. Впрочем, вполне возможно, что цинизм — лишь одна из его привычных ролей, которая наиболее ему удается. Женщины идут за ним слепо, как будто слыша звуки волшебной флейты.

В тот вечер, не смущаясь присутствием большой компании, Абдулов умело ласкал под столом мои колени. Момент Адама и Евы произошел в кабинке женского туалета, куда он пошел меня проводить под предлогом того, что я невозможно пьяна. Дальнейшее помню смутно, так как уснула на диванчике в его кабинете.

Очнулась я в час ночи, услышав поворот ключа в двери. Шумная компания уже покинула кабинет, на столе валялись объедки пиршества. В комнату вошел Абдулов, такой элегантный и выдержанный, как будто это не он провел несколько часов в обществе бутылки коньяка. Не хочу скрывать: через некоторое время я подчинилась его опытным рукам и деликатным губам.

Возвращаясь домой в темной пещерке такси, я переваривала подробности вечера и дала себе зарок не допускать больше случайных животных сопряжений. Но случилось так, что спустя полгода по каким-то телевизионным делам мне понадобилось увидеть Абдулова. Для надежности я прихватила свою подругу Юлию.

Вежливо обсудив с нами дела, Абдулов вдруг обратился к моей подруге: «Вы, наверное, хотите посмотреть спектакль. Пойдемте, я вас провожу». Растерявшаяся Юлия что-то промычала в ответ и подчинилась настойчивому предложению. Когда мы остались вдвоем, Абдулов запер дверь на ключ. Я пыталась лепетать что-то протестующее, но под первым поцелуем растаяло мое слабое сопротивление. Второй сексуальный опыт оказался менее удачным и принес и мне, и ему одно разочарование.

Все во мне бунтовало: мужчина, не заглянувший хотя бы из любезности в душу женщины, не имеет права на ее тело. Выставив наружу колючки своего цинизма, Абдулов берет женщин, как случайную добычу. Не утруждая себя долгой прелюдией, он воспринимает таинство как приятную забаву, пробу сил. И все же это не его вина — его избаловали женщины, подобно мне забывшие свое достоинство, пусть даже на короткий срок, и расплачивающиеся за свои миражи.

Три года назад появился новый класс мужчин, который привлек мое внимание, — богатые люди. Среди них оказались не только заурядные вульгарные толстосумы, но и мужчины недюжинного ума, такта и интеллигентности. Мои отношения с бизнесменами — отдельный разговор. И раз уж я рассказываю о знаменитых людях, то позвольте мне вспомнить один забавный эпизод.

Однажды холодным зимним днем я ловила такси. Какой-то приятный молодой человек притормозил свою машину и любезно предложил подбросить меня. По дороге мы разговорились. Мой новый знакомый сунул мне визитку: «Герман Стерлигов. Биржа «Алиса». Мы поболтали о новом тогда деле — о биржах. Мне понравилось хорошее мужское честолюбие этого молодого человека и его страстное желание добиться успеха. От разговора о делах и деньгах мы плавно перешли к разговору о женщинах. Герман, по-видимому, чувствовал себя благородным странствующим рыцарем и утверждал, что никогда не унизится до того, чтобы покупать женщину. «Я готов ей помочь деньгами в трудную минуту, — сказал он. — Но ни в коем случае не буду требовать платы за свою услугу». «Если вы такой богатый и бескорыстный, — в шутку сказала я, — так помогите мне. Я сейчас на мели». Не раздумывая, Герман достал бумажник и спросил: «Сколько вам нужно?» — «Ну, скажем, триста рублей» (по тем временам приличные деньги). Герман вручил мне эту сумму 25-рублевыми купюрами, и на этом мы расстались. А на следующий день грянула денежная реформа, и эти 300 рублей просто спасли меня от голода. Теперь я с удовольствием могу сказать, что эти деньги были благотворительной акцией биржи «Алиса».

Простите мне мою беспечную и стихийную откровенность. Мое поведение в те годы можно назвать безнравственным. Но я и мои подруги были так молоды, так наивны, что проходили через пламя греха, не обжигаясь. В книге любви мы прочитали только первую страницу и страстно хотели постигнуть смысл наслаждения. Мы любили свободно, как любят звери, и новый мужчина был новой жизнью. Мы видели множество рухнувших карточных дворцов, но никогда ни от чего не отказывались из страха испытать страдания. Зато наградой нам был опыт, достигнутый именно ценой страдания. Часто мы видели звезды, отражающиеся в болоте, и, пытаясь их достать, пачкались в грязи.

Я благодарна всем знаменитым людям, с которыми меня столкнула судьба, — тем, о которых я уже рассказала, и тем, о ком хочу умолчать. Одни дали мне чувство уверенности в себе, другие научили быть осторожной. Прошел период ученичества, когда было важно количество, а не качество. Сальвадор Дали писал об этом периоде: «Самым важным для меня тогда было как можно больше нагрешить».

В то время меня захлестнула романтика кабаков. Там я становилась сентиментальной, готовой заплакать или засмеяться по любому поводу. Мне нравились тонкие разговоры, которые были правдой только вечером, живописная подозрительная публика, деньги, выброшенные на ветер, пошлые кабацкие песни. Разумеется, я, как девушка с хорошим вкусом, делала вид, что мне не нравится музыка такого сорта, но на самом деле под водочку нет ничего лучше блатных песен. В такие вечера умолкал голос сомнений по поводу моей безалаберной жизни и поднимали голову самые дерзкие желания.

Мне нравились кабачки, где собирались темпераментные южные мужчины. Их страсть к декламации превращает застолье в торжественный ритуал, сопровождаемый пышными речами. Напившись, они с большой серьезностью исполняют свои национальные танцы. В одном армянском кабачке я потеряла голову, услышав протяжные, но в то же время очень ритмичные национальные песни. Я не в силах была сидеть на месте и выскочила в круг, где танцевали только мужчины. Во мне все дрожало и пело, я звонко стучала каблуками, вскидывала голову, подмигивала, кружилась и кокетничала. Один армянин выхватил красивый кинжал и маленький платок и пошел на меня, как завоеватель, сверкая глазами. Ресторанная публика в восторге от такого спектакля окружила нас кольцом. Разгоряченные мужчины бросили нам под ноги пачки сторублевых купюр. Мы топтали настоящий денежный ковер. Когда танец закончился, я шепнула своему другу Андрею, с которым пришла в ресторан, что нам пора уходить. «Если мы здесь еще посидим, — сказала я, — то меня так полюбят, что у нас возникнут проблемы».

Одним из моих любимых мест был ресторан в Центральном доме литераторов, в ЦДЛе. Меня приучил туда ходить мой отец, поэт. Когда он приезжал в Москву в качестве ответственного секретаря Хабаровской писательской организации на различные съезды и конференции, мы с ним непременно отправлялись кутнуть в ЦДЛ на деньги, накопленные втайне от мамы. Эти походы сделали из отца и дочки двух заговорщиков.

В старинном и уютном зале ресторана собиралась забавная публика из столичных и провинциальных писателей, самоуверенных графоманов, переводчиков, студентов Литературного института, околописательских дам. Детское убеждение, что творческие люди питаются ароматом роз и лунным светом, быстро рассеялось. Русские писатели черпают свое вдохновение из бутылки водки. Я и папа с увлечением наблюдали захватывающие дух скандалы и замечательные драки.

Подробнее биологию писателей можно было изучать в кафе ЦДЛа, стены которого были украшены стихами и высказываниями знаменитых людей. На одной из полок всегда стояла рюмка водки на помин души Михаила Светлова. Когда жидкость испарялась, какая-нибудь сердобольная душа снова доливала водки.

Здесь было несколько любопытных типажей. Один тип — это разболтанные личности с бутафорскими притязаниями на величие, которые, напиваясь, начинают громко читать собственные стихи и требуют от окружающих приторного сиропа комплиментов. Они рады любому незнакомому человеку, который согласен их слушать, и после каждого четверостишия восклицают: «Каково!» Другой типаж — дряблые душонки с мизерными плоскими чувствами, испытывающие хроническую зависть к более удачливым и талантливым. Они постоянно брюзжат и сплетничают о знаменитостях. Есть тип людей желчных и злоречивых, постоянно сомневающихся в себе (на мой взгляд, сомнения — признак талантливой натуры). Такие люди от водки тихо звереют и с искаженными лицами вступают в жесткие словесные дуэли. Особое внимание привлекают любимцы удачи, добившиеся славы и богатства и окруженные льстецами. Если слава их посетила недавно, то они находятся в состоянии постоянной экзальтации от собственного успеха и постоянно прожигают жизнь. А писатели, уже прочно завоевавшие любовь фортуны, держатся особняком, ЦДЛ посещают редко и окружают себя ореолом аристократической надменности. Их всегда сопровождает завистливый шепот.

Провинциальные писатели образуют отдельные компании в дни съездов и конференций. Вообще, люди умные и талантливые испытывают тягу к ЦДЛу лишь в начале своего пути, в беспутной молодости. С годами они посещают его реже, из сентиментальных побуждений.

Мой папа в ЦДЛе всегда молодеет и вспоминает годы своей учебы в Литературном институте, своих друзей-поэтов, большинство из которых уже умерло — кто покончил жизнь самоубийством, кого убили в пьяной драке, кто погиб от несчастного случая, как знаменитый драматург

Вампилов, утонувший в Байкале, кого сжег алкоголь. Самые трогательные папины воспоминания связаны с другом его юности великим поэтом Николаем Рубцовым, писавшим такие щемяще нежные и простые стихи. Папа часто цитирует его четверостишие, посвященное ректору Литературного института, который регулярно пытался отчислить его из рядов студентов: «Вы видите, что уже в гробу мерцаю, но заявляю вам в конце концов: я Николай Михайлович Рубцов, возможность трезвой жизни отрицаю». Папа весь переполнен обрывками чудесных стихов своих друзей.

Папа рассказывал, что Николай Рубцов был трогательно влюблен в мою красавицу сестру Юлю, которой в то время исполнилось три года. Она жила в Москве вместе с родителями в общежитии Литературного института. Рубцов обрывал весной сирень и приносил огромные букеты в подарок Юле как своей будущей невесте. Его пиджак, по словам папы, всегда мог рассказать о том, что сегодня Коля ел. Умер этот гениальный и рассеянный поэт не своей смертью — его задушила полотенцем женщина.

Кафе-легенда ЦДЛа вскоре стало нашим любимым местом. Я и мои подруги полюбили шумные мужские компании, где, плавая в сигаретном дыму, можно было услышать лучшие истории на свете, получить порцию двусмысленных комплиментов и, чувствуя себя в полной безопасности, ловить откровенно сластолюбивые взгляды. Кроме того, в кафе можно было вкусно поесть и выпить хорошего вина, а в Москве таких мест было немного. Но зоркие стражи у входа в ЦДЛ не пускали бедных хорошеньких девочек без сопровождения члена Союза писателей. Тогда мы нагло приставали к какому-нибудь «члену» с трогательной просьбой провести нас внутрь.

Ах, Боже мой, как мы вечно были голодны! Однажды летом, слоняясь вдвоем с Юлией по центру города в поисках съестного, мы добрели до ЦДЛа и попросили какого-то пухленького писателя проводить нас в кафе. Он любезно согласился и приволок нас прямо в ресторан на банкет в честь выхода чьей-то книги. Нас усадили за стол, мы тут же стали центром внимания, нам целовали ручки и читали стихи, а главное, кормили от души. Через пять минут мы уже совершенно освоились в незнакомой компании и даже стали произносить тосты за виновника торжества, который, расчувствовавшись, вручил нам свою книгу с дарственной надписью. Еще через полчаса, когда мы основательно наелись и стали объектом слишком горячего внимания со стороны пьяных писателей, я толкнула Юлию под столом ногой и сказала ей на ухо, что пора сматывать удочки. «Подожди еще немного, сейчас принесут жульенов», — прошептала Юлия. Явились жульены, мы бесцеремонно сгребли все порции себе. Ах, с каким сладострастием мы ели, облизываясь и постанывая от удовольствия. Насытившись, Юлия поднялась и с непроницаемым лицом сказала: «Нам нужно выйти в туалет». Мы степенно выплыли из зала ресторана и понеслись к выходу. Когда ЦДЛ остался далеко позади, мы вдоволь нахохотались над нашим мелким мошенничеством. Юлия, у которой от вина и еды блестели глаза и губы, все время приговаривала: «Боже мой, но какие вкусные были жульены!»

Писатели еще несколько лет назад были окружены ореолом государственной ласки. Литературный фонд помогал им деньгами, они имели право на быстрое получение квартиры и машины, могли ездить отдыхать в великолепные и недорогие Дома творчества (папа несколько раз возил меня в детстве в эти райские места). Книги издавались за счет государства. Самые предприимчивые и самые бездарные писатели добивались богатства и славы за свои лицемерные, угодливые творения.

Но три-четыре года назад на писательское благополучие легла тень неуверенности и сомнения. Пришло время сильного зверя. Никто не собирался больше баловать творческую интеллигенцию. Издательства стали заниматься коммерцией и наплевали на современных писателей. Многие талантливые, но, к сожалению, неизвестные люди тихо опускались на дно. Народ поэнергичнее взялся за рекламу и организацию собственных издательств. Никого больше не интересовали высокие слова.

Наступило веселое время. Новое сословие, денежные

мешки, гуляли вовсю. К власти рвались деньги — отважные, наглые, сексуальные. Деньги и власть — это сила, заставляющая трепетать женщин. Слабый пол втайне так ждет насилия и господства над собой, что богатые всегда будут сексуальными.

Что такое любовь без денег? Это растение без воды. Она чахнет в нужде. Любовь, аристократичная дама, должна постоянно заниматься только собой, а для этого она должна быть свободна от забот о куске хлеба. Разве может мужчина, целый день простоявший у станка, быть вечером изысканным любовником, или женщина, тратившая нервы и силы в какой-нибудь конторе в течение восьми часов, разве сохранит она свежесть красок и неутомимость тела? И потом, любовь придает мелочам огромное значение. Безделушки, цветы, рестораны, новые платья сделают любую женщину слепой к недостаткам мужчины и заставят ее сердце биться сильнее. Как, должно быть, ужасно, если мужчина не может украсить свою возлюбленную теми бесполезными и чрезвычайно дорогими мелочами, которые составляют счастье женщины.

Русский мир начал вращаться вокруг денег. Летом 1991 года миллионеры множились, как кролики. В один час создавались состояния, их владельцы грешили со смаком, одурманенные легким богатством. Черт знает что такое, а не лето! Оно взлетело, как фейерверк, и сгорело на потеху шумной толпе, оставив воспоминания о сумасшедшем, угарном, припадочном времечке!

Страна стала Клондайком нереализованных возможностей. Как говорил один мой знакомый: «Деньги валяются под ногами, только не перешагивайте через них. Всегда в дни хаоса создаются удачные ситуации для приобретения богатства». Да, на крушении громадной империи можно заработать не меньше денег, чем на создании новой цивилизации. И только дураки не понимают, как можно использовать приближающийся крах, когда страна трещит по швам.

Случайно разбогатевшая шушера, всплывшая на поверхность людского моря благодаря умению ловко обманывать и кусаться до крови, пустилась в то лето во все тяжкие. Открыли свои двери первые казино, очаровывая новобранцев сомнительной атмосферой легких денег и азартных ночей. Меня в казино привели мои друзья из покерной компании, с которыми я на рассвете своей юности так славно резалась в карты. Эти шалые молодые умники перенесли свою болезненную страсть к игре в сферу большого бизнеса, ставкой теперь были миллионы, а не маленькие стопки звонкой мелочи времен студенческого покера. Прошло всего два года, и бывший нищий студент Гера смог пригласить меня в респектабельный ресторан на обед, где со знанием дела комментировал меню: «Креветки здесь скверно готовят». А у меня перед глазами стояла сцена, как я и Гера, проснувшись с похмелья в два часа дня, с рычащими от голода желудками, «стреляли» мелочь у знакомых, чтобы купить нехитрое варево в студенческой столовой. По словам Геры, он всерьез взялся делать деньги, когда выяснил, что его жена уже полгода разводит тушь для ресниц водой.

«Рождение новых состояний — слишком интимный процесс, чтобы рассказать о нем», — застенчиво говорил мой друг Сережа, тоже бывший покерный игрок. Он редко вдавался в подробности, как он делает деньги, зная, что мой живой, но поверхностный ум с большой неохотой усваивает лекции об экономике. Зато я твердо знала причину его упорного зарабатывания денег. Условие, поставленное мною: «Если ты будешь богат и знаменит, я непременно выйду за тебя замуж», — стало прекрасным стимулом для развития его способностей. Когда в стране не было возможностей для бизнеса, Сережа мечтал стать нобелевским лауреатом в области экономики и на полученную премию купить мне бриллиантовый гарнитур. Но получить средства для того, чтобы баловать меня, оказалось гораздо более простым делом — через кооператив.

Сережа приучал меня постепенно, как приучают маленькое, не любящее повиновения животное. Ему ежедневно оставляют блюдечко молока и кусочки мяса, пока эти лакомства не заставят его терпеливо переносить ласку хозяина. Так и я привыкала, приходя к Сереже в гости, отыскивать в шкафу специально для меня приготовленные дорогие сигареты, иногда флакон французских духов, а на столе всегда меня ожидали свежие фрукты, сладости и бутылки изысканного вина. Я грелась в его уютном доме и ела с таким непосредственным удовольствием, что способна была возбудить аппетит у смертельно больного. Мы много беседовали, а потом я позволяла поцеловать себя в щечку на прощание. Разумеется, свое обещание выйти за него замуж я и не думала выполнять. Окончание этого двухлетнего, почти платонического романа ознаменовала прелестная дорогая шубка, подаренная им в мой день рождения.

Я часто спрашивала у Сережи, почему он, имея столько денег, не уедет из страны. «Да ты что! — горячился Сережа. — Сейчас в стране уникальная ситуация, которая бывает раз в триста лет. Идет процесс первоначального накопления капитала, состояния рождаются на голом месте. В развитых странах крупные капиталы насчитывают столетнюю, а то и больше историю. А у нас все в младенческом состоянии, с нуля начинаем...»

Сережа протоптал для меня дорожку в рублевое казино. Мне сразу понравилась разношерстная, живописная публика, толпившаяся возле зеленых столов, где метался, как сумасшедший, шарик рулетки. Здесь была атмосфера жизни на час, погоня за единственным счастливым мгновением. Самые спокойные люди срывались с цепи. Помню, как расчетливый Гоша, еще один мой «покерный» дружок, с каким-то странным исступлением сжигал 50-рублевые купюры (в то время это еще были деньги), и бармен из-за стойки тянул шею, чтобы получше рассмотреть печальное для его глаз зрелище.

Казино на целый месяц стало моим вторым домом, я приходила сюда каждый вечер и уходила под утро. Случайно появляющиеся деньги жгли мне пальцы, и я тут же покупала на них фишки. Часто я приходила одна, вызывая любопытство мужчин, но меня не задевало их внимание. Как-то в жаркий летний вечер пришла в казино в легком костюме, состоящем из длинной пышной юбки и лифчика, который воображал себя блузкой. Я играла целый час, не замечая ровным счетом ничего, пока мое внимание не привлек мужчина, играющий с противоположной стороны стола. «Девушка, — громко сказал он, — позвольте вам кое-что сказать на ухо». «Если вам нужно что-то сказать, говорите через стол, — надменно сказала я. — И оставьте мои уши в покое». Мужчина улыбнулся, вырвал листочек из блокнота и что-то написал там. Я сделала вид, что не вижу, как публика, шушукаясь, передает из рук в руки записку. Потом с важным видом я развернула клочок бумаги, и меня бросило в жар. «У вас прелестная грудь», — гласила записка. У этого джентльмена были основания сделать подобное заявление — мой лифчик самым подлым образом развязался и соскользнул на талию, оставив обнаженной грудь. Я редко краснею, но тут почувствовала, как пылают мои щеки и горят уши. Я лихорадочно устранила беспорядок в одежде, собрала свои фишки и ушла в бар пить шампанское.

Медленно потягивая через соломинку ледяную жидкость, я наблюдала за присутствующими. Зал постепенно наполнялся, и вскоре я потеряла из виду слишком любопытного джентльмена, пославшего мне записку. Я взяла фишки и снова отправилась играть. Но мне чертовски не везло. За полчаса я спустила все свои деньги, даже тот неприкосновенный запас, который предназначался для такси. Чья-то рука любезно подвинула мне пять фишек. Не раздумывая, я приняла подарок и бросила все фишки на «зеро». Несколько томительных мгновений, и шарик падает на знаменитое «ничто», «ничего». Одним удачным ходом я отыграла все свои деньги. В счастливом упоении я повернулась к своему дарителю и увидела знакомого любителя грудок.

— Ах, это вы! — с невольной гримаской сказала я.

— Давайте отпразднуем вашу победу. Хотите крабов? — любезно предложил он.

— Разумеется, — снисходительно ответила я.

Мы прошествовали к бару. Я уничтожила одну порцию крабов, потом вторую, взялась за третью.

— Интересно, сколько вы еще сможете съесть? — спросил мой новый знакомый.

— Сколько вам угодно, — ответила я с набитым ртом.

— Меня зовут Боря. Давайте выпьем за цифру, которая принесла вам победу, — за «ноль», самое таинственное число.

— Мое имя Дарья. Я поддерживаю ваш тост. Кто-то из древних говорил, что это число обозначает смерть.

— Вы проститутка, Даша?

— Нет. Почему вы так решили?

— Женщины не приходят в подобные заведения в одиночестве. Разве что в поисках мужчины.

— А я прихожу сюда ради игры и не вижу в этом ничего странного. Вообще-то моя профессия схожа с проституцией, ее называют второй древнейшей.

— Так вы журналистка, окончили факультет журналистики МГУ, так? — спросил Боря и после моего утвердительного кивка продолжил: — О чем же вы пишете?

— На любые темы, лишь бы они обещали приключения. Может, вы подкинете мне что-нибудь интересное?

— Хотите купить сегодня вечером проститутку?

— А у меня денег не хватит, — рассмеялась я.

— Это неважно, купите на мои, — нетерпеливо сказал он. — Неужели вас не мучает любопытство, как это делается?

— Естественно, как и всякую нормальную девушку, меня всегда интересовали так называемые «дурные женщины». Это нечто отталкивающее и таинственное.

— Так чего мы сидим? Поехали!

Боря решительно поднялся с места. Я в полной растерянности последовала за ним. Здравый смысл, еще не окончательно заглушенный шампанским, говорил мне, что неразумно ехать черт знает куда с этим сомнительным человеком. «Может быть, вы боитесь?» — насмешливо спросил Боря. «Ничуть, — с достоинством ответила я, — просто я еще не обменяла фишки на деньги». Пока кассир рассчитывался со мной, Боря томился от скуки. Ему не терпелось рвануть с места, как гончей, почуявшей запах охоты.

Уже в такси я поинтересовалась, куда мы едем. «К гостинице «Москва». Там в эту пору можно достать девочку», — сказал Борис. У гостиницы в ряд стояли такси. Борю встретили как старого знакомого. Мужчина лет тридцати в кожаной куртке поздоровался с ним за руку, оценивающе посмотрел на меня и спросил, по какому делу мы приехали. «Девочку нам надо», — ответил Боря. «Зачем? — искренне удивилась кожаная куртка, бросив на меня выразительный взгляд. — Впрочем, не мое это дело. Хочу тебя огорчить — товар остался никудышный, — наш собеседник пренебрежительно махнул рукой в сторону машин, в которых сидели женщины. — Могу отвезти в другое место», — предложил он.

Проплутав минут десять в лабиринте маленьких улочек, наше такси затормозило в узком темном проезде около единственной машины. Нас встретил энергичный молодой нахал, который со словами: «Последняя осталась» вытащил из убежища машины жалкое существо женского пола. Существо назвалось Люсей и преданно посмотрело мне в глаза. «Ну как, подходит?» — спросил Боря. «Она какая-то недокормленная. И вообще, подсовывают нам третий сорт», — возмущенно сказала я. Нахал приложил руку к сердцу и задушевным голосом произнес: «Зато добрая какая — я тебе сказать не могу». Кожаная куртка извинилась перед Борей за промашечку и посоветовала толкнуться на Уголок за Большим театром.

Уголок оказался очень оживленным местом. Здесь бойко шла торговля женским телом. К Боре с приветственным клекотом кинулась фантастических размеров женщина. Они облобызали друг друга. «Давно ты у нас не был», — с теплотой в голосе сказала толстуха и погладила Борю по щеке. «Все дела, Маша, ты же знаешь», — отмахнулся тот. Сутенерша Маша внешне походила на добрую бабушку, пекущую пирожки внучатам. Разочаровывал только ее цепкий волчий взгляд. Она принадлежала к породе отвратительных ночных животных, которые выползают на улицы города вместе с темнотой. «Тебе девочку?» — заботливо осведомилась сутенерша у Бори. «Не мне, а ей», — ткнул пальцем в мою сторону. Не выразив ни малейшего удивления, Маша обратилась ко мне: «Пойдем, красотка. Я тебе покажу товар — пальчики оближешь».

Меня подвели к двум машинам, в которых сидели девицы. Одна из них крикнула: «Мадемуазель, угостите сигареткой!» — «Почему бы и нет», — ответила я и протянула ей пачку «Ротманса». «И мне, и мне», — закричали остальные, и моя пачка наполовину опустела. «Ну, какую берешь?» — спросила Маша. «Я их не вижу. Пусть они выйдут из машины», — сказала я.

Передо мной построили семь девиц, и минуты две мы рассматривали друг друга как противники на дуэли, испытывая острую взаимную неприязнь, смешанную с любопытством. Я выбрала крашеную блондинку в черном бархатном платье, которая отличалась от своих более потрепанных товарок некоторой свежестью. Блондинку звали Женей, и стоила она семьсот рублей.

Я нашла Борю в компании крепких молодых мужиков и отозвала его на минутку в сторону.

— Я уже нашла девушку, — сказала я ему.

— А-а, сейчас заплачу, — рассеянно отозвался Боря, занятый мыслями о прерванном разговоре.

— А что мы с ней будем делать?

— Что делать? — удивленно переспросил он. — Понятия не имею. Ты же ее выбирала, ты и придумай что-нибудь. Можно поехать на квартиру к моему другу.

— Нет-нет, — поспешно сказала я. «Квартира друга» ассоциировалась у меня с тяжкой пьянкой и грубыми приставаниями мужиков в сигаретном дыму.

— Можно тогда взять вина и поехать на природу в лес.

— Ну зачем же в лес? Это долго и далеко. Поехали лучше на Ленинские горы, на место встречи Герцена и Огарева. Там красиво и тихо.

Боря с минуту ошалело рассматривал меня, как некое неизвестное ему животное, правила поведения которого необходимо понять, чтобы знать, как с ним обращаться. «Ну ладно, — задумчиво протянул Боря, — сейчас возьму шампанского и поедем».

Рассвет мы встретили на Ленинских горах, сидя на зеленой травке и попивая из бутылки шампанское. Ночь стерла краски с наших лиц и превратила нас в призраков. «Какая странная компания, — подумала я, — проститутка, журналистка и спекулянт». Мнимое очарование продажных женщин рассеялось — Женя оказалась на редкость скучной особой. Ее маленькие голубые глазки не видели дальше возможной работы за рубежом, в публичном доме. Она была из тех, кто готов своим гибким телом заткнуть фонтан мужского вожделения. «У тебя прелестное платьице», — сказала я, чтобы поддержать разговор. «Это мне мама сшила», — оживилась Женя. Я удержала готовый сорваться с языка вопрос: «А мама знает, чем ты занимаешься?» Она сидела передо мной, нежный плод материнских забот, и на ее гладком лице отражалось недоумение — зачем эти странные люди заплатили за нее деньги? В какой-то момент я ей позавидовала — ее не мучили сомнения.

Мы с Борей пошли прогуляться по аллее, оставив Женю на травке икать от шампанского.

— Зачем ты все это затеял? — спросила я. — Тебе от этого никакой выгоды — две женщины, и ни с одной нельзя переспать.

— Зато я впервые за несколько лет встретил рассвет на улице, в парке, а не в кабацкой обстановке, среди осатаневших от водки людей. И я почти не пьян — разве что от воздуха. Скука — мой постоянный ночной спутник, но сегодня у нас сложилась свежая ситуация.

— Тебе, наверное, хотелось произвести на меня впечатление — показать хорошенькой девочке запретный мир и свое не последнее место в нем, так?

— Зачем мне производить на тебя впечатление? Мы вряд ли с тобой еще увидимся. Просто мы посмотрели вместе странный сон, и уже сейчас он кажется неправдой.

Боря посмотрел на часы: «Полшестого утра. Куда тебя отвезти?» «В такое место, где еще не спят, на Ленинский проспект», — ответила я.

Катя открыла мне дверь, нисколько не удивившись. «Ты как раз вовремя, — весело сказала она. — Мы коньяк пьем». У нее был бодрый вид, как будто она всю ночь провела в постели. За рюмкой мы встретили еще одно утро сверкающего лета.

Был август, та шальная пора, когда хочется нагуляться вволю в предчувствии отрезвляющего холода зимы.

Праздник, казалось, будет длиться вечно, но в наши легкомысленные планы вторглась политика.

19 августа я проснулась в восемь часов утра и включила телевизор, чтобы делать зарядку. Но моей любимой программы не было, на экране пианист наигрывал что-то трагическое. Я стала тормошить своего друга Андрея, с которым жила уже три месяца. «Вставай, милый, в стране кто-то помер». — «Отстань», — сказал он и повернулся на другой бок, но после сообщения диктора о новом составе правительства и мнимой болезни Горбачева он подскочил и потянулся за сигаретой. «Вот суки, мою гимнастику отменили», — гневно сказала я, как будто это обстоятельство являлось самой серьезной проблемой сегодняшнего дня. «Что делать будем?» — спросила я Андрея. «Умные люди должны собирать вещи и тикать за границу», — мрачно ответил он. «Может, все еще обойдется», — умоляюще сказала я. Андрей знал эту мою ребячливую манеру в трудных ситуациях заглядывать в глаза и просить слов утешения, зная при этом, что грош им цена. Он погладил меня по голове и сказал то, что я так хотела услышать: «Конечно, обойдется, все будет хорошо».

Такое потрясающее событие требовало бурной деятельности. Чтобы найти выход своей энергии, я первым делом разбудила телефонными звонками всех своих подруг, крича в трубку: «Вы тут спите, а в стране переворот». Сначала меня посылали к черту и бросали трубку, потом сами перезванивали в истерике. Позвонила плачущая Катя: «Дашенька, приезжай, пожалуйста. У меня прямо под окном идут танки». Я взяла такси и отправилась на Ленинский проспект.

В доме у Катюши гремела чудная радостная музыка. «Что это?» — удивленно спросила я. «Танки», — ответила Катя. «Да я не про это. Что за музыка?» — «Ты разве не узнаешь? — удивилась Катя. — Моцарт. «Волшебная флейта». Под прозрачные переливы сказочных аккордов мы наблюдали через окно, как танки месят асфальт Ленинского проспекта. Когда пепельница заполнилась окурками, Катя предложила обмыть страшное событие. По ее мнению, это был вполне подходящий повод.

Мы вышли из дома и взяли такси, чтобы добраться до своего любимого бара. Но наше такси не могло соперничать с танками. Бедные милиционеры, обливаясь потом и срывая глотки, пытались контролировать затор. Я медленно накалялась ненавистью и, потеряв запас приличных слов, громко материлась. «Ну и денек сегодня, — сказал водитель. — Попробуйте лучше, девчонки, на метро добраться».

Мы вышли из машины. «Ты знаешь, Катя, я не пойду в бар, — сказала я. — Я поеду в редакцию». Мы расстались на три долгих дня путча.

Улица Правды, где находятся редакции крупнейших газет, была запружена бронетранспортерами. В редакции «Комсомольской правды» народ развлекался тем, что подсчитывал, глядя в окна, единицы боевой техники. Самые упрямые пытались готовить номер газеты, хотя всем было ясно, что его не позволят выпустить. В пять часов вечера состоялось печальное собрание, на котором было объявлено о запрещении выхода «Комсомольской правды». Такое событие требовало водки, и я поехала в контору к своему «покерному» другу Гоше.

В одиннадцать часов вечера я напилась до такого состояния, когда в полную силу проявляется мой дар убеждения. Заливаясь слезами, я держала пылкую речь, как будто стояла на трибуне: «Гоша, кто, если не мы?! Сегодня закрыли мою газету, завтра у тебя отберут твои деньги. Мы должны сражаться за наши кровные интересы. Вдруг сегодня возьмут штурмом Белый дом? А мы здесь будем сидеть как суслики, так?» Гоша вяло отбивался: «У меня ребенок, я не могу рисковать собой». — «А что ты скажешь своему ребенку, когда он вырастет в стране, в которой власть будет в руках ублюдков?» — парировала я. Гоша, затуманенный алкоголем, перестал сопротивляться: «Ладно, твоя взяла. Поехали». Мы захватили с собой еще одного нашего молчаливого собутыльника и несколько блоков сигарет «Ява» в подарок солдатам, стоящим у Белого дома.

Таксисты в эту ночь брали вдвое против обычной цены. Нас высадили на Краснопресненской набережной, забаррикадированной строительными блоками, металлическими прутьями и сетками. Со всех сторон к этой сюрреалистической композиции двигались люди, в ярком свете фонарей все это походило на народное гуляние. Прыгая, как кузнечики, по бревнам и решеткам, мы перебрались через баррикаду и тут поняли, откуда идет грозный ровный гул. Это двигалась боевая техника Рязанского полка, перешедшего на сторону Ельцина.

Гоша, мой славный, ленивый, обрюзгший Гоша, который пальцем не шевельнет ради ближнего, полез на бронетранспортер, вручил солдатам сигареты и завел душеспасительную беседу на тему «Народ и армия едины». «Ребята, — говорил он вдохновенно, — вы не можете стрелять в народ. Вы ведь наши, вы за Ельцина, правда?» Глядя в простодушные юные лица солдат, можно было с уверенностью сказать одно: они не понимают причины окружающего их народного ликования. Их разбудили утром по тревоге и отправили в путь на Москву. «Да вы поймите, мы просто приказ выполняем, — объясняли они. — Нам велели приехать к Белому дому, вот мы и здесь. А кто против кого и что здесь вообще происходит, мы понятия не имеем». Народ, воспользовавшись близостью армии, в доступных выражениях объяснял суть положения. Это было всеобщее братание. «Ребята, как вас кормят? — кричал Гоша. — Может быть, вам принести чего-нибудь?» — «Нет, спасибо, — отвечали ему. — Нам столько продуктов уже принесли, что и за месяц не съесть».

Перед Белым домом шел митинг, принявший затяжной характер. Люди приходили и уходили, менялись ораторы, речи сыпались через микрофон с упорством дождя, моросившего в дни путча. Из толпы выделились лидеры, которые занялись организацией добровольных отрядов для защиты здания российского парламента. Ветер разносил листовки. Страшные события сбили людей в плотный ком, как магнит собирает металлические опилки. Последнее видение той фантастической ночи — это тихо выходящая из древних стен Кремля колонна танков, которую мы увидели из окна такси.

Азарт революционных событий способен захватить даже самых спокойных и эгоистичных людей. Нервная горячка перемен будоражит как хорошее вино. Я удивилась, когда на следующий день мои друзья-бизнесмены энергично занялись отправкой в другие города по биржевым каналам указа Ельцина и краткого информационного выпуска «Комсомольской правды», который я им принесла в контору. Гера при этом мстительно приговаривал: «Это вам не начало перестройки, когда мы листовки печатали на дрянной машинке. Теперь у нас есть факсы, телексы, компьютеры». Правда, коммерческая жилка Геры и тут его не подвела, на указах Ельцина он беззастенчиво поместил рекламу своей фирмы.

Москва полнилась слухами. Говорили, что к столице движутся колонны танков, что ночью предполагается штурм Белого дома, что в больнице Склифосовского приготовлены места для возможных жертв. Мой друг Андрей, человек очень осторожный, зная мою горячность, купил на вечер билеты в Харьков, чтобы увезти меня к своим родственникам.

Когда я ворвалась домой в половине восьмого вечера, все переполненная новостями, он жарил на кухне мясо и велел мне поторопиться, чтобы не опоздать на поезд. Я рассеянно скидывала вещи в сумку, рассчитывая протянуть время. Потом подошла к Андрею, поласкалась, как кошечка, и умоляющим голосом сказала: «Милый, поезжай один. Я остаюсь. Извини за патетику, но революция бывает не каждый день, я должна все видеть своими глазами». Андрей тяжело вздохнул и сказал: «Ладно, остаемся вместе, только нужно сдать билеты на поезд до девяти часов вечера — вернуть хотя бы часть денег».

После ужина, когда мы торопливо одевались, чтобы успеть на вокзал, я вдруг испуганно сказала: «Андрей, а если нас сегодня убьют? Мы ведь даже не позанимались любовью напоследок». — «Но мы не успеем тогда сдать билеты», — возразил практичный Андрей. «А вдруг успеем», — просительно сказала я, увлекая его к постели. И двадцать минут чудесного экстаза были украдены у времени.

Мы приехали на вокзал в пять минут десятого, когда наши билеты уже превратились в ничего не стоящие клочки бумаги. «Ну вот, теперь мы без денег», — грустно заметил Андрей.

В десять часов вечера мы подошли к баррикадам на Краснопресненской набережной, куда с торопливостью муравьев стекались тысячи людей. Энергичные молодые люди преградили нам путь: «Женщин решено не пускать». — «Как это не пускать? — возмутилась я. — В данный момент я не женщина, я журналистка». Они заулыбались: «Удостоверение есть?» — «Разумеется». Пробираясь к Белому дому сквозь возбужденную наэлектризованную толпу, нам пришлось еще несколько раз предъявить мое удостоверение. Мы реально увидели ту работу, которую за одни сутки провели защитники российского правительства. Были сформированы добровольные отряды, чувствовалось подобие воинской дисциплины. Добровольцев вооружили металлическими палками и снабдили респираторами и марлевыми повязками на случай газовой атаки. К Белому дому доставили продукты.

В одиннадцать часов вечера вступил в действие комендантский час. Моросил мелкий противный дождь, и люди грелись у костров. Мы вымокли до нитки и замерзли так, что зуб на зуб не попадал. «Надо было водки взять», — сказала я, стуча зубами, Андрею. Мы пристроились в нишу, укрывающую от ветра, к костру, у которого грелся один отряд. «Даша, и ты здесь?» — услышала я радостный возглас. Я рассмотрела в свете костра знакомые лица — студенты из ДАСа. Имена этих людей я запамятовала, но определенно встречалась с ними в коридорах общежития и часто болтала. Я скрыла эту неловкость самой сердечной улыбкой. Дождь смыл с моего лица косметику, и я выглядела жалким взъерошенным воробышком. Мне одолжили куртку, красную вязаную шапочку и кусок полотенца, который надо было смочить водой и закрыть нос и рот на случай газовой атаки.

Началось долгое томительное ожидание, когда чувствуешь себя таким опустошенным. Ничего уже нельзя сделать или изменить, все готово и отрегулировано — остается только ждать. Мы вздрагивали от каждого приказа, разносившегося через микрофоны. Особую тоску наводил священник, пришедший помолиться за защитников. Он спрятал в нише от дождя свечи и громко пел молитвы в сопровождении маленького хора. «Господи, лучше бы он замолчал, — думала я в раздражении, — кажется, будто тебя хоронят и дождь покрывает всех, как саван». От холода я так тянула ноги к огню, что вскоре в воздухе появился аппетитный запах паленых кроссовок. Из состояния странного оцепенения меня вывел очередной приказ всем отойти от стен. Вооруженные охранники, засевшие в самом Белом доме, опасались, что во время предполагаемого штурма заденут мирных и практически безоружных добровольцев.

После полуночи вдалеке послышались выстрелы. Холодные пауки страха поползли по моей спине. Ко мне подошла решительного вида женщина и спросила, умею ли я перевязывать раненых. Она смотрела на меня с плохо скрываемым презрением, как на существо, из которого нельзя извлечь никакой выгоды. (И правда, толку от меня в этой ситуации было мало.) Я храбро кивнула ей в ответ, получила два бинта и последующие полчаса приставала к Андрею с просьбой объяснить мне технику перевязки.

От долгого ожидания и страха я безумно захотела в туалет. Но как осуществить это естественное дело в присутствии тысячи мужчин? Единственный выход — укрыться в нише здания и справить там малую нужду. К моему облегчению, по сигналу тревоги добровольцев построили в длинную шеренгу спиной к Белому дому. Я и Андрей тихонько крались к нише за спинами защитников, но, на беду, я споткнулась в темноте о пустую бутылку. Услышав звон разбитого стекла, развернулся весь строй, гремя металлическими палками. «Что вы там делаете? — заорали нам в мегафон. — Был же приказ всем отойти от стен». Мы со смиренным видом сменили направление, но, улучив момент, быстренько добежали до ниши и там, хихикая, с великим облегчением помочились. «Теперь нам не придется писать на стенах Белого дома свои имена, — сказала я Андрею. — Мы, как кошки, пометили место своего пребывания».

Это маленькое происшествие ослабило наше напряжение. «Мне осточертели эти постоянные построения добровольцев, эти приказы, которые только сеют панику, эти люди, которые разгуливают с видом героев и постоянно говорят мне, что женщине здесь не место, — заявила я моему другу. — Где-то неподалеку слышны выстрелы, там происходит что-то важное, а мы сидим здесь, запертые в ловушке, и ждем неизвестно чего. Лучше пойти в город».

Снова пройдя все кордоны, охраняющие подступы к Белому дому, мы наконец выбрались на пустынные, залитые светом улицы города. Приближаясь к Калининскому проспекту, мы услышали все нарастающий гул. Тоннель на перекрестке проспекта и Садового кольца был окружен тысячами возбужденных людей, чьи голоса, вибрирующие от эмоций, походили на жужжание огромного потревоженного улья. Когда мы спустились в тоннель, нам стала понятна причина общей взвинченности. Толпа людей, как море, вышедшее из берегов, затопила выход из тоннеля, не пуская три бронетранспортера. Один из БТРов сумел вырваться и ушел, смяв троллейбус в качестве баррикады.

На асфальте были видны кровавые лужи и жуткие желтоватые кашицы. «Господи, что это?!» — спросила я у рядом стоящего мужчины. «Человеческие мозги, — сказал он голосом, близким к истерике. — Задавили троих ребят». Чья-то заботливая рука оградила деревянными дощечками эти страшные следы и поставила маленькие горящие свечи.

На лицах присутствующих здесь журналистов с видеокамерами и фотоаппаратами читалась тайная жажда сенсации. Меня поразило счастливое выражение лица какого-то американца — казалось, он испытывал удовольствие зрителя, сидящего в первом ряду кинотеатра. Пред ним развертывалась великолепная драма. В каком-то странном опьянении он случайно ступил в лужу крови, его вежливо попросили отойти.

Я немного стыдилась своего журналистского инстинкта, который затмевал ощущение трагедии и интересовался только фактами. Но выяснить ситуацию оказалось нелегко. Шок мешал очевидцам трезво оценить происшедшее и ясно изложить последовательность событий. Из бессвязных рассказов сложилась общая картина: толпа образовала затор, не давая БТРам двигаться. На одну из боевых машин набросили брезент, закрыв ей смотровое окно. Тяжелая машина завертелась на месте, давя людей. Обезумевший от страшного зрелища народ бросал в БТРы бутылки с горючей смесью. Точное количество погибших никто не мог назвать, но говорили, что не больше пяти человек.

Мы побежали искать телефонный автомат, но в будках были оборваны трубки. Пробежав несколько кварталов, мы наконец нашли исправный автомат и позвонили в ночную службу редакции «Комсомольской правды». Я не могла привести в порядок свои мысли и говорила короткими бессвязными предложениями: «Танки в тоннеле... Мозги на асфальте... По меньшей мере три трупа...» Мой редактор Дима Муратов, стараясь извлечь какой-то смысл из моего бреда, стал задавать вопросы: «Даша, может быть, это не танки, а БТРы?» — «Боже мой, откуда я могу знать? Ведь я занимаюсь светской хроникой», — занервничала я. (В тот момент я действительно имела смутное представление о боевых машинах.) «Выясни, что это за вид техники и куда отвезли трупы», — дал указания Дима.

Когда мы вернулись в тоннель, массовая истерика достигла своего девятого вала. Люди потеряли контроль над своими эмоциями и готовы были совершить непоправимое. Они рвались к БТРам с кровожадным намерением совершить расправу над танкистами. Но нашлись люди, обладающие здравым смыслом и выдержкой. Они взяли под свою защиту танкистов и не дали совершиться еще одному бессмысленному убийству. Эти отважные ребята казались островками спокойствия в безумном людском море.

Я передала по телефону более рассудительный рассказ о событиях, и мы снова отправились к Белому дому. Там все было мирно, народ потихоньку разбредался, и все казались праздными гуляками. На крышах троллейбусов, служивших баррикадами, сидели веселые компании и пели под гитару: «Рок-н-рол мертв, а я еще нет». Установилась странная, почти карнавальная атмосфера предчувствия победы. Неистовая мистическая ночь заканчивалась, все демоны вернулись обратно в ад, пожрав три молодые жизни.

Тихим ясным утром мы шли по центру города пешком, так как не было ни одной машины. Вдруг мы увидели мчащийся на всех парах одинокий БТР. Казалось, он опоздал к началу событий и теперь спешит посмотреть, чем кончилось дело. Нас позабавила эта сценка, и мы пожалели о том, что нельзя использовать БТР в качестве такси.

После путча нас утомило затянувшееся народное ликование. Хронические митинги, быстро состряпанные песни в честь победы, массовое появление героев, раздачи удостоверений «Защитник Белого дома» — во всем этом было что-то натужное и фальшивое. Политика всегда казалась мне чем-то ненатуральным и безвкусным, как продукты из концентратов. Нам захотелось уехать туда, где не существует условностей общества. Я слыхала об одном прелестном диком местечке на берегу Черного моря, напрочь лишенном правил. Указания о его нахождении, которые мне дали мои друзья, были предельно просты: «В двух часах езды от Геленджика есть деревушка (название я скрою по просьбе моих приятелей). Там идите к морю, поворачивайте в сторону Грузии и топайте до тех пор, пока не наткнетесь на водопад».

Маленький фырчащий автомобиль поздним вечером высадил меня и Андрея в глухой деревушке. У моря кончились всякие признаки света, и мы оказались в кромешной темноте. Горный обрыв тянулся вдоль слишком узкого берега, и суматошные фосфоресцирующие волны легко подкрадывались к нашим ногам. Мне нравится любоваться морем при свете дня, но в темноте оно меня пугает, как все неизвестное, я воспринимаю его как врага, а не отдаюсь ему как любовница.

Трудно себе представить более негостеприимный берег, чем тот, на котором мы оказались. Он представлял собой скопище громадных острых камней, и путь по ним в темноте становился непредсказуемым и опасным. Пройдя несколько шагов, я тут же упала, ободрала кожу на ногах и расцарапала руки. В дальнейшем на трудных участках я предпочитала становиться на четвереньки и двигаться вперед как животное, ведомое инстинктом. Южные ночи ранней осенью становятся холодными, и только день возвращает напоминание о лете. К несчастью, перед отъездом я заболела ангиной, у меня горело горло и текло из носа. Я стала хныкать и жаловаться Андрею, но на этот раз роль беспомощной слабости не удалась. Он шел вперед, молодой и сильный, не оборачиваясь и игнорируя все мои причитания.

Темнота давила на нас, и мы потеряли всякое представление о времени. Мне стало тепло от усердия, я истратила все силы в этом изнурительном походе. Наконец я упала на камни, раскинула руки и сказала, что буду ночевать под открытым небом. Андрей пустил в ход все способы убеждения — от поцелуев до уговоров: «Дашенька, ты не можешь спать на холоде, не съев чего-нибудь горячего. У тебя еще не прошла ангина. Ну, будь благоразумной, вставай». Я понимала, что он прав, но использовала эти блаженные минуты отдыха, чтобы полюбоваться роскошным звездным шатром равнодушной вечности. Ночь всегда пробуждает у меня религиозные чувства, в страхе мне почудилось, что Бог снова начал свою старую игру, и я единственная женщина на земле, а мой Андрей — единственный живой мужчина. В панике я подскочила, полная решимости найти людей в темноте.

Самый трудный участок дороги оказался в том месте, где обрывалась узкая полоска берега, и путнику необходимо было обогнуть утес, спускавшийся прямо в море. Карабкаясь по склизким коварным камням, мы услышали тоненькое мелодичное пение воды. Откуда-то сверху спускался родник. Стараясь сохранить равновесие, мы вцепились в скалу и одновременно припали к обжигающе холодному, таинственному эликсиру жизни. Забыв о своем больном горле, я самозабвенно пила этот ледяной сок земли, на себе испытав могущество родниковой воды, которая восстанавливает силы и лечит. Мы мешали друг другу, сталкиваясь носами и губами, пока не обнаружили на гладком камне белый пластмассовый стаканчик. Это открытие вызвало у меня бурную радость, которую испытывает, наверное, человек на необитаемом острове, обнаруживший следы своих собратьев. «Но это совсем не похоже на водопад, — остудил меня практичный Андрей. — Значит, нам надо двигаться дальше».

Сочный лепет водопада мы услышали спустя час ходьбы. На горе теплился маленький огонек. Мы полезли наверх и на ощупь нашли привязанный к дереву канат, который облегчал подъем. На горе в наскоро построенной хижине сидели за столом люди при свете фонарика. Один из них, бородатый лесной житель, любезно приветствовал меня: «Здравствуйте, Даша. Нам сообщили, что вы приедете. Хотите водки?» — «Это именно то, чего нам сейчас не хватает после трудного пути», — весело сказала я. Нас усадили за стол, дали водки и в качестве закуски тушенки. «Откуда вы меня знаете? — спросила я бородача. — Кажется, мы не встречались». — «Меня зовут Федор, нас с вами познакомила Катя на Ленинском проспекте», — сказал мой знакомый незнакомец. В этом босом человеке, кутавшемся в какие-то подозрительные тряпки, трудно было узнать цивилизованного Федора, с которым мы как-то пили чай.

Водка привела нас в чувство, но все же больше всего на свете нам хотелось спать. Федор повел нас на консультацию в свою компанию, которая жила в палатках на самой вершине, над обрывом. Люди, гревшиеся у костров, обсудили ситуацию и разрешили нам жить в пустой палатке, расположенной в нижнем ярусе леса, почти у самого моря. Нас снабдили одеялами и проводили до нашего маленького дома. Меня удивляло, с какой легкостью Федор, идущий впереди нас, ориентируется в лесу. Он из любезности освещал нам дорогу фонариком, но вполне мог двигаться и без света. Он был такой же частью леса, как и еноты, приходившие по ночам под палатку заниматься любовью. Я и Андрей заснули в ту ночь в новом логове, крепко обнявшись, невинные и счастливые, как дети.

Утром мы проснулись в раю. Из лесного укрытия мы наблюдали, как вдоль моря движутся совершенно нагие мужчина и женщина, лилово-бронзовые от загара. Очаровательные и свободные язычники, два прекрасных цветка из легенды — Ева со скульптурными формами и бритой голенькой головой, на которой золотился пушок, Адам, исключительно оснащенный природой для любовных игр, с роскошными длинными волосами. Они прошествовали мимо нас как герои мифов, не обремененные чувством стыда. Эта чистая, нагая свобода, позволительная только в сновидениях, ошеломила нас, и мы спустились к водопаду умыться, уже не заботясь об одежде.

Мир вокруг нас был переполнен избыточным, невероятным блеском солнца. Свет стал нашей единственной одеждой, он струился по телу как золотистая парча. Целыми днями мы купались в водопаде света. Солнечные потоки выжгли другой, суетный и беспокойный мир, где есть путчи, политика и гибель человека является лишь досадным недоразумением.

Впервые я начала боготворить свое тело, собственную хрупкую и прекрасную жизнь. Ошпаренная солнцем, я могла, как ленивая ящерица, лежать на камнях часами, ощущая счастье физического здоровья. Я обнаружила, что моя кожа светится не только днем, но и ночью — отливает лунным светом, как раковина. Всякий стыд во мне умер. Несмотря на то что у меня были месячные, я все равно разгуливала голой, не стесняясь белой ниточки от тампона между ног.

Ночью меня ожидало восхитительное убежище объятий Андрея. Мой друг, обычно такой сдержанный, просто озверел от желания и нападал на меня, не боясь испачкать кровью чужие матрасы в палатке. Наши тела впивались друг в друга, и впервые я почувствовала естественность и безгрешность любовной страсти. Что может быть невиннее желаний нашей плоти, в пламени которой рождается колдовство новой жизни. В таких краях любовь может цвести круглый год.

С водой у меня сложные отношения. Я могу заплывать глубоко, но мысль о том, что подо мной бездна, вызывает панику. Мое воображение шутит со мной злые шутки. Я закрываю глаза и вижу чудовищные водяные воронки, которые образуются после тонущих кораблей, миллионы мертвецов, которые лежат на дне морском, а их кости оплели водоросли и другие причудливые растения, уродливых рыб с выпученными глазами. И все это покрывает блистательная морская гладь, обманчивая и коварная, как женщина. Море необходимо мне только для созерцания, когда я, сидя на берегу, вплываю в золотое царство фантазии.

Вода возбудила меня только один раз, когда я, будучи девственницей, брала интервью в лучших традициях советской прессы у тридцатилетнего красивого председателя колхоза, который после беседы увез меня купаться на лесное озеро. Оно светилось, как изумрудный глаз, в глубине леса. У меня с собой не было купальника, я попросила моего спутника отвернуться, так как стеснялась своего тела, а еще больше своих безобразных дешевых трусов.

У самого берега озеро покрывали заросли трав настолько густые, что они образовали плотный зеленый ковер, по которому можно было быстро пробежаться и броситься прямо в глубину. Я плавала с наслаждением, как русалка, чувствуя, что меня легко подкидывают теплые и холодные ключи. Мне казалось, что в этой темной таинственной воде, покрытой лилиями и травами, обитают на дне прекрасные нимфы. Постоянная смена температуры воды странным образом возбудила мое неопытное тело. Мне чудилось, что кто-то играет мной. Я поплыла к берегу, но выбраться оказалось не просто. Там, где кончался травяной ковер, я не могла достать до дна, и заросли не давали мне подплыть к берегу. Тогда я плашмя бросилась на траву с протянутыми руками, и бедный председатель, обливаясь потом, вытягивал меня из этого опасного положения. Наши общие усилия, щекочущие водоросли и сознание того, что взрослый мужчина видит меня голой, — все это довело меня до экстаза. Но, когда он вытащил меня, я застеснялась вида своих бледных маленьких грудей. Будучи человеком деликатным, председатель, стараясь не смотреть на меня, подал мне одежду и скрылся за деревьями. Хотя не ручаюсь, что он не подглядывал.

Море и обилие голых людей резко возбудили мою чувственность. Вся компания излучала чудный аромат здоровья, мне хотелось говорить с моими друзьями о сексе, пока я не поняла, что на подобные разговоры наложено табу. Эти прекрасно образованные, интеллигентные, знающие иностранные языки люди всячески избегали обычных тем, которые обсуждаются в нормальном мире. Они не говорили о политике, деньгах, сексе, карьере, успехах в свете, взаимоотношениях людей. Они делали вид, что эти вещи их совершенно не интересуют. О чем же они беседовали, спросите вы? Об изящных пустячках. Например, произвольно возникает тема — размножение у енотов. Каждый отпускает по этому поводу какую-нибудь изысканную остроту, фразы перекатываются по кругу, и вскоре любовь енотов вырастает в ком очаровательных нелепиц.

Федор называл свою компанию «обществом любителей русского языка». Действительно, здесь внимательно следили за тщательностью фразировки и точностью употребления слов. Особым удовольствием для них было с мягкой ироничной улыбкой поправлять мои ошибки. Я слишком бурный человек и очень быстро говорю, часто слова не поспевают за моими мыслями. Торопясь высказаться, я несусь вперед, как волк, почуявший добычу, в результате я допускаю простительные, на мой взгляд, ошибки. Моя пылкость раздражала «любителей русского языка» (надо заметить, что олимпийское спокойствие — тоже одна из важнейших добродетелей в этой компании). Их ирония в мой адрес постепенно доконала меня, и я давала выход своему раздражению. Густо-розовое домашнее вино, которое можно было купить в поселке, тоже способствовало моей резкости.

Все условности местного этикета на фоне природы казались мне совершенно нелепыми. Почему бы не побеседовать на приятные возбуждающие темы, когда валяешься голым на песке? Любуясь на прекрасных, отглаженных морем мужчин, покрытых апельсиново-коричневым загаром, я никак не могла понять, почему они не возбуждаются. Это считалось чрезвычайно неприличным, если у кого-то возникала эрекция. Андрею несколько раз приходилось забегать в море, чтобы остудить свой член и не скандализировать общество. Фаллический праздник не состоялся. В этом саду Эдема не ползали змеи, нашептывающие Еве и Адаму скабрезности.

В этом мире водились разные чудаки. Был мужичок, который каждое утро появлялся со стороны поселка в девять часов и шествовал мимо нас с горными лыжами на плечах. Где он на них катался в этих жарких местах, одному Богу известно. Притом мы никогда не видели, чтобы вечером он возвращался обратно. Это походило на мистику. Жил в лесу еще один любопытный тип — двадцатилетний колдун Саша, на мой взгляд, просто идиот, которого все жалели.

Однажды жители этого не зарегистрированного на карте крохотного городка увидели странное явление — из-за скал выскочил голый молодой мужчина с громадным возбужденным пенисом и пронесся мимо удивленной компании как видение Воплощенной Эрекции. Куда бежал страстный мужчина, кто довел беднягу до такого состояния — этого, увы, никто не знает.

Естественность — то качество, которое я больше всего ценю в людях. Моя Катюша, часто отдыхавшая в этом тайном месте, отличалась редкой непринужденностью чувств. Она рассказывала мне, как однажды, моясь под водопадом со своим возлюбленным, почувствовала сильное желание и немедленно его осуществила. Они целовались, ласкались и владели друг другом так же раскованно, как это делают красивые, гибкие лесные животные, не знающие чувства стыда. Во время этого удивительного секса их застигла группа туристов, проходивших мимо водопада. Они остолбенели от этого красивого зрелища. Но ни Катюша, ни ее любовник уже не имели сил остановить взрыв чувства. Туристы подошли ближе, чтобы рассмотреть все в подробностях, один из них взял ковшик и стал с нежностью поливать два сплетенных тела. Потом любопытные путешественники повздыхали, завидуя такому экстазу, и тихонько ушли.

Та же Катя рассказывала мне об одной веселой американке, которая жила в южном лагере Московского университета. Она была такой хохотушкой и поскакушкой, что все обожали ее. Однажды один ее двадцатилетний поклонник, студент университета, ушел в лес, чтобы справить большую нужду. Он нашел удобную полянку в цветах, снял штаны и занялся приятным делом. Когда процесс пошел, он с ужасом увидел свою любимую американку в трех шагах от себя, которая тоже тужилась, выдавливая из себя экскременты. Она весело крикнула «хай» и помахала ему рукой. Всем известно, как русские мучительно застенчивы, когда дело касается естественных отправлений. Такое зрелище может напрочь убить любовь. Но, к удивлению студента, какающая девушка так его возбудила, что, по его словам, член у него доставал до носа.

Непринужденность свойственна детям, и важно не убить ее суровым воспитанием. Мне всегда нравились дети ДАСа: веселые бесенята, лукавые эльфы, понемногу болтающие на всех языках, умеющие ловко выпросить конфету и ласку. Однажды я пошла звонить в холл общежития и застукала там целующуюся парочку, которая ничуть не смутилась моим появлением. Я сделала звонок и собралась уже уходить, как вдруг заметила в углу холла пятилетнюю негритянскую девочку. Она блестящими от возбуждения глазами рассматривала слишком смелую для ее возраста сцену. С помощью конфет и уговоров мне удалось увести ее. Такие дети, беспокойные и любопытные, вырастают лишенными всяких комплексов, потому что в детстве их мир не ограничивался только своей комнатой.

На море некоторые родители тоже привезли с собой детей. Они бегали такие же голенькие, как их мамы и папы, и всюду совали свой нос. Особенно мне нравилась двухлетняя бесстрашная Сашенька, которая карабкалась по острым камням с настойчивостью альпиниста, а ее родители безмятежно наблюдали за этими опасными походами. У них была своя теория насчет воспитания детей — малыши должны расти не зная страха, так же свободно, как и детеныши животных.

* * *

Море пробудило мой вкус к свободе и приключениям, меня потянуло в те места, где закон утратил свою силу и люди повинуются только своим желаниям, где жизнь и смерть идут рука об руку, где в страстной, накаленной атмосфере можно познать несказанное в своей остроте ощущение жизни. Расползающаяся по швам страна породила множество бесконтрольных очагов, где вопросы решались с помощью оружия. Наступило время волков, когда мужчины стали считать своим неотъемлемым правом убийство врага. И, к своему ужасу, я поняла, что война мне нравится — во мне пробудились все жестокие инстинкты, которые цивилизация и воспитание тщательно спрятали в область подсознания.

Первая моя поездка в «горячую точку», в Чечню, больше напоминала веселый водевиль, легкую оперетку на мусульманскую тему. Как это всегда бывает в первые дни революции, все казалось слишком нереальным, невозможным, чтобы принимать новые законы и новое правительство всерьез. А состояние эйфории, в котором тогда находилась Чечня, упоенная только что обретенной независимостью, вносило даже в трагические события оттенок праздничного ликования.

Осенью 1991 года город Грозный кипел, как котел колдуна. Экзотический мир, чьи темпераментные законы давно пугали Россию. Кровь оросила переворот (или революцию — выбирайте то слово, которое вам больше по вкусу), к власти пришел генерал Джохар Дудаев.

Я прилетела в Грозный со своим другом Андреем, напутствуемая сожалениями друзей по поводу такого безрассудного поступка. У входа в городской парламент нас сурово допросил человек с автоматом: «Кто такие? Куда идете?»

— Извините, — промямлила я. — Такая незадача: нас, журналистов, не встретили в аэропорту.

— Считайте, что я вас встретил! — радостно закричал горячий человек, потрясая автоматом, и потащил нас по бесчисленным коридорам парламента.

Везде жгучие усатые мужчины в папахах и с оружием. Рядом с ними трутся субтильные западные журналисты с камерами. Охрана у всех строго спрашивает пропуска, а тех, у кого их нет, пропускает и так. Важно разгуливают духовные лица в традиционных одеждах. Под ногами шастают сытые кошки. Мужчины при встрече кидаются друг другу в объятия и горячо целуются. (Древний обычай: крепко прижимаясь к товарищу и похлопывая его по спине в приливе дружеских чувств, можно нащупать оружие.) Народ в парламенте, несмотря на воинственный вид, добродушен и любезен, все рады поболтать. Все это похоже на шумный и яркий спектакль, в котором много действующих лиц и никто не знает, из-за каких кулис они выскочили на сцену. Революция перевернула этот пестрый, как костюм арлекина, мир, и, как осадок со дна стакана, который сильно встряхнули, наверх всплыли самые неожиданные личности.

Вооружены здесь практически все, хотя военное положение отменили. У всех имеется непременная опухоль в заднем кармане брюк или на бедре. Во всех странах, где свобода завоевывается только силой, первая потребность всякого смелого человека — это иметь оружие.

Один местный журналист рассказал мне прелестную историю по этому поводу. В дни революционных событий в парламенте была полная неразбериха с охраной. Ночью журналист подошел к зданию, и в темноте какой-то человек потребовал у него пропуск. Документ был предъявлен, охранник зажег фонарь и оказался бойким стариком лет семидесяти. «Дедуля, — удивился журналист, — ты-то что здесь делаешь?» «Да вот, проходил мимо парламента, смотрю, никто не охраняет. Ну я побежал домой, взял винтовку и занял пост», — ответил старик.

Духовные лица тоже не пренебрегают оружием. Один знаменитый шейх как-то сказал: «Пистолет необходим для того, чтобы защитить украденную девушку и убить бешеную собаку». Я была свидетельницей любопытной сцены. В приемную президента Дудаева вошли представители мусульманского духовенства. На требование предъявить оружие сопровождающий их человек с неподражаемой хищной улыбкой распахнул свой национальный наряд. За поясом у него оказались пистолет и кинжал. Охранник понимающе ухмыльнулся и пропустил высоких гостей.

Журналист местной газеты «Свобода» Лом-Али Бейтельгареев объяснял мне: «Пойми, носить оружие — это древняя национальная традиция. Тот не чеченец, кто не способен защитить себя. Как я могу чувствовать себя джигитом, настоящим мужчиной без оружия? Пистолет сдерживает дурные эмоции и поступки. Теперь, когда в городе почти все вооружены, люди стали более предупредительны, аккуратны в отношениях. Ведь за грубое слово можно получить пулю в лоб».

Эта неуступчивая гордость, это спокойное отношение к убийству врага хорошо выражены в гербе Чеченской Республики — одинокий волк под серебряной луной. Вожак этой волчьей стаи — президент Дудаев. Он выбрал сомнительное счастье быть любимцем народа. Я не помню сути нашего интервью с ним (оно касалось сиюминутных политических вопросов), но меня поразила его неслыханная динамичность, его гений самовластия. Он держал себя подчеркнуто демократично в те дни, останавливался поговорить с людьми об их насущных проблемах, хотя вскоре это стало мешать его деятельности. В его приемную рвались даже женщины, мечтающие вернуть своих загулявших мужей.

Дудаев — прекрасный оратор. Он говорит по-русски правильнее, чем большинство наших российских депутатов. У него особая манера утяжелять каждое слово, придавая ему весомость и решительность. Скромная одежда, скупые жесты, мужественная внешность, военная выправка этого чеченского Наполеона всегда производят неотразимое впечатление.

— Вы не боитесь смерти? — спросила я у Дудаева во время интервью.

— Я отношусь к смерти философски. Жизнь мне дал Всевышний, и только Он может отнять ее у меня.

— Если ваша карьера политика закончится бесславно, чем вы будете заниматься?

— Моя мечта — выращивать цветочки. Хочу иметь домик с садом и воспитывать внуков.

Житейские мечты президента разделяют все чеченцы. Иметь хороший домик, воспитывать детей, принимать гостей — вот идеал жизни. Гостеприимство здесь возведено в культ. В каждом, даже небольшом доме есть специальная комната для гостей, где всегда чисто и уютно. Для гостя всегда найдутся лучшие продукты, даже в голодный год. Из тайных запасов семьи достанут и шампанское «Брют», и ликер «Амаретто».

Нашу журналистскую компанию с почетом принимали в селе Шалажи, где блеют славные барашки, мычат коровки размером с хорошего бегемота, квохчут курочки, растет грецкий орех. Жители объявили свое село Шалажи суверенным демократическим государством.

А было это так. Однажды скучным осенним вечером прогрессивная часть шалажинского населения собралась в доме молодого кооператора Руслана Закриева и решила: отделить село Шалажи от Чечни и от России, продавать за валюту местные шишки и боярышник и жить всем душа в душу. На радостях устроили пир, выбрали президентом Руслана Закриева, который издал первый президентский указ. Цитирую:

«П у н к т 2. Все земли и воды, надземные и подземные ресурсы объявить исключительно собственностью шалажинского народа. Все завозить, ничего не вывозить.

П у н к т 4. Центральную избирательную комиссию для организации демократических выборов в сенат составить из преданных президенту людей. Несогласных же с гениальной политикой президента, который является даром Божьим, к избирательной комиссии близко не подпускать.

Поручить министру внутренних дел, командиру народной гвардии обеспечить демократическое проведение выборов. Людей, осмелившихся саботировать проведение самых демократических выборов, критиковать гениальную политику нашего президента, карать по всей строгости, ибо несогласные с моей гениальной политикой являются людьми вредными и врагами нашей свободы и великого процветания нашего. Долой тех, кто путается под нашими ногами.

П у н к т 5. Отделение совхоза «Гехинский» объявить национализированным, все его имущество экспроприировать, совхозу предъявить иск в размере ста миллионов американских долларов за многолетнюю эксплуатацию шалажинской земли и граждан.

П у н к т 8. В случае появления смуты, недовольных внутри нашего государства и появления опасности вторжения внешних враждебных сил объявить мобилизацию лиц мужского и женского пола от 10 до 75 лет. Ракетные и танковые войска привести в боевую готовность.

Быть по сему!

Его Превосходительство
Президент Республики Шалажи
Руслан Закриев».

Эта великолепная пародия на лихорадку суверенитетов, когда крохотные независимые государства множились, как грибы после дождя, очень нас позабавила, и мы поехали в гости к славному, толстому, ленивому президенту Руслану. В огромном доме нас провели в лучшую комнату и мгновенно накрыли стол. Женщины почтительно укрылись на своей половине, и нам прислуживал шустрый мальчик лет десяти. Обильная сытая мясная пища, шампанское вперемешку с водкой привели нас в благодушное настроение, и всем захотелось поговорить о высоких чувствах.

В любви чеченский мужчина славится своей горячностью и необузданностью, хотя о любви здесь понятия особые. В Чечне редко женятся на девушках других национальностей. Особенно строго это правило соблюдается в селах. Подвыпившие Андрей и Руслан завели интересный спор на эту тему.

— Почему, если ты любишь женщину, не мусульманку, ты не можешь на ней жениться? — спрашивал Андрей.

— Вы, русские, легкомысленно относитесь к семье, к продолжению рода. Никто не спорит, любовь — прекрасное занятие, но, сколько бы любимых женщин я ни имел по всей стране, я обязан вернуться в родное село, жениться на чеченке и сделать детей чистой крови. Это вовсе не национализм. Это чувство долга перед своими предками. Каждый чеченец чувствует себя ступенькой в длинной лестнице рода.

Я не могу жить только для себя. Разве сохранился бы маленький чеченский народ, если б люди не следовали этому обычаю? Мы просто исчезли бы с лица земли как нация.

— Но, прости, здесь в действие вступает физиология. Я просто физически не смогу делить ложе с женщиной, которую я не хочу.

— А ты попробуй объяснить своему роду, что не можешь! Есть определенные обязательства перед родственниками. И потом, тщательный выбор невесты, сватовство — все это прекрасно и оправдано вековым опытом народа. Нам тоже многое не нравится в ваших русских обычаях, но мы же не пытаемся навязать вам свою точку зрения. Пусть каждый народ живет так, как ему хочется жить, лишь бы другим не мешал, — резонно заметил Руслан.

К женщине в Чечне отношение противоречивое — вечное колебание между грубостью и учтивостью. Эти вечно беспокойные и капризные создания — источник всех глупостей, совершаемых мужчинами. У настоящего джигита женщина только путается под ногами и мешает осуществлению грандиозных замыслов.

В Чечне женщине запрещено сидеть за одним столом с мужчинами, неприлично ей появляться в ресторане и на танцах. К девушке не рекомендуется подходить ближе чем на два метра. С чеченскими девушками нельзя знакомиться на улице. Один охранник президента долго объяснял мне, что я обязана вставать, если в комнату входит мужчина, пусть даже моложе меня. У женщин мало развлечений — приготовление пищи, вышивание, вязание, поездки в гости и на свадьбы. Они опутаны множеством правил, которые служат тормозом их желаниям. Зато здесь самые крепкие семьи и очень мало разводов.

Европейских мужчин Восток очень портит. За неделю пребывания в Чечне журналисты мужского пола научились говорить громким властным голосом: «Молчи, женщина!», хвастаться и командовать. Их пришлось срочно транспортировать в Россию.

С пренебрежительным отношением чеченцев к женщинам я сталкивалась еще в Москве, в общежитии. За последние годы ДАС просто заполонили горячие мужчины. Как-то летом я и Юлия собирались в ресторан. Я зашла в ванную, чтобы подкраситься и расчесать волосы. Из приоткрытой двери смежной комнаты доносился такой крутой мат, которого не слышали даже мои, ко всему привыкшие уши. Я постучалась к соседям в дверь, вошла и обнаружила шумную чеченскую компанию. «Я прошу прекратить употреблять такие сильные выражения. В соседней комнате живут женщины», — не терпящим возражений тоном сказала я. По-видимому, это их задело. Один из чеченцев, красивый наглый Султан, вышел вслед за мной и спросил меня, с каких это пор такой бляди, как я, не нравятся матерные выражения. Я послала Султана к черту, отодвинула его в сторону и ушла в свою комнату. Он ворвался ко мне и с размаху залепил мне сильную пощечину. От крепкого удара, казалось, зазвенела щека. В бешенстве я завизжала, как кошка, которой наступили на хвост, и попыталась дотянуться до его лица своими длинными когтями. В ходе маленькой драки я пинала его ногой, норовя попасть по колену. Нас разняли, и в ресторан в тот вечер я отправилась с ярким красным пятном на левой щеке.

Я, Юлия и наша третья соседка Вика обсудили ситуацию — мы были одни на нашем этаже, все друзья-мужчины разъехались, так как был август. В нашем корпусе практически не осталось русских, и нам не к кому было обратиться за помощью, но мы решили заставить этого человека извиниться. Утром к нам пришел сосед Юра, чьи гости накануне затеяли драку со мной. Он недвусмысленно угрожал нам, говоря, что, если мы обратимся в милицию, мстительные чеченцы порежут наши хорошенькие личики.

Днем мы пошли в милицейский пункт, который находился в общежитии. Молоденький милиционер (кажется, его звали Сережа) сказал, что наше дело безнадежно, так как телесных повреждений нет и факт драки доказать невозможно. Единственное, что мы можем сделать, это обратиться в суд и потребовать разобрать происшествие как гражданское дело. На это уйдет несколько месяцев и горы бумаги.

Тогда Юлия в дипломатичной форме дала понять, что мы пользуемся огромными связями в верхах милиции (чистый блеф!) и постараемся добиться справедливости. Милиционер Сережа, кажется, немного струхнул и сказал, что пойдет сейчас вместе с нами к чеченцам. Под его ненадежной защитой мы отправились в комнату к Султану, где уже собрались все его друзья. В этом логове, где все дышало ненавистью к нам, Сергей начал свою речь, полную намеков и угроз. Его целью было напугать этих людей неопределенностью, так как он прекрасно понимал, что не в силах что-либо предпринять. После долгих переговоров нас спросили, чего же мы хотим. «Извинения», — ответила я. «Даша, извини меня, пожалуйста», — процедил сквозь зубы Султан, глядя прямо мне в лицо наглыми глазами. «Вы удовлетворены?» — спросил Сергей. «Да», — поспешно ответили мы, уцепившись за это фиктивное извинение, сделанное в присутствии друзей Султана. Все облегченно вздохнули. Конфликт был разрешен мирным путем.

Несмотря на свою неистовую гордость, исламские мужчины хотят нравиться русским женщинам, и Европа начинает оказывать на них свое влияние. Дамам иногда уступают место, помогают одеться и дарят цветы. Правда, здесь тоже не обходится без приключений. Однажды вечером в моем гостиничном номере в Грозном собралась небольшая журналистская компания посплетничать и выпить. К нам пришли дружить двое симпатичных чеченцев, и мне, как даме, преподнесли букет цветов. Но вместе с цветами они зачем-то прихватили гранату. Молодые люди вели светскую беседу, меланхолично вкручивали и выкручивали запал.

Слово «джентльмен» становится необычайно популярным в Чечне. Газета «Голос Чечено-Ингушетии» опубликовала открытое письмо Парламенту Великобритании этнографа, кандидата исторических наук И. Саидова, которое начиналось так: «Уважаемые леди и джентльмены! Анализ этнографического материала привел нас к выводу о том, что предки англичан происходят от чеченцев».

Один случай научил меня не доверять самой цивилизованной оболочке, если она скрывает темперамент истинного чеченца. В командировке я подружилась с одним из местных интеллигентов, красивым, рано поседевшим Магомедом. Он занимался устройством журналистов в гостиницу и пригласил меня однажды на чашку чая в свой номер, который служил организационным центром. Я пришла вместе с Андреем, и мы были очарованы теплым приемом и щедрым гостеприимством Магомеда. Я полюбила беседовать с эти образованным, тонким человеком и часто забегала к нему на часок-другой. Мы много разговаривали об исламе. Меня всегда поражал контраст между темпераментом мусульман и неторопливым, созерцательным духом их религии, между наивностью взрослых мужчин и мудростью веры. Волшебству ислама поддаешься, как наркотику, он вдохновляет слабые души и умиротворяет сильные.

— Вам, европейцам, часто свойственна леность ума, нежелание понять и принять жизнь ваших мусульманских соседей, — говорил Магомед, разливая в тонкие чашки настоящий чай и очень недурной местный коньяк. — Это своего рода коммунальная, бытовая трусость — легче поскандалить с соседями, чем принять их такими, какие они есть. Восток — дело действительно тонкое. Нельзя общаться с мусульманскими народами, не зная их традиций и обычаев.

Общаясь с Магомедом, мне казалось, что я нахожусь во власти ясного, спокойного духа, способного освещать самые темные закоулки человеческих отношений. Я чувствовала, что нравлюсь ему, но мне и в голову не приходило, что этот утонченный человек способен выйти за рамки приличий.

5*

Но однажды, после бурного спора о проблемах европейского и исламского понимания мира, когда я поднялась из кресла, чтобы уйти к себе в номер, Магомед привлек меня в свои объятия и завладел моими губами. Он сделал это без той доли робости и нежности, с которой поклонники пытаются перевести отношения из дружеских в любовные. В его поцелуях была такая неукротимая, почти звериная страстность, что я испугалась. Не желая терять его дружбы, я попыталась объяснить, что связана близкими отношениями с Андреем. С таким же успехом я могла бы внушать волку, дорвавшемуся до зайчатинки, что вегетарианство более полезно для его нравственных устоев. Магомед разошелся вовсю и явно собирался взять меня силой. Какая там цивилизация! С него мигом слетела наружная культурная оснастка.

Но тут в дело вмешалась третья сила — телефон. Магомед, по-видимому, ждал важного звонка, и ему пришлось взять трубку. Его куда-то срочно вызвали, и он рванул из номера, захлопнув за собой дверь. Прежде чем я успела что-то предпринять, я услышала поворот ключа в замке. Я, как глупая мышка, попалась в ловушку и должна была ждать сластолюбивого кота. Первым делом я обследовала балкон, перелезла к соседям, но никого в номере не оказалось, а разбить стекло я не решилась. Потом я позвонила администратору гостиницы и попросила открыть номер, в котором находилась, объяснив, что по нелепой случайности хозяин запер меня, а сам удалился на совещание. Администратор, пожилая сплетница, мерзко хихикнула и сказала, что порядочных девушек не запирают на ключ.

Я в слезах металась по комнате, проклиная свою доверчивость, пока не услышала в коридоре шаги. Решив, что это хитрый Магомед возвращается за своей пленницей, я встала у двери в боевой позе. Как только звякнул ключ, я рванула дверь на себя и проскочила мимо опешившего от неожиданности Магомеда. Эта забавная ситуация убедила меня, что мужское начало всегда сильнее условностей воспитания.

Влияние рода в Чечне очень велико. Здесь известно

происхождение каждого. Позорный поступок одного человека ложится пятном на честь целого клана. Темпераментную молодежь сдерживают и дисциплинируют старейшины.

Еще до Великой Отечественной войны в Чечне прошел слух, что в Германии живет нехороший человек по имени Гитлер, убийца и грабитель. И чеченцы забеспокоились, а нельзя ли послать местных старейшин к родственникам Гитлера, пусть вразумят недостойного человека!

Кровная месть здесь в большом ходу. Был такой случай. В одной деревне дети двух разных родов нашли мертвого журавля и не поделили его голову. В детскую драку вмешались старшие. В результате погибло восемь человек (по четыре с каждой стороны). Бывают и трагикомические случаи. Четыре пацана в одном селе хотели купить коньяк у соседа, он им не продал. Вражда длится уже двадцать лет. Поэтому в здешних местах долго думают, прежде чем оскорбить человека.

Есть такая фраза: «На Кавказе один раз стреляют, а потом еще сто лет перестрелка идет». Опасно сталкивать этих гордых, как сатана, людей. Предчувствие войны остро ощущалось в городе Назрани, столице Ингушетии, куда мы приехали из Чечни. Эта крохотная, страшно нищая республика запомнилась мне преимущественно в серых тонах. Пасмурным днем мы приехали на главную площадь Назрани, где в это время происходили молитвенные обряды. Сотни мужчин в одинаковых темных пальто истово молились Аллаху под микрофонный голос.

Души ингушей разъедались, как кислотой, острой ненавистью к своим соседям-осетинам. Мужчины окружили нас, журналистов, на площади плотным кольцом и, закипая гневом, рассказывали историю своих земель. В сталинские времена их выгнали из родных мест и заселили их земли осетинами. Множество сынов и без того маленького ингушского народа были репрессированы. Теперь ингуши мечтают взять реванш и отобрать силой свою территорию. Меня удивила свежесть их гнева, казалось, что все эти трагические события произошли только вчера.

Сгущались сумерки, на небе засверкали алмазные гвоздики звезд, а люди все говорили и говорили, перечисляя свои беды и обиды. Стена вокруг нас становилась все плотнее, я видела грозные, как взведенные пистолеты, глаза и чувствовала густой запах дикого животного, который исходил от этих сильных мужчин. Мне казалось, что они могут взорваться, как туго закрученная пружина.

Нам предложили совершить поездку в Осетию, обещая ужасы и стрельбу. Когда совсем стемнело, мы тронулись в путь на двух машинах. Это было совершенно абсурдное путешествие. Нас пять раз обыскивали — один раз осетинская милиция, два раза российские военные и два раза неизвестные с автоматами в руках, самовольно проводившие проверку всех машин. В результате в десять часов вечера нам велели покинуть территорию Осетии, так как начинался комендантский час. Во время обысков мы успели пообщаться с осетинами и почувствовать их страх перед необузданной ненавистью ингушей. «Да, возможно, история на их стороне, — говорили они. — Но ведь на этой земле уже выросло несколько поколений осетин, которые считают эту землю своей. Куда же им уезжать от родных домов? К чему ворошить прошлое? И разве можно смыть старую несправедливость новой кровью?»

На обратном пути мы заехали посмотреть дом, где раньше жил Берия. Это великолепный особняк, стоящий у реки. Нам показали бассейн, специально построенный для Берии, черного человека. Как гласит легенда, его строили из могильных плит, которые бесстыдно забирали со старинных кладбищ. По преданию, каждый вечер бассейн заполнялся молоком и в нем купали красивую осетинскую девушку, предназначенную для утех хозяина. Холодной осенней ночью, под таинственный лепет речной воды, эта страшная сказка показалась былью.

В воздухе чувствовался запах смерти, которая затаилась на некоторое время, но вскоре явится, гремя своими страшными инструментами. Мы тогда не знали, что спустя год постепенное отравление ненавистью даст свои плоды, и этот клочок земли зальет кровь. Жестокие молодые волчата, не поддающиеся никакой дисциплине, под науськивание старших кинутся убивать. Между осетинами и ингушами ляжет непроходимая тропа смерти.

То, что собой представляет затяжная Кавказская война, я имела возможность наблюдать в Южной Осетии, в Цхинвали. Я должна была лететь в командировку вместе с журналистом «Комсомольской правды» Сергеем Соколовым.

Ранним ледяным декабрьским утром мы приехали на Чкаловский военный аэродром. Ветер гнал в лицо мелкую колючую снежную крупу, и настроение у нас было препаршивейшее. Мы подошли к маленькому военному самолету, который летел до Владикавказа, и сказали летчикам, что мы журналисты и что у них должно быть распоряжение из Министерства обороны на наш счет. Нас послали подальше и заявили, что самолет взлетает ровно в девять часов утра без всяких журналистов на борту.

Без двадцати девять мы добрались до единственного общественного телефона на всем аэродроме. Перед ним выстроилась молчаливая очередь. Я не помню суть тех аргументов, которые я излагала собравшимся вперемешку со слезами, но после маленькой истерики меня пустили к телефону. Было без десяти девять, когда я наконец дозвонилась до Саши Ростовцева, заместителя начальника пресс-центра МВД. Саша велел мне не отходить от телефона, а сам стал связываться с Министерством обороны. Очередь заволновалась. «Девушка, — обратился ко мне суровый офицер, — вы же сказали, что только на одну минутку. А прошло уже пятнадцать минут. Мы тоже все опаздываем». Я мимикой дала понять, что ничем помочь не могу. Скандал разгорелся. В этот момент я увидела в окно, как самолет зажег сигнальные огни и двинулся к взлетной полосе. «Саша, — завопила я в трубку, — самолет улетает». «Даже если он взлетит, мы его посадим», —

сказал рассвирепевший Ростовцев. Очередь злорадствовала, наблюдая, как самолет уверенно набирает скорость, готовясь взлететь. Но вот произошло чудо. Наглая машина затормозила, и из нее выкинули куцую веревочную лестницу. Это был знак, что Ростовцев надавил на высокое начальство. Я швырнула трубку, и мы помчались через летное поле, задыхаясь от бьющего в лицо ветра.

Чьи-то надежные мужские руки втянули меня в самолет, и я оказалась в компании военных, которые полчаса назад так нагло выставили меня и Сережу. Один из них, высокий красивый офицер, ласково сказал: «Люблю упрямых. Раз уж пришли, располагайтесь с удобствами». Нам тут же налили водки, дали бутерброды и вареные яйца. Не успел самолет набрать высоту, как я уже разомлела от спиртного и присутствия крепких мужчин. От них исходило тепло, как от нагретой печки, их голоса сулили защиту и покровительство. Рядом с этими викингами я почувствовала себя маленькой неразумной девочкой. Приятно было общаться не с интеллигентными слизняками, у которых при виде женщин мокнут штанишки, а с настоящими хищниками, от которых исходит мужской запах войны и охоты. Женщина в их жизни не более чем восхитительный эпизод.

Когда мы приземлились во Владикавказе, между нами уже установились теплые дружеские отношения. Я была единственной женщиной в этой компании закоренелых вояк, и, естественно, они много уделяли мне грубоватого внимания. Высокий красавец Андрей, который первым приветил меня, заявил, что я одета не по погоде. Действительно, постояв полчаса на летном поле под пронизывающим ветром в ожидании автобусов, я превратилась в ледышку. Андрей достал запасной военный костюм защитной окраски невероятных размеров и с заботливостью мамаши упаковал в него мою маленькую персону. Талия костюма приходилась к моей шее, меня аккуратно завязали во всех местах бантиками, и я превратилась в забавный пухлый шар. Вся команда, хохоча, окружила меня и стала бесцеремонно рассматривать. Мне трудно было выступать в роли клоуна, и я едва сдерживала слезы, пока меня не успокоил Андрей: «Что ты стесняешься! На войне как на войне. Зато тебе тепло». Он был прав, я мгновенно согрелась и почувствовала себя значительно лучше.

Нам предстояло утомительное путешествие на автобусах через Кавказский хребет. В течение нескольких часов мимо нас проплывали, словно в фантастическом сне, горы, укрытые обильными свежими пухлыми снегами. Этот грозный мир подавлял своей мощной красотой. Он готовил ловушки слабым людям — непроходимые дороги, страшные обрывы, снежные обвалы. Ландшафт еще был дик и независим от человеческих страстей. Лица моих спутников потемнели от усталости, все мечтали о жалкой отраде огоньков в маленьких хижинах, суливших хоть какое-то тепло и еду.

Наконец на перевале, где находился пост российских войск, решено было заночевать, так как дальнейшая дорога ночью через грузинские села грозила внезапным столкновением. Ребята, несшие здесь службу, страшно мне обрадовались, они уже очень давно не видели женщин. Тут же накрыли стол, достали трехлитровую банку терпкого красного вина, нарезали толстые ломти хлеба, разогрели на маленькой печурке тушенку. Грубые ароматы жирной пищи вызвали рычание в моем желудке. Я умирала от голода, но еще больше умирала от желания сходить в туалет. Эту простую процедуру я не могла осуществить самостоятельно, так как не могла без чужой помощи стащить с себя военную форму. Фальшивые правила приличия здесь не существовали, и я обратилась с этой забавной просьбой к одному офицеру. Этот славный парень отвел меня в уединенное место, деликатно раздел меня, отвернулся и вежливо подождал, пока я справлю нужду в мягкий, ватный снег. Потом не менее любезно он помог мне одеться и проводил к нашему убогому пристанищу. Впоследствии мы встретились с этим офицером в Цхинвали, но я успела за несколько дней совершенно забыть его. Он напомнил мне, что мы уже знакомы, и я с мнимым простодушием громко воскликнула: «Так это вы с меня штаны снимали!» Его друзья хохотали до колик, а лицо бедного мальчика, не занятого тем, чтобы управлять собой, залилось краской смущения. Он был так мил в эту минуту, что приятно было поставить его в неловкое положение ради удовольствия полюбоваться его растерянностью.

На перевале мы провели чудесный вечер в компании теплых ребят с шершавыми характерами. Они так мало были знакомы с уловками женского кокетства, что я с радостью дразнила их. Несмотря на усталость после трудной дороги, я чувствовала себя прекрасно, восхищение мужчин оказалось лучшим лекарством. Я даже спела под гитару слегка охрипшим голосом. Эти офицеры, закинутые судьбой на самую вершину Кавказского хребта, затерянные в снежном бархатном молчании, видели во мне частицу другого мира — светлого и праздничного, в котором торжествует сияющее женское тело. Своими неуклюжими манерами, неспособностью грамотно выразить свои мысли, грубоватостью, на которую я притворно обижалась, они напоминали мне больших послушных медведей, которых маленькой женщине легко посадить на цепь. Они была влажной глиной в моих руках, и с помощью кокетливых улыбок, слез, мнимого гнева я могла лепить из них все, что угодно. Я для них в этой снежной пустыне источник живой воды, и в моей слабости они черпают свою силу.

Когда вино и водка подействовали даже на крепкие головы, я, сославшись на усталость, попросилась спать. Меня уложили в той же комнате, где шла пьянка, на одну из железных кроватей, покрытую грязным матрасом. У меня так гудело все тело, что даже такая постель без белья казалась мне раем. Я легла, не раздеваясь, и укрылась чьим-то тулупом. Несмотря на крики и шум, я мгновенно уснула. Очнулась я примерно через час, когда все уже стихло, половина гуляк храпела на койках, а за столом сидели, допивая водку, хозяева хибары. Их лица освещал только слабый свет от печурки. Парни говорили очень тихо: «Она такая тоненькая и хрупкая, а мы так грубо с ней себя вели... Она, наверное, обиделась и рано легла спать. Какая милая девочка! Вот так живешь и забываешь, что бывают такие девушки на свете... Мы уже позабыли хорошие слова». Я наслаждалась подслушиванием разговора трех заматеревших мужиков, одичавших от странностей кочевой судьбы, от постоянного предчувствия опасности, от отсутствия смягчающего женского влияния. Они обнажили свое одиночество перед лицом стихии, имя которой — Женщина.

Вскоре офицеров сморил сон, они бесцеремонно потеснили своих товарищей. Семеро мужиков уместились на трех узких кроватях. А я долго ворочалась, прислушиваясь к дружному мужскому храпу. Изредка какой-нибудь солист вырывался из общего хора, выдавая звонкую трель, иногда кто-нибудь протяжно стонал. Прислушиваясь к тяжелому дыханию мужчин, я гадала, какие им видятся сны, и они вдруг показались мне детьми, маленькими незащищенными мальчиками, нелепо наряженными в военную форму и отягощенными автоматами. Я подумала о том, как разумно распределены роли — они великодушно готовы делиться со мной своей силой, а я, не рассуждая, отдам им свою нежность.

Проснулись мы в шесть часов утра от адского холода. Печка — единственный источник тепла в огромной комнате — давно погасла. Не умывшись, без воды и еды мы снова отправились с путь.

Цхинвали — уютный маленький городок, чье очарование не сумели разрушить даже регулярные ракетные обстрелы. В декабре, несмотря на пронизывающий холод, здесь цвели поздние розы. Снег остался высоко в горах.

Первым делом мы явились в штаб российских войск, к полковнику, ну, скажем, Фролову Анатолию Петровичу. В любой «горячей точке» я всегда вхожу в комнату высокого начальства с независимым видом первого персонажа и тут же усаживаюсь на стол, болтая в воздухе ножками и расточая улыбки. Суровый темперамент военных тут же дает себя знать. Мои оригинальные манеры доводят их до точки кипения, они дают волю своему гневу и начинают орать: «Вы не на танцульки приехали. Это война, а не игрушки». Постепенно их гнев утихает, женское легкомыслие способно поработить любого мужчину. Под влиянием красоты и кокетства военный человек сгибается, как тонкая веточка. Мужчины, облеченные властью, так устают на войне от постоянной ответственности, от тяжести частых смертей товарищей, от ежедневно подстерегающей опасности, что при виде залетевшего яркого мотылька в образе девочки-журналистки их сердца мгновенно тают, как сливочное масло в тепле.

Чтобы создать ауру сообщества, необходимо быть капризной и требовательной, держать себя чуть картинно и причудливо. Очень важно точно определить температуру отношений с начальством — маленький адюльтер, но не больше. С полковником Фроловым я явно перегнула палку — я видела, что он сразу увлекся не на шутку, но продолжала поощрять его.

Полковник взял с собой на переговоры с грузинами меня и Сережу Соколова. Грузинские боевики возмутились, что журналисты приезжают только на осетинскую сторону, и пригласили меня на ночь в гости. В залог они обещали оставить своих ближайших родственников. Я бы с удовольствием приняла приглашение, так как в жизни не видела более красивых парней. В их крепких мускулах чувствовалась первобытная жизненная сила. Но полковник Фролов прервал этот неуместный, на его взгляд, разговор и заявил, что не может рисковать моей жизнью.

Зимой в Цхинвали уже в четыре часа темнеет, а поскольку отсутствует электричество, то теряешь всякое представление о времени. Кажется, что наступила глубокая ночь. У нас с утра не было в желудке ни крошки, и полковник повел нас в гости к осетинке Евразии Джиоевой. Меня всегда поражало, что кавказские народы не утрачивают вкус к хлебосольству даже в тяжелые блокадные времена. Этот дом тоже не был исключением. Ловкие хозяйки при свечах накрыли такой стол, которому позавидовал бы самый престижный ресторан. При этом они не переставали извиняться, что не могут угостить нас на славу, так как город голодает. Видя мое изумление, Анатолий Петрович усмехнулся и сказал: «В таких случаях я люблю поднимать тост за нищую, разоренную, голодную Осетию».

Это застолье, как и любое пиршество военных времен, закончилось криком и слезами. Хозяйка дома Евразия вспомнила о лейтенанте внутренних войск МВД Юрии Векличе, которого провожал весь Цхинвали. Этот двадцатилетний парень сопровождал через Кавказский хребет двух армянских предпринимателей. По пути их остановили грузинские боевики. Веклич объяснил, что везет не осетин, а армян. Вначале их отпустили, но потом догнали и расстреляли в упор. Всех троих. В Веклича выпустили 32 пули. Когда его привезли в Цхинвали, казалось, тело его разваливается от свинцовой тяжести. Женщины обмыли и оплакали его. «Это был наш общий сыночек, — рассказывает Евразия. — Мать его далеко на Украине. Кто же поцелует его раны, чтобы они не болели, кто согреет его объятиями, кто приласкает его по-матерински, если не я? Лицо у него, мертвого, было как у спящего ребенка».

Евразия говорила, что не может спать, если в городе нет перестрелки. «Когда тихо, мне кажется, что происходит что-то недоброе, — объясняла она. — Ночью, в тишине, убийцы могут войти в город».

В десять часов вечера нас, пьяных в дым, привезли в квартиру, чьи хозяева несколько месяцев назад бежали от ужасов войны. На стенах висели фотографии детей, а на балконе еще хранились соленья, варенья и белое домашнее вино. Дом промерз настолько, что, несмотря на согревающее действие алкоголя, у меня застучали зубы. Я замучила бедного Сережу своим нытьем и жалобами. «Я не буду ложиться в этот холодный гроб», — стонала я, имея в виду кровать. Сережа оказался чудесным товарищем, он не стал упрекать меня за слабость, а просто взял на кухне алюминиевый таз и поставил его на огонь. (Газ — единственное, что имелось в доме из коммунальных удобств. Свет, тепло, вода отсутствовали.) Таз раскалился за несколько секунд, и с его помощью Сережа нагрел мою кровать за считанные минуты. После этого события таз прозвали «Дашкиным». Каждый вечер мне нагревали постель, и я засыпала, засунув ноги в теплую посудину. Во сне я ненароком сталкивала тазик на пол, и весь дом просыпался от грохота, проклиная мои капризы.

Утром в Цхинвали приехал еще один наш коллега, Леша Кириленко, и поселился с нами в одной квартире. Я и

Леша невзлюбили друг друга сразу и ругались в течение четырех дней, как только выдавалась возможность. Леша — прирожденный честный спорщик, из тех, что всегда пытаются отыскать ошибку в высказываниях собеседника. Он не принимал беседы-игры и с придирчивой методичностью обсуждал любой самый легкомысленный вопрос. Видя, как я собираюсь поздно вечером в город, он начинал каркать, как старый ворон: «Ты совсем не думаешь, что тебя могут убить. Впрочем, смерть — это еще не самое страшное. Тебя может парализовать пулевым ранением, твое тело могут изуродовать осколки от снаряда. А ты ведь женщина, мужчине шрамы и увечья не страшны». Он говорил все это с нескрываемым удовольствием, доводя меня своими кошмарными предсказаниями до бешенства. «На войне разумнее преуменьшать опасности и оставлять в утешение луч надежды. Если я буду думать о смерти, меня непременно подстрелят, как куропатку, — отвечала я. — Это все равно что идти по краю пропасти и твердить себе, что вот-вот упадешь. Тогда начнется головокружение, и летальный исход обеспечен. Человек сам притягивает свои несчастья». В командировке мы часто слушали кассету группы «Аквариум», и я приводила Леше в качестве аргумента слова из моей любимой песни: «Когда ты был мал, ты знал все, что знал, и собаки не брали твой след. Теперь ты открыт, ты отбросил свой щит, ты не помнишь, кто прав и кто слеп. Ты повесил мишень на грудь, стоит лишь тетиву натянуть, ты ходячая цель». «Так вот, Леша, — твердила я, — опасности нет, пока я о ней не знаю. Я крепко держусь за свое счастливое неведение и не собираюсь быть ходячей мишенью. Я не позволю собакам взять мой след». Наша взаимная неприязнь крепла с каждым днем, Лешу раздражали мое кокетство и моя самоуверенность. Однажды, когда Сережа отсутствовал дома, я потребовала свой непременный тазик в постель, и Леша со злости швырнул раскаленный таз прямо на мои голые ноги. Я завизжала, и он потом долго убеждал меня, что сделал это нечаянно.

На второй день пребывания в Цхинвали у меня пошли месячные. Я от души прокляла первородный грех, из-за которого женщины терпят постоянные кровопускания. Мы сидели в исполкоме, ожидая какого-то важного интервью, когда я почувствовала первый приступ боли и неприятный озноб. (Я всегда тяжело переношу начало менструации.) Я плюнула на стеснительные церемонии и объяснила своим коллегам, что меня мучает. В конце концов, они и сами догадались бы о моем плохом самочувствии по зеленому цвету моего лица и мелкой дрожи. Леша вызвался меня проводить. Я с трудом доковыляла до дома, где тут же упала в ледяную кровать, скрючившись от боли. Леша зажег все газовые конфорки, как будто их слабое пламя могло согреть большую квартиру, и сказал, что вернется через час. Когда за ним захлопнулась дверь, я впала в забытье.

Мне снилось, что я снова ребенок и играю в детском саду. Вот я хватаю большого плюшевого медвежонка, и он взрывается у меня в руках. Я с ужасом разглядываю свое разорванное на куски тело. Приходит мой папа, вдевает в толстую иглу грубую черную нитку и начинает методично пришивать мои руки и ноги к торсу. «Папочка, — говорю я плачущим голосом, — зачем же ты взял черную нитку? Ведь все швы будет видно. Я не смогу раздеться перед мужчиной». «Не бойся, — ласково отвечает папа, — когда ты срастешься, я выдерну нитки. Только не делай резких движений». И тут я узнаю, что опаздываю на какой-то пароход. Я бегу, задыхаясь и плача, и слышу, как противно трещат разрывающиеся швы. Мое тело распадается на куски, и я оседаю бесформенной грудой.

Очнулась я в кромешной темноте от звука четких пулеметных очередей. Вот почему трещали швы во сне! У меня не было никакого военного опыта, и со страху я подумала, что стреляют прямо за окном. Я еще не научилась по звукам стрельбы определять расстояние, отделяющее меня от опасности. Я лежала в холодной постели и боялась пошевелиться. Короткого сна хватило на то, чтобы изменить мое отношение к окружающему миру. Сколько же времени я проспала? Во всяком случае, больше часа. Где же в таком случае ребята? А вдруг эти идиоты поперлись на посты вместе с гвардейцами? Господи, а вдруг моих мальчиков уже убили? От этой мысли меня прошиб холодный пот, и я моментально подскочила.

Я побежала к окну, сшибая по пути стулья, и попыталась разглядеть, что происходит на улице. Но ни одного огонька не мерцало в черной пустоте, ни одно движение не привлекло моего внимания, ни один теплый человеческий звук не нарушал тишину, кроме лающих автоматных выстрелов. При слабом синем свете газа на кухне я отыскала свой диктофон и поставила кассету. «В этом городе должен быть кто-то живой», — пел мужской голос. Я подошла к двери, приложила ухо к замочной скважине и прислушалась. Мертвая тишина. Мертвый город. Кто-то же должен жить в этом доме, кроме нас! Что же делать? Ребята велели мне дожидаться их прихода. Но кто знает, где теперь они? Если я буду сидеть здесь в темноте, оглушенная тишиной, не имея никаких известий, я сойду с ума. Я должна знать, что происходит, я хочу видеть людей, я хочу поговорить с кем-нибудь. «Ночью, в тишине, убийцы могут войти в город», — вспомнились мне слова Евразии.

Скорее на улицу! Я повернула ключ в замке, и, как это всегда бывает, когда торопишься, ключ застрял. С минуту я ожесточенно дергала ключ, потом стала пинать дверь, бить по ней кулаками. В результате этих идиотских операций я ушибла руку, расплакалась и села на пол в прихожей. Неужели в этом городе больше никто не живет? Почему так тихо? Неужели никогда не наступит день? Я вглядывалась в большое трюмо, пытаясь уловить свое отражение, но колеблющегося света газа было недостаточно. «Я уже потеряла свое отражение», — с ужасом подумала я. «Не будь большей дурой, чем ты есть на самом деле. Возьми себя в руки, — сказала я громким голосом. (В трудных ситуациях мне всегда помогает прийти в себя собственный твердый голос.) — Этот ключ всегда поворачивался, повернется и на этот раз». Я встала, натянула куртку, легонько подергала ключ, и дверь послушно отворилась. Прежде чем выйти, я выключила газ и оказалась в такой темноте, что хоть глаз выколи. Разве бывает на белом свете такая чернота? Шагнув на лестницу, я оступилась и полетела вниз, пересчитывая ступеньки. Я даже не почувствовала боли и только радовалась, что не сломала себе шею. Этажом ниже я постучала в первую попавшуюся дверь и услышала звонкий голос: «Кто там?» — «Я журналистка из Москвы и плохо ориентируюсь в вашем городе. Не могли бы вы подсказать, как добраться до вашего исполкома?» — спросила я. Дверь открыла девочка лет десяти со свечкой в руках. «Здравствуй, маленькая, — заголосила я, радуясь, что нашла хоть кого-то живого. — А где твои родители?» — «Они еще не пришли. Но это не беда, я сама провожу вас», — ответила девочка и вышла в коридор. «Может быть, ты оденешься? На улице очень холодно». — «Я уже привыкла к холоду», — спокойно сказала малышка и повела меня по лестнице, ориентируясь в темноте как домовой. Я шла за моим ангелом-хранителем, дивясь его храбрости. «Послушай, котенок. Неужели ты не боишься?» — спросила я мою маленькую проводницу, когда мы вышли на улицу. «Чего же бояться! — спокойно ответила девочка. — Я же слышу, что стреляют далеко. Ничего, прошлую зиму пережили, даст Бог, и эту переживем». У меня мороз пошел по коже от ее рассудительного тона. «Вон наш исполком», — сказала девочка, махнув рукой в сторону большого дома, где едва теплились окошки. «До свидания, всего хорошего», — казалось, вежливый ребенок сейчас сделает книксен. Она растаяла в темноте, как маленький призрак, прежде чем я успела поблагодарить.

Свет фонарика ударил мне в лицо. «Привет, — сказал чей-то веселый голос, и я с трудом узнала его обладателя — ленинградского журналиста, с которым познакомилась днем в штабе российских войск. — Говорят, сегодня вечером ожидается наступление грузин на город. Так что я не советую тебе бродить по городу. Лучше пойдем со мной в гостиницу». — «Не выдумывай, пожалуйста, — с излишней резкостью сказала я. — Ты же знаешь, что осетины каждый вечер ждут наступления. Это та страшная сказка, которой каждую ночь пугают доверчивых журналистов». Несмотря на свои уверенные слова, я была страшно напугана, но стеснялась это показать.

В исполкоме мне сказали, что мои ребята действительно были здесь, но потом уехали вместе с гвардейцами на посты. «Чертовы мальчишки! — разозлилась я. — Ведь они обещали захватить меня с собой!» Человек по имени Альберт предложил проводить меня к штабу гвардейцев. Я с радостью приняла его помощь. Альберт пошел впереди, освещая дорогу фонарем, а мне велел идти сзади, прячась в тени. Эта предосторожность заставила дребезжать мои и без того развинченные нервы. Он шел впереди, сильный и уверенный, а я вздрагивала от каждого шороха, пугаясь даже шуршащих листьев под ногами. Внезапно он остановился и направил фонарь на темные кусты. Душа моя ушла в пятки. Он наклонился к тонким веткам и сорвал чудную пурпурную розу. «Последние цветы», — с улыбкой сказал Альберт и протянул мне благоухающее чудо. «Я думаю, Альберт, что завтра днем я вряд ли вас узнаю, — сказала я. — Фонарь дает такой обманчивый свет. Вы останетесь в моей памяти как ночной человек». — «Зато я вас узнаю при любом свете», — любезно ответил он.

В штабе гвардейцев находились решительные, готовые на любую выходку парни. Ночь щекотала им нервы, давая возможность испробовать свои силы в страшных приключениях. Они отвезли меня на один из своих постов, который находился на окраине города в районе целиком простреливаемых жилых домов. Их жители давно привыкли к влетающим в окно пулям и ракетам. (К счастью, часть ракет типа «Алазань» делается с браком и не всегда взрывается.)

Дома казались совершенно вымершими из-за отсутствия света, только ветер да пули гуляли в холодном воздухе. Но это обманчивое впечатление. Я поскреблась в одну из квартир, открыла вполне бодрая семейная пара. Чтобы нагреть дом, они стоически жгли в печурке дубовый паркет, купленный когда-то за бешеные деньги. Гостеприимные хозяева тут же накрыли на стол.

— А дети у вас есть? — спросила я у женщины.

— Да некогда заводить детей, — грустно ответила она. — Муж на всю ночь уходит в ополчение, я по хозяйству хлопочу. Да и какие дети, когда сами живем на вулкане?

Перекусив, я отправилась на другой пост гвардейцев — авторемонтный завод, который уже давно не работал. Трудно представить более жуткое зрелище, чем мертвый завод с молчащими станками и грудой бесполезного металла. Сюрреалистический индустриальный пейзаж. Во мраке бесшумно бродили люди. В их гибких фигурах чувствовалась сила диких зверей, ныне прирученных, но всегда готовых к прыжку. На подоконнике выбитого окна лежали мешки с песком, за которыми затаились стрелки. Среди них два паренька лет тринадцати. Их, как мне объяснили, «сколько ни гони, все равно придут».

Пацаны предложили «пульнуть» в сторону грузинских сел для вящего эффекта. Старшие быстро урезонили их. Впрочем, мальчишеское желание «пулять» свойственно не только маленьким, но и большим. Вечные дети, готовые выдернуть чеку гранаты только ради того, чтобы посмотреть, что из этого получится. Война, чудесный пикник на свежем воздухе, им гораздо нужнее, чем женщины. Ночи, по праву принадлежащие любви, отданы опасным, жестоким играм. «Все мужчины таковы», — думала я, закипая бесполезным гневом.

Невозможность увидеть лица своих собеседников придавала этому путешествию что-то фантастическое. Люди без лиц разговаривали со мной из мрака. Один такой человек-голос стал настаивать, чтобы я пошла с его друзьями в одну деревню, где никто не живет и откуда легко можно разглядеть грузинские посты. Другой голос заявил, что негоже слабую женщину выгуливать в таких странных местах. Я благодарно заулыбалась владельцу этого благоразумного голоса, хотя он вряд ли мог рассмотреть выражение моего лица в темноте. Меня не вдохновляла перспектива опасной деревенской прогулки в обществе мужчин, от которых сильно пахло водкой. Но самолюбие журналиста требует хоть изредка разделять опасности с теми, о ком пишешь. Мне пришлось отправиться с пятью мужиками в деревню. По пути мы вынуждены были перелазить через забор, опутанный колючей проволокой, — я расцарапала руки и ушибла коленку, неловко свалившись с него на землю. Меня раздражали мои спутники, которые все время делали мне замечания, что я слишком громко топаю и ломаю ветки. «Какого черта они потащили меня, если сами боятся?» — подумала я.

Мы пришли в мертвую деревню, охраняющую свою недобрую тайну, и я была поражена ее зловещей красотой. Часть домов сожгли, часть разрушили. Пустые глазницы окон жутко глядели на нас. Все условности цивилизации здесь заканчивались, всем завладела первобытная сила. «Там, недалеко, на границе между осетинскими и грузинскими селами, растут богатые виноградники, — один из моих спутников махнул рукой в черный провал. — Но этой осенью никто не решился собрать урожай. За сладкий виноград можно получить пулю в лоб». Взлетело несколько сияющих ракет «алазань», мгновенно осветивших черную землю. Как ни странно, они разрядили обстановку. Все стало просто и понятно — люди охотятся за людьми. Меня дернули за рукав: «Бежим! Нас сейчас видно как на ладони».

После поездки в Цхинвали я перестала испытывать панику перед темнотой. Ночь благословенна — она накрывает тебя волшебным плащом и делает невидимкой. Теперь я плохо переношу свет автомобильных фар, а электрическое освещение городов и вовсе кажется мне неоправданным расточительством. В свете ты беззащитен и наг и любая сволочь может ударить и убить тебя.

В Южной Осетии идет странная, неправдоподобная жизнь. Днем люди спят, едят, обсуждают ночные события, мало кто работает (нет электричества, воды, отопления). В четыре часа дня город погружается в полную темноту, народ выпивает хорошего местного вина, взрывающего душу, берет автоматы и отправляется воевать. Хирурги при свечах умудряются делать сложнейшие операции. Дети мирно засыпают под трескотню автоматов, пулеметов и гранатометов.

Город тяжело болен. В нем атмосфера психиатрической клиники в момент массовой истерии. Любой праздник заканчивается слезами, любой разговор переходит на войну. Ненависть сжигает этих людей. Спросите любого ребенка на улице: «Кем ты станешь, мальчик, если вырастешь?» Последует бойкий ответ: «Боевиком». Дети собирают коллекции гильз, прекрасно различают по звуку, из какого оружия стреляют в данный момент. Взрослые всячески внушают детям, что грузины — их кровные враги. Меня возмутило то, что они устроили новое кладбище на территории школы. На переменах дети, выбегая на улицу поиграть в классики или в мячик, нередко наблюдают похороны. Это кошмарное сочетание вызывает гордость у их родителей! Неисправимые гордецы! Как могли они допустить, чтобы их дети видели смерть!

Мертвых в Цхинвали долго собирают в дорогу. Мертвеца надо обогреть и накормить. Положить ему на могилу хлеба, мяса и вина, чтобы он не голодал. Одеть его в теплую одежду, чтобы не было ему холодно в царстве мертвых. И запричитают плакальщицы, и молодая жена будет глотать могильную землю, и мать будет потрясать сухоньким кулачком и кричать: «Не так болело бы мое сердце, если б тебя убил равный тебе! Но обидно мне, что убит ты недостойным человеком».

А на могиле напишут: «Рухссаг у!», что в переводе означает «царствие небесное», а если прочитать наоборот, то звучит: «Будь живым солнцем». А живым остается поднять стаканы, плеснуть немного вина на хлеб и выпить молча.

Молодые люди в Цхинвали торопятся жениться, чтобы оставить после себя потомство, прежде чем их убьют.

Жизнь не скупится на расходы для ироничных представлений. По странному стечению обстоятельств, в трудные дни блокады по «дороге жизни», проходящей вдали от грузинских сел, цхинвальцы получали экономическую помощь из Германии. Здесь в каждом доме были немецкие консервы, даже консервированный хлеб в круглых металлических банках. С продуктами дело обстояло в тот период даже лучше, чем в Москве. Мясо и молоко поступали из соседних сел, где много всякой живности.

В военных условиях даже свиньи научились маскироваться. Все поросята, как один, грязно-серого цвета и полностью сливаются с пейзажем. Кстати, в городе мало кошек, любящих покой и уют, зато полно отважных псов с отстреленными лапами.

Единственный кот, с которым я познакомилась в Цхинвали, принадлежал местной журналистке, нашей соседке по дому. Он пришел к нам под дверь, долго мяукал, пока ему не открыли, и всем своим видом дал понять, что ждет ласки и лакомств. Когда кота накормили, прибежала его взволнованная хозяйка. Так я познакомилась с Мадиной. Мы подружились, хотя трудно было представить двух более несхожих людей. Всю страсть своей души она отдавала общественной деятельности, весь ее незаурядный темперамент уходил на борьбу с врагом. Я относилась к ее увлечению с легким презрением, так как для меня постоянная общественная работа женщины — первый признак того, что у нее не все в порядке с личной жизнью. Меня бесило, что она растрачивает свою молодость на такое бессмысленное дело, как война. Мужчины наслаждаются сражением, поскольку это увеличивает их силы и отвечает их инстинктам. Женщины, которые крутятся вокруг этой кровавой каши, теряют свое очарование и становятся жалкими созданиями. Каждый раз, когда она, собираясь на очередное дурацкое интервью, натягивала на себя неизменные джинсы и свитер и пренебрегала косметикой, мне хотелось встряхнуть ее и сказать: «Плюнь ты на это дело! Перестать говорить о войне, как помешанная! Говори со мной о шмотках, о мужиках, о мелких женских интригах — это гораздо более важные темы, чем та грязная бессмыслица, которая пожирает столько молодых жизней! Война — это дерьмо, не стоящее разговоров. Она не бывает справедливой и великой. Это ложь. То, что тебе кажется мелким — кокетство, влюбленности, косметика, сплетни, — гораздо больше заслуживает внимания, чем перечисление смертей и подвигов, потому что это твоя собственная жадная женская жизнь!» Но у меня язык не поворачивался все это сказать Мадине, когда она, глядя на меня ясными глазами, начинала перечислять все злодеяния грузин. «Господи! Хоть бы кто-нибудь завалил ее на кровать и закрыл ей рот поцелуем. В ее возрасте нужно трахаться, а не рассуждать», — подумала я. Спустя несколько месяцев я с радостью узнала, что Мадина живет в Москве с любимым мужчиной и, кажется, успокоилась.

В те декабрьские дни я часто заходила к Мадине в гости, и она меня угощала чем Бог послал. Однажды вечером я наблюдала из окна ее квартиры, прилипнув носом к стеклу, ракетный обстрел города. По небу со свистом перекатывались блестящие розовые шары. Завораживающий салют смерти. Опытная Мадина нудела, чтобы я отошла от окна, так как немало людей уже поплатились за свое любопытство, случайно получив пулю или осколок, залетевший в окно.

Я уговорила Мадину пойти на вечеринку к ее подруге Рите. Она немного посопротивлялась из осторожности, но в конце концов мы отправились в гости. Мы почти бежали по темному городу, пугаясь каждой сверкающей ракеты. «Как же они красивы!» — сказала я, любуясь ослепительными, несущими смерть кометами. «Это еще что! — заговорила Мадина. — Вот трассирующие пули — это вообще красота! Они красненькие и зеленые».

К Рите пришли ее друзья-гвардейцы, вся наша компания выпила слишком много крепкого бархатистого вина. Начались какие-то ссоры и выяснения отношений, которые для меня не представляли никакого интереса. Я сказала Мадине, что мы и сами можем добраться домой, без всяких провожатых. У меня кружилась голова, и в ту минуту мне было море по колено. Мы сбежали от гвардейцев на улицу и пошли по направлению к дому. Когда мы пересекали какой-то пустырь, Мадина вдруг бросилась бежать. Она неслась, как лисица, спасающаяся от охотников. Я побежала за ней, крича:

— Мадина, что случилось?

— Смотри наверх, — говорила она задыхающимся голосом. — Смотри наверх!

Когда пустырь остался позади, мы сели прямо на землю, чтобы отдышаться.

— Мадина, скажи мне, ради Бога, зачем нужно смотреть наверх и почему мы бежали? — спросила я раздраженно.

— Это открытое место, значит, всегда есть опасность. А если идешь по городу и попадаешь под обстрел, надо смотреть наверх. Увидишь пули (они ведь светятся), сразу нагибайся. Они обычно летят на уровне головы.

— Эх, Мадина! Ту пулю, которая тебе предназначена, все равно не успеешь увидеть.

В этот момент мы услышали совсем рядом автоматную очередь.

— Боже мой, Мадина! Кто это? — в страхе спросила я.

— Это Алик, — спокойно ответила она. (Так звали гвардейца, с которым мы только что пили.) — Надрался и палит куда попало. Он нас, наверное, ищет. Давай спрячемся!

— Что за идиотизм! — ворчала я, карабкаясь вслед за Мадиной на какую-то кучу отбросов. — А если он в кого-нибудь случайно попадет?

Алик прошел совсем рядом, оглушая нас стрельбой.

— Зачем нужна эта игра в прятки! — возмущалась я, выбираясь из мусорной кучи. — Ну что нам может сделать этот твой Алик?

— Пьяные мужчины так надоедливы, — хихикнула довольная Мадина. Это маленькое приключение ее развеселило. Слегка подвыпившей она мне нравилась — вино превратило ее в симпатичную озорницу.

Поздно вечером мы пили чай дома у Мадины. Где-то снова стреляли. Протрезвевшая Мадина, завернувшись в груду одеял от холода, с горечью сказала:

— Мы, наверное, кажемся тебе животными. Для нас все стало нормальным — выстрелы, убийства, война. Мы уже ни о чем другом не можем говорить.

Когда Мадина легла спать, я вернулась к себе в квартиру. Я уже зевала и готовилась ко сну, когда услышала стук в дверь. «Наверное, мальчики вернулись», — радостно подумала я и побежала открывать. На пороге стоял полковник Фролов.

— Добрый вечер, Анатолий Петрович. Проходите, пожалуйста, — сказала я, мысленно проклиная себя за неизбежные кокетливые нотки в голосе.

— А я ехал мимо вашего дома, дай, думаю, зайду в гости, — сказал Фролов, проходя на кухню.

Я предложила вина, он не отказался. Лихорадочно переставляя чашки, я затеяла дурацкий разговор на тему «Проблемы российской армии в «горячей точке». Но беседа не клеилась, я порола какую-то чушь, постоянно ощущая на себе алчный, раздевающий взгляд полковника.

— Какое у тебя точеное тело, — вдруг сказал он, пожирая меня глазами. — Я завидую тем, кому ты позволяешь себя ласкать.

Я рассмеялась и, чтобы выйти из щекотливого положения, попыталась переменить тему. Но Анатолий Петрович прервал мой вздор следующей неожиданной фразой:

— А с кем из ребят ты спишь?

— Вы с ума сошли! — возмутилась я. — Это мои коллеги. Мы спим в разных комнатах. У нас только дружеские отношения.

— Тогда они круглые дураки и не понимают, что рядом спит сокровище, — рассмеялся он. — Я хотел бы поменяться с ними местами. — Он встал, снял с себя автомат Калашникова и небрежно бросил его на диван.

Я знала, что он будет сейчас меня целовать, и пожалела, что он расстался с оружием. Я представила, как холодный ствол автомата вдавился бы в мою нежную грудь, придавая этой сцене новый эротический оттенок, и захихикала от удовольствия.

— Чему ты смеешься? — удивился полковник, взяв меня в свои сильные руки. Я снова рассмеялась, чувствуя хмельное наслаждение быть беспомощной в таких властных объятиях. Он целовался со знанием дела, но я уперлась руками в его грудь, чтобы не допустить собственного возбуждения.

— Этого никогда не будет, вам лучше уйти, — сказала я, улыбаясь. Мы препирались еще минут пять, пока он все-таки не ушел, недовольный и злой.

«Солдафон, — с легким презрением подумала я, потирая запястья, которые во время нашей маленькой борьбы полковник слишком сильно сжимал. — В своем деле, на войне, он хорош, но увольте меня от его нежностей. Впрочем, скверная девчонка, ты должна признать, что тебе нравятся маленькие грубости».

На следующее утро я уехала из Цхинвали с колонной

российских бронетранспортеров. Я ехала в старреньком «Запорожце» вместе с эмигрировавшей осетинской семьей. Когда мы проезжали грузинские села, бедный глава семьи, сидевший за рулем, все время дрожал и покрывался потом, а его женщины громко молились. Это было действительно страшное зрелище. Все мужское население сел выстроилось вдоль дороги, гремя автоматами и металлическими палками. Казалось, что нас пропускают сквозь строй. И хотя нас сопровождала боевая техника, я тоже почувствовала легкий укол страха. Когда опасный участок остался позади, бедный водитель выскочил из машины помочиться. Штаны у него были совершенно мокрыми.

* * *

Цхинвали сохранил мое детское ощущение, что война — это игрушка для взрослых, приключение с большой буквы. Я по-прежнему уверенно шла вперед, не зная страха, — бессердечный, упрямый, легкомысленный ребенок. Война в Нагорном Карабахе открыла мне неведомый мир преступлений и жестоких людей, который ранее находился за пределом моего кругозора. Самоуверенность моя разбилась, как хрупкий бокал. Я, избалованная сладкими булочками, получила свою порцию черствого и беспощадного хлеба жизни. После Карабаха я надломилась, моя походка перестала быть такой легкой и беспечной, я научилась спотыкаться.

Призрачная пляска смерти началась на этом куске земли четыре года назад. В мрачное шествие вовлечены тысячи людей. Под веселый грохот черного барабана в очередь выстраиваются все жаждущие безупречной смерти за Идею. Не важно, что это за Идея — свободы, родины, мести или национальной вражды. Идея жиреет и пухнет на дрожжах войны, сантиметр за сантиметром поднимается уровень пролитой за нее крови. И вот она уже самодовольно восседает на троне, оправданная лишь тем, что за нее отдано столько жизней.

В Нагорном Карабахе Бог хронически распят, его просто забыли снять с креста. Воздух здесь раскален от молитв и ненависти, идет война всех против всех, одна долгая Варфоломеевская ночь.

Наше путешествие из Карабаха в Карабах в январе 1992 года (я была в поездке со своим коллегой Олегом Старухиным), с одной воюющей стороны на другую длилось долгих 14 дней. Сидя в городе Шуше, в котором располагались азербайджанские вооруженные силы, мы могли любоваться на армянский Степанакерт, расположенный в долине и потому видный нам как на ладони. Между ними километров двенадцать, не более, но пройти их может только самоубийца. Парадокс, но оба города называли себя осажденными, оба дошли до крайней степени нищеты и страха. Нет столкновения страшнее, когда подобное борется с подобным.

Смерть здесь проста и неприкрашена, груба и грязна. В Карабахе забыли, что переход в вечную ночь бывает цивилизованным и благопристойным, когда человек умирает в мягкой постели, окруженный родственниками. Здесь не действует благородное правило настоящей войны — даровать смерть мгновенно, не причиняя боли, без промаха. Людей заставляют есть стекла, сжигают живьем, сдирают с них кожу, выкалывают глаза, отрубают части тела.

В воздухе Карабаха есть что-то дикое и примитивное, что заставляет людей показывать свое истинное лицо, без цивилизованной маски хороших манер. Эти смуглые, как пираты, мужчины, в чьих жилах жарко кипит кровь, любят работу войны. Она дает им свободу от скуки. В них живет неукротимая, настороженная, жгучая гордость и твердая уверенность, что земля — это единственное на свете, за что стоит бороться и умирать. Но ведь верно заметил один умный человек: «Землю, за которую воюешь, на тот свет с собой не возьмешь». Однако здесь презирают людей, которым земля предков жжет пятки.

Жители Кавказа достигли вершин в искусстве презирать смерть и в то же время жадно любить жизнь. Лермонтов объяснял это свойство влиянием гор: «...кто раз лишь на ваших вершинах Творцу помолился, тот жизнь презирает, хотя в то мгновенье гордился он ею!» И наивно надеяться, что когда-нибудь в этих местах убийство будет считаться преступлением. У войны взгляд Медузы Горгоны — кто однажды заглянул ей в лицо, тот уже не в силах отвести глаз.

За время путешествия перед нашими глазами прошли тысячи людей, говоривших о войне, три государства — Азербайджан, Грузия и Армения, таких независимых и гордых, но все же связанных экономическими, культурными да и просто человеческими отношениями в один горящий регион.

Сложность нашей поездки заключалась в том, что мы честно хотели посмотреть войну с двух сторон, не подозревая о трудностях передвижений. Нам на редкость не везло. Я всю жизнь считала себя удачливой, но на эти две недели госпожа фортуна от меня отвернулась. Я обвиняла в этом Олега, прирожденного невезучего. Я в жизни своей не встречала подобного человека, который всегда действует невпопад. У него в буквальном смысле слова все горело в руках, любое дело, которое он затевал, было обречено на провал. Удивляюсь, как он вообще ухитрился дожить до 23 лет. (Кстати, его день рождения мы праздновали в Карабахе.) Олег отличался редкостным послушанием, он всегда преданно смотрел мне в глаза, всем своим видом выражая полную готовность выполнить мои распоряжения. Но он не давал себе труда предлагать свои решения и полагался на меня. А мне так хотелось переложить часть наших забот на его плечи и хоть раз довериться его жизненному опыту. Глядя в его красивые, чистые, как у теленка, глазки, в которых отражалась прямо-таки небесная пустота, мне всегда хотелось его стукнуть и заставить шевелить мозгами. «Олег, если я говорю, что нужно идти направо, это вовсе не значит, что действительно нужно поворачивать направо. Я ведь могу и ошибаться, — твердила я ему. — Почему бы тебе время от времени не предлагать поворот налево? Может быть, в наших спорах мы найдем верное решение». Но Олег смотрел в ту сторону, куда смотрела я. Сначала мне это льстило, потом начало раздражать. Во время командировки я проклинала собственную опрометчивость — брать с собой на войну непроверенного человека по меньшей мере глупо. Наша несовместимость проявлялась еще в том, что я жаворонок, а он сова. Олег с утра обычно вял, как жаба, и не способен двигаться, а из меня в утренние часы бьет чистый родник энергии. Зато к вечеру Олег оживает и готов сидеть всю ночь за столом с очередной компанией, в то время как я клюю носом. Несмотря на всю свою злость, я в конце концов очень сильно привязалась к своему незадачливому попутчику и научилась прощать его ошибки, как прощают младшего непутевого брата. Мы до сих пор с ним добрые друзья.

Наши приключения начались в Баку. Этот спокойный и красивый город очаровал нас солнечными ветрами и умиротворяющими запахами моря. После январской слякотно-ледяной Москвы нам казалось, что мы перенеслись в весну.

Баку живет получше, чем Тбилиси и Ереван, и с продуктами, и со светом, и с теплом. На улицах почти совсем нет нищих. Хотя, как мне рассказали, это объясняется не богатством города, а гордым характером азербайджанцев: «Нам легче пойти торговать и воровать, чем просить милостыню». За несколько дней до нашего приезда в метро под поезд бросились жена и муж, так как им нечем было кормить девятерых детей, а обращаться за помощью они постыдились.

Мода во всех трех государствах отличается редким постоянством. Люди бедных слоев носят пестрые свитера турецкого производства и шапки-ушанки. Народ побогаче добавляет к этому наряду кожаную куртку. Самые представительные граждане предпочитают черное или серое пальто, белый шарфик и трогательные белые носочки. В Карабахе в моду входит так называемая «шапочка боевика», или, ласково, «шапочка душегубчика», — плотная вязаная черная или серая шапка, натягиваемая прямо до бровей.

В Баку выяснилась главная особенность нашего путешествия — невезучесть. В день приезда нам купили билеты на самолет до Агдама, города, из которого можно попасть в места боевых действий. Но когда пришло время ехать в аэропорт, шофер, работающий при Верховном Совете, как сквозь землю провалился. Мы стояли на улице, приплясывая от нетерпения, и ждали появления машины. И она действительно приехала, только не заправленная бензином. В результате мы опоздали на самолет.

— Не беспокойтесь, — утешили нас. — Вылетите завтра утром.

Но на следующее утро поднялась пурга, и ни один самолет не рискнул подняться в воздух. Мы сидели в аэропорту до трех часов дня в наивном ожидании вылета, пока у меня не лопнуло терпение.

— Мы вполне можем добраться на машине, — заявила я.

— Но туда ехать пять часов, и в Верховном Совете сейчас нет машин, — возразил наш сопровождающий.

— Мы доедем на попутных, — в нетерпении сказала я. — В конце концов, мы можем обратиться в МВД и попросить содействия на всех постах ГАИ.

Так мы и сделали. Нас перебрасывали с одного автомобиля на другой, и я была счастлива, что мы движемся, а не сидим на месте, как приклеенные. Дорога влияет на меня просто магически, мне не важна конечная цель, мне необходимо движение, которое убаюкивает и навевает приятные мечты.

Единственное, что меня мучило, — это голод. Узнав об этом, милиционер по имени Бахтияр, подбросивший нас на машине до города Евлаха, по пути накормил нас ужином в маленьком придорожном кафе. Водка развязала ему язык.

— Клянусь хлебом, хочу единый Союз, надоели все эти ссоры и дележи территорий, — заявил он. — Мы раньше с армянами прекрасно ладили. Ни одной субботы не проходило, чтобы я к своим друзьям-армянам не приехал в гости на шашлык или они ко мне. Был бы Горбачев настоящим мужиком, конфликт в Карабахе стал бы его главной мужской задачей. А то все медлил, мялся, и вот результат: за четыре года мелкие стычки превратились в настоящую войну.

Мой сын спрашивает меня: «Папа, а Ленин — наш человек или нет? А в учебнике написано, что Москва — столица нашей Родины. Это правда?» Что ему сказать — не знаю.

В Евлах мы приехали поздно вечером, радушные жители уже давно накрыли стол в ожидании нас. У них был печальный день — хоронили 22-летнего парня, погибшего в селе Кароглан во время перестрелки. В доме, где.нас принимали, не так давно гостил погибший журналист «Маяка» Леонид Лазаревич. В классических вестернах в ресторанных ковбойских драках существует принцип: в пианистов не стрелять. Сидит себе парень, наяривает на пианино, а вокруг — звон посуды, выстрелы и мордобой. На войне должно действовать такое же джентльменское правило: в журналистов не стрелять.

Утром нас доставили в Агдам. Это ворота в ад. Все в этом городе говорит о войне, хотя боевых действий нет. Районная больница превратилась в военный госпиталь — сюда доставляют раненых из Шуши и азербайджанских сел. Знаки мученичества лежат на лицах, как вуаль. Неудачно встретил Новый год пациент этой больницы Байралов Алиаббас из села Шелли — 1 января в перестрелке пуля попала ему в правую ногу. «Когда выздоровею, — говорит Алиаббас, — снова пойду воевать. Один раз я уже едва не погиб, так что можно считать, моя душа уже на небесах. А если душа попала куда надо, то и умирать не страшно».

Десятимесячная девочка Фахрия с лицом, обожженным взрывом «алазани», радуется, что увидела новых людей, и беспечно нам улыбается. Рядом лежит молодая женщина, у которой вместо рук и ног кровавое месиво, — тоже жертва новогоднего праздника. В вечер нашего пребывания привозят еще четырех раненых из села Амираллар, где идет бой, — к утру один из них скончался.

Огромная проблема — вывозить раненых из окруженных сел. Часто трупы находятся по два-три дня в местах боевых действий. Их невозможно вывезти к родным и близким и достойно похоронить из-за постоянных обстрелов, отсутствия вертолетов и бензина.

Больницы в Степанакерте и Агдаме удручающе похожи друг на друга — те же страдания, те же плачущие женщины, те же горящие ненавистью глаза, та же непримиримость.

Что отличает дикаря от цивилизованного человека? Дикарю неведомо понятие «будущее». Он живет сегодняшним днем, коротеньким сиюминутным сознанием. Война превращает нормальных людей в дикарей, ибо война вообще, а в особенности война национальностей, алогична и лишена будущего.

«Там, наверху, это кому-то выгодно, — говорят и армяне, и азербайджанцы. — Кто-то получает в центре за войну хорошие деньги». Уже нет и всевидящего центра, и всесильного ЦК КПСС, а котел войны закипает все круче. И попробуй разобраться в этом остром шипящем вареве, от которого так и валит пар, наклонись к котлу поближе, и кипящие брызги обожгут тебе лицо.

Известную поговорку можно сформулировать так: «Скажи мне, что ты кушаешь, а я скажу, где ты живешь». Едят в Карабахе на обеих воюющих сторонах одно и то же: долму (очень похоже на тефтели, завернутые в виноградные листья и политые сметанным соусом). И азербайджанцы, и армяне утверждают, что это исключительно их национальное блюдо, забывая, что и в Грузии, например, тоже любят побаловаться этим кушаньем. Еще более страстные споры вызывает тутовая водка: каждый народ доказывает, что именно его водка превосходит по крепости соседскую минимум на пять градусов (рекордная крепость этого напитка достигает иногда и 75 градусов).

В южных республиках наши понятия о времени совершенно бесполезны — жизнь здесь течет раза в четыре медленнее, чем, например, в Москве. Сначала вы воспринимаете все условленные сроки буквально. «Я приду через час», — говорит вам приятель, и вы сидите и терпеливо, как последний идиот, ждете его. Бросьте напрягаться, умножьте объявленное время на четыре — и вы получите именно ту цифру, которую имел в виду ваш приятель. Главный аргумент: «Послушай, милая, куда ты так торопишься? Почему русские все время куда-то спешат? Наслаждайся жизнью, пока она у тебя есть». Ни власти, ни обыкновенные люди не поспевают за стремительным ходом событий. Стреляют быстро, умирают еще быстрее, и меры, принимаемые для спасения жизней, как всегда, запаздывают.

В этой войне принимают активное участие музыканты. Может быть, это совпадение, но чуть ли не каждый третий, с кем я разговаривала, оказывался кларнетистом, гобоистом, пианистом, гитаристом. Сейчас у них новый музыкальный инструмент — автомат Калашникова. На войне пригодится их хорошее чувство ритма, чуткость нервов, и пальцы, когда-то любовно касавшиеся клавишей, теперь умело ласкают курок. Учителя тоже забросили свои книжки и тетрадки, хотя Коран гласит: «В судный день чернила ученого перевесят порох солдата». Но пока порох оказывается неизменно тяжелее чернил.

Из Агдама мы пытались улететь в Шушу, но это оказалось непростым делом. Ветер удачи дул явно не в нашу сторону. В первый день нашего пребывания нами завладел местный милицейский начальник, который решил на деле доказать гостеприимство своего народа. Он любезно пригласил нас выпить чашечку чая в городской чайхане и заверил, что мы улетим в Шушу на первом же вертолете. «Мои ребята держат постоянную связь с аэродромом, и как только что-нибудь прояснится, я немедленно отправлю вас туда на машине», — с важностью заявил он. Мы попались на эту удочку, как глупые рыбы, и отправились в чайхану. Все началось с чашечки чая, затем на столе появились мясо, суп, зелень, лаваш, бутылка водки. При виде спиртного у Олега заблестели глаза, я пнула его под столом ногой и заявила начальнику милиции, что бедный Олег водку на дух не переносит и из вежливости боится об этом сказать. «Что ж он стесняется! — сказал хозяин стола. — Мы сами выпьем водку и не будем его утомлять». Он забрал у Олега стакан, и мы с ним вдвоем весело выпили. Олег смотрел на меня так, как будто я нанесла ему удар ниже пояса. А я еще в Москве узнала, что для Олега водка все равно что сало для крысы. Мне советовали не давать ему пить, и я, как разумная женщина, приняла меры.

Из чайханы мы вышли через три часа и узнали, что за это время улетело три вертолета и на сегодня больше вертолетов не будет. Мы прокляли собственную доверчивость и необязательность начальника милиции и остались в Аг-даме ночевать. Нас привели в гостевой дом (он существенно отличается от гостиницы). Это огромный, прекрасно обставленный дом с общей гостиной и несколькими спальнями, с бильярдной, сауной и бассейном, которые не работают из-за отсутствия горячей воды. При кухне работает повариха. Гости едят и общаются за общим столом в гостиной, потом расходятся по своим комнатам. Раньше здесь гостили самые знатные партаппаратчики, теперь — журналисты и военачальники. Мы славно поужинали, потом я попросила Олега полить мне из кувшина, чтобы я могла вымыть голову. Во время этого занятия мы болтали с ним, как двое шалопаев, сбежавших с уроков.

Нас удивляло, что и гостиница, и питание, и транспорт — все это бесплатно. Если вы предложите деньги, на вас посмотрят так, как будто вы плюнули в душу. Процветают военный коммунизм и натуральное хозяйство. Деньги имеют минимальное значение, гораздо больше значат связи, знакомства, посты. Здесь оказывают услуги, но не продают их.

На следующее утро ситуация с вертолетами не прояснилась. Погода в горах испортилась, и никто не мог обещать, что полеты состоятся. Тогда я выразила желание поехать в село Амираллар, где день назад проходил тяжелый бой. Но местное начальство заявило, что это опасное предприятие, кроме того, ни одна машина сегодня туда не поедет. Мы совсем упали духом, но тут нас отозвал в сторону какой-то мужчина и сказал, что все это ерунда и что через час с автовокзала в Амираллар отходит самый обычный автобус, в котором едут даже женщины и дети. Мы уже начали понимать, что, когда тебе высокое начальство говорит «нет», найдутся люди, которые в обход всех правил скажут «да».

По дороге в село у нас сломался автобус. (Машина с трудом переносит ту чудовищную смесь, на которой ей приходится работать, — солярка, разбавленная ацетоном.) Пассажиры медленно побрели по мягкой от глубокой пыли дороге навстречу войне, омываемые теплым, почти весенним ветром. Вокруг — райские места, созданные только для прихотей влюбленных. Мягкий, пьянящий, как вино, воздух, как будто прозрачный напиток на губах. Я впервые почувствовала такое загадочное и возбуждающее ощущение свободы. Мир был торжественно тих. Кто бы мог подумать, что это земля большого разбоя! «Неужели это Карабах?» — приставала я к своим спутникам. Они посмеивались над моим волнением и отвечали: «Не просто Карабах, но еще и Нагорный. Радуйся, что не стреляют, глупая, — война еще впереди».

В Амиралларе царствовала привычная скука утренних часов (все события происходят в основном вечером и ночью). Маленький ослик с печальным детским личиком томился на привязи, скучали собаки, мечтая о триумфальном спуске штанов с прохожих. Рядом с барашками, щиплющими травку, мирно паслись два БТРа. Дети выбежали на улицу и с любопытством рассматривали приезжих. У них так мало развлечений. Как сказал один грустный человек: «Кроме театра военных действий, никакого другого театра нет».

За несколько дней путешествия мы привыкли к звучащей чужой речи. В отдаленных горных селах многие вообще не знают русского языка. Чувствуешь себя Штирлицем: вроде не свой, а вроде и брать не будут. Русский язык (преимущественно матерный) еще сохраняет свое значение в общении двух воюющих сторон, в основном по рации.

В Амиралларе нас принял в своем доме начальник сельского отряда Вагиф. Две темные, закутанные в безобразные тряпки женщины испуганно метнулись при нашем появлении. Ни слова не знающие по-русски, эти бесформенные молчаливые куклы являли собой образец скудоумия. Жены в сельской местности — это рабыни. Мужчины обращаются к ним только в минуты сексуальной нужды. Женская задача — рожать и воспитывать детей, выполнять всю тяжелую работу по дому, подавать на стол и исчезать как тень на свою половину. А в некоторых, особо строгих семьях женщина не только лишена права сидеть с мужчинами за одним столом, но даже не может показываться гостям. Поэтому она готовит угощение на кухне, а хозяин дома сам приносит его в гостиную.

Село Амираллар окружено с трех сторон и простреливается насквозь. После ужина мы отправились посмотреть посты. Раньше я читала в романах фразу «предательский свет луны» и не понимала, что это такое. В горах луна светит так ярко, что хоть газету читай. Темные фигурки на серебряном фоне становятся удачной мишенью. Беспечно прогуливаясь ночью по селу, мы нарвались на обстрел. Совсем рядом хищно прожужжала пуля, и наш спутник по имени Афтандил кинул меня на землю. На некоторое время мы затаились за ближайшим домом, далее двигались перебежками. В каждом новом укрытии устраивали перекур. Афтандил садился на корточки и испуганно шептал: «Сердце тук-тук-тук». Зато Олег резвился как мальчишка, чем страшно раздражал меня.

Поздно вечером Афтандил пригласил нас и Вагифа к себе в гости. По стаканам разлили обжигающую тутовую водку, которую так же легко поджечь, как хворост. Этот прозрачный напиток грез, соединяющий грешных людей с небом, привел нас в блаженное состояние. Через полчаса Олег был пьян в стельку, и его тут же уложили спать. А меня отвели в дом Вагифа, где в одной из комнат на полу расстелили огромный матрас. «Но ведь в соседней комнате есть кровати, я сама видела. Почему бы мне не пойти спать туда?» — удивленно спросила я. «Там уже спят женщины, — ответил Вагиф. — Я пошел проверять посты, а ты ложись». «Слишком эта кровать велика для меня», — подумала я и зевнула. От водки меня клонило в сон. Я разделась, но предусмотрительно не сняла майку и колготки, хотя обычно сплю голой. Через несколько минут я уже крепко спала, и даже обстрел села ракетами «алазань» не в силах был меня разбудить.

Проснулась я совершенно внезапно от какого-то странного чувства опасности. Ракетный обстрел уже закончился. В тихой темной комнате я угадала чье-то движение и дыхание.

— Господи, кто здесь?! — вскрикнула я. Тень скользнула, и в льющемся из окна свете луны я узнала Вагифа.

— Спи, — шепнул он и преспокойным образом стал раздеваться. Я завороженно смотрела на него, как кролик на удава. Он улегся в мою постель и пристроил поближе ко мне свое худое горячее тело. С чувством гадливости я подскочила и стала причитать:

— Как вы можете так со мной поступать! Я же ваш гость, и я вам доверяю. Вы опозорите свой дом, если дотронетесь до меня.

Он схватил мою руку и попытался успокоить, но я вырвалась и побежала в соседнюю комнату. «Там ведь женщины, — мелькнула мысль. — Не может же он приставать ко мне при своих женщинах!» Я распахнула дверь и включила свет. Комната оказалась совершенно пустой. Моим первым инстинктом было захлопнуть дверь и повернуть замок. (В Азербайджане замки есть обычно в каждом жилом помещении.) Я сделала это вовремя.

Через несколько секунд Вагиф забарабанил в дверь:

— Даша, открой! Я не сделаю тебе ничего плохого! Да открой же!

«Подлый обманщик! — в бешенстве думала я. — Сказал, что здесь женщины спят, и заманил на свой грязный матрас».

Часы показывали три часа ночи. До утра надо было обеспечить свою безопасность, а там проснется Олег, встанут селяне, а при народе Вагиф ничего не посмеет мне сделать. Дом одноэтажный, и он вполне может влезть ночью через окно. Но на подоконнике стоят цветочные горшки, и они обязательно загремят. Для надежности я собрала по всей комнате все стеклянные и глиняные предметы и забаррикадировала ими окно. Я булькала от гнева, как кипящий чайник: «Ох уж мне эти мусульманские хитрости! Ведь они специально напоили Олега, чтобы исключить его из игры!»

Всю ночь я ворочалась на кровати, не в силах уснуть. В 8 часов утра кто-то поскребся в дверь.

— Даша, открой, пожалуйста. Это Афтандил, — услышала я знакомый голос.

— Я никого из вас видеть не хочу. Пришли мне лучше Олега, — заявила я.

— Олег уже встал и завтракает. Я хочу передать тебе одежду, — просительно сказал он. Я выдержала маленькую паузу, открыла дверь и забрала одежду.

Когда я пришла в дом к Афтандилу, то обнаружила там томного с похмелья Олега, который вяло ковырялся в тарелке. После завтрака в дом явился Вагиф и, не глядя мне в глаза, сказал, что готов отвезти нас в город. Впоследствии я узнала, что спустя три дня после нашего отъезда Вагифа убили.

После долгого ожидания мы наконец вылетели в Шушу. Это слово в переводе обозначает «стекло». Есть разные толкования названия города. Одни говорят, что воздух здесь прозрачный и чистый как стекло. Другие утверждают, что раньше улицы города были покрыты булыжником, который сверкал на солнце подобно стеклу. От когда-то веселого курорта Шуши, беспечного города, окруженного розовым ореолом легкомыслия, остались только воспоминания и глянцевые открытки. По вечерам здесь отвратительно воет сирена воздушной тревоги и город вымирает...

Особенно действует на нервы пушка: вначале на горизонте вспыхивает свет, потом несколько секунд тишины — и на город обрушивается снаряд. В эти мгновения затишья перед взрывом мечешься, как затравленный заяц, и готов по-страусиному спрятать голову в песок.

Город разорван пушечными взрывами на тысячи осколков страха. Мы пытались ночью уговорить людей проводить нас до санатория, где мы жили. Но никто не хотел рисковать, и все советовали нам дождаться конца обстрела. (Как будто этому безумию бывает конец!) Какой-то мужчина вызвался проводить, заявив, что ему на все наплевать, так как несколько дней назад на его глазах гранатой разорвало его товарища, а у него при этом ни царапинки.

Мы потащились по мертвым, совершенно безлюдным улицам, чувствуя себя последними оставшимися в живых. Алмазные пуговки звезд светились в глубоком провале иссиня-черного неба. Мне казалось, что этот город-ловушка подстерегает нас. Наш провожатый заметил, показывая на пустые дома: «Воздушная тревога очень выгодна для воров. Заходи в дом, бери, что хочешь, пока хозяева в подвале отсиживаются».

Азербайджанский ОМОН в подвалах отсиживаться не любит. Это отчаянные ребята, у которых больше мертвых друзей, чем живых. Они чрезвычайно обрадовались, когда мы пришли к ним в казарму. Журналист — всегда желанный гость в таких местах. Его приход дает возможность воинам покрасоваться и увидеть в романтическом свете то, что романтикой не является. Вино подогрело их пыл, и один омоновец лихо предложил поехать в Степанакерт на танке. «Вы наяву увидите отрывки из фильма «Рэмбо», — уверял он. Меня напугала недюжинная сила, дремлющая в этих людях и таящая в себе опасность, и их гибельная удаль.

Ночь в Шуше мы провели в ледяной комнате бывшего санатория. Чтобы согреться, мы приготовили сногсшибательный коктейль: в чашку горячего чая влили полстакана водки и сок одного лимона. Это отвратительное пойло спасло нас от простуды.

Вода в Шуше ценнее золота. Утром мы оказались перед выбором, чем мыть посуду — водкой или водой. Ужасно хотелось чаю, и мы совершили над собой насилие — помыли чашки водкой, сэкономив тем самым питьевую воду.

В Шуше мы снова столкнулись с необязательностью и ленью, свойственными всем южным республикам. Несмотря на все обещания разбудить нас утром и отправить первым же вертолетом, никто не постучал в нашу дверь. Зато мы проснулись от жужжания первого улетающего вертолета. Мы моментально оделись и примчались в исполком, где нам любезно сообщили, что начальник, занимающийся отправкой журналистов, придет только к обеду. Пока нам объясняли все эти прелестные подробности, за окном снова послышался характерный шум — второй вертолет готовился совершить посадку в Шуше.

Никогда я так быстро не бегала. Мы неслись, отягощенные сумками, к взлетной площадке, и вскоре я начала задыхаться от разреженного горного воздуха. «Олег, беги вперед! — закричала я. — Останови вертолет, объясни, что мы журналисты».

Взлетная площадка напомнила мне кадры военной хроники прошлых лет. Народ убивался у вертолета: мужики дрались, женщины плакали, детей передавали с рук на руки вместе с багажом и затаскивали в салон. Я кричала: «Возьмите нас, мы журналисты!», но сквозь шум мотора не слышала собственного голоса. Машина грузно оторвалась от земли, и какой-то мужчина, схватив меня за руки, начал втаскивать в вертолет. Олег уцепился за последнюю ступеньку трапа. Вертолет набирал высоту. Как в кошмарном сне я видела Олега, болтающегося в воздухе. Плача, я ворвалась в кабину и заорала на летчиков: «Опустите вертолет, человек разобьется!» — «Если я посажу машину, — закричал летчик сквозь гул, — меня толпа разорвет на части!» Но все-таки снизил высоту и завис в нескольких метрах от земли. Олега сбили со ступенек ногами. Вертолет поднялся в воздух, и я потеряла его из виду.

На ближайшие полчаса пассажирский салон превратился в ад кромешный: я плакала и выкрикивала бессмысленные угрозы, женщины пытались меня утешить на азербайджанском языке, дети, ничего не понимая, ревели — все вопили кто во что горазд. Мужчины кричали: «Почему мы должны были забрать твоего товарища, когда в первую очередь детей надо вывозить? Ты думаешь, наши дети хотят видеть смерть?! Никто не хочет умирать». Эти обваренные бедой люди бесконечно долго дрожали за свою жизнь.

Когда мы прилетели в Агдам, летчик успокоил меня: «Сейчас мы слетаем еще раз за твоим товарищем. Ты только не плачь». В ожидании Олега я мерила шагами летное поле и никого к себе не подпускала. Я была так накалена гневом, что яростно огрызалась на любые попытки меня утешить. Навстречу Олегу я шагала с распухшим красным лицом и заплаканными глазами. Слезы — удел всякого, кто доверяет свою судьбу случайностям дороги и войны.

Безопасно проехать из Азербайджана в Армению можно только через Грузию. В Тбилиси мы добирались автостопом — на грузовиках и легковых машинах. Этот город стал местом встреч тех азербайджанцев и армян, которые еще сохранили вопреки войне дружеские связи. Только здесь они могут снова сесть за один стол.

В Грузии весьма иронично относятся к этой бесконечной войне. Любимый тост тбилисцев: «Выпьем за справедливую борьбу азербайджанского и армянского народов!»

До Еревана мы решили взять такси. Путь из Тбилиси в Ереван часто называют мясным путем. Вдоль всей дороги люди выставляют на продажу свежие, еще истекающие кровью дешевые местные туши. Тут же продают аппетитные шашлыки. Из источника можно напиться минеральной воды. На въезде в Армению растут два дерева, которые в страстном любовном порыве срослись в одно, их называют «влюбленная парочка». Здесь в одном из селений живут люди, принадлежащие интересной религиозной секте, — они плачут, когда рождается новый человек, и смеются, когда кто-нибудь умирает.

В Ереване случилась неприятность, отравившая нам жизнь. Я оставила в такси сумку с документами, деньгами и косметикой. Первым делом я, разумеется, закричала: «Как же я утром буду краситься?!» Но Олег напомнил мне, что паспорт все-таки важнее. Дело осложнялось тем, что таксист жил в Тбилиси и мог в этот вечер уехать обратно в Грузию, то бишь на территорию другого государства. У меня был телефон помощника президента, и я без зрения совести позвонила ему. Помощник президента оказался вежливым человеком и попытался объяснить мне, что негоже такому ответственному должностному лицу заниматься поисками сумки. Но в тот момент мне было наплевать на доводы разума, я рыдала и вопила в трубку, чтобы он прислал мне отряд милиционеров и велел закрыть границы Армении. Вдруг такси сегодня вечером уедет! Помощник президента сдался. В холл гостиницы, в которую мы не могли поселиться из-за отсутствия документов, прибыли любезные интеллигентные люди в штатском, и с их помощью меня быстро устроили в номер.

Я изводила их тем, что все время твердила: «Надо же что-то делать». Они собрались везти меня в милицию, но в этот момент во всем Ереване вырубили свет. Я вообразила, что судьба специально добивает меня, и заплакала еще горше.

На ощупь мы выбрались из гостиницы и поехали в милицию. К нашей радости, дали свет, и за мое утешение взялось все отделение милиции. Они сказали, что присвоят пропаже сумки статус нераскрытого уголовного дела, что по радио уже сообщили приметы водителя и номер машины, который, к счастью, мы запомнили, что всем постам ГАИ на выезде из Армении будет дан приказ задержать указанную машину, что телевидение вечером передаст важную информацию по поводу сумки. Я вытерла слезы и заулыбалась. Впоследствии, когда люди со мной знакомились в Армении, они говорили: «А-а, это вы та самая девушка, которая потеряла сумку». Когда же сумка все-таки нашлась, то все наши новые знакомые готовы были плясать от радости. Водитель сам принес ее в гостиницу и оставил у администратора, предварительно вытащив все деньги в качестве вознаграждения.

Наше невезение просто преследовало нас в Ереване. Трое суток мы не могли вылететь в Карабах, а когда вылетели, то второпях сели не в тот вертолет. Вместо Степанакерта он привез нас в маленькое село Таглар, с которым очень редко бывает связь. Мы летели в вертолете, сидя на безобидных с виду ящиках с минами. Когда мы пролетали над территорией, контролируемой азербайджанцами, люди приникли к иллюминаторам, крестились и тихо шептали молитвы.

В Тагларе из-за отсутствия бензина в качестве такси используют лошадок. За пачку сигарет можно перевезти тяжелый груз. Из Таглара мы добрались до села Туг. В штабе обороны в честь нас устроили настоящее пиршество — смесь роскоши и сельской простоты. Мы объелись шашлыками до боли в желудках и выпили столько красного вина, что мир открылся нам со своей лучшей стороны. Наши собеседники говорили много и с красноречивым пафосом. Выпитые литры вина не уронили их достоинства и не замутили мысли. Эти люди оказались крепкими во хмелю. Вообще во всех южных народах есть вакхическая игра, делающая из них великолепных сдержанных пьяниц.

У жителей этого села был уверенный вид людей, которые сами распоряжаются своей жизнью, далекой от цивилизации. В отряде обороны была одна женщина-снайпер, очаровательное существо. Мы с ней сразу почувствовали взаимную неприязнь. До моего приезда внимание и восхищение мужчин принадлежало ей всецело, теперь же она отошла на второй план и не испытывала желания общаться со мной. А я в свою очередь невзлюбила красотку за то, что она не использовала в борьбе за мужчин мои главные орудия — кокетство и слабость. Напротив, она не скрывала своей силы и решительности, но не теряла при этом женственности.

После ужина, гуляя с Олегом вечером по селу Туг, мы подошли к Дому культуры, привлеченные звуками пианино. Но в концертном зале люди собрались вовсе не для того, чтобы послушать музыку. Десятки вооруженных бойцов в полной темноте грелись у крохотной печурки в ожидании приказа. Я пробралась на сцену к пианино, и из-под моих пальцев брызнул фонтан звуков легкомысленного блюза. Проиграв веселую песенку, я почувствовала, как она здесь неуместна. Я вернулась к печурке и стала слушать пылкую речь командира отряда самообороны Вигена. Я не понимала смысла, а просто ловила музыку армянского языка. Впрочем, наверняка что-нибудь на тему «победа или смерть» или «лучше умереть стоя, чем жить на коленях». Такие речи можно услышать в любой «горячей точке» на любом языке, произнесенные с одинаковой страстью.

Слабый свет от печурки отражался на напряженных молодых лицах. Когда человек молод, он уверен, что смерть и страдания грозят кому угодно, только не ему. В глазах бойцов вспыхивало что-то похожее на блеск драгоценной стали, закаленной, как шпага. Все это были люди хорошей породы, любящие веселье отваги и готовые откликнуться на зов опасности, как откликается на удар тонкая серебряная струна. Жаль, что столько сил и энергии тратится на бессмысленную войну.

Ночью вместе с командиром отряда самообороны мы проверяли посты. Передвигались вдоль дороги бесшумно, как мыши (дорога очень удобна для засад). Темнота, твой друг и враг, укроет тебя от пуль, но сделает невидимым врага. Внезапно один из бойцов, Вано, остановил меня: «Осторожно, здесь заминировано. На черные пятна не наступай». Все это похоже на игру в классики — прыгаешь, как школьница, по белым квадратам.

Окопы, землянка, где греются люди. Всех их отличает неистощимое терпение воинов. Господи, какой сейчас век на дворе? Какой год? Ведь не кино же я смотрю. Я, как лунатик, передвигаюсь в этом странном, неправдоподобном мире и все время хочу ущипнуть себя за руку, чтобы проснуться от страшного сна.

В Карабахе нет единой линии фронта. Азербайджанские и армянские села так густо перемешаны, что война приобретает характер деревенских битв. Потому так много потерь при неожиданных столкновениях и кровавых стычках. Находясь на той и другой стороне, я все время говорила: «Ну, кто сейчас стреляет, наши? — И сама себя обрывала: — Кто здесь наши?»

Бензин в армянском Карабахе заменяет деньги. Все измеряется не рублями, а литрами бензина. В селе Туг два дня не было горючего, и мы не могли выехать в Степанакерт. Правда, был неприкосновенный запас, но он хранился для экстренных выездов. За два дня ожидания я извела себя и окружающих. Главным образом, доставалось Олегу — я грызла его денно и нощно и уверяла, что это именно он приносит неудачу. На это время к нам приставили в качестве гида и сопровождающего красавца Вано, профессионального каратиста, скрученного из тугих мускулов. Он терпеливо сносил припадки моей нервозности и как мог развлекал нас. Однажды он повел нас на экскурсию по старинным армянским церквям. Это маленькие полуразрушенные здания, в которых живут голуби. Их грустное очарование трогает сердце. Нас сопровождал местный мальчишка. В одной из церквей я обратила внимание на огромный железный лист, похожий на противень, который ставят в духовку. На мой вопрос, каково предназначение этого подноса, Вано ответил, что на нем жарят шашлыки. «Шашлыки в церкви? — изумилась я. — Не может быть. Ты что-то путаешь». Но Вано уже вошел во вкус и стал объяснять, что хотя здесь властвует христианская религия, но, по-видимому, она впитала некоторые армянские традиции. Мальчишка, смущаясь, прервал рассуждения Вано: «На этот лист ставят свечи». Тут я начала хохотать как сумасшедшая: «Ах, Вано! Ты неисправим, как все армяне. Еда для вас самое главное. Вы даже в церковь непременно притащите шашлык и вино». В штаб обороны мы вернулись в сносном настроении и тут узнали, что бензин достали и через час вместе с Вигеном и охранником мы выезжаем в Степанакерт.

В 8 часов вечера мы выехали из села на старом «уазике». Виген сидел за рулем машины, боец Самвел справа от него, а я и Олег расположились на заднем сиденье. Минут через пятнадцать мне захотелось послушать музыку, я достала кассету Высоцкого и протянула ее Самвелу. В тот момент, когда он вставлял кассету в магнитофон, дорогу осветили трассирующие автоматные очереди. Мы вжались в сиденье, и я почувствовала, как гулко и неровно забилось мое обезумевшее сердце. Спустя несколько бесконечных мгновений чьи-то руки распахнули дверцы машины, и грубые голоса велели нам выходить. Какой-то толстяк стал связывать мне руки веревкой. Я попыталась объяснить, что мы московские журналисты, но получила сильный удар в лицо. Господи, как глупо мы попались в засаду! Если бы Виген не сидел за рулем, если бы Самвел не ставил кассету, если бы они не боялись, что в перестрелке нас могут задеть... Все эти «если бы» кружились надо мной, как стая черных воронов. Нет, нас не могут прирезать, как глупых цыплят. Я набрала побольше воздуха в легкие и стала говорить, не обращая внимания на тычки, пинки и оскорбления:

— Вы не имеете права так поступать с нейтральными журналистами. Если вы нам не верите, посмотрите наши удостоверения. Мы русские, а не армяне. Мы были гостями вашего президента. — Сейчас любая внушительная ложь будет хороша.

— Какая ты русская? — орали мне азербайджанцы. — Ты армянская сучка!

Мужчинам связали руки и ноги и уложили их на землю. Мне тоже велели лечь. От холодной неласковой земли на меня пахнуло смертным тленом. В этот момент я отчетливо представила лицо матери, когда она узнает о моей нелепой гибели. Виген вдруг покатился по земле. Боже мой, что он делает? Ведь его сейчас пристрелят! И я закрыла глаза, чтобы не видеть такого страшного конца. Но его не убили, а просто пинками прикатили на место.

Двое бандитов совещались в сторонке, пока другие двое нас сторожили. По-видимому, они были в некоторой растерянности от того, что поймали журналистов. Наши крики и объяснения пробили брешь в их самоуверенности. После маленького совещания Вигена и Самвела усадили в машину, а нам с Олегом велели устраиваться в багажнике. (В «уазике» это место для вещей позади сидений, не разделенное с пассажирским салоном.) Я подошла к самому молодому из бандитов, который показался мне разумнее и симпатичнее остальных, и мягким голосом стала объяснять, что произошла ошибка и они не могут брать нас в плен, так как мы не являемся врагами. Он рассеянно выслушал мои слова и сказал, ласково поглаживая меня по щеке: «Не бойся, милая. Сейчас разберемся». Этот жест испугал меня больше, чем все пощечины толстяка.

Нас затолкали в багажник, и машина затряслась по ухабам. Мы не имели понятия, куда нас везут. Я попыталась использовать поездку для налаживания отношений. Кто-то говорил мне, что трудно убить человека, с которым говоришь. Значит, я должна замучить их своей болтовней и вклиниться в ход их примитивных мыслей. Я даже шутила и хихикала.

Нас привезли к старой заброшенной ферме. В небольшом одноэтажном домике с выбитыми окнами сохранились только две железные кровати. Меня и Вигена усадили на них и стали допрашивать. Я старалась спокойным рассказом сдерживать их агрессию. Когда это не удавалось и меня начинали бить, Виген кричал:

— Не трогайте женщину, дикари! Она ни в чем не виновата!

Господи, как может он так дерзко разговаривать с этими невменяемыми животными, ведь его в любую минуту могут пристрелить! Неужели его не мучает страх? Я всю жизнь была уверна, что люди могут играть мужество только на театральных подмостках. Но играть в темноте, не слыша ободряющих аплодисментов и криков восхищения, чертовски трудно.

Меня спрашивали, откуда мы едем, сколько вооружения и людей в селе Туг, кто эти армяне и не знаю ли я начальника по имени Виген. При этом вопросе я почти физически ощутила, как напрягся в темноте Виген. Я отвечала, что в село мы приехали только сегодня утром, село Туг меня совершенно не интересует и я не знаю, сколько бойцов в отряде, армяне, сопровождающие нас, — мелкие сошки, шофер и охранник, и я не удосужилась выяснить их имена, поскольку увидела их полчаса назад, начальника Вигена не знаю. Виген на вопросы отвечать отказался, и его увели в подвал.

Меня вывели на мороз, и толстяк начал обыскивать меня. Он стащил с меня джинсы и трусы и шарил по моему телу якобы в поисках пистолета. Я старалась не думать о том, что сейчас со мной происходит. Толстяк все время твердил:

— Мы тебя сейчас все вые...м!

Мимо меня проволокли избитого Самвела.

На какую-то минуту я осталась на улице одна. Во время обыска мне развязали руки. Первая мысль — бежать. Но я прекрасно понимала, что на звук моих шагов выскочат бандиты и успеют пристрелить меня. И потом — куда бежать? Я не знаю дороги и могу попасть в плен как к азербайджанской, так и к армянской стороне. Меня никто не знает, документы отобрали бандиты. Даже если мой побег будет удачным, эти сволочи в ярости расстреляют всех. А ведь Олег по моей вине попал в эту заварушку, именно я вытащила его из Москвы.

Мои рассуждения прервало появление двух азербайджанцев. Я снова вступила в разговор и даже попросила у них закурить. (Кстати, сигареты они конфисковали у Вигена.) У меня так дрожали руки, что я все время роняла зажженные спички. Наконец мне удалось закурить и я сделала несколько глубоких затяжек. Мой голос во время этой мизансцены оставался спокойным, и меня удивляло, почему я, рыдающая по любому поводу, не могу пустить в ход слезы в самую тяжелую минуту моей жизни. Впрочем, слезы вряд ли бы разжалобили этих людей, наоборот, они показали бы мой страх, а тогда не жди пощады.

— Тебе осталось жить два часа, — уверенно сказал один из бандитов.

— Перестаньте говорить глупости, — неожиданно веселым голосом заговорила я. — Вы сами прекрасно знаете, что вас свои же после этого убьют.

— Но тебе ведь хочется жить, — вкрадчиво сказал бандит. — Ты еще совсем молодая. Мы подарим тебе жизнь, но с условием: если ты расстреляешь своих товарищей.

Я много раз читала в детективах описания ужаса и никогда не верила им. Теперь у меня самой от страха зашевелились волосы на голове. «Я не имею права стрелять в людей, — завизжала я. — Я журналистка, я гуманистка! Я... я... я и стрелять-то не умею». (Господи, какая я идиотка! Разве эти люди знают слово «гуманизм»!) «Мы подержим автомат, а ты нажмешь на курок», — уговаривал страшный человек. Все происходило как в кошмарном сне. Я бегала от него, боясь убегать далеко, чтобы не пристрелили, и вопила: «Я не буду стрелять!» (Впоследствии я узнала, что Олегу тоже предлагали такую сделку.)

В этот драматический момент в дело вмешался толстяк. Он пытался засунуть мне в рот дуло автомата и при этом орал: «Открой рот, сука! Я вышибу тебе мозги!» Его оттащили, но он продолжал выкрикивать кошмарные слова: «Мы тебе вырежем кресты на груди, проклятая христианка!»

Самый молодой бандит увел меня на ферму. Там он сел на кровать и посадил меня к себе на колени. «Послушай, ты все равно будешь сегодня моей, — ласково сказал он. — Но если ты не станешь сопротивляться, я сохраню тебе жизнь и помогу выбраться в Баку». С минуту я размышляла. Я разумная женщина и прекрасно понимала, что меня ожидает. Женщина на войне впадает в свое первобытное состояние добычи, которую получает сильнейший. Я решила торговаться:

— Я согласна, но при условии, что спасешь не только меня, но и Олега, и не дашь своим товарищам насиловать меня. И еще: поклянись хлебом и матерью, что вы не будете заставлять нас стрелять в армян. — Я знала, что эта клятва считается самой сильной в Азербайджане.

Его звали Исан. Мы заключили сделку, и он взялся утолять свою страсть с деликатностью кабана в период течки. Через провал окна я любовалась звездами — сияющими камнями на черном бархатном небосводе — и думала о том, как глупо умирать в такую ясную зимнюю ночь, на чужой земле.

Дверь распахнулась, и в комнату влетел толстяк. Кажется, он требовал свою долю удовольствий. Пока Исан выяснял отношения, я не знала, куда спрятаться от стыда. Наконец он вытолкал толстяка за дверь и снова занялся моим бедным телом. Ему пришлось долго потрудиться, прежде чем он признал свое поражение.

— Я никак не могу кончить, — сказал он, застегивая ширинку.

— Неудивительно, — презрительно ответила я. Сидя на кровати, я с любопытством наблюдала за человеком, с которым меня столкнула судьба.

— Исан, а ты когда-нибудь целуешь женщину после того, как переспал с ней? — вдруг спросила я, сама удивляясь собственному вопросу.

— У нас так не принято, — ответил Исан и почему-то смутился. Я не чувствовала ни гнева, ни боли, ни страха, только странное чувство опустошения.

— Ты обещал привести Олега, — напомнила я.

Исан выполнил свое обещание и привел моего спутника. Бедный Олежка обрадовался перемене отношения к нам, не понимая ее причины. А я не считала нужным обрушивать на его голову объяснения. Остальные бандиты, почуяв неладное, велели Исану охранять вход на ферму и привели в дом Самвела и Вигена. Всех нас усадили на одну кровать в углу комнаты. Толстяк вышел за дверь, и двое оставшихся бандитов снова начали бессмысленный допрос, который перемежался моими попытками вразумить их. Я знала одно — надо тянуть время — и говорила без умолку. Но даже я потеряла веру в наше спасение, когда бандиты заявили, что убьют нас, а трупы положат на армянскую территорию, и никто не сможет доказать, что нас убили азербайджанцы.

В этот напряженный момент в окно влетели сверкающие розовые автоматные очереди и раздался крик: «Сдавайтесь, вы окружены!» Один из бандитов упал. Я съежилась в беспомощный комочек и постаралась вдавиться в железные прутья койки. Мелькнула мысль, что я просто смотрю кино или невероятный сон и вот-вот меня разбудят. Повинуясь животному инстинкту спасения, я попыталась натянуть на себя мужчин, как натягивают одеяло. Кто-то прикрыл меня собой, и я услышала шепот Вигена:

— Не бойся, джана, это наши. («Джана» по-армянски значит «милая».)

Виген ухитрился за время плена распутать веревки. Как кошка, он прыгнул в темноте на растерявшегося бандита и стал его душить. Я заткнула уши, чтобы не слышать кошмарных звуков, которые издавал задыхающийся человек. Кажется, Виген добил его прикладом. Дверь распахнулась, и мы услышали голос Вано:

— Есть кто живой? Выходите!

Наше чудесное спасение объяснялось очень просто. Мы попали в засаду совсем недалеко от села Туг, и выстрелы, которые вообще всегда хорошо слышны в горах, обеспокоили бойцов отряда. Они связались по рации с ближайшим армянским постом и выяснили, что наша машина не проезжала. Стало ясно, что где-то на участке между двумя постами мы попали в беду.

Тут пригодился неприкосновенный запас бензина. Вано собрал команду из четырех человек и отправился на наши поиски. Прочесав район, они никого не нашли. Но потом заметили вспыхивающие огоньки спичек и сигарет около старой фермы. Бойцы оставили шофера в машине и втроем по-пластунски поползли по снегу к дому. В результате стычки они убили трех бандитов, а четвертый успел скрыться.

— Больше всего мы боялись, что попадем в кого-нибудь из вас, — сказал Вано. — Мы услышали твой голос и поняли, что вы живы.

В эту ночь гуляла вся деревня. Мы пили вино и бурно обсуждали недавние события. Я предложила хороший тост, которому меня научил актер Валерий Приемыхов:

— Кто нас обидит, тот дня не проживет. — В этих условиях он приобрел буквальное значение. В тот момент я не чувствовала горечи. Я жива, а это главное, остальное скоро забудется. Моих новых друзей совесть мучила не больше, чем если бы они раздавили таракана. Все стало простым — война есть война, или тебя убьют, или ты невольно повинен в чужой гибели.

В этот день мы родились второй раз. Смерть прошла так близко, что можно было коснуться края ее одежды. Все случившееся с нами напоминало плохой приключенческий роман со всеми положенными атрибутами — засадами, погонями, перестрелками, драками, насилием и обязательным счастливым концом. Нам казалось, что мы посмотрели классический вестерн, в котором по странной прихоти судьбы вынуждены были играть главные роли. Только пули в нем были не бутафорские, а вместо красной краски — кровь.

Еще до рассвета было далеко, а три свежих трупа уже стали предметом обмена и попали в жуткую тетрадочку, где, словно в бухгалтерской ведомости «приход-расход», расписано количество живых заложников и мертвецов с той и с другой стороны. Эту тетрадочку в полном порядке содержит начальник по связи Карен. Меняют одного живого человека на два трупа, двух стариков на одного здорового парня, ребенка на две цистерны с бензином. Почитав эти записи, либо поседеешь, либо станешь циником.

Но мы уже вышли за пределы обычных человеческих отношений. Мы с такой простотой говорили о кошмарных вещах, что попади в нашу компанию случайный гость, он был бы потрясен нашим цинизмом. Но в той ситуации все было нормальным, даже убийство.

Вано уверял, что мы спаслись только потому, что перед поездкой ходили в церковь. На следующее утро мы решили отблагодарить Бога за помощь и поставили свечки в старой церкви. Когда воск потек, как горячий мед, мы, пятясь назад, как раки, выбрались из святого места. Есть армянский обычай выходить из церкви спиной вперед. Если не споткнешься, значит, Бог принял твою просьбу. Выполнив свой долг, мы уехали в Степанакерт.

В этом городе не хватает досок на гробы, людей хоронят прямо в саванах. Прокат одного гроба до кладбища стоит месячной зарплаты среднего гражданина. За питьевой водой люди стоят в очередях по шесть суток. Хлеб научились печь сами, подвалы переделали в спальни, чтобы по ночам спасаться от обстрелов. Ночные бомбежки напоминают игру в морской бой двух повзрослевших оболтусов. Они с азартом лупят друг друга, надеясь попасть в нужную клеточку.

Корреспондент ТАСС потащил меня в свой корпункт на экскурсию.

— Сейчас ты увидишь мое место работы, — говорил он, быстро взбегая по лестнице. — Факсы, телексы, компьютеры — смотри! — Он распахнул дверь, и я увидела две вдребезги разнесенные взрывами «алазани» комнаты. Груды руин, и с потолка свешивается какая-то пакля.

Быстрее всех дичают в этих местах иностранные корреспонденты. Из цветущих, упивающихся своим богатством стран они попадают в темный и тесный мир, от которого исходит сияние угрозы. Признаки хорошего воспитания неустойчивы и легко исчезают. Я стала замечать за собой погрешности по части приличий. Я ела руками, справляла малую нужду, не стесняясь присутствия мужчин, ленилась краситься, редко расчесывала волосы. Я завидовала людям, которые даже на войне не утрачивают благородное свойство сопротивляться силам природы и держать себя с неизменным изяществом. В средние века рыцари отправлялись в поход в дорогих нарядах и сверкающих золотых доспехах. Своим блестящим видом они бросали вызов войне. Я уверена, что и в могиле надо быть как следует одетой.

В разгромленном Степанакерте Виген устроил нам великолепный прием у своего брата. Я была поражена видом богатого теплого изящного дома с камином. Как могли люди во время осады сохранить это чудо! Стол превзошел все ожидания. Много пили розового вина за мое здоровье. Мне было стыдно слушать все комплименты и похвалы моей храбрости из уст Вигена. Вчерашний вечер дал мне все доказательства моей животной трусости.

На ночлег мы устроились к одной доброй женщине, работающей в пресс-центре. Она поставила на огонь кастрюлю с водой, чтобы я могла вымыть голову. Волосы у меня были настолько сальные, что из них можно было сварить суп. Я так хотела спать, что доброй хозяйке самой пришлось заняться моим мытьем.

Упав в мягкую перину, я моментально уснула, успев предупредить всех, что, если начнется бомбежка, меня не будить. Даже если настанет конец света, я хочу умереть не в подвале, а на мягкой кровати.

Когда на следующий день я увидела вертолет, со мной случилась истерика. Я плакала и умоляла всех остановить его, чтобы он не улетел, и успокоилась только тогда, когда меня посадили в вертолет. В Ереван вместе с нами летели два блеющих барана, трепещущие индюки со связанными лапками, четыре плачущих красивых сестры и мужик с двумя пулеметами, которые он выставил в окно на случай нападения. Я побоялась бросить прощальный взгляд на Карабах, чтобы, подобно жене Лота, бежавшей из горящего Содома, не обратиться в соляной столп. Назад, в цивилизованный, благоразумный мир, где нет этих людей, которые убивают так же легко, как выпалывают сорняки! Бежать из этой трагической, раздираемой страстями маленькой страны, где смерть не отходит от тебя ни на шаг, где люди пожинают урожай своих бед, где правит балом Сатана, где я научилась различать бесконечное количество оттенков страха.

Наша фантастическая одиссея закончилась, но ее последствия оказались гораздо глубже, чем я предполагала.

По моему уютно устроенному мирку прошлись люди в грязных сапогах. До поездки в Нагорный Карабах я наслаждалась спектаклем войны как зритель, сидящий в первом ряду, и вдруг грубая рука судьбы вытолкнула меня на сцену. И, видит Бог, я оказалась жалкой актрисой.

Моя беспечность кончилась, я познала страх. Днем я наслаждалась жизнью, этим чудесным и бесценным даром, ночью меня мучили сны. Вот пример такого кошмара. Я открываю газету «Комсомольская правда» и вижу на первой странице свои фотографии в самых возбуждающих и неприличных позах. Огромным шрифтом набрана сенсационная подпись к снимкам: «Наш корреспондент Дарья Асламова обвиняется в убийстве четырех человек самым зверским способом. Сегодня состоится открытый судебный процесс по этому загадочному делу. Мы желаем нашему корреспонденту удачного завершения процесса». Я лихорадочно роюсь в памяти, стараясь припомнить, где же я могла хлопнуть этих четырех человек, и во сне покрываюсь потом от мучительных воспоминаний. Зал огромный и блистающий, волнующееся море людей, фотовспышки. За кулисами я тщательно, как Мария Стюарт перед казнью, выбираю платье. Наконец надела свое любимое бальное платье, оставшееся от конкурсов красоты, и сногсшибательное бриллиантовое ожерелье. Меня раздражает, что перчатки уже не первой свежести, а на платье видна дырочка, прожженная сигаретой. Круглый деревянный столик, перо и чернильница — я сажусь писать собственную защитную речь и сразу же застреваю на первой фразе. Как обратиться к публике — господа (подумают, что слишком претенциозно), друзья (какие же они мне друзья?!) или товарищи (это звучит уже смешно)? Все мешается в моем сне, и вот я уже еду в гости к бабушке, которая умерла и похоронена в деревенском нужнике. Я должна приставить бабушке второй подбородок — его забыли положить в гроб. Я захожу в туалет, поднимаю крышку гроба, и оттуда выползает клубок черных змей.

Часто в мои сны врывался Нагорный Карабах. Мне снилось, что я снова на войне и ищу убийцу девушки со вспоротым животом и вывалившимися кишками. Я всем мешаю и все время путаюсь под ногами. Никто не может понять, зачем нужно искать убийцу одной девушки, когда ежедневно погибают десятки людей. Наконец ко мне приводят преступника и спрашивают, что с ним делать. «Убейте его!» — кричу я. Кто-то метко стреляет убийце в правый глаз. Он падает, но снова поднимается и весело смотрит на меня единственным ярко-зеленым глазом. «Что с ним делать?» — снова спрашивают меня. «Добейте его», — говорю я устало. Убийце выбивают левый глаз, но он встает и надвигается на меня, мерзко хихикая. Я просыпаюсь с криком ужаса.

Я стала часто разговаривать во сне. Однажды я сильно напугала Андрея, когда, сонная, поднялась, уставилась бессмысленными глазами в пространство и отчетливо произнесла: «Герои всегда приходят слишком поздно». Потом снова рухнула в свое тревожное беспамятство.

Чем больше росла стена времени, отделяющая меня от страшных карабахских событий, тем больше я размышляла, убеждаясь в существовании непонятного всевидящего Бога. В ту ночь, когда столкнулись несколько человеческих судеб и столкновение было не в пользу меня и моих товарищей, кто-то сверху распорядился так, что погибли не те, кому предназначалась гибель. Бог представлялся мне приятным джентльменом средних лет, восседающим в своем небесном офисе за пультом управления. Суперкомпьютеры сообщали ему всю информацию о земных делах, а Бог в соответствии с ней нажимал на кнопки и передвигал рычаги.

Мне хотелось с кем-нибудь поговорить о Боге, увидеть истинно верующих людей, и я отправилась в Пюхтицкий Успенский женский монастырь, расположенный на территории Эстонии, один из самых богатых и респектабельных центров православия. Очаровательная уютная обитель на горе, в живописном местечке между Чудским озером и Финским заливом. Единственное неудобство — сумасшедшие ветры, вызывающие своим воем по ночам суеверный страх. Особенно хорош монастырь зимой, на закате — дивно вспыхивает золотом снег, переливаются покрытые инеем ветки деревьев, а в домах уютно теплятся лампадки.

В XVI веке эстонские крестьяне увидели на горе молодую прекрасную женщину, сияющую небесным светом. Поднявшись на гору, они нашли под старым дубом икону с изображением Успения Пресвятой Богородицы. Потрясенные этим чудом, крестьяне назвали гору «Пюхтицей», что в переводе обозначает «святое место», и соорудили на ней часовню.

Теперь территория монастыря, основанного в Пюхтице, составляет 75 гектаров — шесть храмов, кирпичные кельи, своя электромельница, дом для представительских целей с современным конференц-залом, музей, двухэтажная гостиница, богадельня, где живут престарелые монахини. Монастырь принимает любого паломника, постучавшегося в дверь, кормит его и обслуживает. Есть своя библиотека, где хранятся редчайшие издания Иоанна Златоуста и Максима Грека, и даже своя видеотека, где собраны фильмы на духовные и нравственные темы.

Монастырь — это передовое сельскохозяйственное предприятие, щедро сдобренное молитвами. На пахотных угодьях обители сеют пшеницу, рожь, овес, выращивают кормовые культуры. В хозяйстве имеются коровы, лошади, трактор, стадо овец, птичник, парники, оранжереи, плодовый сад, пасека. Пчелки живут в искусно сделанных ульях, точно копирующих монастырский Успенский собор. Небольшое болотце на территории обители расчистили и превратили в пруд, где летом хранятся большие фляги с молоком. Все это огромное хозяйство требует постоянных забот. Целый день монахини хлопочут, точно пчелки, с той обстоятельностью и чинностью, которая возводит домоводство и сельскохозяйственные труды в торжественный ритуал, священный обряд.

Кто из женщин не представлял себя в эффектной роли кающейся грешницы? Кто не мечтал в конце бурного жизненного пути удалиться в тихую обитель? Сладкий запах елея, протяжное пение церковного хора, черный монашеский наряд, который так выгодно подчеркивает трагическую бледность лица, — вся эта театральная обстановка живо трогает романтическое женское сердечко. Религиозность женщин сильно замешена на сентиментальности и пристрастии к красивым жестам и символам. От холода разума они бегут к теплу веры и благочестия.

Но монашество привлекательно лишь издалека, окутанное вуалью фантазий и слухов. Это бесконечный тяжелый труд, и на него способны лишь немногие. Сюда приходят женщины, для которых мирская жизнь стала столь же мучительной, как яркий свет для человека с больными глазами.

Я приехала в Пюхтицкий монастырь с чувством благоговения, рассчитывая прожить там неделю, но выдержала всего три дня. В первый вечер я чувствовала себя прекрасно — чистота и идеальный порядок, которые царили здесь, дали мне чувство спокойствия и умиротворения. Я спала в своей келье безмятежно, как ангел.

Но рано утром меня безжалостно разбудили и потащили в церковь. Я пыталась сопротивляться, говорила, что я гость и вовсе не обязана выстаивать утреннюю службу. Но неумолимые монашки в упоении собственной непогрешимостью, не дав мне позавтракать, отвели меня в холодную церковь, где уже горели целые букеты свечей и застыли, как восковые фигуры, верующие. На голодный желудок молитвы воспринимаются очень плохо. Мысли мои витали где-то очень далеко, и я никак не могла сосредоточиться на происходящем.

Католическая церковь более снисходительна к верующим — им разрешается сидеть во время службы на удобных скамеечках. От долгого стояния и голода у меня начали подкашиваться ноги. Но стоило мне присесть, как все старые кошки разом зашипели. Я стала предметом обсуждения — некоторым мегерам не понравилось, что я пришла с непокрытой головой и не бью свои коленки об пол в экстазе. Мне пришлось убедиться, что церковь — мир жесточайших формальностей. Никого не волнует, о чем я думаю, важно, чтобы я соблюдала правила. Интересно, почему церковь присвоила себе право быть посредником между Богом и людьми? Почему я не могу общаться с Богом напрямую? Ведь я тоже Его дитя, притом любимое — Бог любит заблудших овечек.

Несмотря на неудачное утро, я продолжала надеяться, что встречу в святом месте людей интересных и думающих, с которыми смогу поговорить о любви Божественной. Но интеллектуальный уровень монахинь оставлял желать лучшего. Чаще мне встречались простые, немудрящие люди, чье неведение более угодно Богу, чем знание. Они слепо принимали догмы, которые им вбили в голову, и дальше этого не шли. Ханжество этих женщин доходило до того, что они закрашивали металлические банки с индийским чаем, на которых была изображена полуголая танцовщица. Их наивность и тупость просто изумляли меня. Наверное, именно для таких лишенных мозгов женщин предназначалась памятка о смертных грехах, которая вызвала у меня приступ смеха. Новым грехом объявлялось общение с Кашпировским и барабашками. Еще бы, разве церковь потерпит такую конкуренцию!

Я заскучала, что со мной бывает крайне редко. Попробовала было поговорить с заезжим попиком, который обедал в столовой за десятерых. Но он не знал элементарных правил логики и так чавкал, рыгал и запускал пальцы в тарелку, что вызвал у меня отвращение.

Вечером я познакомилась с молодым красивым священником отцом Сергием, который привлек мое внимание своей веселостью, жизнелюбием и чувством юмора. Я пригласила его в свою келью. Мы с ним долго говорили, и, хотя его мысли не отличались оригинальностью, я была рада встретить разумного человека. Поговорив с ним минут пятнадцать, я могла смело утверждать, что он ушел в религию из-за проблем с женщинами. И действительно, он стал священником после того, как его бросила жена. Правда, отец Сергий не признавал связи между этими двумя фактами, но для любого мало-мальски добросовестного психолога эта истина очевидна. Кроме того, я чувствовала, что он говорит со мной не только потому, что я любопытный человек, но еще и хорошенькая женщина.

Разумеется, он этого не признал и велел мне прийти на следующее утро к нему на исповедь.

Я думаю, он выслушал мою исповедь с наслаждением знатока. Еще бы, после скучных мелких грешков монахинь получить наконец отпетую безбожницу с целым букетом отвратительных, с точки зрения церкви, грехов — это сущее удовольствие. Мы так с ним заболтались, что он забыл назначить мне покаяние.

Единственная монахиня, которая понравилась мне своим здравым смыслом и истинно христианской терпимостью, — это настоятельница монастыря матушка Варвара. Она пришла сюда в 22 года. «Монашество — мое призвание, — говорит игуменья, — как призвание поэта — писать стихи, а призвание художника — рисовать картины». Эта живая, энергичная женщина за время своего почти 40-летнего пребывания в обители отнюдь не утратила чувства реальности. Она гордится своим прекрасно налаженным хозяйством и любит поговорить о новых проектах. Матушка Варвара принадлежит к тому редкому, почти выродившемуся типу русских женщин, которые удивительно близки к природе и так же естественны на земле, как трава и деревья. Я думаю, если бы она не ушла в монастырь, она была бы прекрасной крестьянкой, для которой земля не представляет тайны, потому что это часть ее самой. Наверняка она бы гордилась перед соседями своими богатыми урожаями.

Женский инстинкт семейственности так силен в ней, что вверенное ее заботам стадо девственниц (160 человек) она пасет, как чадолюбивая мать. «Настоятельница должна быть хорошим психологом и обладать чувством юмора, — говорит матушка Варвара. — Ведь это как в большой семье: с Машенькой нужно построже, а с Дашенькой лучше действовать лаской».

Игуменья Варвара всегда снисходительна и терпима к слабостям грешных мирян. Видя мои мучения во время Великого поста, когда желудок просто разбухает от кислой капусты и соленых огурцов, матушка благословила меня на маленький грешок — попить парного молока на монастырской ферме и откушать свежего творога.

Когда я в детстве рассматривала картинки с изображением Бога и слушала рассказы про Христовых невест, то всегда мучилась черной завистью. Как это, должно быть, заманчиво — быть невестой такого мужчины. Наверняка от него пахнет не табаком и водкой, как от других взрослых мужчин, а чем-то вкусным, вроде маминого пузырька с духами.

«В моем конце мое начало». Христова невеста, отбывая срок земной жизни, надеется, что после ее смерти житейское море выбросит ее на золотистый берег любви к Богу, называемый раем. Мирские женщины предпочитают совершать путешествие на остров любви в объятиях обыкновенных грешных мужчин.

Я внимательно рассматривала монахинь, надеясь найти хоть одно красивое или значительное лицо. Но все эти женщины неопределенного возраста и мышиного цвета вызывали у меня только чувство снисходительной жалости. Даже ожившее золото свечей, свет которых выгоден для цвета кожи, не могло сделать их привлекательнее. Молодые женщины носили маску высокомерной невинности. Сами себя лишившие цветения и плодоношения, не способные к страстному обладанию жизнью, они находили радость и вдохновение в плодах хорошо организованного труда. Ощущение превосходства над своими слабыми мирскими сестрами заменяет им сладость чувственности. Их смирение — лишь тщательно прикрытая гордость, надменное сознание того, что они выше других. Не нашелся мужчина, который пробудил бы их тело к жизни, и уязвленное самолюбие толкнуло их к Богу. В их движениях нет силы, их лицам не хватает красок. Окидывая их безжалостным взглядом, я пришла к выводу, что у Христа никудышные невесты.

Иисус Христос был очаровательным молодым человеком, любезным и снисходительным к женщинам и детям. Он — сама мягкость и нежность, неужели, вознесясь на сверкающем облаке в небеса, он потерял эти качества?

Неужели Иисусу по душе нелепые жертвы этих женщин, которые отказываются от радостей тела, от рождения детей, от смеха и танцев? Неужели Богу угодны эти ходячие мертвецы?

Моим гидом по этому царству скуки была сестра Ирина, получившая хорошее образование и знающая несколько языков. Я была уверена, что уж ее-то ручки не пачкались в коровнике и птичнике. Она являлась приближенной игуменье и явно делала карьеру. Ее слащавый, лицемерный голосок сразу вызвал у меня острую неприязнь. Сестра Ирина не любила называть вещи своими именами. У нас произошла даже маленькая стычка. Я спросила ее, из чего делаются просвиры: «Это мука с водой, род хлеба, так?» — «Как вы можете так говорить! — возмутилась сестра. — Это священные предметы». — «Это я понимаю, — сказала я. — Кусочки хлеба специальным образом освящают, и получается просвира?» — «Это не хлеб», — стояла на своем монахиня. «Но до того, как он стал священным предметом, он был все-таки хлебом? — раздраженно спросила я. — И скажите на милость, что плохого в хлебе?» Сестра Ирина насупилась и промолчала.

Моя провожатая привела меня в монастырский музей. В холодные зимние дни, когда сезонные работы заканчиваются, насельницы (так называют всех живущих в монастыре послушниц и инокинь) пишут иконы, шьют, вырезают по дереву, работают в золотошвейной мастерской. Их работы представлены в музее. Расшитые золотом бархатные плащаницы, расписная посуда, чудесно изукрашенные пасхальные яички, деревянные собачки, котики и лошадки — все это умилительно, по-детски трогательно и напоминает выставку школьного кружка «Умелые руки».

Я исподтишка рассматривала сестру Ирину и вдруг почувствовала к ней острую жалость. Она ведь еще молода, а тело уже, как переспелый плод, потеряло упругость и шелковистость. Ей бы погреться под солнцем мужской любви, может, вернулись бы к ней краски и соки.

Грешных мирян всегда волновал вопрос: куда девается сексуальная энергия монахинь. Церковь мудро учитывает человеческую психологию и считает, что лучшее средство для умерщвления плоти — исступленный труд. Если вы, любезный читатель, целый день помашете топориком, подоите коров, а еще лучше порубите лед на озере, а потом несколько часов отстоите на службе, то, поверьте, к вечеру вас не посетит ни одна грешная мысль. Вашим единственным желанием будет добраться до постели.

Кто приходит в монастырь? Иногда совсем юные девушки, воспитанные в очень благочестивых, верующих семьях, устремленные к цели более высокой, чем все то, что сковано плотью. Молодые женщины, не нашедшие мужа и не умеющие жить в гармонии со своим телом. Женщины, потерявшие своих близких, увидевшие столько страданий, что это сделало их немыми. В них есть нечто, что обрывает всякие вопросы.

Сюда приходят и женщины, у которых уже все сбылось, свободные от всяких желаний. Можно догадываться, что они прожили бурную молодость. В старости они утратили память на удовольствия, зато прекрасно помнят все то, что может испортить жизнь окружающим. Одна несносная старуха прицепилась ко мне с вопросом, почему я крашу губы. «И буду красить, — взбесилась я. — И с мужчинами спать буду! Отстаньте!» Она отшатнулась от меня, как будто увидела дьявола. «Старая карга», — тихонько проворчала я, в душе посмеиваясь над своей детской выходкой.

Ничто так не пробуждает демона независимости, как пребывание в монастыре. Мне хотелось содрать панцирь суровости и святости с этих женщин, добраться до их живой, трепещущей сердцевины, где сохранились остатки великой человеческой любви. Этот мрачный холодный дом нуждался, на мой взгляд, в тепле и свете.

Вечером третьего дня я выбралась из монастыря и вздохнула с облегчением, как будто выбралась из тюрьмы. Обитель светилась в темноте нежно и печально. Кто-то рассказывал мне, что монастырь никогда не спит. День и ночь читают монахини Неусыпаемую псалтырь, сменяя друг друга. Говорят, их молитвы нужны для спокойного сна, потому что они борются с таящимся в ночи злом.

Нет, с церковью мне не по пути. Она хочет заманить меня в мрачную ловушку смерти, пугая бренностью жизни и адом и связывая живого нормального человека по рукам и ногам своими запретами. Я найду свою дорогу к Богу, но пока не знаю, какой она будет. Жизнь моего тела интересует меня куда больше, чем святые книги.

Меня снова потянуло путешествовать и видеть людей. Заинтересованная мусульманской религией, я приехала в Таджикистан. В конце мая 1992 года в этом государстве установилось затишье после странного переворота, который некоторые иностранные журналисты называли переворотом «по-восточному». Сколько было шума, сколько крови, а в результате президент Набиев остался у власти, как фигурка короля на шахматной доске, которая имеет право ходить только на одну клетку. Королю пока объявили шах, и любая его ошибка послужит прекрасным поводом окончательно подпилить ножки трона. Такой странный компромисс, пожалуй, всех устраивал. Оппозиция выбрала роль наблюдателя. Пусть правительство национального примирения побарахтается в мутной водичке политической нестабильности, пусть докажет свою несостоятельность. Тогда на выборах оппозиция будет в полном ажуре.

Кровавые стычки в Кулябе и Курган-Тюбе пока затихли. Лето с его невыносимой жарой — самая неудачная пора для войн в Таджикистане. Обычно они разгораются осенью и весной. Но иногда летом беспредельная жестокость солнца, ослепляющая разум, порождает свирепые столкновения.

Восток — это не то место, где можно сосредоточиться на одной цели. Страсти здесь легко вспыхивают и легко угасают.

Душанбе — это театральная пышность природы. Душанбе — это крики, призывающие с утра пораньше к молитве. Это женщины в шароварах и ярких цветастых платьях, похожие на щебечущих райских птичек. Их так же трудно представить без одежды, как луковицу без шелухи.

Душанбе — это вкус к неторопливым разговорам и созерцательному образу жизни, это всеобщая нелюбовь к передвижениям. Истинный душанбинец предпочтет трястись в автобусе или ловить такси, чем пройти десять минут пешком. Душанбе — это томные южные вечера, которым придает такую прелесть умная беседа за стаканом не очень хорошего местного коньяка, полноправными участниками дружеских встреч становятся Омар Хайям и Саади. Это склонность к пышным восточным метафорам и сравнениям. «Пусть наша рюмочка коньяка будет такой же маленькой, как слеза соловья». — «А разве соловьи плачут?» — «Соловей плачет, когда видит, что садовник, выращивающий розу, не в состоянии оценить ее прелесть». Такие беседы ведутся до бесконечности. Чем больше выпито, тем выше парит фантазия, упражняясь на соловьях и розах. Душанбе — это призрак далекого исламского фундаментализма, который пугает людей здравомыслящих и умеренных, а в особенности женщин — им вовсе не улыбается перспектива паранджи и гаремов.

Об исламе и женщинах мы беседовали с кази-калоном (титул главы мусульман) Таджикистана Ходжи Акбар Терад-жонзода. В приемной мечети какой-то парень уверял меня: «Кази — душа-человек. Простой мужик, весь нараспашку». Спорное мнение. Простота никак не вяжется с обликом этого красивого и дипломатичного человека.

— Мы тут помолимся немного, подождите минут пять, — любезно сказал кази. И трое присутствующих в комнате мужчин углубились в молитву, совершая обряд с той же привычностью, с какой по утрам чистят зубы.

— Господин кази, как вы относитесь к многоженству?

— Давай разберемся: многоженство не обязательно, а лишь разрешаемо. Тем более что кормить и одевать в наше время четырех жен — огромная проблема. Ведь, по правилам, каждая жена должна иметь отдельный ночлег, отдельную кухню и комнату для жилья. Это могут позволить себе только богатые люди.

Но, с другой стороны, многоженство было введено исключительно в интересах женщин. Рождаемость девочек обычно превышает рождаемость мальчиков. Кроме того, жизни мужчин пожирают войны и революции. Что вы прикажете делать женщинам, на чью долю не хватило мужа? Погуляв и поиграв до сорока лет, женщина становится никому не нужной — без опоры и средств к существованию. А вера обязывает мужчину заботиться о своей жене, пусть старой и больной, а для нормальной жизни и потомства завести молодую жену.

— А как же быть с романтическим понятием верности в любви?

— А разве у вас в России супруги не изменяют друг другу? И эти измены к тому же прикрываются ложью. Если жажда разнообразия заложена в психологии, так давайте это открыто признаем и разрешим мужчине иметь несколько жен.

— Как вы познакомились с вашей женой?

— У нас не было свиданий, как это теперь принято. Я воспитывался в очень религиозной семье. Наши родители были знакомы, и мы иногда виделись с моей будущей женой. Цветов я ей не дарил, это не было традицией.

— Советуетесь ли вы с женой?

— Никогда. Я не считаю нужным рассказывать ей о своем дне. Из-за этого у нас иногда возникают ссоры. Моя жена получает много информации от третьих лиц, а потом обижается, что я ей сам все не рассказал. Но у меня слишком много проблем, чтобы тратить время на расположение моей жены.

— Как она одевается?

— Только в национальную одежду. Она даже не представляет, как можно носить мини. Перед мужем она не может себе этого позволить.

— Она вас стесняется?

— Ну естественно. Мы так воспитаны.

— Вам нравится видеть красивых женщин на улицах в современной одежде?

— Женская красота должна открываться только перед мужем. Пусть моя жена светит только у меня дома.

— Ну это собственнический взгляд!

— Мы все сейчас возвращаемся к понятию собственности. И потом, знайте, очень дорогие вещи прячут от взгляда.

На вопрос, какой человеческий порок ему наиболее неприятен, господин кази ответил: «Двуличие», опровергая тем самым распространенное мнение, что у иных восточных людей лукавство и коварство считаются добродетелями.

Со многими идеями кази-калона трудно не согласиться. В частности, некоторые российские демографы утверждают, что если бы после второй мировой войны, когда один мужик приходился на целую деревню, у нас разрешили многоженство, то блуд не стал бы популярным пороком, а рождаемость резко возросла бы.

Спору нет, идея воспитания человека-мусульманина благородна, но как часто хорошие идеи портят скверным исполнением. В Книге истории найдется немало примеров нескончаемого разлада между добрыми намерениями и дурными поступками. Разумная религиозность верхов часто трансформируется в фанатизм низов, как пламя, сжигающее все, к чему прикоснется.

Глупость человеческая беспредельна. Одна таджичка рассказывала, как в дни революционных событий в Душанбе была задержана некими людьми, представившимися как «патруль Исламской партии Возрождения». Она направлялась в магазин за сметаной. Сумку у нее отобрали и выбросили, банку разбили. Не будучи робкого десятка, храбрая женщина треснула своих обидчиков, за что была побита и отведена в штаб, как оказавшая сопротивление. В штабе горячий начальник стал кричать на нее: «Вот из-за таких, как ты, коммунистов страна дошла до ручки!» Спасло «коммунистку» наличие в штабе иностранного корреспондента. Ее отпустили, пригрозив упечь в тюрьму, если будет распускать свой дерзкий язык.

Если в Душанбе летом 1992 года слово «коммунист» было ругательным, то в оппозиционной Кулябской провинции это звучало как комплимент. Ее жители — люди верующие, но не желающие превращения Таджикистана в государство исламского фанатизма. Их больше устраивало доброе советское время, когда они жили сытно и мирно и гордились своей принадлежностью к огромной империи.

В Кулябе все очень громко разговаривают. То ли воздух у них такой, то ли народ с красным перцем в крови.

— Вам будет казаться, что все ругаются, но вы не пугайтесь, просто все темпераментно разговаривают, — сказал мне зампредседателя исполкома Пираков Бобохаджан.

— Вы, наверное, хотите есть? — спросил любезный Бобохаджан.

— Да, я с утра не завтракала.

— Я вас сейчас отвезу на такое пиршество в кишлак — ну просто пальчики оближешь! — радостно сказал мой новый знакомый, потирая руки.

— А по какому поводу пиршество?

— У нашего председателя колхоза умер отец. Сегодня поминки.

— Вы считаете мое появление уместным? — спросила я, шокированная этим объяснением.

— Ну разумеется. Там будет до тысячи человек.

Это было потрясающее зрелище. В кишлаке на расстеленных на земле коврах сидели множество мужчин в национальных одеждах и с аппетитом ели. Насытившись, они уступали место следующей партии голодных. Любой прохожий, который идет или едет в этот день мимо кишлака, по обычаю должен быть накормлен. Атмосфера здесь была далеко не трагической. Поминки — это повод пообщаться друзьям, родственникам, соседям.

Меня отвели в дом и усадили на ковры в комнате, где уже собрались почетные гости.

— А где же женщины? — шепотом спросила я у Бобохаджана.

— Они у себя в комнатах, — ответил он, небрежным взмахом руки указав на женскую половину дома.

Угощение началось с невероятно жирного, наваристого супа и тарелок с кусками мяса. Все это заедалось тонкими, как платок, лепешками — тесто раскатывают до прозрачности и наклеивают на раскаленные круглые печи. Гости ели молча. Тишина показалась мне невыносимой, и я, идиотски хихикнув, спросила:

— Что ж мы все молчим?

Все уставились на меня с недоумением. Наконец кто-то из гостей, видимо решив, что с глупой женщины спрос невелик, с важностью заметил:

— Старейшины еще не сказали своего слова.

Старейшины вышли из столбняка и что-то залопотали на своем языке. Народ вздохнул с облегчением, и беседа завязалась.

После супа настал черед знаменитого таджикского плова. На ковер поставили огромные тазы с рисом и бараниной. Гости рыли в плове руками ямки, зачерпывали пригоршню, отправляли ее в рот и с наслаждением облизывали пальцы. Понаблюдав это не слишком аппетитное зрелище, я попросила отдельную миску. После плова подали множество сладких изысканных печений. Пантагрюэль и Гаргантюа отдали бы должное этому пиршеству.

Когда мы уезжали из кишлака, нас провожал целый выводок хозяйских детей. Поскольку здесь не пользуются средствами предохранения от беременности, то в семьях рождается по десять детей. Как говорят сами многодетные родители: «Это только первых двух детей трудно выращивать, а дальше дело пойдет».

Народ здесь живет действительно верующий. Ко мне в гостиничный номер приползли два громадных паука. На мои крики прибежал портье, но, как истинный мусульманин, убить безвинных насекомых отказался. Он аккуратно сосреб их на бумажку и высадил в коридоре гостиницы. Через два часа пауки, естественно, снова пришли ко мне, чтобы помочь скоротать вечерок...

Самая знаменитая часть Таджикистана — это Памир, «крыша мира», своего рода страна в стране. Я сейчас раздам вам несколько фотографий, господа читатели, правда существующих только в моей памяти. Вот вам дом с окном в крыше, вот подробности трагического пейзажа с девственно-холодными пиками гор, вот прянично-коричневые беззаботные голые женщины, купающиеся в горячем солевом озере с температурой выше сорока градусов под открытым небом, тут россыпь бледных прозрачных аметистов, там нарзановый источник, окрашивающий камни в алый цвет. Вам нравятся картинки? Вы удивлены? Все это одинокая светоносная страна Памир, «ловушка народов», сказочно богатая и нищая, очаровательная и вероломная, как женский характер, созданная для художников, скитальцев и поэтов.

Памир — отличное средство от всех болезней. Если вы страдаете самовлюбленностью, горы докажут вам, что вы лишь жалкая мошка. Если вас поглотил бизнес, здесь вы успокоитесь, ибо здешний народ — плохие купцы, живут медленно и торговлю презирают; если питаете вкус к странным, райским, разрушающим жизнь отравам, то сможете купить наркотики у местных мальчишек 8—10 лет. Если хотите забыться, то найдете на Памире отличное французское вино, и один только черт знает, как его сюда доставляют.

Но чтобы добраться до города Хорога, столицы памирской республики Горный Бадахшан, нужно быть удачливым человеком. На 7—8 зимних месяцев город отрезан от мира, единственная надежда на авиацию. Насколько прочна эта связь по воздуху, можно судить по тому, что, например, в апреле было всего четыре летных дня. Так что если даже у вас на руках билет «Душанбе—Хорог» и специальное разрешение на поездку, ничему не верьте и надейтесь на «авось» — люди неделями ждут летной погоды. А ехать в Хорог по тоненьким ниточкам горных дорог больше суток, постоянно рискуя свалиться в пропасть или попасть под обстрел камнепада, даже в теплое время могут только люди выносливые и с крепкими нервами. Прибавьте к этому такие приятные «мелочи», как сходящий сель, снежные обвалы, пыльные бури и частые землетрясения, по-домашнему привычные. Природа страхует путешественников от скуки.

Полет над Памиром, одной из сложнейших авиатрасс в мире, — красивое и пугающее зрелище. Вертолет как будто ощупью ищет дорогу среди скал. Иногда машина летит так близко с горами, что кажется: протяни руку — и коснешься шершавой каменной стены. И в желудке становится нехорошо при очередном прыжке вертолета в пропасть. Летчики предложили мне пересечь границу и лететь над Афганистаном. «Но ведь это опасно?» — спросила я, взволнованная мыслью увидеть эту страшную страну. «Не очень. Мы часто так делаем», — сказали веселые летчики и свернули за границу. Памир афганский ничем не отличается от Памира таджикского, но сознание того, что подо мной расстилается дикое государство, которое в течение десятка лет пугает мир кровавыми войнами, будоражило мое воображение.

Хорог хорошо спрятан от мира. Первое время задыхаешься не столько от разреженного воздуха, сколько от желания раздвинуть горные стены, окружающие город. Солдаты, проходящие здесь службу, жаловались мне на тихие депрессии, возникающие под давлением этого каменного мешка, который создает полное впечатление ловушки.

Избыточно роскошная природа подавляет — и горы чересчур большие, и реки слишком стремительные (в некоторых опасных местах течение разбивает храбрых пловцов о камни, и даже отлов трупа представляет немалые трудности), и по ночам на черном, как грех, небе зажигаются чересчур крупные звезды. Один мой друг говорил: «Чтобы достать на Памире до звезд, нужно наклониться».

Чтобы окончательно раздавить бедных туристов, памирцы затеяли устройство ботанического горного сада. Помню томительный жаркий день, когда наша машина затормозила у шлагбаума, преграждающего дорогу к саду. Сторож, мальчишка лет четырнадцати, смуглый до черноты, категорически заявил: «Наверх только пешком». Никому не хотелось тащиться в горы, задыхаясь от нехватки кислорода и обливаясь потом, и наша компания пустилась в долгие переговоры. Все это напомнило мне старую восточную сказку, в которой рассказывалось о цветущем саде и воротах дворца на вершине горы. Когда очередной странник приставал к стражникам с расспросами: «Ах, что же там такое блестит в вышине?», как мигом исчезали и сад, и дворец. Так и мне казалось, что если мы еще поспорим и поторгуемся, то в конце концов, забравшись наверх, найдем пустое место. Наконец наш фарсовый страж, польстившись на маленький подарок, поднял шлагбаум.

Сад и впрямь достоин арабских сказок. Мы бродили

по нему в полном одиночестве, вдыхая головокружительные запахи 2100 видов растений — яблок, груш, персиков, абрикосов, инжира, хурмы, ореха. Из сада открывается чудесный вид на ущелье, где лежит Хорог, а чуть повыше разбросаны кишлаки. Их называют «ночным городом», потому что увидеть их можно только ночью, когда загораются огни.

Для человека с воображением Памир — райское место. Легенды и сказки преследуют вас на каждом шагу. Говорят, что рудники Памира густо населены маленькими кривляющимися гномами, которые охраняют золото и драгоценности. Эти рудники способны посрамить пещеру Аладдина — гранаты, рубины, аметисты, топазы, турмалины, изумруды, лазуриты. Местные жительницы носят зеленые, синие и сиреневые бусы на смуглых шеях. Но главная гордость и краса Горного Бадахшана — благородная шпинель, один из самых редких и дорогих в мире камней. Он немного похож на рубин — прозрачная нежно-розовая капля.

При всех своих богатствах Горный Бадахшан — одна из самых нищих республик бывшего СССР. Никто не хочет вкладывать деньги в это место, где нет приличных дорог и налаженной связи с миром. Тем более что у хорогцев опасные соседи — граница с Афганистаном, которую не перейдет только ленивый, а внизу вечно мятежный Таджикистан.

Памирцы живут тихой небогатой жизнью, пашут землю плугом на быках и до сих пор верят в интернационализм. В большой гостиной местных домов строят нечто вроде дивана-нар — возвышение по периметру комнаты, на которое набрасываются бархатные подушки и расшитые одеяла. На этих нарах люди сидят часами, поджав ноги по-турецки, едят, пьют, разговаривают, а ночью на них вся семья укладывается спать.

Женщины здесь гораздо свободней, нежели то принято думать. Вопреки всем обычаям Востока, они едят вместе с мужчинами, пьют за двоих и гостей принимают с приятной вольностью. Одна милая, слегка подвыпившая жительница Хорога сказала мне с гордостью: «Мы всю жизнь ходим без штанов!» (Имелись в виду шаровары.) Кстати, памирские женщины никогда не закрывали лицо паранджой. Горянки не судимы трибуналом предрассудков.

Жители Хорога до сих пор блюдут некоторые прелестные старинные обычаи. При встрече близкие друзья целуют тыльную сторону ладони. На свадьбах мужчины и женщины сидят отдельно друг от друга и перебрасываются орехами, фруктами, конфетами. Если невеста девушка, свадьба устраивается днем, если женщина — ночью. Когда рождается ребенок, родители делают подарок первому попавшемуся человеку. Мир маленьких обычаев и милых привычек в городе, где все друг друга знают, являются дальними родственниками и по-соседски предпочитают обмениваться продуктами труда, чем торговать ими.

Соседи и родственники живут также за границей, в Афганистане. Когда кто-нибудь из афганцев серьезно заболевает, его перевозят в Таджикистан лечить.

Пограничники состоят в основном из украинцев и русских. Они долго колебались, какой флаг поднять над отрядом. Таджикский флаг — нелепо, так как войска подчиняются Москве, российский флаг — глупо, потому что охраняют они границу между Афганистаном и Таджикистаном. Решили поднять бывший красный флаг, да и на пограничных столбах написано грустное «СССР».

Я поселилась в военном городке, в квартире для гостей. Вечером ко мне прислали молоденького солдата по имени Сергей с еще теплым ужином. Он был такой смирный, послушный, симпатичный и жадно рассматривал меня, как невиданное чудо. Я для него воплощала тот мир, которого его лишили полтора года назад. Еще через полгода он надеялся наверстать упущенное. Ему приказали приносить мне три раза в день еду, и он сразу стал предметом зависти для других солдат. Сережа выполнял свои обязанности как самая преданная нянька и волновался, если я задерживалась к обеду.

«Сережа, почему ты так смотришь на меня? Ты что, никогда не видел женщин?» — спрашивала я с усмешкой. «За два года ни разу», — отвечал он. «Не может быть, — с притворным удивлением говорила я, — а как же жены военных?» — «Это не женщины, — возражал он ожесточенно. — Вернее, я для них не мужчина, просто не человеческое существо, а животное, которым можно помыкать, заставлять делать грязную работу, издеваться над ним. Я их просто ненавижу. А у тебя такой ласковый голос, и ты говоришь со мной как с мужчиной». Мне было жаль Сережу, и я оставляла его ночевать в моей квартире в соседней комнате. Он ни разу не переступил границ дозволенного и вел себя как самый добрый брат.

Сережа много рассказывал мне о наркотиках. Афганская контрабанда опиумом вовсю процветает. Курение опиума — давняя памирская традиция. На дорогах ушедших в грезы людей приходится объезжать — они сидят на корточках, не двигаясь и не обращая внимания на автомобильные гудки.

Хорогцы разработали целую систему уловок для успешной контрабанды. Через узкую реку, идущую по линии границы, перекидывается длинная удочка с грузиком — она обозначает место проведения операции. Напротив удочки ставится машина, заинтересованная афганская сторона внимательно наблюдает сцену. Если снимается один баллон с машины, встреча «на удочке» через сутки, если два баллона — через двое суток. Один раз присел на корточки — в час ночи, два раза — в два часа ночи и т. д. Вся ночная операция длится пять минут с употреблением минимума слов. Говорят, в Хороге существует 11 крупных кланов, и у каждого свой участок реки.

Перевозочным средством служит автомобильная шина, на которую наша сторона нагружает швейные или стиральные машины, мотоциклы, магнитофоны и прочие достижения цивилизации. К шине привязываются с двух сторон веревки, одну из них перебрасывают афганцам, за другую крепко держатся наши ребята, чтобы не дай Бог товар не уволокли без оплаты наркотиками. Начинается своеобразное перетягивание каната. Если контрабандисты нарываются на пограничников, то первым делом швыряют весь компрометирующий товар в реку или на землю.

Когда я состарюсь, уеду на Памир, спрячу свое обезображенное морщинами лицо от бывших поклонников, буду наслаждаться природой, есть на завтрак овсянку с гашишем и умру радостным наркотическим сном. Граф Монте-Кристо утверждал, что торговцам наркотиками нужно поставить памятник: «Продавцу счастья — благодарное человечество».

Наслаждение сегодняшней минутой, пренебрежение будущими проблемами хорошо выражается в тостах. Мой любимый тост, который я привезла из Таджикистана, выдержан в восточном духе: однажды белая и красная роза шли по пустыне, мучаясь от жажды, и вдруг увидели ручей. Рядом с ним была табличка с надписью: «Кто выпьет глоток, потеряет лепесток». Красная роза сказала: «Я не могу наносить ущерб своей красоте» — и не стала пить. А белая роза с наслаждением припала к воде и, разумеется, утратила лепесток. Пошли они дальше. Все выше солнце, все невыносимее жара, и вот перед ними та же картина — ручей с роковой надписью. Красная роза снова отказалась от воды, а белая напилась. Так и шли они по пустыне — белая все время пила, а красная роза терпела. Когда пришел конец их пути, красная роза погибла от жажды, а белая умерла от того, что потеряла все свои лепестки. Так выпьем же за то, чтобы мы не мучились сожалениями о потерях, ни в чем себе не отказывали, брали от жизни все, что можно, ибо конец у всех один.

* * *

Подобная философия, на мой взгляд, свойственна всем народам, слишком избалованным солнцем. Способность наслаждаться мгновением дарована жителям чудной маленькой страны Абхазии. С этим краем у меня связано много приятных и горьких воспоминаний, но начну я все же с приятных.

Это был август 1990 года. Я и моя подруга Юлия пробовали тогда снимать небольшие сюжеты для популярной программы «Взгляд». Для начинающих тележурналистов проще было утопиться, чем пытаться работать в снобическом «Взгляде». Эта передача достигла в ту пору своего расцвета, и команда «звезд», упоенная сознанием собственного превосходства, смотрела на начинающих как на полных ничтожеств. Но зато администрация программы безропотно оплачивала любые командировки по всей стране, и благодаря ей мы увидели много новых мест.

В августе я и Юлия заскучали — хотелось на море, а денег не было. Тогда мы придумали тему командировки — негры, живущие в Абхазии. Эту абсурдную историю мы вычитали у Фазиля Искандера и решили, что даже если негров не найдем, зато вволю поплаваем в Черном море. Но Абхазия готовилась к нашему приезду серьезно. Название «Взгляд» имело магическое значение, и жители решили не ударить в грязь лицом. С нами в Сухуми отправилась съемочная группа из четырех мужиков. Вечером нашу команду тепло встретили в аэропорту и привезли в гостиницу, где нас уже ждали фрукты, шашлыки и красное вино. Такое начало поездки нам понравилось, и мы легли спать в полной уверенности, что с утра начнем работать.

Утром нас повели завтракать в ресторан на открытом воздухе, где помимо овощей, арбузов, зелени, мамалыги (род пресной каши), шашлыков и вина нас дожидалось несколько бутылок коньяка. Было десять часов утра, когда мы сели завтракать, в час дня мы с трудом поднялись из-за стола и поехали обедать в ресторан, расположенный в ущелье. Там наши сопровождающие встретили своих друзей, и те заявили, что в Абхазии нет хуже оскорбления, чем отказ выпить с друзьями. «Нам же надо работать», — залепетала я, но наш оператор, хитрый Вахтанг, сам родом из Абхазии, зашептал мне на ухо, что съемочный день все равно потерян и что надо уважить щедрых хозяев. Еще через два часа, когда нам удалось встать из-за стола, выяснилось, что Вахтанг куда-то исчез. Кто-то сказал, что он уехал к папе в Гагры и будет завтра утром.

Далее все смешалось, как во сне. Почему-то мы поехали в церковь, где пьяный Витя, ассистент оператора, снимал Юлию и меня с горящими свечами в руках. Мы что-то бубнили в кадре, покачиваясь из стороны в сторону, а Витя никак не мог поймать фокус.

Утром нас мучило жесточайшее похмелье, а в гостинице уже давно не было ни холодной, ни горячей воды. Нас спас от жажды арбуз. Бледные и несчастные, мы сидели на кровати и с жадностью пожирали огромные куски арбуза. Еще более кошмарным было появление в номере опухшей съемочной группы с сообщением, что Вахтанг не вернулся. «Витя, ты в состоянии держать камеру?» — спросили мы у помощника оператора. Витя, у которого дрожали с похмелья руки, сказал, что постарается.

С завтраком в ресторане мы успели управиться всего за два часа, и вся группа мужественно отказалась от коньяка, зато выпила несколько бутылок вина. У нас появился новый гид по имени Анзор, человек неукротимого темперамента и с представлениями о жизни как о нескончаемом пикнике. На новом белом автобусе «Мерседес» мы отправились с ним в горы посетить какую-то необыкновенную колдунью, которая предсказывает судьбу Абхазии. По дороге я захотела пить и неосторожно пожаловалась на жажду Анзору. Он остановил машину и исчез в небольшом придорожном кафе. Через минуту Анзор появился с ящиком шампанского и блоком сигарет «Мальборо». «Гуляем, ребята!» — радостно кричал он. «Анзор, — взмолилась я. — Мне хочется воды». Но Анзор не мог представить, что и вода может утолять жажду. От шампанского на жаре ребят разморило, и они уснули младенческим сном.

Колдунья с огромным семейством жила высоко в горах, на чудесной вилле. Перед домом на зеленой лужайке паслись барашки. В Абхазии, как в библейские времена, богатство измеряется не деньгами, а количеством земель и овец. «Какая прекрасная, благоденствующая, расточительная, упивающаяся счастьем страна», — думала я, гуляя по этому золотому царству фантазии и вдыхая дурманящий аромат плодовых садов. Все здесь говорило о добротности и основательности богатства.

В этом доме нам оказали царственное гостеприимство, которым славится Абхазия. Женщины быстро накрыли стол и исчезли из поля зрения. Это языческое пиршество сопровождалось долгими красочными речами хозяев дома. В этих местах церемонию еды обожествляют, делают из нее культ, лучшее время жизни проводится за столом.

Неожиданно к столу пришел Витя, которого мы до начала застолья долго и тщетно искали. Он осмотрел присутствующих налитыми кровью глазами, увидел водку, издал слабый стон, но потом взял себя в руки и присоединился к тостам. «Я думал, что я уже умер», — взволнованно прошептал мне Витя. «Что с тобой, Витя! Откуда такие мрачные мысли?» — удивилась я. Выяснилось, что после шампанского Витя свалился под кустик и сладко уснул. Потом, очнувшись, он увидел барашков, лужайку, сады и решил, что ангелы взяли его душу в рай. Но даже в раю его продолжала мучить жажда, он пошел на поиски воды и наткнулся на нашу компанию.

Колдунья, хозяйка дома, ничем нас не поразила. Она приобрела свою славу Кассандры после того, как впала в летаргию. Месяц она жила во сне, зато, когда проснулась, со всех сел к ней потянулись люди, желающие узнать будущее. Она также занималась лечением, взимая за это огромную плату.

Совершив устрашающие манипуляции, колдунья предсказала Абхазии благоденствие и процветание. Абхазия находилась тогда в зените счастья, и никто даже в страшном сне представить себе не мог, какая беда обрушится ровно через два года на эту лазорево-румяную страну, которую ласкает и целует глянцево-синее море.

После праздника в горах Анзор спросил нас, что мы собираемся снимать. Честно говоря, у нас не было разумных планов, и тут нам опять подвернулся Фазиль Искандер со своей книгой «Сандро из Чегема». Мы потребовали, чтобы нас отвезли в Чегем. В нашу компанию как раз затесался какой-то местный поэт, восторженно описывающий село Чегем. Мы решили, что будет недурно снять это знаменитое место и, может быть, даже разыскать героев книги. Сказано — сделано. И наш «Мерседес» стал подниматься в горы. В одной деревушке нам посоветовали сменить цивилизованный «Мерседес» на одичавший грузовик, если мы действительно хотим подняться так высоко. Во время смены автомобиля нас напоили вином, а наш друг Анзор преподнес нам в качестве подарка по дюжине трусов, купленных в местном магазине. Мы подавили

смешки и с нежностью поблагодарили Анзора за простодушное подношение.

Это было чудесное путешествие. Чем выше мы поднимались в горы, тем больше у нас захватывало дух от картин
прекрасной и бесстыдной природы. Иногда мы встречали
пастухов, которые спешили к нам с парным молоком и
кусками свежего сыра. Иногда нашу дорогу пересекали
дикие лошади. Один раз мы встретили двух сумасшедших
кладоискателей, которые специально приехали из Москвы в поисках старинного золота, вооруженные какой-то
таинственной картой.

Для того чтобы проехать к Чегему, нам пришлось свер-
нуть с основной дороги в лес, где машина вскоре увязла в
мягкой земле. Мы вынуждены были идти пешком по
джунглям, я и Юлия в сопровождении абхазцев убежали
вперед, а съемочная группа, отягощенная аппаратурой,
отстала. Густой аромат тропиков кружил голову, быстрая
ходьба и влажный воздух затрудняли дыхание. Крошечные
золотистые птички изнемогали от любовных песен. Юлия
вместе с абхазским поэтом углубилась в кусты ежевики
полакомиться ягодкой — поэт не сводил с нее томных глаз
и декламировал в ее честь стихи. Меня же один из абхазцев с удовольствием пугал медведями, которые имеют
привычку подкрадываться исподтишка. Эта дикая земля
казалась мне запретной зоной, охраняемой враждебными
духами.

Наконец мы выбрались из леса, и перед нашими глазами предстала удивительная картина — огромный зеленый
луг с разбросанными по нему кучами камней. «Вот он, Чегем», — восторженно выдохнул поэт. «Но где же дома и
люди?» — спросили мы. «А разве я вам не сказал, что здесь
уже много лет никто не живет? — удивился поэт. — В Чегеме остались только каменные печи». — «То есть вы хотите сказать, что мы три часа ехали в горы, целый час
топали по джунглям только затем, чтобы полюбоваться
камнями?» — накаляясь гневом, говорила я. Поэт оказался безупречным болваном, и наше возмущение его никак
не трогало.

В этот момент из леса вышла задыхающаяся съемочная группа. Мы боялись смотреть ребятам в глаза — ведь они тащились с аппаратурой по лесным тропам в надежде найти в Чегеме отдых и вино. Но ребята среагировали правильно — они сели на землю и начали хохотать. В конце концов, у этого приключения есть забавная сторона. В обратный путь мы отправились злые как черти. Зато наградой за наши скитания был великолепный ужин под звездным небом, который ждал нас в той деревушке, где мы оставили «Мерседес». Все мужское население села во главе со старейшинами, одетыми в национальные костюмы, сидело за столами в ожидании нас.

На следующее утро явился Вахтанг, уставший от долгой гульбы в Гаграх и явно раздраженный необходимостью работать. Летом в Абхазии совершенно невозможно трудиться. Люди ведут постоянную борьбу с расслабляющим влиянием климата, но все безнадежно. Каждое движение лишает вас жизненных сил. Только к вечеру ленивые, добродушные жители стекаются в рестораны, где резвятся до ночи, как дети. Приезжие отличаются от местного населения энергией и стремлением чего-то добиться, чему абхазцы неизменно удивляются: «Друзья мои, куда вы так торопитесь? У вас впереди еще уйма времени».

Днем мы обедали в большой компании в ресторане-корабле. За окном плескалось море. Из соленых волн вышла самая прекрасная женщина на земле Афродита, созданная из перламутра раковины и весеннего дыхания. Я была в романтическом настроении, мне хотелось говорить красивые речи, и я спросила у своих соседей по столу, бывают ли в Абхазии случаи, когда женщина ведет застолье. Они пошептались и торжественно заявили, что таких случаев не было, но они хотят сделать исключение и наделить меня всеми правами тамады. Я была в восторге от этого дипломатичного предложения.

Правда, дело осложнялось тем, что тамада должен допивать каждый бокал до конца. К концу обеда, когда моя фантазия иссякла, а ноги уже едва держали меня, я родила новый тост: «Давайте выпьем за Вино! Оно освежает наше сердце и делает радостными наши мысли, оно утешает нас в горе и веселит в праздники. Любимый человек может уйти, друзья могут изменить, и только вино никогда не предаст нас. Выпьем за нашего лучшего друга — за Вино!» Этот тост вызвал всеобщее восхищение, даже абхазцы признали за мной способности тамады.

Вечером нас пригласили на грузинскую свадьбу. Но в пылу развлечений мы потеряли представление о времени и спохватились только в десять часов вечера. Когда мы приехали на свадьбу, то, к своему смущению, выяснили, что тысяча человек гостей в течение нескольких часов ждут нас и из-за нашего опоздания праздник никак не начнется. Бедная невеста парилась в своей душной комнате, потому что ей не велели выходить до приезда программы «Взгляд». Когда заработала камера, дело сдвинулось с мертвой точки. Свадебная процессия направилась к длинным столам, расставленным на улице. Над ними натянули тенты, с которых свешивались арбузы в серебряной фольге. Между столами шныряли собаки, и гости кидали им куски мяса. Народ, не жеманясь, пил и ел от души. Нам оказали столько восхитительных знаков внимания, сколько не оказывают и королеве.

На следующий день мы познакомились с очень забавным человеком. Мы должны были снять сцену моего похищения. Нашли смирную лошадь и удалого джигита. Им оказался хозяин придорожной кофейни, бойкий старик шестидесяти пяти лет. В течение десяти дублей он лихо перекидывал меня через седло и уносился со своей драгоценной ношей вдаль. Мы с ним очень подружились. Когда после командировки мы с Юлией без зазрения совести воспользовались гостеприимством своих новых друзей и поселились за их счет в санатории, то завтракать мы всегда отправлялись в кофейню к джигиту. Он запекал нежную рыбу, варил изумительный кофе, готовил чай из горных трав и подавал к нему душистый цветочный мед.

Однажды мы большой компанией отправились в сауну. Воспользовавшись тем, что все мужчины ушли в бассейн, я зашла в парилку и легла на горячую полку. Через пять минут, когда я вся покрылась мелким бисером пота, кто-то отворил дверь. Мне хотелось продлить блаженство, и я не стала открывать глаз. Чьи-то пальцы с нежной силой взялись за мое тело — ласкали низ живота, размазывая по нему липкую тающую жидкость («Мед, наверное», — подумала я), массировали мой пушистый холмик, исследовали мои самые сокровенные отверстия. Пальцы управляли мной так умело, что через несколько минут я достигла рая. Тут я открыла глаза и от удивления лишилась дара речи. Передо мной был наш старичок-джигит. Его упругий большой член вызвал бы зависть даже у молодых парней. «Говорят, медом полезно мазаться в сауне», — сказал хозяин кофейни. «Говорят», — машинально заметила я и со всей возможной быстротой ретировалась из сауны. После этого случая наши завтраки в кофейне прекратились.

Все было праздником в то лето. Золотой солнечный лак, покрывающий тело, мерцающий песок на берегу, бешеные поездки на «Мерседесах» по горам, ламбада в ресторанах, поцелуи, сорванные в темноте автомобиля, чересчур смелые шутки. Густое неповторимое счастье богатой, предназначенной для наслаждения Абхазии. Уже в аэропорту мы со смехом вспомнили, что так и не сняли запланированных абхазских негров.

Август 1992 года. В сладкий спелый Сухуми я прилетела из Тбилиси на вертолете, везущем оружие. Нет более нелепого и тягостного зрелища, чем война в курортном городе. У входа в аэропорт, контролируемый грузинскими гвардейцами, сидел размаянный жарой человек в военной форме и солнцезащитных очках. Отставил в сторону автомат, вытянул босые ноги, расстегнул рубашку и неторопливо почесывал волосатую грудь. Как только не лень воевать в такую жару!

Штаб Китовани расположился в райском месте — на бывшей сталинской даче, неподалеку от Сухуми. Кажется, вот-вот увидишь еще влажные махровые полотенца и полуголых красоток с абрикосовым загаром. Эта земля излучает чувственность так же непосредственно, как солнце тепло. Но томный, сладострастный ритм южной жизни, упоительной, как любовь под звездным небом, сменился четким ритмом военного марша. Роскошный дом отдыха заполонили прокопченные солнцем мужчины, увешанные оружием, как новогодняя елка хлопушками. В одной из дач поселили пленных. В тропическом лесу, облагороженном асфальтовыми дорожками и стараниями садовников, появился запах охоты.

Все это колоритное сборище под пальмами находится в состоянии крайней взвинченности. Ожидание наступления нельзя смягчить даже водкой, которую лично запретил сам Китовани. В этих флибустьерах чувствуется настороженность диких животных, чьи нервы постоянно натянуты. Я любовалась их диковатой, дьявольской красотой. Их природная забиячливость способствует процветанию морали сильных.

Физически ощущается глухое назойливое гудение жарких часов. Наверное, легко вспыхивающее в этих людях бешенство объясняется душной, насыщенной атмосферой. В город выезжать опасно. И абхазцы, и грузины сбили номера со своих машин, и практически каждый автомобиль попадает под неожиданный обстрел. Я видела, как плакал большой и сильный человек, потерявший в тот день друга. В него всадили 42 пули. (Кстати, обе стороны используют пули со смещенным центром тяжести, и для смерти достаточно одной...)

Даже магия теплой южной ночи не рассеяла напряжения. Электричество отключили, и наша разношерстная компания журналистов бродила по темным комнатам санатория в поисках удобного ночлега. Во всех дверях выломали замки, и я легла спать под охраной грузинского журналиста, двадцатилетнего Миши. Я была так взволнована войной, поселившейся в апельсиново-мандариновом раю, что долго не могла уснуть. Неужели эта земля прогневала каких-то свирепых богов своим длительным процветанием? Я вспомнила сказку Шарля Перро «Спящая красавица». Люди, избалованные судьбой и потерявшие от радости осторожность, забыли умилостивить злой рок, и вот явилась черная колдунья... Миша зудел в темноте, как комар: «Даша, можно я тебя поцелую?» Какие к черту поцелуи? «Миша, я спать хочу, не мешай».

В пять часов утра я проснулась от выстрелов и криков. Потом я выяснила, что на дачу пробрались трое абхазских снайперов. Двоим удалось убежать, один был захвачен и, как сообщили мне шепотом, расстрелян. Я ворочалась в постели, гадая, что же происходит на улице. Миша на соседней кровати выпускал такие звучные рулады храпа, что уснуть мне уже не удалось.

В семь часов утра дверь в нашу комнату отворилась, и на цыпочках вошел корреспондент агентства «Рейтер» Олег Щедров. Шепотом, чтобы не будить Мишу, он сказал, что идет в Сухуми и если я хочу, то могу присоединиться. По всем данным, грузины должны были сегодня взять город. Такое событие нельзя пропускать, но входить в Сухуми вместе с армией мне не хотелось. В этом есть что-то постыдное. Я всегда на стороне тех, кто слабее. Я быстро собрала сумку, написала Мише трогательную записку и ушла в комнату к Олегу наводить красоту.

Пока я, сидя на кровати по-турецки, рисовала собственный портрет, Олег, глядя в окно, комментировал уличные события. «Смотри-ка, кто идет», — вдруг сказал он удивленно. Я успела нарисовать только один глаз, но любопытство было сильнее, и с карандашом в руках я высунулась из окна. По садовой дорожке шел утренне-томный Китовани — ни дать ни взять курортник, совершающий променад перед завтраком. «Доброе утро! — весело крикнул Олег. — Скажите нам, пожалуйста, успеем ли мы добраться до Сухуми до начала наступления?» Министр обороны заявил, что предстоящие действия гвардейцев нельзя назвать наступлением, так как они не могут воевать с собственным народом. «Мы хотим очистить город от мародеров и снайперов и отобрать оружие у несмышленых мальчишек, — сказал Китовани. — А если вы хотите дойти до Сухуми, у вас есть два часа».

Сухуми оказался пустым и тихим. Ничего не осталось от ослепительной, ликующей, карнавальной атмосферы курортного города. Под радостным лозунгом «Молодежный туризм — маршруты мира и дружбы» дремал сожженный БТР.

В огромном многоэтажном здании Совета Министров царила мертвая тишина. Ни одного охранника, хотя бы для приличия, не было у входа. Только на двенадцатом этаже сидел первый зам председателя Совмина Сергей Багапш. Ни у кого я еще не видела такого страшного, безнадежного выражения лица, как у председателя. Так, наверное, выглядели подданные китайского императора в ожидании шелкового шнурка. На вопрос, что он собирается делать, Сергей Васильевич ответил: «Отпущу оставшихся подчиненных и буду ждать».

Мы попытались найти в мертвом городе хоть какую-нибудь еду. Хлеба не было уже несколько дней. У меня слезы навернулись на глаза, когда я увидела совершенно пустой знаменитый сухумский рынок. Ожесточенные жители дрались за последние крохи сыра и творога. И это в городе, которому неумеренное плодородие почвы обеспечило славу самого гостеприимного места, где в праздники кормили даже незнакомых прохожих, где даже собаки были придирчивы и избалованы лакомствами. Все, что нам удалось купить, — это свежих огурцов и бутылку шампанского.

Директор гостиницы «Тбилиси» посмотрел на нас как на сумасшедших. «Вы в своем уме? — закричал он. — Я же повесил табличку: «Гостиница не работает». Я сам сейчас запру все двери и уйду домой. Ищите себе убежище, сейчас начнется кошмар».

Приютила нас славная русская женщина Эмма, отправившая свою семью из города. Большинство абхазцев уже покинуло Сухуми. Некоторые подались в горы, в партизаны. В доме, который нас пригрел, остались одни старики, решившие жить и умирать в родном городе. Эмма, с ума сходившая от страха, была рада, что мы постучались к ней в дверь. Она обменяла у соседки наши огурцы на яйца и изжарила нам яичницу.

В полдень колонна танков двинулась по проспекту Мира. По улицам заметались люди, не успевшие добежать до дома. Они укрылись во внутренних двориках. В наш дом забежал грузин Мурман, который рассказал, что в Новом районе, где он живет, утром разбомбили дом. Погибли пять человек.

Услыхав стрельбу, на улицу выбежало несколько жителей. С неуемным любопытством и чисто южной беспечностью они наблюдали за ходом событий, пока автоматные очереди не загнали их в дом. В предыдущие дни так погибло несколько мальчишек, которые, разинув рты, наблюдали уличные сражения.

Мы открыли шампанское, наполнили бокалы, и Мурман решил сказать тост. «Давайте выпьем за мир!» — торжественно объявил он. Ответом ему была мощная автоматная очередь за окном.

После первых залпов пушки я и Эмма совершили тысячу ненужных дел — метались из угла в угол, как бестолковые телята, причитали, подвывали, как кликуши, ложились на пол, прятались в уборной, забивались в нишу, сшибали на бегу стулья.

На последующие два часа все вокруг превратилось в ад. Наш дом оказался в неудачном месте — рядом с телеграфом и зданием Совета Министров. С трех сторон шла незатихающая стрельба, на улицу носа нельзя было высунуть. Я всегда стеснялась докучать Богу своими молитвами, но тут решила, что нельзя пренебрегать такой формой заступничества. Я начала молиться, но сосредоточиться на разговоре с Богом мне помешала Эмма. От страха у нее начался словесный понос. Ей казалось, что, если она замолчит, ее тут же убьют. «Я человек старый, мне терять нечего, помирать пора. Пусть убьют на пороге родного дома», — бубнила она, не переставая. Несмотря на ее доброту к нам, мне хотелось сделать из кухонного полотенца кляп и основательно заткнуть ей глотку.

На войне нужно обладать хорошим терпением. Часто приходится сидеть и ждать — транспорта, помощи, окончания бомбежки или обстрела. После бесконечной стрельбы возникает идиотское желание выскочить на улицу и втолковать этим безумцам, что человека растить нужно долго и трудно, а убить — дело минуты. Если бы мужчины рожали, они бы не были такими беспощадными.

Гвардейцы прошли центр города «без мыла» и натолкнулись на сопротивление в Новом районе, где завязались ожесточенные перестрелки. Больше всего не повезло Ленину — памятнику вождю на площади подбили плечо, а из Верховного Совета вытащили бюст Ленина, накинули ему на шею веревку и с торжеством доволокли его до штаба.

Сам Верховный Совет основательно разграбили — вынесли факсы, телексы, компьютеры, телевизоры. Спешно водрузили всюду грузинские флаги.

Когда стрельба стихла, мы вышли в город, чтобы выяснить обстановку. По циничному выражению Олега, мы пошли «считать трупы», то бишь узнавать количество жертв и раненых. Но в нашем районе признаков кровопролития не наблюдалось. Правда, одна женщина сказала, что через две улицы «валяется какой-то мертвый мужик, но это не свежий, а давнишний». Женщина видела его еще вчера.

Тяжелее всего пришлось собравшимся в морском порту курортникам. Во время посадки на корабль отдыхающие оказались под огневым шквалом. (Правда, неизвестно, кто стрелял — абхазские снайперы или гвардейцы.) Российские военные, отправлявшие свои семьи, открыли ответный огонь. Среди пассажиров началась паника. Женщины ложились на землю, закрывая собой плачущих детей. Пароход, заполненный только наполовину, спешно отплыл.

Несчастные женщины из России и Украины рассказывали нам, что находятся в этом бедственном положении уже второй день, не имея возможности покормить своих детей и дать им хоть какое-то убежище. Их спешно эвакуировали из дома отдыха в Эшерах. Следующий пароход ожидается только через два дня.

Во время короткого затишья народ, не успевший добежать до дома, вышел из укрытий. В наш дом зашли три абхазские девушки, не успевшие выехать из города. Одна из них, по имени Белла, рассказала такую историю: «Ко мне подошел гвардеец и спросил: «Ты абхазка?» Я ответила: «Да». Тогда он говорит: «Я тебя сейчас стрельну». А я ему: «Ну стрельни, может быть, тебе легче станет». Он посмотрел на меня и отошел. Я журналистка газеты «Абхазия», жизни мне здесь больше не будет. Куда бежать? Что делать?» Эта прелестная юная женщина говорила совсем без эмоций, устало и опустошенно. Она обнаружила, что мир, в котором она жила, не принадлежит ей больше.

Да, в белых перчатках не воюют. В Абхазии в разгаре медовый месяц мародеров. Сначала Сухуми грабили местные мародеры, неторопливо, с чувством и расстановкой. Теперь активно подключились грузинские гвардейцы. По пути в штаб Китовани мы имели удовольствие лицезреть четыре изнасилованных коммерческих киоска.

Один гвардеец с видом Деда Мороза вручил мне флакон французских духов. Разумеется, я растаяла и рассыпалась в благодарностях, пока он не сказал: «Это подарок от Ардзинбы» (Председатель Верховного Совета Абхазии). «Иду мимо, смотрю, магазин грабят, — радостно рассказывал гвардеец. — Дай, думаю, людям помогу». Судя по его туго набитому мешку, он удачно поживился.

«Абхазская кампания подошла к концу», — сказал Тенгиз Китовани и улетел в Тбилиси. Это заявление оказалось ошибочным. То была лишь шумная прелюдия кровавой трагедии. В городе, где неистово цветут магнолии, ввели военное положение и комендантский час. Абхазские вооруженные формирования отступили за реку Гумиста и укрепились в городе Гудаута. В Абхазию ворвался невидимый дьявольский ветер войны, всасывающий в себя и разрушающий все, что встречается на пути. Он разбудил первобытное безумие людей, и ни абхазцы, ни грузины уже не в силах сдержать коней. Они ушли из мира людей в мир животных, которые ежедневно борются за свою жизнь. Им полюбилась анархия свободы, и уже никто не наденет им на шеи тяжкое ярмо закона. И разве могли мы предположить в то сладкое лето 1990 года, что всего через два года в море опасно будет купаться из-за снайперов и обстрелов пляжей, что в нашем любимом ресторане-ущелье, где теплыми летними вечерами мы пили вино, слушая божественный голос толстухи-певицы, исполняющей «Аве Мария», и поджаривали спичками пойманных скорпиончиков, устроят склад оружия, что в сытую Абхазию придет гуманитарная помощь...

Мы улетали из сухумского аэропорта, погруженного в кромешную темноту, такую густую, что ее, казалось, можно резать ножом. Изредка джунгли ночи освещали фары машин и блестящие трассирующие очереди. Нас было трое журналистов — я, Мишка и Олег. Мишка с гордостью рассказывал, как он во время перестрелки ел мороженое, сидя на танке. Он меня страсть как раздражал своей щенячьей храбростью. «Несмышленыш, — думала я. — Еще не успел как следует напугаться, потому и лезет под пули. Он еще не научился ценить жизнь».

В Тбилиси Олег решил вознаградить себя и нас за дневные испытания, и в час ночи он снял два номера в прелестном четырехзвездочном отеле «Метехи». Мы отдали вещи портье и, не заходя в номера, помчались в ночной бар. Эти сутки были сплошным контрастным душем. Еще днем мы лежали на полу в душной комнате на первом этаже, чтобы избежать случайной пули, и парились в штабе Китовани, а спустя всего несколько часов мы сидели в очаровательном светском баре и потягивали мартини со льдом.

Утром меня ждал изысканный завтрак в ресторане, легкий флирт с заезжим немецким бизнесменом и купание в бассейне. Плавая в одиночестве в огромной круглой чаше, наполненной голубой водой, я думала: «Теперь только удовольствия. Хватит ездить на войну, пора вспомнить о том, что ты женщина, прелестная светская женщина. Как прекрасно твое тело в прозрачной воде! Никакой грязи, крови, страхов больше не будет в твоей жизни. Только Средиземное море, рестораны, фрукты, мечты».

* * *

Бывает, что человек только успеет подумать о чем-нибудь приятном, как судьба уже сама на блюдечке преподносит ему мечту, и удача бежит за ним, как верный пес. Я участвовала в конкурсе «Мисс Пресса» и вышла в финал, который должен был проходить на корабле, плавающем по Средиземному морю.

Нас было шестнадцать девушек-журналисток в возрасте от 17 до 30 лет. До начала круиза нас увезли на дрессировку в подмосковный пансионат, где мы неделю гуляли по лесу под дождем, хлюпали носами от простуды, сидя в сырых нетопленых помещениях, и сплетничали от скуки. По нескольку часов в день мы занимались танцами, шейпингом и красивой ходьбой — нас готовили к выступлению в шоу на корабле.

Нам велели «вести себя хорошо», то бишь не знакомиться с мужчинами, живущими в пансионате. Зато к нам каждый вечер приезжала компания спонсоров, которые устраивали дебош в сауне с «девочками». Роль «девочек» отвели нам, участницам конкурса. Мы должны были пить дорогое вино, слушать хвастливые монологи пьяных спонсоров, рассматривать золотые перстни на их толстых пальцах, смеяться их идиотским шуткам. Во всем, что не касалось денег, эти люди отличались непомерной тупостью. Меня стошнило от первого же вечера, и я воздержалась от дальнейших посещений сауны. Из удовольствия сделать гадость я удерживала возле себя двух самых красивых девочек и не пускала их в это изысканное общество. Мы предпочитали долгие разговоры между собой пьяной болтовне в сауне. После этого я имела беседу с организатором круиза Лешей на тему моего поведения. Леша неопределенно заметил, что, если я буду «так» себя вести, мне могут найти замену. Я спросила, что значит «так»? Леша мягким голосом объяснил, что я слишком высокомерна и многие девочки жалуются на мое поведение. Я была уверена, что это полное вранье, но спорить не стала, так как в этой карточной игре все козыри были у него.

Лешу я знала шесть лет. Единственная его черта, которая импонировала мне, это стремление любой ценой выбиться наверх. Он приехал из глубокой провинции с желанием покорить этот город, и это ему удалось, за что я его искренне уважала. Он разбогател, среди его друзей числились знаменитые актеры, музыканты и журналисты. Меня не интересовало, как он этого добился (наверняка шулерскими способами), важен был результат.

Я понимала, чего он хочет, — устроить хорошее развлечение для людей, купивших за огромную цену билеты на его круиз, и ему плевать на наш интеллектуальный уровень. Гораздо важнее наши хорошенькие мордашки и сияющие улыбки. Все, что от нас требуется, — быть веселыми, привлекательными и любезными. А свое образование и свои мозги мы можем оставить дома.

Мне пришлось усмирить свой гонор, потому что бунт в этих условиях был неуместен. Раз я хотела ехать на Средиземное море, значит, нужно принимать условия игры. Кроме того, жаловаться было не на что. Нас кормили и поили, нам дарили подарки, нам оплачивали парикмахера и косметолога, нас никто не обижал. «А то, что никто не видит в нас журналисток, так это ерунда. На корабле все будет по-другому», — наивно думала я.

Везде можно найти развлечения, даже в холодном московском пансионате. Я уже два года не жила в общежитии и отвыкла от женского общества, теперь я с огромным удовольствием вновь открывала для себя мир женщин. Во мне заработали лесбийские инстинкты, и я заполучила к себе в комнату двух самых хорошеньких женщин — очаровательную куколку Танюшу с пухлыми детскими губками и неотразимо-простодушной улыбкой и профессиональную писаную красавицу Надю. Мы много болтали, часами пили чай и курили. Я боялась оскорбить их уши чересчур фривольной темой, но каково же было мое удивление, когда Надя вскользь упомянула о своих сексуальных связях с женщинами, а Танюша с самым наивным видом рассказала, как в десятом классе она и три ее подруги-девственницы учили друг друга сексу, чтобы потом не осрамиться перед мужчинами. Мне самой как-то пришлось играть в армянском фильме активную лесбиянку и заниматься оральным сексом с красивой партнершей, но ничего, кроме отвращения, у меня это не вызвало. Теперь же мне хотелось гладить, щипать, тормошить моих очаровательных подруг, но я не рискнула, боясь, что наши отношения утратят естественную душевную близость.

После трех дней пребывания в пансионате даже самые стойкие из нас перестали краситься, делать прически и вообще следить за собой. Мужчин, с которыми нам хотелось бы флиртовать, вокруг нас не было, парикмахера и косметолога нам еще не привезли. В один из скучнейших дождливых вечеров я зашла в соседнюю комнату попить чаю. Все мы обленились, одичали без мужского общества и плохо выглядели. Кто-то из нас сказал, что хорошо бы увидеть сейчас хоть одного элегантного мужчину.

В дверь постучали. «Войдите», — хором закричали мы. В комнату вошел весьма упитанный молодой мужчина с пышной растительностью на подбородке, в ослепительном костюме, начищенных ботинках и с элегантным черным зонтом в руках. Он весь сиял с головы до ног, и казалось, что он прибыл прямо с великосветского раута в лимузине, умудрившись не промокнуть и не вляпаться в грязь. Я думаю, явление Христа народу прошло с меньшим успехом, чем появление этого человека в нашей унылой комнате. Он прибыл как ответ на наши молитвы, и мы спешно стали поправлять волосы и приводить в порядок одежду.

Первой пришла в себя Светка, самая бойкая из нас. «Вы, наверное, парикмахер?» — спросила она. «Нет», — с достоинством ответил наш гость. «Значит, вы косметолог?» — с надеждой спросила Ника, журналистка из Ленинграда. «Нет», — снова ответил мужчина. Пришла моя очередь: «Стало быть, вы спонсор?» Выдержав паузу, гость с важностью произнес: «Я сексолог-дизайнер». Не знаю, что подумали мои подруги при этом заявлении, но я почему-то решила, что этот джентльмен изобретает и пропагандирует сексуальные позы.

Все оказалось гораздо проще. Саша (так звали нашего гостя) был сексологом (по убеждению или образованию, я так и не выяснила) и дизайнером ювелирных украшений. Дефис, мысленно проставленный нами между этими двумя словами, был совершенно неуместен. Я не встречала другого такого человека, который бы так сильно нуждался именно в сексуальной помощи. Он мнил себя знатоком в любовных делах, но успехом у женщин не пользовался. Он обожал секретничать с дамами, выслушивать их исповеди, давать с умным видом элементарные рекомендации. Несмотря на то что он был владельцем эффектных украшений, предмета вожделения всех участниц конкурса, даже из корыстных соображений девушки не желали скучать в его обществе.

Украшениями нас обеспечивал Саша, а вот наряды нам пришлось добывать самим. Круиз по Средиземному морю — это светское мероприятие, и на каждый ужин в ресторане полагалось надевать новое вечернее платье. Нехватка платьев была серьезной проблемой. Мы решили ее путем обмена. Всем известно, что платье приобретает характер той женщины, которая его носит. И когда его надевает другая дама, платье получает вторую жизнь и становится неузнаваемым.

В нашей каюте собрались четыре выдающихся неряхи — я, Света, Надя и Лиана. Каюта была маленькой и тесной, шкафы узкими и без вешалок, и для удобства мы стали складывать вещи на пол. Гора платьев, туфель и белья постепенно росла, и вскоре возникли трудности подхода к кроватям. Тогда мы решили эту проблему следующим образом: утром, после подъема, часть вещей с пола складывалась на освободившиеся кровати, и мы получали возможность передвигаться по каюте, вечером, прежде чем лечь спать, платья и чулки снова сваливались на пол. К счастью, большинство наших нарядов было из немнущейся ткани. Слабонервные горничные отказались убирать нашу комнату, и за двадцать дней круиза никто не нарушил покой этого святилища пылесосным воем.

Когда в комнате такой беспорядок, вещи постоянно теряются, и каждое утро каюта оглашалась криками: «Где мои трусы? Кто надел мои джинсы? Куда подевалась моя зубная щетка?» Мелкие предметы, такие, как расчески, маникюрные наборы, косметика, лаки для волос и ногтей, пропали в первую очередь, и из оставшихся необходимых мелочей мы создали общий косметический фонд, который был доступен каждому. Из «ваучеров» (так мы называли корабельные чеки, которыми пассажиры рассчитывались в барах) мы тоже сделали общую кассу, правда, по рассеянности эти денежные знаки иногда залетали в уборную в качестве туалетной бумаги.

Чем дольше мы жили вместе, тем больше утрачивали всякое чувство брезгливости. Мы так обленились, что перестали стирать белье и чулки и гладить вещи. Утром, поднимаясь с постели, каждая из нас брала из общей кучи вещей полюбившуюся тряпку и чьи-нибудь туфли. Поговорка «Кто рано встает, тому Бог подает» приобрела особое значение. Действительно, тот, кто просыпался раньше, получал лучшее платье и обувь. Помню утреннюю сцену, когда Лиана со вчерашней косметикой на лице (макияж мы наносили с расчетом на три дня) нюхала несколько пар чулок, чтобы найти менее вонючие. Если кто-нибудь собирался с духом и стирал свои трусы, то их моментально разбирали соседки.

Лиана ввела порочную практику расчетов вещами. У нее не было денег, я и Света часто брали ее «на содержание». Однажды на острове Родос я повела Лиану в чудесный маленький ресторан с большими скандальными попугаями. Потолком ему служили сплетенные виноградные ветви. Пока мы пили, попугаев сморил сон, и их унесли в темную комнату. Пьяная Лиана обратилась к хозяину ресторана с просьбой навестить попугаев. Хозяин, смазливый брюнет с похотливыми глазами, отвел нас в комнату, включил свет и разбудил птичек. Пока мы хохотали над недовольными попугайскими рожами, мужик щипал нас за аппетитные ягодицы, а потом отвез нас на мотоцикле в порт. Лиана сказала, что за такой чудный вечер она дарит мне заколку и свои любимые трусы. Это вызвало зависть у наших товарок, и они стали вопить, что у них тоже нет красивых трусов. Лиана щедро раздарила свое белье, как будто играла в фанты «на раздевание».

Нас было в каюте три умницы и одна красавица. Это не значит, что наша троица умных девочек не отличалась красотой. Но наш хороший вид зависел от косметики, прически, эффектной одежды и хорошего настроения. Мы были не столько красивы, сколько очаровательны и воздействовали на мужчин улыбками, остроумием, обаянием и кокетством. А нашу четвертую подругу Надю можно было умыть, раздеть и положить на кровать, и даже в этом виде, когда любая из нас выглядела бы драной кошкой, Надя сияла редкой красотой. В нашей каюте яблоко Париса явно принадлежало ей. Когда она утром лежала на кровати совершенно голая и впивалась белыми ровными зубками в персик, у меня мутилось в голове и от вожделения текли слюни. Ее хотелось трахать, трахать, трахать. Жаль, что я не мужчина. Стоило мне забраться к ней в постель и приступить с нежностями к ее телу, как тут же появлялась зловредная Лиана и начинала кричать, что, если мы не возьмем ее третьей, она не позволит нам заняться любовью. Лиана в мои планы не входила, и я выбиралась из Надиной кровати.

Мое заявление об умницах и красавицах, сделанное выше, не означает, что Надя была дурой. Но красоту свою она несла как крест. Ни один мужчина и заподозрить не мог, что в такой очаровательной головке есть мозги. Наде мешала провинциальная застенчивость, и, знакомясь с мужчинами, она не могла выдавить ни одной умной фразы, а только улыбалась и слушала бесконечные монологи польщенных мужчин.

Мне было жаль красавицу Надю. Я представляла себе ее жизнь в провинции, медленное угасание и отсутствие перспектив. Провинциальная девушка не идет в своих мечтах дальше загса и выводка детей. В моем родном Хабаровске на девушку, которая не успела в 18 лет выйти замуж, все смотрели как на старую деву. Мои школьные подруги заключали скороспелые браки — выходили замуж по минутному увлечению за мальчишек, не имеющих чувства ответственности и мозгов. Некоторое время они наслаждались своим солидным положением замужних дам, пока их не настигало страшное разочарование и сознание того, что свои первые, самые сильные чувства они отдали шалопаям, не заслуживающим их внимания. И в самом деле, что может знать 18-летняя девушка о любви? Ранние браки — причина множества разводов, причем страдающая сторона — женщина, у которой на руках остается младенец. Мужчина же в этом случае приобретает опыт, который возвышает его в собственных глазах. То, что он бросил первую жену, окружает его некоторым романтическим ореолом в глазах юных поклонниц.

Есть другой вариант развития супружеских отношений, вернее, их остановки, — женщина продолжает жить с мужем, связанная лишь силой привычки и детьми. Меня всегда удивляло в детстве и юности, почему все женщины любят жаловаться на своих мужей. Считалось неписаным правилом рисовать своего близкого человека в черных красках. Я ни разу не слышала ни одного счастливого семейного рассказа о страстной любви и взаимной нежности. Мысль о том, что супружество — это тяжелая ноша, страшно оскорбляла меня. Почему эти дурехи не сбросят со своей спины камень и не попытаются вновь искать свое счастье? В глазах окружающих я была непроходимой тупицей. Аргументы в пользу сохранения брака, которые приводили мне мои подруги, казались мне более чем странными: «Пусть мой муж глупец, зато он не пьет и не курит», «Мой супруг отдает мне всю зарплату до копейки, а вот у соседки муж тратит только на себя», «Он у меня не хуже других», «У нас же дети, Даша, как ты не понимаешь?» (Как будто детям полезно расти в атмосфере неуважения и взаимной холодности.) И ни разу не прозвучало великое, неподкупное слово «любовь». Это нежное, всепоглощающее чувство почему-то не является меркой супружеской жизни.

Полгода назад ко мне в гости приехала моя школьная подруга, назовем ее Диной. Мы пили шампанское у меня дома и болтали. Я много рассказывала ей о своих приключениях, удачах, планах. У меня горели глаза и улыбка постоянно вспыхивала на губах. Из меня бил поток жизни, настоящей, живой, горячей, и Дина, ошеломленная моим напором и энергией, вдруг сказала: «Даша, ты все такая же, какой была в школе: быстрая, смешная, наивная. Вечно носишься с какими-то мечтами». И она снисходительно улыбнулась моему простодушию.

Меня поразила ее интонация. Она как бы свысока смотрела на чудачества ребенка. Я для нее осталась наивной дурочкой. Дина, никогда не покидающая Хабаровск, томящаяся в несчастном браке без любви, ничего не видевшая в жизни, кроме бесцветной обыденности, не ведавшая ни сильного горя, ни сильной радости, разговаривала со мной как почтенная матрона. А я за эти шесть лет прошла огромный путь, сложный и яркий, со взлетами и падениями. Я видела столько прекрасного и дурного в жизни, что иногда сама удивлялась — правда ли, что все это было со мной. И я не чувствовала себя разочарованной и уставшей, во мне по-прежнему играли силы молодости. И вдруг я поняла, что сидевшая передо мной моя ровесница — в сущности, старуха, для нее все давно уже кончено, перед ней пустота бесконечных лет. Потому что единственно полнота переживаний, накал чувств делают женщину молодой и красивой.

Надя за свое многолетнее прозябание в провинции успела два раза побывать замужем, и ни один брак не согрел ее. Круиз стал для нее шансом. Она страстно мечтала найти богатого и респектабельного мужчину и прилепиться к нему, как раковина к скале. Но ей страшно не везло. Мужчины умные, приятные, интеллигентные не имели к ней серьезных намерений, поскольку даже не подозревали, как легка победа над такой красавицей. Зато к Наде постоянно цеплялись снобы, желающие выставлять ее как породистую скаковую лошадь или дорогой лимузин. Их нисколько не волновало, чем занята ее головка, им важно было иметь ее при себе, чтобы поднять свои акции в глазах окружающих. И вот парадокс: Надя, самая красивая из нас, весь круиз мучилась от одиночества и готова была переспать с любым, кто пожелал бы взять ее. Глядя на нее, я все время думала: «Зачем этой простушке такое роскошное тело? Я бы им сумела распорядиться гораздо лучше». Теперь Надя с помощью мужчин перебралась в Москву, и Лиана, которая поддерживает с ней дружбу, постоянно жалуется мне, что вынуждена подыскивать ей сексуальных партнеров. Я думаю, Надина ошибка состоит в том, что у нее на лице написано «возьмите меня».

В круизе Лиана повсюду таскала с собой Надю, отлично понимая, что эту смирную нехваткую красавицу она отстранит без труда. Приглушенный характер Нади давал Лиане возможность выставлять свое виртуозное кокетство в самом выгодном свете. Ее губки бантиком, вертлявая попка, крашеные белые волосы пользовались гораздо большим успехом, чем Надина классическая красота. Надя плакала мне, что Лиана все время задвигает ее в тень. Еще бы! Когда Лиана открывает рот, вы чувствуете себя избавленными от необходимости говорить — она сделает это за вас.

Для Лианы флирт гораздо важнее, чем секс. Она стремится растянуть прелюдию как можно больше. В самую первую ночь на корабле она разбудила меня в два часа, придя из бара, криками: «Даша! Я осуществила твою мечту!» — «Какую мечту, Лиана! Что ты мелешь! Ложись лучше спать», — недовольно ворчала я. «Ну помнишь, ты говорила: надругаться над мужчиной и бросить — вот как поступают настоящие женщины, — весело говорила Лиана, дыша на меня винными парами. — Представь, я всех мужиков в баре водила за нос, всех возбудила, а потом взяла да и бросила». — «Полно с ума сходить, ложись спать. Утром все расскажешь», — голосом дуэньи сказала я. Но ее не так-то легко было унять. Лиана кружилась по каюте, что-то напевала, трясла кудряшками, переливалась смехом и была так забавна, что я давилась от хохота в подушку.

У Лианы было два мужа, с которыми она никак не могла разобраться. С одним она развелась, но продолжала жить, поскольку их связывали ребенок и совместное прошлое. С другим она успела расписаться, но еще не жила. Новый предмет ее страсти, Александр, имел богатую биографию. В 19 лет он с товарищем пытался угнать самолет, но им не повезло. Лейтенант внутренних войск МВД, находившийся в самолете, застрелил одного из угонщиков, а Сашу ранил в бок. После неудачного угона Саша сидел восемь лет в последней политической тюрьме России. Лиана, вздыхая, говорила, что любит его ужасно, но жить с ним без денег не может.

Несмотря на свои любовные переживания, Лиана успела прокрутить в Венеции маленький роман по всем правилам. Пароход стоял в порту всего два дня. В первый день Лиана познакомилась с красивым венецианским фотографом — они ходили по ресторанам, любовались кружевными дворцами и зеленой дремлющей водой и целовались под луной. На второй день они успели сделать маленький секс, из-за чего Лиана едва не опоздала на пароход.

Мне нравилась в Лиане черта характера, свойственная и мне самой, — стремление получать то, что трудно достать. Она потеряла голову на пароходе из-за лысого мужика, который пренебрег ее кокетством. Сначала Лиана ему нравилась, но он был не из тех, кто способен долго стоять на коленях и томно вздыхать. Он попытался ее взять, но получил отказ и сразу оставил ее в покое, что сильно уязвило тщеславное Лианкино сердечко. С упрямством, достойным лучшего применения, она стала преследовать его, изводя окружающих жалобами на его холодность. Все пассажиры знали, что Лиана хочет Лысого, и все пытались их свести, но тут, по-видимому, нашла коса на камень.

Я и Лиана постоянно ругались, так как обе отличались вспыльчивым характером. Мы были так с ней похожи, что я смотрелась в нее как в зеркало, узнавая собственные недостатки — крайнее властолюбие и стремление командовать своими близкими, беспредельное тщеславие, желание быть во всем первой, даже в том, к чему нет способностей, скандальность, упрямство. Мы, как люди дуэльного склада, занимались постоянными подкусываниями друг друга, и от крупных ссор нас спасала одна и та же положительная черта — быстрая отходчивость. В свои скандалы мы пытались втянуть флегматичную Надю и мирную Свету, но они, как разумные женщины, предпочитали помалкивать во время выяснения наших отношений.

Наша яркая компания привлекала всеобщее недоброжелательное внимание, и с самого начала нас окрестили «мисс шлюшки». Это оскорбление мы заслужили по двум причинам — эффектные, чересчур короткие платья и независимость поведения. Последнее мужчины нам не могли простить. Даже наш сексолог-дизайнер вел с нами душеспасительные беседы: «Девочки, вы слишком дерзко себя ведете. Не надо столько пить в барах, нельзя так разговаривать с членами жюри — вы перебиваете их, высмеиваете, вам это припомнят».

Всем нам приходилось на протяжении своей карьеры решать важную проблему — доказывать мужчинам, что привлекательная внешность не есть синоним глупости. Это была тяжелая битва. Если за нами и признавали наличие мозгов, то никак не желали признать наше превосходство в профессиональной сфере. Я писала на военные темы, Лиана работала над проблемами экономики, Света писала о тюрьмах. Все эти темы считались прежде исключительной прерогативой мужчин. Но мы добились определенных успехов на своем поприще и считали, что имеем право разговаривать на равных с мужчинами-журналистами. Более того, журналистов нашего уровня на корабле можно было пересчитать по пальцам.

К нашему удивлению, коллеги мужского пола, отдыхающие в круизе, держали нас за хорошеньких дурочек. Бедная Лиана чуть не плакала, когда ей говорили: «Посмотри на себя в зеркало. Ну какая ты журналистка!» Перед конкурсом я случайно услышала разговор Лианы с поэтом и композитором Александром Градским. Нам дали конкурсное задание написать репортаж, Лиана показала свою работу Градскому, и тот с наслаждением ее распекал. Он уверял ее, что она написала глупую и бездарную вещь, и предлагал прочитать на конкурсе его репортаж, специально сделанный для нее. У Лианы был вид школьницы, которую поставили в угол за проказы.

Когда Градский ушел, я с возмущением набросилась на Лиану: «Почему ты позволяешь так с собой говорить? Неужели ты ни во что не ставишь свой ум и свой талант? Почему ты доверяешь суждениям этих самоуверенных мужиков, для которых существует только свет собственной гениальности? Ты прекрасная журналистка, и ты должна прочитать сегодня свой собственный репортаж». Но Лиана, как все гордецы, была подвержена сомнениям. Ее слишком долго добивали снисходительностью. Она прочитала на конкурсе репортаж Градского и провалилась. Я видела, как она шла к своему месту, сверкая глазами и обиженно надув губки. «Какая я дура! — проклинала она шепотом собственную глупость. — Зачем я это сделала?»

Лиана — очень импульсивная натура. Когда мы проиграли конкурс, она устроила форменную истерику, уверяла, что запрется в каюте от стыда и просидит там до конца круиза. «Лиана, милая, у нас сегодня праздник, мы прекрасно выглядим, и у нас роскошные туалеты. Пойдем в бар, выпьем шампанского», — уговаривала я мою плачущую подругу. Но все было бесполезно.

Я твердо решила, что мне ничто не испортит этот вечер, даже обидный проигрыш не в счет. Я позволила себе расслабиться в компании своих друзей и выпила столько шампанского, сколько смогла, поскольку во время конкурса мне перепало только три рюмочки ликера. У меня уже был опыт неосторожного пьянства в ответственные моменты. Однажды на одном из конкурсов красоты я выпила полбутылки водки и забыла на танец надеть трусы. На мне было невозможно короткое платье из золотой парчи, и я изображала красотку кабаре тридцатых годов. Когда я легла на пол и вскинула ножку, зал затих. Я не поняла причины этого шокового молчания и храбро продолжала танцевать. После выступления ко мне подошла моя подруга Юлия и с красным от смущения лицом сказала: «Когда ты задрала ногу, мне захотелось подойти и прикрыть ладошкой твое интимное место».

Пока я заливала шампанским свой проигрыш в баре, Лиана написала прощальную записку миру и выпила пачку снотворного. В 8 часов утра нас разбудил наш сосед по столику, телевизионный ведущий Дима Крылов. У него были круглые от изумления глаза (он впервые попал в нашу экзотическую комнату), и своим деликатным, хорошо поставленным голосом Дима уговаривал нас встать: «Девочки, мы уже приехали в Египет. Вы должны сейчас же встать. Через десять минут уходит автобус в Каир, поторопитесь, иначе вы пропустите пирамиды и сфинкса». Я с огромным трудом разлепила веки, поднялась сама и растолкала Лиану, которая не могла сказать ни одного членораздельного слова и все время мычала.

Египетская жара доконала нас всех, невыспавшихся и похмельных. Мы, как сомнамбулы, бродили среди пирамид, туго соображая, где мы вообще находимся. Лиана впала в странный душевный столбняк и всех пугала своей непривычной молчаливостью.

В Каире я, Света и Лиана отправились на поиски рюмочки холодного вина. Но в этой невозможной стране, оказывается, ввели сухой закон. Нам пришлось довольствоваться соком в баре респектабельной гостиницы. Тут нам Лиана рассказала про свое несостоявшееся самоубийство. Я не могла удержаться от ехидства: «А прощальную записку ты писала в двух экземплярах или в одном? Все-таки у тебя два мужа». Но Лиана еще находилась под действием наркотика и была так слаба, что не имела сил разозлиться на меня.

«Какой безумный поступок, — думала я. — Так серьезно относиться к игре». Конкурс закончился, и впереди у нас еще неделя сказочного сна. Можно смаковать дни благоденствия и покоя и наслаждаться передышкой морского путешествия. Никаких обязательств, полная свобода. Я намерена вести жизнь одалиски — много спать, наслаждаться вкусной ресторанной едой, купаться в море.

У меня есть деньги, и мне не надо строить глазки толстым богачам-спонсорам, чтобы они меня сводили в ресторан, где я вынуждена буду слушать их хвастливые глупости и терпеть их приставания. У меня чудесная спутница Света, которая тоже намерена тратить деньги на вино и лакомства. В Египте мы с ней купили на маленькой парфюмерной фабрике флакончики духов «Арабская ночь» и «Дух Тутанхамона». Они пахли так же таинственно и сладко, как пахнут душные влажные египетские ночи. В воздухе есть что-то чувственное и диковинное, и он такой густой, что кажется осязаемым.

Итак, мы были свободны и беспечны. Но иногда у нас возникали непредвиденные траты, и нам приходилось крутиться. В Венеции мы засиделись за полночь на площади Святого Марка, попивая светлое вино, любуясь зданием тюрьмы, из которой сбежал Казанова, и слушая чудесную музыку уличного оркестра. Мы так устали, что решили взять водное такси до морского порта.

По нашему вызову на стоянку подкатил катерок, и не успели мы спросить о цене, как уже оказались на воде. «Восемьдесят тысяч лир», — с важностью сказал гондольер. Это была для нас непомерная цена, но мы не могли отказаться от такой чудесной прогулки.

Маленькая посудина взревела и помчалась по воде, в которой отражались дрожащие золотые огни. Теплый сильный ветер бил мне в лицо, и я наслаждалась минутами счастья в городе, сделанном руками фей. Гондольер предложил нам поучиться водить катер. Я отказалась, так как никогда не чувствовала взаимопонимания с техникой, а Светка с радостью согласилась. Это была чудесная гонка. Катер прыгал по волнам, как резвый пес, а Света и гондольер заливались хохотом, кричали, обнимались, целовались. Мне все время казалось, что они вот-вот бросят руль на произвол судьбы и мы куда-нибудь врежемся. Гондольер был очарован. Он остановил проезжающий мимо катер, который вел его друг, и с гордостью представил нас ему как своих подруг из Москвы.

Когда мы приехали в порт, славный малый отказался взять с нас деньги. Он и Света с нежностью расцеловались и расстались с пожеланиями удачи.

Круиз подходил к концу, и я спохватилась, что еще ни разу не влюбилась. За три дня до окончания поездки в Стамбуле я обратила внимание на молодого музыканта по имени Дима. Чтобы не тратить время на долгие знакомства, я сама подошла к нему, заявила, что он мне нравится, и назначила ему свидание в полночь в баре. Я поставила условие, чтобы он явился в парадном костюме и непременно заказал мне мартини. Молодой человек был так ошарашен моим нахальством, что в точности выполнил все мои указания.

В полночь я и Дима встретились в баре и сели за столик. Это был случай телесного электричества. Мне достаточно было взять его за руку, и меня тут же настигало желание. На два часа я утратила рассудок и совершенно забыла о существовании других людей.

Мне до смерти хотелось целоваться. Я пригласила Диму танцевать, положила руки ему на плечи и с жадностью потянулась к его губам. Не грех же утолить жажду. Нас несла теплая река, и мы отдались ее течению и водоворотам. На какой-то момент весь мир пропал, исчезло прошлое и будущее, торжествовало только великое «сейчас». Это был самый чудесный секс — когда два тела хотят, но не могут отдаться друг другу, связанные условностями и приличиями, зато губы делают это за них, бесстыдно и дерзко. Когда танец закончился и мы пришли в себя, то услышали аплодисменты соседних пар. Люди подходили к нам и, заглядывая в глаза, с усмешкой говорили: «Спасибо, ребята. Вы нам доставили удовольствие».

Утром я смотрела на свой маленький роман уже другими глазами — прекрасное дополнение к радостям круиза, но не более. Я открывала для себя Стамбул, который в прошлое посещение произвел на меня самое тягостное впечатление. Год назад я совершала путешествие по Средиземному морю в компании страстно влюбленного в меня мужчины. Я дразнила его, как осла, перед которым на палке вешают морковку. Бедному ослику никогда не получить вкусную приманку. Мы беспрерывно выясняли отношения, и Греция, Испания, Италия, Турция проплывали мимо лишь как декорации к нашему роману. В Стамбуле мои силы иссякли, и я возненавидела этот город за то, что он связывает меня с человеком, которому я причинила столько зла.

Теперь все было иначе. Я бродила по Стамбулу, счастливая до глупости. Я привела Свету в свой любимый кабачок, расположенный прямо на берегу Босфора. Мы блаженно потягивали коктейли, наблюдая за деловито снующими кораблями. Босфор напоминал оживленную улицу в час пик.

Хозяин бара угостил нас сигаретами и, узнав, что мы русские, подсел к нам поболтать. Он знал английский еще хуже нас и для удобства понимания рисовал картинки.

«Я коммунист, — сказал он гордо. — Я люблю Ленина, «Капитал» Маркса и Москву». Мы вежливо заулыбались, хотя и не разделяли его привязанностей. Наш собеседник нарисовал картинку — прутья решетки, в которую вцепился маленький человечек с печальным лицом. Под ней надпись: «Тюрьма. 1981—1985». Мы были потрясены — бедняга сидел пять лет в тюрьме за коммунистические убеждения. Я сказала, что коммунизм — это прекрасная религия, которую трудно использовать в практической жизни. Он закивал головой, но, надеюсь, не понял моих слов. Он дорого заплатил за свои убеждения и теперь держался за них мертвой хваткой.

Мы перешли на более нейтральную тему — литературную, но и здесь нас ожидал шок. Хозяин бара не только прочитал Достоевского, Толстого, Тургенева, но к тому же был поклонником Маяковского и Ильи Эренбурга, которых прочитал на турецком языке. Когда выяснилось, что и турки, и русские любят Хемингуэя, радости нашего любезного хозяина не было предела. В честь великого писателя мы выпили крепкие ромовые коктейли, закусывая их чудесным салатом из крабов. Хозяин бара отказался взять с нас деньги за сытный завтрак, сказав, что мы отныне его друзья и он всегда нас рад видеть.

Мы рассчитывали потратить деньги в кафе, но теперь у нас оказалась еще приличная сумма денег, и мы решили пробежаться по магазинам. Нас привлекла витрина с сумками, и хорошенький приказчик затащил нас в магазин, в подсобное помещение. «Что вы желаете?» — спросил он, и глазки у него замаслились. Я выбрала элегантную замшевую сумку. «Сорок долларов», — сказал приказчик. В моем кошельке осталось только тридцать. «Это не беда, — успокоил меня юноша. — Вы очень понравились нашему хозяину. Маленький секс в подсобном помещении, и все сумки ваши». У меня от возмущения вылетели из головы все английские слова, я надулась и вспомнила единственную приличную фразу: «Я замужняя женщина». Мое вранье не произвело никакого впечатления. «Мадам, я бы не стал обращаться к вам с подобной просьбой, если бы вы не были приличной женщиной», — примерно так прозвучал ответ приказчика. Его логика была убийственная. Мы вышли из магазина, трясясь от возмущения и стараясь не смотреть на маленького толстого шефа.

«Экие свиньи! Они приняли нас за проституток», — гневно сказала я, и мы завернули в следующий магазин. Это было заведение с полным ассортиментом белья для блядей. Здесь были трусики с самыми непристойными вышивками, с трепещущими язычками на интимном месте, с надписями, способными вогнать в краску даже владелицу борделя. Мы истратили все деньги на эти прозрачные крохотные кусочки материи и вышли из магазина, страшно довольные собой. Только на улице до нас дошел забавный контраст между сценой добродетельного возмущения и спектаклем покупки белья для проституток. Жизнь — прекрасный повод для веселья.

Поздно ночью я пила красное вино на палубе, любуясь заревом огней ночного Босфора. Еще два дня — и я увижу моего друга Андрея, делящего со мной постель и кров уже в течение двух лет. Я закрыла глаза и попыталась представить себе эту сцену. Он непременно поднимется на корабль с огромным букетом роз, и в глазах его будет затаенный страх — не ускользнула ли я от него за три недели путешествия?

Мне вдруг показалось, что я стою на пороге какого-то важного открытия. Вот уже два года меня согревает безмерная, молчаливая, преданная любовь, а я отчаянно сопротивляюсь ей. Войны, круизы, новые влюбленности, поиски мужчин, а потом — снова возвращение в кольцо ласковых рук единственного на свете мужчины, который принимает меня целиком, со всеми недостатками и прегрешениями. Чего я опасаюсь? Что таинственный источник очарования жизни иссохнет под дыханием обыденности, что скука повседневности убьет любовь? Как странно устроен человек! Всю жизнь он борется за счастье, совершает подвиги, приносит многочисленные жертвы свирепым богам, а когда до золотого берега рукой подать, он внезапно меняет курс корабля.

Мне пора разжать кулак, много лет назад стиснувший мое сердце, пора вручить любимому человеку все ключи от моих замков, пора сложить оружие. Я устала воевать с мужчинами, я хочу их любить. Внезапно я поняла, что я сделаю. Я дам Андрею титул мужа, я выйду на дорогу респектабельности.

Не обольщайся, милый! Я еще не скоро угомонюсь. Тебе еще многое придется мне простить, но, поверь, я того стою! Я принадлежу к тем счастливчикам, которые владеют талантом любви к жизни — я вгрызаюсь в нее, как в спелый плод, и упиваюсь ее соком. Не беда, если плоды порой бывают подгнившими и горькими. Я открою тебе, милый, секреты нежности — возьму тебя за руку и отведу в мое королевство любви, которое я построила для тебя.

Я сметаю все прежние фигуры с доски и начинаю играть новую шахматную партию с судьбой, исход которой еще не ясен, — партию моей любви. Ваш ход, госпожа судьба!

Приключения
дрянной
девчонки

2

12 августа 1989 года. Два часа ночи. Все, что во мне есть от шлюхи, напряглось и не дает уснуть. Мой рот напрашивается на поцелуи, только некому их дать. Моя постель сегодня — монашеское ложе. Друзья и любовники разъехались из общежития, соседки по комнате гостят у родителей. Я совершенно одна. Август — мертвый месяц в ДАСе[1].

Лето хозяйничает в моей крови, хочется жить и бесноваться. Мне бы сейчас впору стоять на балконе в испанском городе с розой в губах и в кружевной черной мантилье, освещенной солнцем, а не чахнуть в пыльной Москве. Я устала от долгих трудных страстей. Мне сейчас подавай короткую легкомысленную связь, любовь-вспышку, которую выкуришь, как сигарету, и бросишь.

Сегодня встретила в коридоре мальчика лет двадцати. Глаза серые, как морской песок, с влажным блеском, четкий рисунок чувственных губ. Его юное тело, наверное, пахнет цветами и медом. Кажется, с ним спит Нелька. Отлично, люблю наезженные дороги.

Я думаю об этом мальчишке и чувствую пощипывающие искорки в нервных каналах, попытка уснуть закончилась ничем. Мне казалось, что я лежу на голых досках. Мои нежные нервные окончания означают уязвимость — чувствительность принцессы на горошине. Погибаю без теплой упругой мужской плоти. План на завтра: овладеть сероглазым мальчиком.

---

[1] Общежитие студентов МГУ.

15 августа. План выполнен с опозданием в один день. Стоит пожурить себя за нерасторопность. Вот как все случилось. Два дня назад надела юбку цвета боя быков — красного и черного. Шумя корридным шелком, спустилась в кофейню. Мальчишка стоял в вестибюле, свеженький, как фиалка. Познакомил нас вездесущий армянин Рома, протянув мне банальное красное яблоко. Я бездарно кокетничала. Мальчишку зовут Андрей Советов. Весьма смышленого вида. Во взгляде настороженность и вопрос — всерьез ли я стреляю глазками, или это маневр закоренелой кокетки, и можно ли мною попользоваться? Я разрешила его сомнения, назначив свидание на следующий день и приказав ему купить шампанского. Он улыбнулся, обнажив плохие зубы. Чудесная простодушная улыбка ребенка, втайне уверенного в том, что весь мир принадлежит ему.

Вчера выдался один из тех погожих дней, когда колдовство лета ощущаешь с особенной силой. Солнце расплавило золото московских куполов и лишило граждан всякой способности работать. Я целый день рисовала себе лицо. Выкрасила губы в цвет свежей крови и обвела их жирным черным карандашом. Бр-р-р! Даже страшно подумать, что кто-нибудь может поцеловать этот вампирский рот в сальном блеске. Выкурила полпачки «Ротманса», и пепельница наполнилась окровавленными окурками. Одним «бычком» я ловко прижгла медлительного белого таракана. (У нас появился такой редкий вид.) Выстригла себе волосы на лобке и покрыла черным лаком длиннющие ногти.

Вечером встретилась с Андреем. Он мне напомнил веселого щенка, который, высунув язык, часто дышит в благодарность за внимание хозяйки. Забавный малый, очень чистенький и аккуратный, благоухающий одеколоном. В полночь мы поехали к нему домой на метро (он снимает комнату у какого-то полусумасшедшего алкоголика). Я уже полтора года не пользуюсь общественным транспортом, всегда находятся мужчины, способные оплатить такси. В этой поездке в ночном метро было что-то трогательное и невинное. Я вдруг вспомнила, что мне только девятнадцать лет и я студентка, и на мгновение показалось, что ничего, кроме полудетских поцелуев, в моей жизни не было. Андрей всю дорогу скоморошничал, а я демонстрировала ему весь репертуар маленькой шлюшки — черные чулки, черные ногти и черно-красные губы.

Мы, как два мышонка, прокрались в его комнату по скрипучему полу, боясь разбудить вечно пьяного хозяина. На убогом столе вызывающе сверкали серебряные головки двух бутылок шампанского. Они целились в потолок, как два орудия перед праздничным салютом. «Твое приказание выполнено», — сказал Андрей, смеясь. Он заметно нервничал и не знал, как ко мне подступиться. Мы выпили шампанского, и стало ясно, что пора приступать к решительным действиям. «Давай потанцуем», — предложил Андрей, и я с трудом подавила в себе желание рассмеяться. Сколько раз на моей памяти мужчины использовали этот прием! Танец — это так удобно. Тяжелые губы нежных и твердых очертаний совсем близко, вот он наклоняется и старательно целует меня. Милый мальчик еще не научился раздевать женщин, его пальцы запутались в моем поясе для чулок. Меня всегда забавляет переход от романтических поцелуев к прозаическому раздеванию. Партнеры в этот момент стараются не смотреть друг на друга. Мужчины торопливо стаскивают с себя брюки, обнажая бледные волосатые ноги, женщины, портя себе прическу, тянут через голову трещащие по швам платья. И вот оно, первое, дрожащее и неуверенное, прикосновение друг к другу.

У мальчика оказалось хорошее, гладкое и пропорциональное тело. Он двигался стремительно, словно стараясь расплющить меня. Во всем, что он делал со мной, чувствовалось стремление все делать правильно, грамотно и аккуратно. Мальчик знал, что у женщины полагается гладить все эрогенные зоны, а при поцелуе надо просунуть язык между зубами партнерши. И он целеустремленно толкал свой шершавый язык прямо мне в глотку так, что я едва не задохнулась. Он напоминал мне первого ученика, который сдает экзамен. «Наверное, бывший отличник», — подумала я с внутренним смешком. Мальчишка быстро расстрелял свой заряд и обмяк, тяжело дыша, как загнанный пес. Уже засыпая, я чувствовала, как он тычется носом мне в шею, совсем как звереныш в поисках теплого укрытия.

Я проснулась рано и сквозь разрывы в последней тонкой оболочке сна пыталась понять, где же я нахожусь. Я приподнялась, опираясь на локоть, и внимательно рассмотрела человека, спящего рядом, его капризно-вялые губы, длинные ресницы и «ежик» русых волос. Спросонья я никак не могла подобрать имя к этому лицу. Я вдыхала свежий молочный запах его кожи и изумлялась невинности его лица. Наконец вспомнила: Андрей Советов. Он почувствовал мой взгляд, темные ресницы дрогнули, и серые глаза уставились на меня с сонным недоумением. Ему понадобилось несколько секунд, чтобы установить мою личность. «Доброе утро», — сказал он хриплым голосом. Вежливый мальчуган. В какой-нибудь сексуальной книжке он, наверное, прочитал о том, что женщину после ночи любви необходимо приласкать, что он и сделал, неуверенно потрепав меня по плечу и оставив влажный поцелуй на моей щеке. «Есть хочу», — заявила я требовательным тоном. Он подскочил, засуетился и стал извлекать из маленького ворчащего холодильника продукты. На стол явились маринованные грибы, яичница, хлеб с маслом, чай и варенье. «Люблю хозяйственных мужчин», — пробормотала я, уминая завтрак. Андрей был молчалив и сосредоточен. За чаем я долго придумывала тему для разговора, наконец выбрала самую идиотскую. Я ему во всех подробностях изложила, как я стала женщиной, а он мне так же добросовестно рассказал, как он окончил школу с золотой медалью и как служил в армии. Чудесно, можно уходить.

На улице меня встретило сочное золотистое утро. Я шла, блаженно потягиваясь и радуясь неизвестно чему. Впрочем, одна причина для радости все-таки имелась — хороший завтрак.

18 августа. Ничего примечательного, кроме разговора с Нелей. Она живет на квартире у очередного любовника. Я была у нее в гостях, и мы проболтали до рассвета под пластинку Эллы Фитцджеральд. Я с удовольствием рассказала Неле историю падения бедного Советова. На ее лице появилась неприятная гримаска. Она не переносит, когда кто-нибудь посягает на ее собственность. Но, подавив мимолетный укол ревности, она произнесла своим милым лицемерным голоском: «Ах, Андрюша такой хороший. Ему нужна женщина, которая действительно его полюбит. Он этого заслуживает». И потом совсем другим тоном с нескрываемым интересом спросила: «Скажи, а когда вы занимались любовью, он подкладывал тебе под задницу подушку, чтобы удобнее было трахать?» «Подкладывал», — ответила я, и мы принялись хохотать, как две заговорщицы.

25 августа. До полуночи остается десять минут. Только что от меня ушел любимый мужчина. Мы занимались любовью в грязной ванне, он поливал меня водой и сдирал тонкие щелковистые полоски моей кожи, обгоревшей под волжским солнцем. Два таракана на стене совершали не менее страстный половой акт, мы смыли их сильной струей душа. Прекрасная гибель в момент оргазма.

Я сейчас одна и никак не могу успокоиться. Власть ночи сдавливает горло. Все во мне бурлит, бродит и пенится, сердце бьется звонче и решительнее. Я распахнула все окна в комнате, разделась донага и отдалась легкому ночному ветру. Во мне открылись тысячи маленьких пор, впитывая до капли августовскую ночь. Какое счастье быть молодой, так остро чувствовать жизнь и так волноваться!

За минуту чудного волнения я расплатилась чувством обиды и жалости к самой себе. Почему никто не видит меня сейчас, нагую, коричневую от солнца, освещенную тусклыми лучами фонарей?! Некому похвастать загаром, пока он окончательно не облез. Я накинула халат и выскользнула в коридор к телефонному автомату. Долго мучилась раздумьями, кому бы позвонить, листала записную книжку и наконец набрала номер Андрея Советова. Он откликнулся неожиданно бодро: «Ты откуда звонишь? Ты уже в Москве? Я сейчас возьму такси и приеду». «Но это дорого», — возразила я. «У меня есть десять рублей». Я положила трубку и усмехнулась. Бедный мальчик! Готов потратить последние деньги, чтобы отлить молодую нетерпеливую сперму.

26 августа. Разочарование — так можно определить мое сегодняшнее состояние. Советов примчался ночью, неправдоподобно юный и свежий, как деревенский воздух, и тут же повалил меня в постель. Увольте меня от таких наивных совокуплений. Не хватало только сеновала, травинок, запутавшихся в волосах, задранной юбки и запаха навоза. Мне подавай предварительное томное собеседование, одурманенность винными парами и сигаретным дымом, медленное приставание и мой картинный отказ. Для женщины наслаждение — это прежде всего дело воображения. Поцелуи Андрея показались мне пресными, как поцелуи брата.

Он насытился мной и уснул сном праведника. А я до рассвета ворочалась во влажной неразберихе одеял и простынь, на стонущей под тяжестью двух тел узкой кровати. Все раздражало меня — чужое тело, чужое дыхание, чужой запах. Наконец в семь утра я безжалостно растолкала Андрея и велела ему убираться ко всем чертям. Он минут пять смотрел на меня бессмысленным взглядом, потом обиженно надул губы и стал одеваться. Со сна он долго не мог сообразить, как правильно надеть брюки, и я невольно пожалела его. После его ухода я спала до двух часов дня крепким младенческим сном, а потом валялась в постели еще час, читая детектив. Эксперимент с Советовым можно считать завершенным.

10 сентября. Настроение престранное. За окном пестрый смеющийся сентябрь, ветер постукивает легкими пальцами в окно, а сердце сжимается сладкой сентиментальной грустью. Моя голова забита мечтами, мелодиями, красками, строчками стихов — всеми химерами юности. Позавчера мне исполнилось двадцать лет. Был милый праздник, устроенный моим любовником, с оттенком неизбежного вопроса: «А что дальше?» Сегодня вернулась в общежитие, на моей кровати лежал букет увядших цветов, смягчавший угрюмую казенщину комнаты, и открытка: «Поздравляю с днем рождения! Советов». Вот дьяволенок! Кажется, он работает сразу на два фронта. Когда я вернулась из дома с каникул, он уже жил по-семейному с Нелей. Неля способна построить семью из любого подручного материала. Как только в ее жизни появляется новый мужчина, она тут же набивает холодильник продуктами, развешивает по дому постиранное белье, создает общий бюджет и занимается хронической готовкой. Вот и в этот раз, когда я нанесла им дружеский визит, в комнате сушились полотенца, а на электроплитке пыхтела кастрюлька. Помешивая фырчащее варево ложкой, Неля в красках изложила мне свой роман, я, как истинный друг, развесила внимательные уши, а Советов дозволил себе роскошь прикинуться дурачком. Все мы сделали вид, что щекотливый факт моего совокупления с Андреем благополучно забыт. И вот в качестве напоминания об этом забавном происшествии — букет роз, ждавший меня два дня и погибший от жажды. Я становлюсь сентиментальной.

15 сентября. Моя соседка Вика — дама с партизанскими наклонностями. Все свои бумаги, даже случайные записки и номера телефонов, она неизменно сжигает. Я подозреваю, что наиболее важные документы Вика для надежности съедает, запивая стаканом воды. Кажется, я усвоила ее пагубные привычки. Сегодня я целый день жгу свой собственный дневник, наполняя комнату смрадом. Делаю это медленно, с наслаждением, любуясь тем, как листочки легкими черными бабочками ложатся на пол и рассыпаются в прах. Перечитала записи последних двух месяцев и переполнилась отвращением к самой себе. Какой контраст с легкомысленным летним настроением! Сплошные сопли, вопли и слизь. Как будто я единственная женщина на свете, покинутая возлюбленным! Как писали в старинных романах: «Граф Н. оказался подлецом. Бедная Мари рыдала, заламывая руки...» Всю осень я собирала осколки своего счастья, раня себя в кровь. Хватит с меня кружения вокруг пламени и мысленных странствий в чудесное прошлое. Я расправилась с осенним дневником, и теперь моему мертвому сердцу безопасны любовные уколы.

Единственный, кто утешает и развлекает меня в моем нынешнем положении, — это Советов. Он является раз в неделю, вызывающе хорошо одетый, в неизменно ровном расположении духа, изображает себя чемпионом среди простаков и охотно тушуется в разговорах, давая мне возможность блеснуть своими рассказами. Свежие рубашки и начищенные ботинки выгодно отличают Андрея от дасовских мужчин в тренировочных штанах с вытянутыми коленками и в тапочках на босу ногу, а его отутюженный серый костюм выглядит в нашем притоне почти смокингом с галстуком-бабочкой. Этот юный денди скорее просто мил со мной, чем влюблен. Я нахожу его неглупым и остроумным, и сексуальное притяжение напрочь исчезло. Его робкие прикосновения не вызывают ничего, кроме неловкости. Я не единственная его пассия. Вчера утром встретила Андрея на трамвайной остановке в компании Катюши, моей подруги. У них был такой утомленный, пресыщенный вид, как будто ночь они использовали по назначению.

Катюша, Неля и я — три женщины, связанные если не узами дружбы (явление редкое среди родственниц Евы), то узами своеобразного родства, которое возникает между женщинами привлекательными, неглупыми и свободными в вопросах морали. Андрей копает в одном огороде. Странный выбор, но в случае с Советовым объяснимый. Он предпочитает женщин, о которых все говорят, с репутацией опаснейших сердцеедок, из породы вампирш и людоедок, гоняющихся за свежим мужским мясом. Его прельщают этакие Доньи Жуаниты, всеобщие любимицы. Он охотнее отдает сердце той, которая обещает разорвать его в клочки, и совершенно лишен ревности. Тайное, пусть одноразовое владение женщиной, которая является предметом сплетен, доставляет ему, по-видимому, несказанное удовольствие и греет его самолюбие. Он скрытен, молчалив и носит маску невозмутимости. С таким лицом можно играть в покер.

18 ноября. У меня выработалась привычка к страданию. Мне нравится любоваться своим горем как бы со стороны. Оно очень эффектно смотрится, освещенное мягким последним сиянием осени. Вот я лежу на кровати, хорошенькая, слегка растрепанная, окутанная дымкой собственных грехов, мои плечи вздрагивают от рыданий, в моих слезах есть доля притворства. Очень хорошо, что я стала чувствовать некоторую театральность любовного страдания. Это признак выздоровления.

20 ноября. Все к худшему в этом худшем из миров. В комнате сдохла мышь. Я давно подозревала это, но сегодня догадка перешла в уверенность — вонь стояла невыносимая. Я уже знаю все трагические обстоятельства ее гибели. Моя мама прислала мне варенье в полиэтиленовом пакете. Он долго лежал на кухонном столе и начал потихоньку протекать. Между стеной и столом образовалось маленькое аппетитное озеро. Несчастная мышь пала жертвой своего любопытства — она полакомилась вареньем и намертво к нему прилипла. Страшно представить себе ее долгие предсмертные муки. По трагическому накалу это превосходит даже смерть мышки, утопленной слабонервной Юлей. Эта дама посетила ванную комнату и увидела в раковине серое копошащееся существо. Прежде чем огласить весь этаж криками, она включила воду. Утопленницу извлек сосед и выкинул ее в мусоропровод. Юля, задавленная раскаянием, говорила мне потом дрожащим голосом: «Я ее убила собственными руками! Это я-то, которая даже таракана никогда не трогала!»

Но вернемся к любившей варенье мышке. Сегодня я решилась отодвинуть стол и застала мышь в последней стадии разложения. Далее разлагаться было некуда. У меня не хватало духа собрать останки, и я стала подумывать о подходящей кандидатуре для такой деликатной операции. В этот момент в дверь постучали. Я двинулась навстречу гостям с самой лучезарной улыбкой. На пороге стояли два латиноамериканца весьма опрятного вида, пришедшие с визитом к моей соседке Вике. Объяснив, что Вики нет дома, я ласковым голоском попросила оказать мне одну услугу. Ничего не подозревающие латиноамериканцы вошли в комнату, и я весьма бесцеремонным образом всучила им веник и совок. Они тоскливо посмотрели на то, что когда-то было мышью, потом с затравленным видом соскребли с пола отвратительную серую кашицу и покорно отнесли ее в мусоропровод. Вернувшаяся Вика была раздираема двумя противоречивыми чувствами: желанием рассмеяться и желанием выбранить меня за наглое обращение с ее гостями, последнее победило.

3 декабря. Что за ужасное утро! Голова раскалывается от дикой боли, язык во рту горит, и кажется, что черти в аду уже поджаривают меня на сковородках. Банальное тошнотворное похмелье. В комнате застоялся запах табачного дыма, на столе громоздятся пустые бутылки и стаканы, тарелки с объедками и окурками. Соседки со мной не разговаривают, я сегодня в опале. А начиналось все так хорошо, с обыкновенного желания заработать.

Несколько дней назад один джентльмен внушающей доверия наружности, редактор какого-то нового журнала, предложил мне за двести рублей поработать моделью для фоторепортажа «Один день студентки». Вчера я встретилась с ним, с его помощником и фотографом на факультете в комитете комсомола. Первый раз за четыре года учебы я попала в это странное место. Всех работников комитета выгнали из комнаты, а меня в голом виде водрузили на стол под портретом Ленина и обмотали священным красным знаменем факультета с таким расчетом, чтобы выглядывала грудь с розовеющим соском. Я приняла позу статуи Свободы и трагическое выражение лица с плаката

Родины-матери. Все это было довольно нелепо, но красный бархат на бледном девичьем теле с тонкими ключицами и неразвитой полудетской грудью действительно приобрел эротическое звучание. Спустя полчаса я совершенно замерзла, покрылась «гусиной» кожей, и меня стали взбадривать армянским коньяком. Далее я, как идеальная студентка, сидела за книжкой в библиотеке и с задумчивым видом грызла ручку, стояла под портретом Ломоносова, скрестив руки на груди (этакий образ юного гения), болтала с поклонником, облокотившись на мраморные перила, блестя улыбками и демонстрируя длинные ножки, едва прикрытые чисто символической юбкой, — ни дать ни взять влюбленная весна.

Коньяк вознес меня до небес, жизнь наполнилась смыслом, окружающие показались лучшими друзьями. После съемок на факультете мы уехали в ДАС. Меня фотографировали обнаженной в ванной комнате, всю в тонких струйках воды и в капельках ядовито-зеленого жидкого мыла. Я окончательно утратила всякое телесное приличие, и нагота моя выглядела почти домашней. Далее в моей памяти все обретает расплывчатые очертания. Мелькают разрозненные кадры, как рваная лента в кинопроекторе. Вот редактор журнала препирается с бабулькой, работающей в бассейне общежития, и требует, чтобы нас всех пропустили к воде в одетом виде. Вот я в черных лаковых туфлях на высоком каблуке и блестящем вечернем платье падаю прямо в бассейн, захлебываюсь и выныриваю, больно ударившись головой о канат, разделяющий водные дорожки. Вид у меня достойный сожаления, и мне долго сушат голову феном. А вот я в баре в золотом парчовом, страшно узком платье, уже изрядно набравшаяся, резко встаю из-за стола, и моя маленькая грудь вырывается из корсажа. Все хохочут, но редактор доволен и потирает руки. Может получиться забавный кадр. Затем мы снова пьем коньяк в моей комнате, Юля в ярости, беспрерывно шмыгает носом, изящным жестом подносит платок к лицу, говорит, что у нее температура, и смотрит на меня уничтожающим взглядом. Я уже не в состоянии контролировать ситуацию, Юля выбегает из комнаты, демонстративно хлопнув дверью, гости чувствуют себя как дома, а я целуюсь с фотографом. Как же иначе? Это именно то, что следует делать с фотографами. Стены комнаты надвигаются на меня, пол проявляет норовистость и встает на дыбы, я спотыкаюсь и падаю, ударившись лбом о шкаф, затем ползком добираюсь до кровати и проваливаюсь в ад.

4 декабря. С Юлей помирилась, но отношения натянутые. Она изводит меня молчанием. Весьма утонченный гестаповский метод пытки. При моем темпераменте молчание в течение суток равносильно пытке водой. Я где-то читала, что голову наказуемого привязывали к столбу так, что он не мог ею двигать. Сверху методично в одно место капала вода. Говорят, жертва сходила с ума. Сегодняшний день показался мне месяцем, минуты, проведенные в изнуряющем молчании, капали медленно, как вода из плохо закрытого крана. Чтобы не взорваться, я ушла шататься по городу. Было холодно, я выстояла очередь в магазин косметики «Золотая роза» и потом долго ротозейничала у блестящих прилавков, нежась в теплом воздухе, согретом взволнованными дыханиями десятков женщин. Их лица горели ребяческим восторгом, ноздри трепетали, как у породистых лошадей, а руки хищно тянулись к бархатным футлярам и ослепительным флаконам. Я почти сошла с ума от запаха духов и испытала острое вожделение к косметическому набору в виде двух бабочек. Он стоит сто двадцать рублей, три моих стипендии, надо срочно найти мужчину, способного оплатить его.

Вечером я отправилась в гости к своему давнему поклоннику Саше, студенту экономического факультета. Это старая история платонической любви. Он влюблен уже больше года, а я еще не позволила ему коснуться своих губ. Перед моими глазами еще вертелись пестрые бабочки из магазина, и я с жаром описала Саше косметический набор. По его глазам я поняла, что информация принята к сведению.

Саша совсем ручной, а глаза у него грустные, как у потерявшейся собаки. Он из тех, про кого говорят «неладно скроен, да крепко сшит». У него твердые, симпатичные и банальные черты лица, сумрачные брови, его облик трудно назвать аристократическим. Внешне это основательный и уравновешенный человек, любящий тяжеловесные шутки, и трудно предположить, что его физическая сила и выносливость скрывают душевную ранимость и обостренную чувствительность. Его простоватое лицо и немного грузное тело никак не вяжутся с утонченной нервной системой. Он мне казался прекрасным экземпляром здоровяка, и я долго не могла понять, что у него нет щита против любви. Целый год я осыпала его блестками своего очарования и исполняла давно разработанное соло на тему собственной исключительности. Саша попался на удочку, и теперь глаза его затуманены любовью. Он видит во мне не маленькую охотницу за деньгами и успехом, а Идеал, нечто похожее одновременно на мадонну и Клеопатру. (Большинство мужчин почему-то именно так представляют себе владычицу сердца, небесно-развратную, ангельски-порочную, дьявола с сердцем ребенка.) Я так изящно маскирую свой эгоизм, что мой образ в его сердце пока незапятнан. Странно, что я всегда нравлюсь серьезным, солидным мужчинам, потенциально хорошим семьянинам. Саша похож на большую реку с медлительным течением, а я — на капризную морскую волну. Я боюсь его постоянства, которое ощущаю как невидимое насилие.

10 декабря. Сегодня был смешной день. Я получила в подарок от Саши косметический набор «Бабочки» вместе с признанием, что он стал зарабатывать деньги в строительном кооперативе. Полгода Саша боялся признаться в этом и теперь со страхом ждал моей реакции. Почему-то он считал, что я должна с презрением отвернуться от человека, бросившего высшую науку ради обыкновенного зарабатывания денег. Господи Боже мой! За кого он меня принимает? За ангела, слепленного из роз, меда, росы и солнечных лучей? Неужели он не знает, что экономика властвует даже в области чувств, что женщины влюблены в деньги? Впрочем, я сама виновата. Я долго морочила ему голову, и он уверился, что глина, из которой я сделана, иного, лучшего сорта, чем та, из которой слеплены обыкновенные женщины.

Мне хотелось как-то отблагодарить Сашу за подарок, и я дала понять ему, что не буду звать на помощь, если меня поцелуют. Он задрожал, как яхта, готовая выйти в море с надутыми ветром парусами, потянулся ко мне всем телом и обнял с такой осторожностью, как будто я фарфоровая статуэтка. Я услышала легкое потрескивание моего сопротивлявшегося шелкового платья. Во время первого неуверенного поцелуя кто-то постучал в дверь. Мы затихли. Тогда в дверь замолотили кулаками и даже пнули ногой. Затем мы услышали бодрый крик пьяного соседа Васи: «Открывай! Почему ты заперся?» Этот до крайности жизнерадостный человек вечно досаждал нам своим присутствием. «Он сейчас поднимет на ноги весь этаж», — прошипел Саша. Он распахнул дверь, и, глядя на его искаженное яростью лицо, я даже на миг пожалела Васю. Я ушла, оставив их разбираться (кажется, Вася был избит). Ночью я долго не могла уснуть, растревоженная поцелуями, как девочка, хотя, видит Бог, Саша далеко не первый обладатель моих губ.

1 января 1990 года. Нелепое и бестолковое празднование Нового года. Себя жалко до слез. Но все по порядку. 31 декабря Юля и я решили снять телевизионный сюжет об одном собирателе анекдотов. Почему 31 декабря? Да потому, что съемочная группа имела свободное время только в этот день. В пять часов вечера мы поехали на квартиру к любителю юмора. Дверь нам открыл мужичонка в тренировочных штанах и несвежей рубашке. Он и оказался героем нашего сюжета, Николаем Ивановичем. По сценарию мы берем новогоднее интервью у доморощенного юмориста за празднично накрытым столом, а в конце беседы он лихо выпивает стопку водки, закусывает хрустким огурцом и рассказывает нам пару-тройку соленых анекдотов. Накрытого стола не было, а на предложение выпить Николай Иванович холодно ответил: «Не употребляю». Делать нечего. Включили камеру, установили микрофоны, и мы со сладкими улыбками приступили к интервью. «Когда вам пришла в голову идея собирать анекдоты?» — спросила Юля. «Три года назад я завел специальную тетрадочку, куда стал записывать все услышанные мной смешные ситуации. Сейчас я вам ее покажу», — сказал обстоятельный Николай Иванович и достал из портфеля потрепанную толстую тетрадь. «Все в ней поделено на несколько частей. Вот, например, раздел политических анекдотов, а вот семейные анекдоты. Эта страничка посвящена бытовой теме, а в этой части смешные истории про животных», — так рассказывал мужичок, любовно перебирая страницы тетради. Затем он принялся бубнящим голосом читать отрывки из своего сборника. Представь себе, мой воображаемый читатель, эту диковинную сцену — чтение анекдотов человеком, который не только не умеет их артистически рассказывать, но и начисто лишен чувства юмора. Этот нудный олух мучился сам и мучил нас. Оператор наклонился к моему уху и шепнул: «Может, ему все-таки принять сто грамм?» Лучась самой сердечной улыбкой, я обратилась к нашему герою: «Николай Иванович, я все понимаю. Первый раз трудно давать интервью перед камерой. Поймите меня правильно, я не хочу вас обидеть, но, может быть, вы выпьете немного, расслабитесь, и дело пойдет легче». Николай Иванович посопел носом и сдался. Его жена сбегала к соседям за медицинским спиртом. Хлебнув рюмочку горячительного, собиратель анекдотов зарделся, как девушка перед первым балом, но делу это не помогло. В полной тишине он отбарабанил еще несколько страниц, затем обвел присутствующих скорбным взглядом и суровым голосом подытожил: «Смешно». Сюжет провалился. С горя мы допили спирт и покинули этот негостеприимный дом.

Но в машине все приободрились, спирт сделал жизнь сносной, и нам захотелось еще. Оператор и режиссер напросились к нам в гости в общежитие на бутылочку вишневого ликера, густого, как хорошие сливки. Поначалу все шло хорошо, гости перестреливались остротами и теплели прямо на глазах, но, когда ликер «отполировали» шампанским, ситуация приобрела угрожающий характер. Режиссер утратил свою речистость, повалился на кровать и захрапел. Оператор же, напротив, обрел дар речи и ударился в длинные цветистые монологи о несовершенстве мира и человека. Казалось, еще один стакан шампанского, и он потечет через край. Время шло, часовая стрелка приблизилась к одиннадцати, надо было что-то делать. Нас не радовала перспектива новогодней ночи с двумя пьяными мужиками на руках. Из чувства долга перед их семьями, которые наверняка уже метались в тревоге и тоске, мы активно взялись будить режиссера. Я распахнула окно, чтобы свежий воздух протрезвил двух деятелей телевидения, затем безжалостно избила безжизненное тело, вытянувшееся на кровати. Тело зашевелилось, замычало и вздумало брыкаться. Это был хороший знак, значит, не все еще потеряно. После энергичной пощечины режиссер открыл мутные глаза и поднялся с кровати. Он задумчиво раскачивался, пытаясь найти точку опоры, и, не найдя ее, сел на пол, похожий на куль с мукой.

В двадцать минут двенадцатого наши действия увенчались успехом. Первым уполз режиссер, бросив нам напоследок неопределенное «э-э-эх, вы!». За ним последовал оператор, пытавшийся сохранить физическое и душевное равновесие. Борьба за очищение комнаты выветрила из меня остатки хмеля. Грустная и трезвая, я смотрела в окно и думала о том, что нам совершенно негде да и не с чем встречать Новый год — выпивка закончилась, из еды в холодильнике есть только кусок сыра и десяток яиц. Нас ждал в гости Саша в уютной квартире, которую он недавно снял в хорошем чистом районе. Я представила, как он сидит сейчас перед накрытым столом и с нетерпением смотрит на часы, ожидая звонка в дверь, и меня взяла тоска. Нет, я не в состоянии сегодня видеть его, ощущать на себе покорный кроличий взгляд, ждущий от меня подарка, который я не могу и не хочу дарить. Лучше остаться в ДАСе и слоняться по комнатам, везде чувствуя себя непрошеным гостем.

В этот момент тягостных раздумий в комнату без стука вошел наш однокурсник Толик с самым разнесчастным видом. «Девчонки, мне совершенно некуда идти, можно я с вами останусь?» — сказал он, вторя нашим мыслям. Он был похож на одинокого волка, который вдруг решил прибиться к стае. «У меня и шампанское есть», — добавил Толик в качестве аргумента. Это решило дело в его пользу. «Едем на Красную площадь», — вдруг сказала Юля, и мы кинулись натягивать на себя свитера, шарфы и шапки.

На часах было полдвенадцатого, когда мы выбежали из ДАСа. От первого обжигающего глотка пряного морозного воздуха у меня закружилась голова. В воздухе танцевала серебристая пыль, дома ради парадного случая натянули капюшоны из снежного меха, и я наконец-то почувствовала близость праздника. Каким-то чудом нам удалось поймать такси, и с первым ударом курантов мы ворвались на Красную площадь, заполненную народом. Было светло как днем. Над толпой взлетали пробки от шампанского, как маленькие артиллерийские снаряды, пена из бутылок лилась на булыжник мостовой. Мы пили из пластмассовых стаканчиков, чокаясь и целуясь с множеством незнакомых людей. При температуре двадцать пять градусов ниже нуля шампанское приобрело отличные вкусовые качества. К нам пристроились двое итальянцев, Юля, немного знающая испанский, болтала с ними на тарабарской смеси из трех языков — итальянского, испанского и русского.

Выпивка раздразнила аппетит, а закусить было нечем. Но тут Юля вспомнила, что ее приглашала в гости подруга, живущая в одном из арбатских переулков. В два часа ночи мы ввалились в старый двухэтажный дом, где нас встретила невозможно пьяная хозяйка дома по имени Наталья. Мы съели и выпили все, что имелось в доме, Толик взялся блевать, и мы ушли, оставив его в качестве новогоднего подарка. В пять утра мы добрались до общежития, замерзшие до слез после получасового ожидания такси. Разбитые бутылки, винные лужицы на полу с плавающими разбухшими окурками, конфетти и серпантин на лестницах, гремящая музыка — все признаки успешного празднования. В коридоре Юля увидела большой круглый стол, одинокий и совершенно ничейный. «Будем брать», — первое приобретение в новом году. Похмельным утром Юля позвонила Наталье и выяснила, что Толик заблевал всю квартиру, потом трахнул хозяйку и теперь спит блаженным сном. Хоть для него этот праздник оказался удачным.

7 января. Даже самая возвышенная любовь устает, не получая награды за свою преданность. Сегодня встретилась с Сашей и была потрясена его холодной яростью. Он ждал меня всю новогоднюю ночь, в его доме отключили свет, и Саша при свечах в одиночестве глушил водку до пяти часов утра. Я почувствовала, что теряю его, и подивилась собственной боли. Я так привыкла к его согревающей и оберегающей любви, что страх остаться одной толкнул меня на решительные действия. Есть только одно средство утихомирить гнев мужчины — отдать ему свое тело. В конце концов, это такая малость. Во время любовной операции я осталась холодна, как Северный полюс. Он навис надо мной, большой и жаркий, а мне хотелось взять платок и вытереть пот с его лба. Довольно неудачная попытка реализовать свои любовные грезы. Обладание оказалось настолько же тягостным, насколько приятным было зрелище желания. Возбуждать мужчину, поджаривая его на огне страсти, гораздо соблазнительнее, чем удовлетворять это возбуждение. Однако я ушла, приголубленная и довольная, как пантера, совершившая точный бросок, — теперь он накрепко привязан ко мне золотыми нитями страсти.

9 марта. Как давно я не раскрывала свой дневник. Просто я не создана для регулярной кропотливой работы. Дневник — это настроение одной минуты, одного дня, а не всякое настроение тянет переложить на бумагу. Но сегодня я летаю под облаками.

Вчера был банальный женский праздник, три одинокие молодые дамы, надравшиеся так, как только могут надираться истинные леди, подбадривающие себя лозунгами «Нам никто не нужен» и «Обойдемся без мужчин».

И следствие этого — тоска, доходящая до волчьего воя. В шесть утра я проснулась с пожаром во рту и отвратительным чувством тошноты. Меня мутило так, что я едва удержала спазмы желудка, готового извергнуть содержимое прямо на постель. Дрожа всем телом, как больное животное, на слабых подгибающихся ногах я добралась до ванной, чтобы выпить чашку холодной воды. Я открыла дверь и остолбенела. Вся ванна была заполнена тюльпанами царственного, совершенно чистого алого цвета. Они плавали в холодной воде, и казалось, что даже на грязном кафеле лежит розовый отблеск. Я подняла кипу цветов и окунула в них лицо. Они пахли весной, таили страстность и теплоту. Тонкий аромат тюльпанов прогнал чувство тошноты. Я насчитала сорок девять штук. Странно, но я ни минуты не сомневалась, что этот роскошный подарок предназначался мне, хотя ванная рассчитана на две комнаты, в которых живут помимо меня еще три женщины. Это только мое чудо.

Днем мне пришлось занимать у соседей вазы, чтобы расставить полсотни тюльпанов. Певучий красный цвет сводил меня с ума. Кто же этот таинственный даритель? Впрочем, кто бы он ни был, он непременно объявится, чтобы оценить произведенный эффект. Так и случилось. Явился излучающий самодовольство Советов и поинтересовался, кто же так щедро поздравил меня с женским праздником. «Андрей, кончай валять дурака. Это ведь твоя работа», — сказала я. Советов расплылся в широчайшей улыбке и с видом скромника ответил: «Да». «Только не ври мне, что ты истратил на цветы всю свою стипендию. Скорей всего ты где-нибудь стащил несколько ящиков тюльпанов». Он с пафосным негодованием кинулся мне возражать, но что-то в его речи показалось мне наигранным. Врет, конечно, но все равно я ощутила нежный толчок в сердце.

1 апреля. Счастье — это так просто. Я чую его приближение в весеннем воздухе. Ясное небо над городом как туго натянутый голубой шелк. Утром бродила по городу в счастливом смятенье, наслаждаясь веселой беспечностью бытия. В душе теснятся смутные ласковые мысли. Во всем такое томление и сладкая нега. Ничего определенного не происходит, но я чувствую пульсацию теплой, насыщенной соками жизни. Еще на улицах видны островки снега, а я уже надела туфли на высоченных тонких каблуках и капроновые колготки.

Женщины сходят с ума. Они толпятся в магазинах, взглядами пожирая витрины, срочно перешивают старые вещи, изводят тонны косметики. Всех захватил восторг весеннего обновления. Студенты срочно подают заявления в загсы из соображений практичности — можно получить месячный пропуск в магазин для новобрачных «Гименей», где продается изящная обувь, красивое шелковое белье и модные платья. Юля и я срочно подыскиваем подходящих женихов для этого выгодного дела. Юля уже наметила жертву — обстоятельного, неторопливого соседа по этажу по кличке Хохол.

5 апреля. Сегодня день ответственной подачи заявлений. Юля с утра убежала в загс с Хохлом. Он был очень мил и торжествен и рассчитывал купить себе новые ботинки. А я до четырех часов дня ждала своего жениха Советова, с которым договорилась вчера о мнимом бракосочетании. Он прибыл с опозданием, немного взволнованный, в элегантном сером костюме и при галстуке строгих тонов. Я подумала, что мы неплохо смотримся — франтоватый, ладно скроенный молодой человек с яркой спутницей. Андрей явно нервничал, и, обычно такой смешливый, острый на язык и веселый, как птица, он не мог поддержать разговор. Я видела, что ему очень не по себе. В таком сбитом настроении мы ехали до загса, ведя простенькую, до обидного житейскую беседу. В основном говорила я, перепархивая с одной темы на другую и нигде не задерживаясь.

В загсе шел ремонт, и мы вошли, спотыкаясь о ведра, коробки, ящики и банки с красками, вооруженные насмешливо-оборонительными улыбками и сокрушитель-

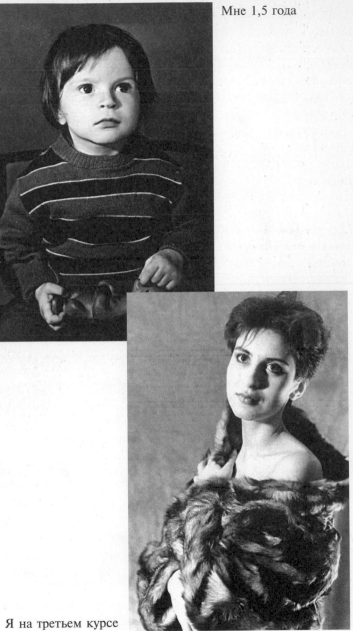

Мне 1,5 года

Я на третьем курсе

Секс-инструктор диванной партии «Комсомольской правды»

Начиналось все на столе
в редакции газеты
«Собеседник»

С лидером
боснийских сербов –
Радованом
Караджичем

Белград и солнце
1994 г.

С моим другом Андреем Соколовым

На корабле, плывущем в Иерусалим

Люди в форме, оружие —
то, что мне всегда
нравилось

Вечеринка в военном Белграде, 1994 г.

Смотреть на мужчин
нужно только так

С мужем Андреем Советовым

ной иронией по отношению к традиционному обряду. Нас встретила суровая дама, ведающая бракосочетаниями, которая велела нам принести справку из сберкассы об оплате пятнадцати рублей. «Это госпошлина», — строго сказала она, сводя брови. Советов сделал испуганное лицо и сказал, что денег у него нет. «У меня есть», — прошипела я. Мы вышли из загса в зловещем молчании. У входа в сберкассу я спросила: «Как это нет пятнадцати рублей? Ничего себе женишок!» «Мне еще стипендию не выдали», — жалобным голосом ответил он.

Уладив проблему с помощью моего кошелька, мы вернулись в загс, где долго и любовно выбирали день свадьбы. Нам вручили заветные приглашения в магазин для новобрачных. На обратном пути мы ехали в трамвае и почти не разговаривали. Я смотрела на Андрея и думала: с кем же он спит сейчас — с Катюшей или с Нелей? Прозрачный купол сумерек уже накрыл город. Было немножко грустно, что все случившееся — лишь маленькая сделка, фарс, подсказанный судьбой. Странно, но в моем сердце осталась щербинка, а ведь я не питаю никаких чувств к Советову, разве что чувство дружеской симпатии. Это, наверное, весенние хмельные соки начали свою работу в крови.

8 апреля. Хорошо иногда делать бесполезные покупки. Сегодня Юля и я отправились в магазин «Гименей» на охоту за бельем и чулками. Там мы долго глазели на ряды свадебных платьев. Ведь все, что связано с бракосочетанием, неизменно вызывает у женщин прилив сентиментальности и нежности. Месяц до свадьбы — самое краткое и счастливое состояние женщины. Я испытывала легкую зависть к юным невестам с озабоченными мамашами, которые деловито перебирали снежно-белые ткани. Я тоже включилась в эту игру — выбор наряда. Все платья выглядели как близнецы — множество рюшечек, воланов, кружев, и только одно заставило меня вздрогнуть. На розовый шелковый чехол опускались прозрачные каскады тюля, украшенного розочками, плечи в нем оставались открытыми, капроновая паутина рукавов доходила только до локтя. Когда я надела это облако, сотканное из света, Юля со вздохом восхищения сказала: «Ты выглядишь в нем как принцесса». Но что же мне с ним делать? Не буду же я ходить в нем по улицам. Впрочем, разве женщины рассуждают, когда им что-то нравится? Правда, Саша выдал мне 400 рублей на покупку вечернего, а не свадебного платья. Но ведь я не обязана отчитываться в том, на что я потратила деньги. Решено, покупаю платье и белые кружевные перчатки.

В общежитии Юля достала из тумбочки множество лаков для ногтей и занялась раскрашиванием розочек на платье. Она заявила, что белые цветы — это слишком банально, необходимо оживить картину. Юля использовала все оттенки розового и жирные золотые блестки. Получилось очень мило. Моя мама сказала бы, что это дурная примета — покупать свадебный наряд, когда нет в наличии жениха. Но когда-нибудь он появится. Во всяком случае, я надеюсь.

12 апреля. Глубокие размышления на тему, где достать пятнадцать рублей. Видела в торговом центре белые сетчатые колготки, украшенные бисерными висюльками. Мечта, писк сезона. Можно выпросить деньги у Саши, но он и так относится ко мне с подозрением, как к кошке, которая ластится только тогда, когда ей нужен кусочек рыбы. Кроме того, он вчера выкупил мой свадебный набор продуктов — это паек, который полагается «брачующимся» на торжество, состоящий из красной и черной икры, превосходной рыбы, колбас, дорогих конфет. С моей стороны будет хамством требовать еще и колготки.

Вчера купила прелестный розовый пеньюар и огорчилась, что совершенно некому его показать. Не могу же я прогуливаться по коридорам ДАСа в неглиже. Впрочем, есть один выход. Надо сидеть с утра до вечера в комнате в пеньюаре, делая вид, что только что проснулась или вот-вот укладываюсь спать. Когда в гости зайдет какой-нибудь мужчина, я скажу «Ах!» и стыдливо потуплю глаза, как будто меня застали врасплох. Затем неторопливо начну одеваться, давая возможность посетителю насладиться моим видом. Если неделю не выходить из комнаты, то добрая половина мужского населения общежития успеет оценить мой пеньюар.

В мои изысканные интеллектуальные размышления вторгся Советов. Он прибыл с самым благонравным видом в чопорном костюме, с гвоздичкой в руках и в начищенных ботинках. Я всплеснула руками и вскрикнула: «Ах! Я еще не одета». И медленно-медленно пошла за халатом, с тем чтобы он рассмотрел все, что есть под прозрачным пеньюаром. Затем, уже одетая, повернулась к нему, чтобы увидеть произведенный эффект. Но ни один мускул не дрогнул на его лице. Чертова советовская невозмутимость! Я разозлилась и весьма невежливо спросила: «Что надо?» Вкрадчивым тоном Советов попросил меня выдать ему мужскую часть приглашения в «Гименей», чтобы он мог купить хорошую рубашку. «А ты пятнадцать рублей платил?» — грозно спросила я. Он расшаркался и сказал, что готов заплатить. «Нет, — заявила я, подумав. — Лучше ты беги в торговый центр и купи мне белые колготки, да поскорее».

Советов управился с покупкой за полчаса, но по ошибке купил колготки слишком большого размера. Колготки полетели в мусоропровод, и Советов лишился приглашения. А я надела свадебное платье и белые перчатки и целый час торчала в грязном телефонном холле, набирая произвольные номера, с тем чтобы все обитатели общежития могли рассмотреть мой наряд.

2 декабря. Собирала свои вещи в общежитии, чтобы отвезти их на квартиру, и наткнулась на свой дневник. Боже, как легко мне было прошедшей весной, казалось, что вот-вот в дверь постучится счастье. И в какой паутине собственной лжи я барахтаюсь сейчас. Даже у такой женщины, как я, есть совесть, скорее маленькая совестишка, но ее уколы я ощущаю все чаще.

Я сейчас живу в квартире у Саши. Он пустил меня туда

два месяца назад, а сам вынужден ютиться у себя в офисе. У меня положение содержанки — Саша кормит меня, одевает и обувает, водит по ресторанам, заботится обо мне, но не получает ничего взамен. Чтобы зайти в собственную квартиру, он вынужден предварительно звонить мне по телефону. Все это унизительно для нас обоих.

Саша принес на алтарь любви все дары преданности и вправе рассчитывать на награду. Но когда я вижу его, раздавленного желанием, и представляю, как он будет ворочаться на мне, я чувствую дрожь во всем теле. Я не могу согласиться подарить ему наслаждение, которое сама не в состоянии разделить. Это преступление по отношению к собственному телу. Как жаль, что не родился еще мужчина, способный только на платоническую любовь.

С точки зрения выгоды Саша — прекрасная партия. Он рассудителен, умен, обеспечен, он воплощенная преданность и опора, настоящий якорь. Я, как плющ вокруг дуба, обвилась вокруг него и питаюсь его жизненной силой. Но что будет, если дуб рухнет и я лишусь поддержки? Слишком я избалована им и привыкла жить под его крылом в утешительной уверенности, что у меня есть деньги и крыша над головой. От моего существования тянет сладким тлением. Я защелкнута капканом обстоятельств и мучаюсь фальшью своего положения, понимая, что так дальше продолжаться не может. Я должна на что-то решиться — либо сдаться и пустить его в свою постель, либо уйти от него. Но на улице так холодно и ветер завывает зимними вечерами. Да и куда же мне идти?

5 декабря. Хорошие вещи для красивой женщины все равно что проба для золота, они определяют ее качество и стоимость. Вчера купила прелестное дорогое платье и потом раздумывала, где бы его показать. Надо сходить к кому-нибудь в гости, например к Советову. Мы не виделись уже целый месяц.

Вечером я поехала в общежитие. Андрей встретил меня с распростертыми объятиями и угостил дешевым вином. Все, в чем я нуждалась в эти дни, — это избавиться от собственного «я», поэтому с удовольствием напилась. Когда вино кончилось, Андрей с таинственным видом достал из чемодана маленький пакетик. «Что это?» — спросила я. «Травка», — ответил он, выбивая из папирос «Беломор» табак. — Хочешь попробовать?» «Я уже пробовала три раза, — небрежным тоном ответила я. — Мне это не доставило никакого удовольствия». «Это поначалу, — объяснил Советов с видом знатного наркомана. — На четвертый или пятый раз ты почувствуешь по-настоящему. Тем более ты выпила много вина, в сочетании с «травкой» это даст фантастический эффект». Он набил «травкой» очищенные от табака папиросы «Беломор» и протянул мне одну из них. Я с волнением сделала две затяжки, но ничего не ощутила. «Ты неправильно куришь, — заметил гурман Советов. — Это же не обычная сигарета. Затягиваться надо глубоко и потом как можно дольше удерживать в себе дым».

Я оказалась послушной ученицей. Через полчаса стены комнаты раздвинулись, мир стал прекрасным и прозрачным, и я залилась беспричинным радостным смехом. Все казалось легким и простым. Советов, глядя на меня, смеялся от души, а я боялась захлебнуться собственным хохотом. Я очутилась в центре радуги и грезила наяву. В моей голове появились дырочки, через которые тонкими струйками утекали мысли. Я знала, что во мне размножается вирус сумасшествия, и это наполнило меня восторгом. Никогда не думала, что во мне столько смеха. Смешинки бурлили в крови, как пузырьки от шампанского, толкались и щекотали, казалось, что если меня как следует встряхнуть, то они неудержимо высыпятся из меня золотым дождем.

Я попыталась встать, но вдруг поняла, что ноги меня не слушаются. У меня началась икота, я пробормотала, что мне надо домой. Советов доволок меня, буквально стонущую от хохота, до лестницы. У меня так закружилась голова, что я вынуждена была прислониться к стене. Он помог мне спуститься вниз, вывел на улицу и усадил в такси. Не помню, как я добралась до дома, а когда ввалилась в квартиру, то сразу рухнула на ковер. Наркотический распад воли лишил меня физической силы и довел до сладкого изнеможения. Огонек разума тихо угасал, я застонала, попыталась подняться, но в душу мне ударила черная беспроглядная ночь.

15 декабря. Вчера был милый вечер. Мы провели его с Сашей в ресторане. Он с увлечением и даже страстью рассказывал мне о мире финансовых королей и тайне их могущества, об артериях мирового бизнеса, кровью в которых являются деньги. Его речи об экономике звучат для меня как музыка, но, к сожалению, я не знаю ее нот. Мне все это интересно, но я не понимаю и половины, поскольку не знаю основ. Эти разговоры являются для меня откровением, у меня слишком мало друзей, которые основательно разбирались бы в серьезных предметах. Мои приятели (а это в основном коллеги-журналисты) имеют поверхностное представление о множестве вещей, и их беседы более связаны с эмоциями, чем с точной информацией. Вчера Саша мне страшно нравился, он был хорош, когда рассуждал о бизнесе. Но между нами стоит секс, вернее, его невозможность. Я вынуждена признаться в бессилии своего тела, оно не подчиняется приказам разума и само выбирает объекты для любовных игр.

А сегодня я совершила подлость и уже склонна себя оправдать. Странно, если бы такой поступок совершил кто-нибудь другой, я бы осудила его, но когда я делаю то, что делают другие женщины, то тут же прощаю себя и нахожу смягчающие обстоятельства. Я большой мастер моралистических уверток.

Я пустила в Сашин дом мужчину и переспала с ним. Этим любовником оказался Советов, который позвонил мне и напросился в гости, а я по слабости характера не могла ему отказать. Мы пили с ним коньяк и болтали, но я внутренне дрожала, что какая-нибудь случайность приведет сюда Сашу. И когда Андрей бросил меня на пол и обжег мои губы поцелуями, я никак не могла сосредоточиться на происходящем и все время ждала звонка в дверь. Он оседлал меня и нетерпеливо вошел в мой грот любви (так говорили французские жеманницы XVI века). Соитие выполнено грамотно, но я бы не поставила Андрею высший балл, в его работе еще нет элемента изящества. Слишком горяч и тороплив.

Я сгораю от стыда за свое вероломство и все же испытываю чувство удовлетворения. Во всяком случае, этой ночью мне не придется заниматься мастурбацией.

5 января. Обстановка накаляется, развязка близка. Саша стал пить, его попытки к сближению происходят все чаще и агрессивнее. Раньше я могла держать его в узде с помощью скандалов и гневных припадков. Теперь он почувствовал в них привкус театральности и потерял к ним интерес. Когда я в очередной раз взялась бить посуду, он ушел на кухню и с аппетитом взялся уплетать ножку курицы. Саша уже давно знает меня до донышка и осведомлен о всех дурных качествах моего испорченного характера, но он ничего не может поделать со своей любовью. Я разбила ему сердце, превратила его жизнь в ад и вечно маячу перед ним недосягаемым соблазном. Его ревность приобретает зловещие черты, и у него есть для нее основания. Моя жизнь монахини толкает меня на опрометчивые поступки, я становлюсь менее осторожной, чаще встречаюсь с мужчинами и даже рискую приводить их в гости. Поклонники дарят мне цветы и подарки, и мне все труднее объяснять, откуда у меня новый флакон французских духов или коробка дорогих конфет. От хронической неудовлетворенности в моих глазах появился особый призывный блеск, а тело излучает сексуальное свечение. Меня раздирают неутоленные желания, а это приведет к тому, что скоро я окажусь на улице.

14 января. Взрыв произошел. Причем из-за ничтожной причины. Я была в ДАСе в гостях у подруги, засиделась допоздна и осталась ночевать. Как только я вернулась домой, раздался телефонный звонок. Я подняла трубку и услышала холодный голос Саши: «Где ты была?» Меня взбесил этот вопрос, и я ответила надменным тоном: «Это не твое дело. И с какой стати я должна отчитываться перед тобой?» «Нет, это мое дело, — возразил он со сдержанной яростью, — поскольку ты живешь в моей квартире и ешь на мои деньги». Во мне вскипела гордость: «Но я не сплю с тобой, я не твоя любовница и не твоя вещь. Моя личная жизнь касается только меня». «Даю тебе полчаса, чтобы собрать вещи, — заорал Саша. — Я сейчас приеду и заберу у тебя ключи».

Как только я положила трубку, меня охватила лихорадка деятельности. Я бегала по квартире, скидывая в сумку все, что попадалось на глаза, впопыхах снесла со стола чашку, потом собирала осколки руками и порезала палец. Меня всю трясло, а сердце колотилось в груди, как у загнанного зверя. Я попыталась курить, но мне помешали дрожащие руки и слишком частое дыхание. За окном мела метель, обиженно завывал ветер, и я содрогнулась, представив, как выйду сейчас в белоснежный хаос, холод и темень и пойду куда глаза глядят. На столе стоял роскошный букет роз, подаренный мне одним воздыхателем. Я схватила его голой рукой, не обращая внимания на боль от вонзившихся шипов, и выкинула цветы в окно. После меня не должно остаться ничего красивого. Это был бунтарский жест, не имеющий смысла.

Саша вошел, булькая, как закипающий чайник, и с порога спросил, собрала ли я вещи. Он, по-видимому, решил подавить меня холодным презрением, но кипящее молоко всегда убегает из кастрюли. Саша обрушил на меня дождь истерических слов. Он никак не мог выбрать роль и колебался, словно маятник, выступая в качестве и жертвы и агрессора. В его глазах блестели непролитые слезы. Он заявил, что у меня есть выбор — жить с ним или уходить. Мы оба потеряли контроль над собой и выкрикивали рваные бессмысленные фразы. Я исколола его самолюбие множеством мелких дырочек и швырнула ему в лицо его любовь — истерзанную, кровоточащую, стонущую от боли.

Слова утратили всякий смысл, и я перестала искать их. Молча взяла сумку и вышла из дома. На улице мне ударила в лицо колючая и сухая снежная пудра. Под окнами я отыскала свои розы. Они светились на снегу как алые факелы. Я подобрала букет, уже засыпанный белыми легкими хлопьями, и, плача, побрела к дороге ловить такси. Я шла и думала, как же случилось так, что я оказалась на улице в самое неприютное время года. Может быть, стоило все объяснить Саше спокойным тоном. В конце концов, я вчера ни в чем не провинилась. Но, если быть честной, я уже обманывала его тысячу и один раз. Все к лучшему. Я устала от стратегических уловок и лжи. Уступить себя в пользование нелюбимому человеку — это так просто, но отдает сладостью подгнившего плода.

21 января. Положение мое неприглядное. Три дня я жила у подруги, пока ее мама не устроила скандал, и мне пришлось уйти. В свою комнату в ДАСе я вернуться не могу, так как уже полгода нахожусь в ссоре с Юлей. Если я опять поселюсь с ней, она устроит мне веселенькую жизнь, проходящую в ледяном молчании и в состоянии необъявленной войны. Меня опять спас мужчина. Кажется, соль моей жизни в том, что мне всегда покровительствуют сильные мужчины. Его зовут Дмитрий. Он снял мне номер в гостинице «Измайлово», весьма красивый и удобный, и дал денег. Мы давно испытываем взаимное притяжение, но пока ограничиваемся случайными прикосновениями. Он молчалив и замкнут, я его не понимаю, и потому он особенно привлекателен для меня. Терпеть не могу болтунов и «своих в доску» парней.

Несмотря на респектабельный вид моей гостиницы и новую жизнь, я перенасыщена унынием. Я совершенно одна, в моем номере холодно, и я прекрасно понимаю, что мое пристанище — лишь транзитный зал ожидания на вокзале жизни. Вчера я сильно заболела. Гуляя по улицам без ясно поставленной цели, лишь бы скоротать вечер, я простудилась и слегла. У меня поднялась температура, меня знобило, я лежала под двумя одеялами в собачьем настроении и упивалась жалостью к себе. Некому подать мне чашку чая. Хочу в тепло, к людям и задушевным раз-

говорам! Я поднялась с постели, оделась, вышла на улицу
и с большим трудом доковыляла до стоянки такси. Поеду
в ДАС, к Советову, он миляга, большой мастер на остроумные реплики и всегда поднимает мне настроение.

Андрей, мой нежный паж, встретил меня участливой
улыбкой. Он приготовил легкий ужин и заставил меня выпить адское снадобье — водку, влитую в горячий чай.
Я почувствовала, как по жилам разливается блаженное
тепло, и впала в приятное состояние беспомощности —
наконец-то за мной ухаживали и заботились обо мне.
Андрей слушал мои жалобы, обласкивая меня взглядом.

По радио передавали мягкую музыку Вивальди, и я
ощутила слабость во всем теле. Пусть меня уложат в постель, убаюкают, расскажут сказку, пусть со мной делают
все, что хотят. Андрей постелил чистое белье, мы легли, и
я безвольно, безропотно отдалась ему. Утром я проснулась
совершенно здоровой.

14 февраля. Сегодня день святого Валентина, праздник
всех влюбленных, и я наконец осуществила свое давнее
желание. Все утро я ждала Дмитрия и чувствовала, что все
должно решиться. Он меня удивлял своим поведением.
Мужчина, который оказывает женщине множество услуг
и не требует за это платы, маячит перед ней большим во-
просительным знаком. Я давно уже млею от одного взгляда Дмитрия и с радостью прыгнула бы с ним в постель, но
он не требует от меня любви.

Но сегодня я придумала неплохую уловку. Я надела
легкий пеньюар, нанесла на лицо почти неприметный макияж, дающий эффект утренней свежести, расчесала волосы и уложила их небрежными локонами. Дмитрий явился
в полдень, с букетом цветов, флаконом французской туалетной воды и бутылкой превосходного ликера. Я приняла
вид только что проснувшейся леди, извинилась за то, что
не одета, и тут же юркнула обратно в постель. Он присел
на кровать, и мы болтали, как старые приятели. Он случайно коснулся меня, и мои кости стали мягкими, а трусы
тут же намокли. Я так возбудилась, что почувствовала
сильную боль в лобке. Он осторожно поцеловал меня, по-

том еще и еще. Мы целовались мелко-мелко, как целуются голуби. Все произошло само собой. И когда его сильный твердый член вошел в меня, мне показалось, что из тихой гавани я вышла в бурное море, где волны поднимают меня все выше и выше, как маленькую щепку. Я застонала, когда меня захлестнула волна закипающего оргазма и с силой швырнула мое содрогающееся тело на берег.

Я отдыхала, довольная, как насытившийся зверь. Теперь я могла как следует рассмотреть моего нового любовника. У него хорошая скульптура лица, сильное, свежее, тренированное тело, но главное его достоинство — огромный фаллос с обрезанной крайней плотью. Это действительно красивое зрелище. Я где-то читала, что обрезанный член — это не только эффектно, но и разумно с точки зрения гигиены. Под кожицей скапливаются выделения, которые со временем разлагаются и создают хорошую среду для инфекций. Обрезанный член легче содержать в чистоте. Кроме того, у него отсутствует неприятный запах, который обычно появляется у мужчины, владельца члена с крайней плотью, после того как он хотя бы раз сходил в туалет.

Я любовалась большой игрушкой Дмитрия и не находила в ней изъянов. Это безупречное творение природы, дробящее спелую мякоть женщины, пока из нее не брызнет сок. Я играла с его фаллосом, ласкала и целовала его, добиваясь необходимой твердости и не давая ему отдохнуть. Мы занимались любовью пять часов, и Дмитрий утолил жар моего тела. Он ушел, когда уже смеркалось. И я подумала, лежа на влажных простынях, вся под обаянием нового любовного приключения, что день святого Валентина — один из самых счастливых дней в моей жизни.

25 февраля. Роман с Дмитрием оказался слишком коротким. Он женатый человек, и я не питаю на его счет никаких иллюзий. Наши поцелуи отдают горечью конца. Он замкнут и ограждает себя колючей проволокой, чтобы я не подошла слишком близко. Дмитрий похож на крепость, окруженную рвом с водой, и он не желает опустить мосты.

Сегодня я ждала Дмитрия, сгорая от нетерпения. Мы договорились о встрече на восемь часов. В двадцать минут восьмого раздался звонок, я сняла трубку и услышала голос Советова: «Я нахожусь в холле гостиницы. Можно я зайду к тебе в гости?» «Конечно», — ответила я не раздумывая. Едва он успел зайти, как я не терпящим возражений тоном заявила: «Если ты пришел переспать со мной, то быстро раздевайся. У нас мало времени. Сейчас придет мой мужчина». Я торопила его улыбкой, и он моментально скинул одежду. Я легла, бесстрастная, как снежная королева, и позволила взять себя. На губах моих застыла холодная усмешка. Это моя маленькая месть Дмитрию.

Без пяти минут восемь Андрей, уже одетый, прощался со мной. Я чмокнула его в щеку, и мы посмотрели друг другу в глаза с полнейшим бесстыдством. В наших отношениях всегда присутствует оттенок легкости и распущенности. После его ухода я едва успела прибрать смятую постель, подмыться и выбросить презерватив, как раздался стук в дверь. Я глянула в зеркало и увидела, как распухли от поцелуев мои губы. Ничего, так еще пикантнее. И с порхающей на устах улыбкой ангела я пошла навстречу Дмитрию.

4 марта. Вот уже пять дней, как меня выкинули из гостиницы «Измайлово». «Выкинули» в буквальном смысле — в мое отсутствие выставили все мои вещи в коридор. По советским законам человек не может проживать в отеле более тридцати дней. Я снова стала бездомной, человеком без ключей и вынуждена ютиться и питаться по обстоятельствам. Я живу везде как турист и сама себе удивляюсь, как же при таком убогом существовании я сохраняю свой апломб. О будущем я стараюсь не думать, мне с трудом удается скользить по тонкому льду, и я уже чувствую холод воды под ногами.

9 марта. Дмитрий пристроил меня в общежитие Института русского языка. Для моего пребывания здесь нет никаких оснований, кроме одного — надо же мне где-то находиться, почему бы и не здесь. Когда на море шторм, то хороша любая гавань.

Я — единственная русская, живущая в общежитии. Все остальные — иностранцы. Правда, иногда сюда пускают провинциальных учителей, которые приезжают на двухмесячные курсы повышения квалификации. Я живу в чистенькой комнате вдвоем с сорокалетней женщиной из Саратова, посещающей курсы. Мне хочется выть с тоски, но я не могу познакомиться с иностранными студентами, поскольку они уверены, что всякий русский, проживающий в общежитии, шпион КГБ. Я хватаюсь за малейшую возможность, чтобы улизнуть отсюда и провести ночь в другом месте. Мои отношения с Дмитрием постепенно прекратились, сошли на нет без ссор и скандалов, растаяли, как снег под лучами солнца. Я не падаю духом, но мне все труднее находить юмор в этой ситуации.

15 марта. Вчера утром, когда я шла на работу в газету «Комсомольская правда», случайно встретила Советова. Нам оказалось по пути, мы шли и перебрасывались шутками, как школьники на перемене. Что-то солнечное искрилось в его улыбке, и у меня вдруг стало легко на сердце. Андрей купил мне розочку и предложил поехать к нему в гости вечером. «Я сейчас сторожу дачу у одних знакомых. Чудесное место в сосновом лесу», — рассказывал он. Господи, я не то что за город, а к черту на кулички готова убежать, лишь бы спастись от одиночества и голых стен моей комнаты.

Вечером мы встретились на вокзале, сели в электричку и уже через сорок минут добрались до нужной станции. Безжалостный грохот города остался далеко позади. На небе бледно светились звезды, снег тихонько поскрипывал под ногами, когда мы шли по сосновому лесу к нашему домику. Во всем была чистая, невозмутимая красота, трогающая сердце. И мне вдруг показалось, что мы уже давно живем здесь в гармонии и покое, дома нас ждут дети, толстый пушистый кот греется на печке, а преданный пес лежит во дворе в своей будке и тихонько поскуливает, скучая по хозяевам.

Дом, который сторожил Советов, оказался большим и теплым, с незатейливым внутренним убранством. Андрей сразу же взялся хлопотать с ужином. Крепкий пряный мороз разрумянил его щеки, и он выглядел пронзительно юным и свежим. «Как хорошо, что с тобой можно не разговаривать и не надо кокетничать, — сказала я. — Ты без слов все понимаешь». Андрей внимательно посмотрел на меня и улыбнулся каким-то своим мыслям. Мы поужинали колбасой и картошкой, выпили водки, я расслабилась и почувствовала приятное предвкушение во всем теле. Он взял меня на руки и отнес в постель. Мне было тепло и уютно. Я не испытываю к нему страсти, но его близость приносит мне покой.

Утром я надела валенки, вышла во двор и ахнула. Какое сияющее, райское утро, настоящий светопад! Снежный покров сверкал тысячами огоньков, божественно чистый воздух излучал силу и радость. Я зачерпнула пригоршню снега и умыла лицо. С неудержимой улыбкой и разгоревшимися щеками я пошла в дом будить Андрея. Он проснулся, мы выпили чаю и стали собираться. Я никак не могла найти свои сапоги, сброшенные вчера у кровати. «Что ты ищешь?» — спросил Андрей. «Свою обувку», — рассеянно ответила я. Он вышел в коридор и сразу же вернулся с моими сапожками в руках. «Вчера, когда ты уснула, я высушил их, вычистил и смазал кремом», — важно сказал Советов и замер в ожидании похвалы. «Ах ты моя умница, — умилилась я. — Спасибо, сапоги блестят как новые. Обо мне давно никто так не заботился».

Мы вышли на улицу в распрекрасном настроении. В такое яркое утро не мучают черные мысли. Мы болтали о пустяках, Андрей избрал мишенью для острот наши странные отношения. Мы представили себе, что было бы, если бы мы, люди, лишенные моральных устоев, вдруг поженились. Я разыграла целое представление, изображая роль жены.

Когда мы добрались до станции, выяснилось, что поезд только что отъехал, а следующая электричка лишь через полчаса. «Надо поймать такси», — заявила я. «Но у меня только двадцать рублей», — проскулил Советов. Я смерила его презрительным взглядом, и он смиренно поплелся к дороге ловить такси.

Нас взялся подбросить до города владелец белого «жигуленка», дородный мужчина лет сорока, из тех, что довольны всем на свете. Он излучал добродушие и победную уверенность в себе. «Я вас, ребята, бесплатно довезу, — заявил он. — Вижу, что вы молодожены. Ну что, угадал?» Он подмигнул Советову, который сразу же воспрял духом и принял вид благонравного молодого человека. Он даже обнял меня за плечи и, застенчиво улыбаясь, сказал водителю, что женаты мы всего три месяца. Тот засыпал нас ворохом прочувствованных пожеланий и всю дорогу рассказывал нам байки о своей жене и детях. Он хохотал жирным, утробным смешком, громогласно рассуждал о смысле жизни и хвастался своими успехами, а мы поддакивали и льнули друг к другу, как и подобает влюбленным. Поездка прошла куда как весело.

Водитель довез нас до Института русского языка, снабдил на прощание множеством советов, пожелал счастья, энергично пожал нам руки и укатил, оставив нас на дороге, растерянных и грустных. «Эх, Андрюшка, были б у тебя деньги», — сказала я, тяжело вздыхая, и с удовольствием отметила, как гнев искажает его черты. «Ты меня недооцениваешь! — выкрикнул он. — Я из тех солдат, что непременно будут генералами». «И когда это будет? Лет через двадцать? — насмешливо спросила я. — Я не могу ждать». Он посмотрел на меня так, как будто я его ударила. «Прощай», — сказала я и зашагала в институт, стряхивая с себя остатки вчерашнего романтического вечера в лесу. Душа моя гибнет без денег. Это ерунда, что человек может жить богатой духовной жизнью, не имея средств к существованию. Такую жизнь могут вести только святые или боги, их не заботит хлеб насущный. Железная рука нищеты душит творчество. О чем я могу думать, скитаясь по свету в поисках теплого угла и сытной еды? Только о сегодняшнем дне. За два месяца я не написала ни одной статьи, в редакции уже смотрят на меня косо. Единственное мое творчество — эти случайные записи, сделанные на мятых листках. Когда же придет человек, который избавит меня от житейского груза и укроет любовью, как плащом?

2 апреля. Я по-прежнему живу в состоянии хронической неустроенности, ночую в случайных местах и ем когда придется. Мои вещи разбросаны по всей Москве, и, чтобы собрать их, потребуется не один день. С собой я ношу только небольшой пакет с кремами, французскими духами, мочалкой, зубной щеткой и блокнотом. На мне надето вечно черное длинное платье, подходящее для всех случаев. Оно хорошо и тем, что на нем не видно грязи. Я выгляжу в нем как молодая вдова. Мне не часто приходится мыть голову, и я заматываю волосы в строгий пучок, выбеливаю лицо пудрой до мертвого цвета, а губы мажу красной помадой, и это прибавляет мне добрый десяток лет. Часто непогода застает меня врасплох, и мне приходится занимать теплые вещи у хозяев. Я и сама уже не помню, что позаимствовала, а что принадлежит мне.

Мой завтрак, как правило, — сигареты и чашка чая, обед обычно не значится в расписании, а вечером мне удается поужинать на очередной презентации, поскольку я веду светскую хронику в газете и посещение подобных мероприятий входит в мои обязанности. Иногда мне везет, и я попадаю на утренний прием какой-нибудь богатой фирмы, где можно вдоволь есть сладких булочек. От беспорядочной жизни я похудела, осунулась, у меня затравленный вид и выражение глаз как у пловца, который выбился из сил, а берега все еще не видит. Больше всего я напоминаю заброшенную квартиру, уже много лет сдававшуюся внаем.

Я бродяга с дерзаниями Наполеона, странствующая в поисках звезды своего счастья. Но я растеряла множество блестящих перышек из своих крыльев и утратила сердечную легкость, позволяющую воспринимать все события как череду захватывающих приключений. Смердящий мир надвигается со всех сторон, чтобы погубить меня и втоптать в грязь. Я плыву по течению и мечтаю прибиться к берегу.

Я так устала от финансовой неустойчивости, что малодушно принимаю денежные подачки от Саши, с которым мы снова помирились, но общаемся теперь только как друзья. Он больше не пытается предъявить на меня права. Не в моих привычках самой зарабатывать себе на хлеб, и я получаю от него помощь без стыда. Я не испытываю морального гнета. Когда ты один против всего мира, все правила добродетели теряют смысл. Саша для меня как перила на узком мостике через горную пропасть, за которые цепляешься, чтобы не упасть.

3 мая. Случилось то, что должно было случиться. Меня выгнали с работы и лишили места в общежитии Института русского языка. Я купила билет в Хабаровск и вернулась в родное гнездо с подбитыми крыльями. Простодушие домашнего уюта обладает свойством залечивать душевные раны. Я заболела ангиной, но даже это доставляет мне удовольствие — меня холят и лелеют, исполняют все мои капризы и всячески стараются угодить. У меня есть своя постель, вкусная еда и книги — этого достаточно, чтобы вновь почувствовать уверенность в себе. У меня масса времени для размышлений. Я пытаюсь ответить на вопрос: почему у меня ничего не получилось? Грезы улетучились как дым, на пепелище тлеют лишь угольки надежды. Хрустальный башмачок не подошел Золушке по размеру. Я ринулась на большой город, вооруженная темпераментом авантюристки и повадками выскочки, и потерпела поражение. Теперь я должна сделать выбор — либо остаться в провинции и жить, как королева в изгнании, либо вернуться в Москву, где у меня нет ни жилья, ни работы. Через десять дней защита диплома, который я даже не начинала писать, а потом я потеряю призрачный статус студентки и возможность поселиться на следующий год в общежитии. Неужели это конец? А я ведь ничего не сделала в своей жизни. В моей голове теснятся созвучия слов, стройные и мощные фразы, восхитительные вариации предложений. Я представила себе сочувствующие лица своих коллег, которые говорят между собой: «Да, она была многообещающей девочкой, но пропала ни за грош». Нет, я не желаю быть эстетствующей несостоявшейся провинциальной звездой с ярким прошлым и тусклым настоящим.

Главная задача — найти крышу над головой и человека, который избавил бы меня от денежных хлопот и не лез ко мне в душу, довольствуясь моим телом. Потом можно будет подумать и о карьере. На свете полно лопоухих мужчин, которые только и мечтают о том, чтобы кто-нибудь прибрал их к рукам. Чтобы заманить их в ловушку, необходимо хорошее чутье, бархатные перчатки, которые прячут коготки, легкий, осторожный шаг и глаза, умеющие гасить алчный блеск.

10 мая. Вчера прилетела в Москву и только в аэропорту впервые четко осознала, что мне некуда идти. Можно поехать к Катюше, но она уже тяготится своим гостеприимством. Я стояла посреди зала прилета, окруженная вещами, слегка поглупевшая и неловкая. Меня толкали со всех сторон, в уши мне лился многоголосый шум, а в голове был полный сумбур. Мне бы только найти убежище на два дня, а там появится какой-нибудь выход. И тут я вспомнила случайный разговор с Катюшей, которая рассказывала мне, что Советов ушел из редакции журнала «Студенческий меридиан», где он был корреспондентом, и сейчас работает брокером. Более того, он заработал достаточно денег, чтобы снять двухкомнатную квартиру. Я тогда не приняла все это всерьез, но записала его телефон.

С бьющимся сердцем подошла к автомату и набрала номер, наспех нацарапанный в записной книжке, умоляя судьбу, чтобы Андрей был дома. «Я слушаю», — раздался знакомый голос в трубке. «Андрей, это Даша, — быстро заговорила я, не давая ему опомниться. — Я сейчас в Домодедове, хочу приехать к тебе в гости денька на два. Можно?» «Приезжай», — неуверенно ответил Советов. Мы не виделись почти три месяца, но большой радости я в его голосе не почувствовала. Впрочем, какая разница!

Я швырнула трубку, всучила вещи навязчивому таксисту и уже через сорок минут была у Советова.

Он встретил меня довольно любезно и даже успел приготовить обед. Квартира оказалась обтрепанной, но вполне уютной. Особенно мне понравился настоящий писательский стол — внушительный и располагающий к работе. «Мне вполне подойдет маленькая комната», — великодушно сказала я за обедом. «Видишь ли, Даша, — осторожно взялся объяснять Андрей, — я здесь живу не один, а вместе со своим другом Ромой». «Ну и прекрасно, — ответила я, жуя котлеты. — Ты и Рома поселитесь в большой комнате, а я в маленькой. Только ко мне без стука не входить». Советов вздохнул и взялся за мытье посуды.

После обеда я распаковала вещи и обустроилась в новом жилище. «Все складывается неплохо, — думала я. — У меня есть своя комната. Через неделю хорошей обработки Советов уже будет вилять хвостом и не посмеет меня выгнать. Рому со временем можно выселить. В качестве платы за квартиру буду спать с Андреем раз в неделю, больше не дам. Я не испытываю к нему ни любви, ни неприязни, так что постельная работа не составит труда. Со временем найду приличного богатого мужчину и уйду. Советову я до лампочки, так что он не будет устраивать мне сцены ревности из-за поздних приходов домой или ночных отлучек. Это не история с Сашей, которому я нужна или со всеми потрохами, или никак. Ему не нравятся резиновые куклы с отверстиями между ног. А Советова по молодости лет вполне устроят краткие соития. В принципе это взаимовыгодный контракт — ему не придется бегать за бабами с высунутым языком и расстегнутой ширинкой. И потом, я помню, как Катюша говорила мне, что Советов делал ей предложение, мотивируя это тем, что ему необходимо о ком-нибудь заботиться. Вот и чудненько. Теперь у него есть предмет для забот, да еще какой! Только бы он не ломился ко мне сегодня ночью, я так хочу спать — разница с Хабаровском во времени составляет семь часов».

В девять вечера, едва я успела плюхнуться в постель, как услышала, что кто-то скребется в дверь. «Войдите», —

произнесла я утомленным голосом. Советов вошел тихо, как мышка, и присел на край кровати. «Ну, — выжидательно сказала я, демонстративно зевнув. — Я ужасно хочу спать. Быстро делай свое дело и уходи». «Я мигом», — шепнул он, скидывая штаны и устраиваясь на мне поудобнее. Спустя пять минут я услышала его сдавленный крик. И последнее, что я подумала, проваливаясь в сон: «Во всяком случае, он экономит время».

Проснулась я с неизъяснимым чувством душевного покоя. В окно светило солнце, бросая теплые отблески на мою постель. В утреннем свете даже ободранные обои выглядели по-домашнему уютными. В дверь постучали. «Господи, неужели опять?!» — мелькнула мысль. В комнату вошел Советов с подносом в руках. Мои ноздри затрепетали, уловив аппетитный запах горячего шоколада, налитого в изящную фарфоровую чашку. «С добрым утром! — сказал Андрей, сияя улыбкой. — Тебе яичницу жарить из двух или трех яиц?» «Из двух, — машинально ответила я. — А как ты делаешь шоколад?» «Два маленьких пакета сливок выливаешь в кастрюльку, кладешь туда две плитки шоколада и ставишь на огонь, — охотно объяснил он. — Варишь, постоянно помешивая, до тех пор, пока шоколад не растворится в сливках. Нравится?» — «Еще бы! У меня просто нет слов!»

После завтрака я долго красилась перед зеркалом в прихожей.

— Ты куда-то уходишь? — встревоженно спросил Андрей.

— Мне пора на работу.

— Но ты вернешься нынче вечером?

— Дорогой, ты не слишком наблюдателен. Я же оставила на столе флакон французских духов. Женщина может забыть любовника, но она никогда не забудет свои духи. Я непременно вернусь.

17 мая. Жизнь моя постепенно наладилась. Я пресытилась вкусом блужданий и теперь смакую дни благоденствия. По утрам меня будит запах горячего шоколада, днем

Советов хлопочет на кухне, изобретая что-нибудь оригинальное из простых продуктов — картошку, обжаренную в майонезе, или магазинные пельмени, печенные в масле и приобретающие вкус пирожков. Со мною возятся и нянчатся, как с малым ребенком, выполняя все мои капризы. Советов уже оборвал все кусты сирени, цветущие под окном, и моя комната заставлена огромными букетами, от которых исходит кружащий голову дурманный аромат. Андрей ласков и ненавязчив, я бросаю ему крошки своей благосклонности, и он довольствуется ими, не выказывая нетерпения.

Единственное, что мне отравляет жизнь, — это ядовитые пикировки с Ромой. Мы ведем словесную войну, и наши споры доводят меня до белого каления. В выигрыше остается Рома, поскольку ничто не может вывести его из состояния душевного равновесия. Раздразнив меня своей самоуверенностью, он со злорадной улыбкой наблюдает взрыв моих эмоций. Зато Советов — прекрасный слушатель. Когда я произношу свои бесконечные монологи, он смотрит на меня так, как будто из моего рта льется поток золота или сыплются розы, и это неизменно льстит мне. Как мне кажется, один из его принципов — не спорить с людьми, но всегда поступать по-своему.

Наше существование имеет привкус старых добрых студенческих времен, и в этом есть своя прелесть. Но плата за квартиру увеличилась. Советов потребовал пускать его в мою постель два раза в неделю вместо одного. Мои ссылки на усталость уже не служат препятствием. Правда, он из кожи вон лезет, чтобы доставить мне удовольствие. Я вытягиваюсь в постели, как большая ленивая кошка, закрываю глаза и позволяю ему ласкать, лизать, тормошить, щекотать, целовать и щипать меня во всех местах до тех пор, пока я не замурлыкаю от блаженства.

21 мая. Вчера с ужасом вспомнила, что остался один день до сдачи дипломной работы. За ночь я в спешке накатала двадцать три страницы, но норма составляет двадцать пять плюс опубликованные статьи. Утром, разрисовывая свое лицо перед зеркалом, я крикнула Советову: «Андрюшка, пока я крашусь и одеваюсь, допиши две страницы — что-нибудь солидно-заключительное». Советов активно включился в творческий процесс, и спустя полчаса, когда я заглянула к нему в комнату, он уже трудился над списком использованной литературы. Первым в списке стоял некий Советов А.Д. с книгой «Философия журналистики», далее шел Роман Сорсоров с научной работой «Специализация газетного творчества». «Можешь записать хоть всю свою группу, — сказала я, смеясь. — Только не перестарайся, не больше десяти человек».

В 11 утра я уже была в университете и беседовала со своей дипломной руководительницей Натальей Павловной, дамой весьма либеральных взглядов.

— Даша, мне сейчас некогда читать ваш диплом, у меня скоро защита других учеников. Позвоните денька через два, — сказала она рассеянно.

— А во сколько у вас заседание?

— Через полчаса.

— Может быть, я сегодня успею защититься?

— Но я же еще не читала ваш диплом, — заметила шокированная Наталья Павловна.

— Ах, Боже мой! Тут всего-то двадцать страниц. Успеете, — нетерпеливо бросила я.

— Но у вас же нет оппонента!

— Найдем. Это не проблема! Кто сегодня дежурный оппонент?

— Сергей Николаевич Садковский.

Через пять минут я нашла в коридоре вальяжного Садковского. Он плыл, как большая сонная рыба, поблескивая стеклами очков. Когда я преградила ему путь, он оценивающим взглядом скользнул по моим ногам и бархатным голосом спросил: «Что вам угодно?» Я объяснила ситуацию, наворотив целые горы лжи, а в конце добавила еще одну вежливую выдумку: «Мне бы так хотелось, чтобы оппонентом были именно вы!» При этом я послала ему молящий взгляд и прижала руки к груди. «Ну ладно, — смягчился Садковский. — Давайте сюда ваш диплом». «У меня его нет, сейчас диплом читает моя руководительница». «Как такое может быть! — воскликнул Сергей Николаевич. — Разве она его еще не читала?!» «Она уже дочитывает, — поспешно сказала я. — Ей осталось всего несколько страниц». Садковский ухмыльнулся, но промолчал.

К началу заседания мой оппонент прочитал только три страницы. Когда подошла моя очередь, он неспешно поднялся, протер стекла очков платочком и сказал: «Я не успел прочитать весь диплом, но один абзац меня заинтересовал. Цитирую: «Для журналистики гораздо важнее длинные стройные ноги, чем все тома учебных пособий, которые выдают нам на кафедре теории журналистики. С хорошими ножками легче получить интервью». Садковский рассмеялся и с довольным видом сел на место. Я скромно потупила глазки и безуспешно попыталась натянуть короткую юбку на свои неприлично голые ноги. Тут за меня взялась аспирантка из породы старых дев, вылитая сушеная вобла. Она зашипела, как змея, изогнулась всем телом, ее маленькая головка угрожающе закачалась, и, казалось, вот-вот ее шея вздуется, как капюшон кобры. Она заговорила о несерьезности моего отношения к учебе, о безнравственности моих представлений о журналистике, о порочности моей дипломной работы. Председатель комиссии предложил студентам покинуть комнату и подождать результатов за дверью.

Нас было двое. Мы маялись в коридоре больше получаса. Наконец я не выдержала и без зазрения совести приложила ухо к замочной скважине. Я услышала, как моя руководительница Наталья Павловна пламенным голосом заявила: «Вы хотите наказать эту девочку за искренность. Она лишь сказала то, что думала, а не стала отделываться общими книжными фразами». Все зашумели, смысл мне не удалось уловить, затем задвигались стулья, и я успела отскочить от двери. Нас пригласили в комнату. Когда председатель комиссии объявил мою оценку — «пятерку», я увидела, как дернулась головка аспирантки, а на лице Натальи Павловны появилась удовлетворенная улыбка. Вечером наша тесная компания распивала шампанское, празднуя мою победу. Я провозгласила тост: «За Романа

Сорсорова и Андрея Советова, авторов бессмертных книг «Специализация газетного творчества» и «Философия журналистики»!

1 июня. Утром проснулась с тяжелой похмельной головой и чувством неловкости за свое неблаговидное поведение. До трех часов ночи Саша и я играли в рулетку, напились до свинского состояния, и, кажется, придя домой на рассвете, я наговорила кучу глупостей Советову. Я лежала в кровати, уставившись в потолок, и думала, как исправить положение. Потолок был влажный и белый с мелкими кровавыми пятнами от убитых комаров. (Советов считает, что пятна нужно оставлять в воспитательных целях — для устрашения других комаров.) В ванной лилась вода, наверное, Советов моется. Если я сейчас же встану и быстро выпью чаю на кухне, у меня есть шанс ускользнуть из дома незамеченной, а вечером все будет проще.

Я на цыпочках вышла из комнаты, но, проходя мимо ванной, увидела, что дверь открыта. Советов что-то ожесточенно стирал. Услышав скрип половицы, он обернулся и буркнул: «Доброе утро». — «Привет, — сказала я с улыбкой идиотки. — Что это ты делаешь?» — «Стираю твой плащ. Ты его вчера где-то запачкала». — «А-а-а, — протянула я. — Я тебя чем-то обидела этой ночью?» — «Нет, ты меня просто все время называла Сашей». — «Ну извини, дружок. Это я не со зла», — брякнула я и сама не узнала своего хриплого голоса. «Ничего страшного, завтрак на столе».

Грустно, если я обидела его. Саша снял мне квартиру, и скоро я уйду из этого дома. Мне не хочется ссор на прощание.

11 июня. Я не знаю, является ли это событие удачей или провалом. Хозяйка квартиры отказала мне в аренде, и я в растерянности, какую эмоцию выбрать — радость или огорчение. С одной стороны, я печалюсь, что не могу жить одна в холодной независимости и свободе. С другой стороны, я привыкла к тому, что обо мне заботятся, за меня думают, меня трахают, и дверца клетки все время открыта — лети, птичка, и прилетай когда хочешь. Жизнь взяла на себя роль сводни, и я все больше привязываюсь к соседу по квартире.

Сегодня я маялась скукой и решила съездить в гости к своему давнему любовнику, знаменитому журналисту Ю.Р. Наши отношения не отличаются регулярностью. Я звоню ему раз в два месяца, мы встречаемся у него на квартире, болтаем, занимаемся любовью, и ничего не происходит. Я боюсь его, поскольку не понимаю. В нем есть что-то львиное. Ему пятьдесят лет, и он похож на старого воина, для которого я — лишь краткая утеха. Даже в постели он сохраняет присутствие духа, и я никак не могу поймать его на какой-нибудь слабости. Кажется, Ю.Р. способен управлять даже собственным оргазмом.

Я очарована ясностью его твердого и проницательного ума, логикой и точностью его суждений, но ни капельки не влюблена. Ю.Р. меня подавляет. Опасно приближаться к ярким лучам прожектора знаменитой судьбы — можно обжечься. Я сама не своя, когда разговариваю с ним. Я лепечу какой-то вздор, нервничаю, стремлюсь понравиться, боюсь показаться глупой, дерзю и наглячаю, как это свойственно стеснительным молодым людям. Он слушает мою болтовню молча, покуривая трубку, затем снисходительно бросает какую-нибудь ловкую, ошарашивающую фразу, и вот я смята и уничтожена его интеллектом. Затем мы идем в постель, Ю.Р. спокоен и хладнокровен, как хирург перед операцией, он наклоняется, целует меня, и я чувствую щекотку его усов. У всех моих знакомых мужчин усы пахнут тухлой рыбой, но от Ю.Р. исходит пряный запах отличного крепкого табака. Он гордится своим крепким телом, широкой грудной клеткой настоящего пловца и отсутствием живота, что такая редкость для мужчин его возраста.

Сегодня я снова переспала с Ю.Р., изменив своему правилу остерегаться блестящих мужчин и ярких вещей. Потом отправилась на день рождения Катюши, где встретила Советова. Они бывшие любовники, а может быть, и настоящие. Я выпила вина и не смогла удержаться от колкостей. Потянулась всем телом до хруста в косточках, встряхнула головой так, чтобы челка упала на глаза, и, глядя сквозь сетку волос, сказала с хищной улыбкой: «Мой Бог! Как меня сегодня оттрахали!» Советов вздрогнул, как будто я засунула ему кусок льда за шиворот. Лишь несколько секунд я могла наблюдать его реакцию, затем он овладел собой. Выпив рюмку водки, он спросил:

— И кто же этот счастливчик?

— Ю.Р., известный журналист, стопроцентный мужчина.

— Но он же стар!

— Не в постели.

Советов хмыкнул и выпил еще водки. С этой минуты он стал напиваться методично, рюмку за рюмкой, и через полчаса нализался так, что с трудом мог стоять на ногах. «Поехали домой», — мрачно сказал он. Мы вышли на улицу, к большой дороге, чтобы поймать такси. Андрей раскачивался, как дерево, которое клонит к земле ветер. Я боялась, что он упадет и у меня не хватит сил посадить его в машину. «Что, ну что во мне не так? — вдруг с отчаянием заговорил он. — Зачем ты это сделала? Я ласкаю тебя каждый вечер, я стараюсь выполнять любое твое желание, я вылизываю тебя с головы до ног. Что тебе не нравится? Почему ты мне изменила?» Я не ответила. В такси мы ехали молча.

Дома он сорвал с меня одежду, и мы легли в постель. Андрей сжимал мои плечи до боли и все время твердил как безумный: «Почему? Ответь мне». С падающим сердцем я увидела совсем близко его молящее лицо и трагический излом губ. «Я хочу поцеловать тебя», — пробормотал он. «Ты же знаешь, я не люблю целоваться в губы», — тихо сказала я. «Ты не любишь это делать только со мной!» — выкрикнул он и горько заплакал. Он плакал, как плачут дети, навзрыд, взахлеб, плакал, как будто мир рушится и земля горит под ногами. Повинуясь чувству жалости, я обняла его и подставила ему исполнительные губы. Он жадно приник к моему рту, и я почувствовала соленый вкус его слез. Язык его извивался меж моих губ как жало, и я впервые возбудилась от его поцелуев.

Оторвавшись от меня, Андрей снова заголосил: «Почему ты всегда прогоняешь меня ночью? Я хочу уснуть, обнимая тебя, и проснуться рядом с тобой. Сегодня я никуда не пойду, и никто не вытащит меня из твоей кровати. Это моё право». «Конечно, дорогой. Только не плачь», — ласково сказала я, вытирая ему слезы. Он успокоился, высморкался в мою подушку и вскоре уснул, уткнувшись мне в плечо.

19 июня. Мы ходим по дому как тени, боясь посмотреть друг другу в глаза. Советов стыдится открытого проявления чувств в тот злополучный вечер, когда под влиянием алкоголя открылись шлюзы и нас захлестнул поток эмоций. Андрей по-прежнему любезен и заботлив, но вот уже неделю он не переступает порог моей комнаты, и мне немножко грустно. Вчера он преподнес мне роскошный букет роз, они своей помпезной пышностью твердят о лете, я слышу звук капели — это оттаивает замерзшая душа.

Сегодня я надела на работу летящую пеструю длинную юбку и рубашку, завязанную лихим узлом. У юбки есть один секрет — при стремительном движении она распахивается и обнажает ноги почти до бедер. Я шла по коридору редакции быстрым легким шагом, демонстрируя все возможности своего наряда, и столкнулась со своим коллегой Олегом К.

— Господи, какая же ты летняя! — изумился он. — Хочешь поехать к морю, в Дагомыс, на пять дней?

— Конечно, хочу! — завопила я. — Но как это можно сделать?

— Очень просто. Редакция отправляет девять человек на отдых, одно место свободно.

— Но ты забываешь — меня уволили за прогулы, и теперь я на вольных хлебах.

— Я все устрою, не беспокойся.

Последующие полчаса Олег бегал по редакции, договариваясь о моей поездке и подписывая кучу бумаг, а я диву давалась: какого черта я ему понадобилась? Ведь мы почти незнакомы. Иногда, встречаясь в коридоре, говорим друг другу «привет», и этим наши отношения исчерпываются. Остается винить в этой метаморфозе новую юбку и жаркий летний день.

22 июня. Пишу эти записки в полночь, сидя за столом в уютном номере гостиницы в Дагомысе. Только что вернулась со свидания и уже чувствую шуршащую близость авантюры, воспламеняющую воображение.

Какой длинный день! Встала в семь утра в Москве, собрала вещи и уже в восемь встретилась с нашей группой во Внукове. Но рейс отложили на два часа, и я решила съездить к Саше в гости — он живет совсем недалеко, сорок минут езды на такси. Сашу и его друга я застала в состоянии дичайшего похмелья. Они сидели на кроватях, бессмысленно уставившись в пол, с опухшими красными лицами и вытаращенными глазами. Саша приветствовал меня слабоумной улыбкой, и я поняла, что надо срочно принимать меры. «Где тут у вас коньяк? — спросила я. — Сейчас будем лечиться». Мы очень весело «лечились» часа два, и вдруг я вспомнила, что мне давно пора в аэропорт. В панике я выбежала из дома, прихватив с собой фляжку коньяку.

В зал отлета я ворвалась через три четверти часа, сметая все на своем пути, и тут же встретила бледного Олега, который начал ругать меня на все корки. «Из-за тебя самолет задерживают уже на полчаса, — говорил он, таща меня за руку через контрольный пункт. — Я везде трясу редакционным удостоверением и говорю, что группа журналистов еще не прибыла». «Ну, не ругайся, — попросила я. — Зато я привезла коньяк».

Мы немножко выпили в самолете и продолжали в автобусе, везущем нашу группу из Адлера в Дагомыс. Я так активно прикладывалась к фляжке, что к концу пути Олег казался мне старым приятелем. Коньяк сократил все расстояния, мы даже успели поссориться, и я на глазах у всех влепила Олегу пощечину. Он потерял дар речи, а я почувствовала, как загорелись мои уши. Моя дурная привычка воспитывать Советова с помощью оплеух сыграла со мной злую шутку, и я ударила совершенно чужого мне человека. Я залепетала извинения, и Олег принял их после некоторого колебания. Инцидент приобрел шутливую форму.

Сразу же после поселения в гостиницу мы побежали к морю, где валялись на пляже до заката, пока волны не окрасились в золотисто-алый цвет. Потом мы отправились в ресторан и попивали там красное вино, светящееся в бокалах как обрывки пламени, унесенные ветром от костра. Вокруг были беспечные люди, едва прикрытые одеждой, с телами, тронутыми позолотой загара, вкушающие все сладкие соки жизни. В этот вечер, полный сказочных возможностей, мне захотелось вскружить кому-нибудь голову. Поскольку ближайшей кандидатурой был Олег, на него я и повела атаку. Мне захотелось разжечь огонек страсти, возле которого так приятно погреться. Я пустила в ход многообещающие улыбки, полные игривого лукавства, я безбожно кокетничала, я исполняла одновременно несколько ролей — от милой девочки-простушки до роковой женщины, комментируя их изящными жестами. Одним словом, я была в ударе. Для этой прелюдии страсти я сама написала ноты и теперь исполняла короткое курортное произведение, чувствуя полную власть над инструментом. Я рассталась с Олегом, полувлюбленная. Чем еще заниматься на отдыхе, если не крутить романы?

24 июня. Все играет мне на руку — атмосфера солнечной беззаботности, природа, сверкающая яркими богатыми тонами, мягкое свечение волн при лунном свете, желтые и черные розы, не имеющие запаха, и загар медового оттенка, подчеркивающий красоту моих ног. Олег влюблен и не скрывает этого. У него состояние духовного опьянения, и его страсть достаточно сильна, чтобы вызвать во мне ответное влечение.

Сегодня вечером мы гуляли по берегу моря, дивясь звездным иероглифам, начертанным на небе. От луны шло влажное серебряное сияние, все казалось возможным и легко осуществимым. Мы дошли до гостиницы, и он впервые поцеловал меня с трогательной и нежной неуверенностью. Инстинкт женщины подсказывал мне, что теперь надо убежать, скрыться. Пусть будет маленькая погоня, мое притворное сопротивление у дверей номера, его волнение, потом я позволю краткое объятие и оставлю его одного «под сенью крылатой ночи». А утром все покажется ему призрачным, как сон, как лунный свет. Все так и случилось. Правда, я недооценила силу его объятий, он меня изрядно помял, а я так увлеклась собственной игрой, что едва не попала в его постель. Надо быть осторожнее.

26 июня. Приятно превратить свободного мужчину в раба всего за пять дней. Высококвалифицированная работа. Сегодня в аэропорту, когда мы ждали рейса на Москву, я капризно надула губки и заявила Олегу, что хочу цветов. «Дашенька, — взмолился он. — Но я же растратил все деньги!» «Займи», — последовал короткий ответ. Он кинулся клянчить деньги, что было непростым делом, поскольку он уже занял приличную сумму для удовлетворения моих запросов. Когда Олег преподнес мне великолепный букет пурпурных роз, я почувствовала себя маленькой гадкой сучкой. Власть развращает, но отказаться от нее невозможно. И это чудесное говорящее напряжение его глаз, как у преданного пса. Нет, что ни говори, охота на мужчину — азартное дело. Упоение этой пылкой игрой сродни удовольствию, которое испытывает рысь, вонзая когти в свою жертву и наслаждаясь запахом крови. Я надеюсь, Олегу удастся выйти за пределы очарованного круга, когда мы вернемся в Москву, и любовь окажется всего лишь царапиной, которая быстро заживет. Нельзя обременять себя привязанностями.

1 июля. Вот уже несколько дней я и Рома живем вдвоем в квартире. Советов уехал домой, и между нами осталась недосказанность. Я даже себе боюсь признаться, что мне его не хватает. Рома водит к себе женщин, я скриплю зубами и предвкушаю, как я буду ябедничать Советову и капать ему на мозги. Мне так одиноко, что даже общество Ромы меня устраивает, поскольку я боюсь ночевать одна. Днем мы лениво дразним друг друга, и Рома не гнушается мелкими пакостями. Вчера, когда я его основательно разозлила за обедом, он с ехидной улыбкой сказал: «Ты думаешь, ты единственная женщина Советова? Ошибаешься. Все твои подруги — Неля, Катюша, Юля — с ним переспали». Мне стоило большого труда удержаться в рамках обыкновенного любопытства. Я лишь заметила: «Первые два имени для меня не новость, а вот последнее несколько удивило». «Чему ж тут удивляться? — снисходительно сказал Рома. — Андрей нравится женщинам». «Мне ровным счетом наплевать, с кем спал или спит Советов, — с излишней горячностью заявила я. — Это его личное дело. Я живу здесь только потому, что у меня нет другого пристанища». Я поднялась из-за стола, давая понять, что разговор окончен. Но душевную занозу вытащить не так-то легко.

18 июля. Сегодня вернулась из Хабаровска, где отдыхала две недели. В аэропорту меня встретил Андрей, мы не виделись почти месяц, и, увидев его, я вдруг поняла, как сильно я соскучилась. С внезапно вспыхнувшей нежностью я поцеловала его прямо в губы, мы оба смутились. Он повез меня на такси в маленькое кафе «Охотник», гордый тем, что сумел заработать деньги и может теперь пригласить девушку на обед. Мы лакомились в кафе нежным мясом перепелок и пили коньяк, и Андрей хвастался своими успехами. Мы осторожно расчищали стену, выросшую между нами, и болтовня была лишь средством, чтобы скрыть на время взаимное физическое влечение. Я разволновалась не на шутку, когда под столом его колено коснулось моей ноги. «Может быть, поедем домой?» — спросил Андрей, беря меня за руку. Я лишь кивнула, боясь, что голос выдаст меня.

В нашу квартиру я вошла со смутным ощущением, что начинается нечто большое. Мы разделись, не глядя друг на друга, и легли на старый скрипучий диван. Я закрыла глаза и предоставила себя в его полное распоряжение. Он начал медленно подступать ко мне, едва касаясь порхающим языком шеи и груди, потом приник к впадине живота, и я в нетерпении прикусила губу. Тело мое разгорелось. Наконец он добрался до заветных, тайных складочек между моих ног, его язык погрузился в них, изучая их вкус и чувствительность. Он взялся за исследование с осторожностью ученого, стоящего перед научной загадкой. После нежного длительного знакомства он отыскал горячую пульсирующую точку, от чего волны пошли по всему телу. И тогда он вошел в меня, заполнив ноющую пустоту, и мои руки вкогтились в его спину... Когда ко мне вернулось чувство реальности, я тут же спросила Андрея: «Кто тебя научил этому?» Он, польщенный, рассмеялся и зарылся лицом в мои волосы. «Ну же, — теребила его я. — Говори!» Тогда он с самой серьезной миной ответил: «Любовь». «Я была бы рада, окажись это правдой, — искренне сказала я. — Только не убеждай меня и не клянись, иначе во всем будет привкус лжи». Мы поцеловались невинно, как дети, и я подумала: «Как странно! Наши тела знакомы уже три года, а познание началось только сегодня».

25 июля. Что жизнь делает с нашими мальчиками! Я знала Андрея мечтательным бессребреником, в вечном ожидании лунных чудес и с весенними бреднями в голове. Он тогда предпочитал воровать тюльпаны для девочек или покупать им ромашки, уверяя, что лучше цветов не придумаешь. (На самом деле на дорогие цветы у него просто не хватало денег.) Андрей и сейчас еще похож на юного ангела, но свою младенчески чистую улыбку уже научился выгодно использовать в деловых интересах.

Андрей теперь «домашний брокер», что в переводе обозначает — посредник между продавцом и покупателем. Он целыми днями торчит дома, заключая по телефону сделки. Я называю это «лежачей работой». Он даже спит с телефоном в обнимку. «Войти в систему посредников трудно, — объясняет он мне. — Брокерам невыгодно расширять свой круг. Кому нужна лишняя конкуренция? Я начал с одного-единственного номера телефона — просто знакомые попросили достать компьютер и обещали неплохо мне заплатить. Теперь у меня уже целая сеть телефонных партнеров. Многих из них я никогда в жизни не видел. Но у всех есть кодовые номера — по первым трем цифрам телефонного номера. Меня, например, зовут Андрей-921. Так и разговариваем: «Привет! Я Андрей-921, звоню от Гены-243».

Я никак не могу привыкнуть к специфическому «брокерскому» жаргону Андрея. Вчера слышала, как он кому-то рассказывал по телефону: «Видел бабку на дороге, которая выставляла (т.е. продавала — перевод мой) ведро черешни за две с полтиной. Так я ее опустил до двух (т.е. купил у бабки ведро за две сотни рублей)». Вообще Андрей любит употреблять едкие и живописные народные выражения. У него при этом такой невинный вид, что все его вольности выглядят шалостями младенца. Ему прощаешь матерные словечки, как извинил бы ребенка, принесшего с улицы похабное слово.

Сегодня он гордо заявил мне:

— Я помог государству!

— Как это тебя угораздило?

— Верховному Совету России срочно понадобился хард-диск для компьютера. Достать его необходимо было за день, чтобы компьютер не простаивал. Уж не знаю как, но эта информация просочилась в домашнюю брокерскую сеть, и в результате хард-диск достал я. Верховный Совет за деньгами не постоял, так что все остались довольны. Если исходить из правила, что хороший бизнес — это как любовь, когда партнеры ведут друг друга к взаимному удовольствию, то я могу писать на заборах: «Верховный Совет России плюс Андрей-921 равно Любовь!»

— Но, дорогой, такая работа — это ненадолго. Она существует, пока есть дефицит. Но потом появятся фирмы, которые будут законным образом специализироваться на компьютерах, и в страну хлынет поток самых разнообразных машин. Кому ты тогда будешь нужен?

— Я все это знаю, — вдруг заговорил он взволнованным голосом. — Но у меня есть будущее. Когда-нибудь я сам создам фирму — ты только поверь в меня. Это очень важно.

Недавно появившиеся «маленькие» деньги дают ему ни с чем не сравнимую уверенность в себе, он взрослеет на глазах, но в нем еще много мальчишества. «Я люблю заключать на дороге пари сам с собою, — рассказывает Андрей, — что первая остановившаяся машина повезет меня куда угодно, хоть к черту на кулички. Я набавляю цену до тех пор, пока таксист не купится. Мелочь, а приятно». Эти мальчишеские проявления тщеславия меня смешат, но я стараюсь их поощрять. Как знать, может быть, из него и выйдет толк.

Я изучаю его каждый день, читаю как новую книгу, страницу за страницей. Андрей — даровитый молодой человек, цельная натура, у него свежий, живой ум, огромное честолюбие и редкая для его лет выдержка. Он прошел хорошую школу искусства владеть собой, его девиз — никогда и ни с кем не пускаться в объяснения. Он кажется мягким и покладистым, но внутри есть стержень, его щенячья веселость скрывает тайное упрямство и обостренное самолюбие. Я обращаюсь с ним совершенно бесцеремонно, но подозреваю, что он откладывает в памяти каждое оскорбление. Андрей похож на игрушку с пружинкой, надавишь неосторожно, и выскочит чертик.

2 августа. Время течет медленно, как мед, каждую минуту я ловлю как сладкую каплю. Мы проводим целые дни вместе, и никто нам не мешает. Рома снял себе квартиру, и мы наслаждаемся одиночеством вдвоем. Я совершенно забросила работу в редакции и погрузилась в блаженное безделье. Андрей «висит» на телефоне, а в промежутках между деловыми разговорами мы занимаемся любовью.

Удивительно, когда женщина равнодушна к мужчине, она без всякого труда находит у него ранимые места и уязвимые точки души. Я никогда бы не подумала, что мое нежелание целоваться с Андреем и то, что я привыкла спать отдельно, приносило ему такую боль. Он сражался за право засыпать рядом так, как будто это откроет ему ворота в рай. Без всякого умысла я поступала именно так, как следует поступать женщине, желающей влюбить в себя мужчину. Надо оставлять ему простор для завоеваний, возбуждать в нем азартное чувство военачальника перед битвой. А когда все территории будут покорены, придет настоящая привязанность и невозможность жить друг без друга. Сейчас каждый мой поцелуй или простая ласка принимаются Андреем как чудесная победа после долгой битвы за любовь. Он не лишен душевной свежести и совершенно непосредственно упивается пробуждением чувств.

Сегодня я велела ему лежать тихо и во всем слушаться меня. Мой язык начал свое путешествие с пальцев ног и добрался до тугих мешочков яичек. Андрей зажмурился от удовольствия, когда я взяла его член, отдающий мылом после мытья, в теплую пещерку рта. После долгой нежной работы я услышала его ликующие крики и ощутила на языке вкус его спермы. Этот вкус настолько своеобразен, что поначалу вызывает неприятие, к нему надо просто привыкнуть, как привыкают к вкусу маслин, а потом это становится любимым лакомством.

Я зарылась лицом в его ставшие мягкими гениталии, сбрызнутые белой росой, закрыла глаза и замурлыкала. Андрей гладил меня по голове, почесывал за ухом, и я сама не заметила, как уснула. Очнулась я спустя некоторое время и убедилась, что спала, уютно устроившись между ног Андрея. Он лежал со счастливой улыбкой, боясь пошевелиться и потревожить меня. «Ты так сладко спала, — сказал он с нежностью и потянулся всем телом, разминая затекшие мышцы. — А теперь иди ко мне». Андрей притянул меня к себе, и я стала им, а он мною. Он, оказывается, умеет быть благодарным за такую малость, как человеческая близость и тепло.

15 августа. Потекли полные очарования дни. Мы очертя голову пустились на поиски любви, и нам сверкнуло тихое счастье. Чувства растут как на дрожжах. Я по-прежнему сплю в своей комнате, но только потому, что демонстрирую свой строптивый нрав. Зато по ночам Андрей просовывает под дверь множество листов бумаги с объяснениями в любви. Когда я просыпаюсь, то вижу комнату, засыпанную бумажным листопадом, и приятно провожу время, читая страстные признания, составленные в самых неожиданных выражениях. Любовные послания расклеены по всему дому — в ванной, у зеркала, на кухонном столе, над унитазом, на моем рабочем столе, на дверях. Я нахожу их даже в своей кровати, когда ложусь спать, и в моей сумочке в сигаретной пачке. Этот водопад остроумных признаний заставляет меня хохотать от души. Я отогреваюсь сердцем, и Андрей ловит слова нежности, падающие с моих уст.

Днем мы прогуливаемся по маленькому рынку неподалеку от нашего дома, где народ торгует всякой всячиной. Мы идем между рядов, заваленных кофточками бешеной расцветки, китайской обувью, которая разваливается через несколько дней, дешевой аппаратурой, фальшивыми французскими духами и косметикой сомнительного качества. Но среди всей этой дребедени иногда попадаются благородные вещи, которые смотрятся среди топорной обуви и аляповатого шмотья как принцы крови, случайно оказавшиеся в толпе сброда. У Андрея тонкий нюх на подлинные вещи, на рынке он превращается в борзую, идущую по следу. Я всегда доверяюсь его безошибочному вкусу.

Иногда здесь начинаются разборки между мафиозными группировками со стрельбой и мордобоем. Как только раздаются выстрелы, люди швыряют свой товар и сломя голову несутся к выходу с криками и плачем. Ловкие воришки пользуются моментом и тащат с прилавков все, что плохо лежит. При появлении неторопливого милиционера все успокаиваются и вновь возвращаются к вечным отношениям покупатель — продавец. Домой мы приходим с сумками, набитыми вкусной снедью, с вином, свежими цветами, новыми туфельками или каким-нибудь оригинальным недорогим платьем.

Андрей щедр, как молодой влюбленный вор. Вчера у нас были гости, мы хорошенько выпили, и я томно проговорила, что душа просит песен, а пианино нет под рукой. Андрей сказал: «Ждите» — и ушел из дома в неизвестном направлении. Спустя час я уже начала волноваться и пить шампанское как воду. Наконец раздался звонок в дверь, и я пошла открывать. У порога стояли дюжие мужики нетрезвого вида, кряхтя под тяжестью новенького блестящего пианино. Один из них крикнул хриплым голосом: «Принимай, хозяйка, инструмент!» Они двинулись в комнату, матерясь и тяжело дыша, как большие рабочие мулы, сзади шел совершенно пьяный Андрей, сияя бессмысленной улыбкой. Пианино с грохотом поставили в угол комнаты, и оно отозвалось жалобным стоном струн. Андрей рассчитался с грузчиками, и они ушли, оставив меня удивляться этому чуду. Я приподняла крышку инструмента и робко тронула блестящие белые клавиши. Потом набралась смелости и сыграла простенький вальс, вспоминая забытую науку детства. После всех мытарств доставки пианино немного расстроилось, но звук оказался хорошего, певучего тембра. «Ну как, тебе нравится?» — спросила я, поворачиваясь к Андрею. Но мне никто не ответил. Он спал, приоткрыв рот и тихонько похрапывая. Я умилилась и нежно поцеловала его в лоб, крутой, как у упрямого козленка: «Спи, любовь моя. И пусть тебе приснится, как я играю на новом пианино».

10 сентября. Осень закутала город в серый плащ, и пришла холодная осенняя тоска по ярким теплым странам и чудесным путешествиям. Сегодня целый день лил дождь, и я лечилась от меланхолии шампанским, сидя в баре «Комсомольской правды». Там меня нашел Олег.

— Вот ты где! А я ищу тебя уже несколько дней. У меня есть для тебя сюрприз.

— Какой же? Не томи!

Он выдержал торжественную паузу, потом спросил:

— Хочешь поехать на корабле по Средиземному морю с заходом в Афины, Неаполь, Барселону, на острова Майорку, Мальту, Родос и в Стамбул? От редакции едут десять человек.

— Это риторический вопрос. Но ты, наверное, шутишь?

— Нет, я все устрою. Ты только согласись! Это будет мой подарок к твоему прошедшему дню рождения. Поездка через две недели.

У меня даже дух захватило, ведь я нигде дальше Болгарии не была.

— Но, кажется, этот вопрос решается на редколлегии. Моя кандидатура не пройдет.

— Не печалься. Это моя проблема. Я найду, что им сказать.

Олег не сводил с меня глаз, и в них было томительное ожидание чуда. По-видимому, яд, который я впрыснула ему в июне, еще действует. Я сидела, совершенно ошеломленная его напором и неожиданным предложением, и, когда ко мне вернулся дар речи, только сказала безнадежно:

— Это невозможно. У меня даже нет загранпаспорта!

— Я успею его сделать. Тебе нужно только сфотографироваться. Доверься мне.

— А на что ты рассчитываешь? — вдруг подозрительно спросила я. — Что я буду спать с тобой? Я поеду только при условии, что у нас будут разные каюты.

— Конечно, все будет так, как ты хочешь, — заверил он меня.

— Заграница кажется такой далекой и невозможной. Нет, на свете чудес не бывает.

— Я сделаю для тебя невозможное, — сказал он уверенно.

Я вернулась домой в полном смятении чувств. Мираж сказочных островов, которые цветут и шумят где-то далеко, захватил мое воображение. Я бредила этой хрустальной мечтой и дрожала от страха, что она разобьется при соприкосновении с действительностью. Стоп! Но как я могу даже думать об этом? Ведь, если я поеду, мне придется обмануть сразу двух мужчин — и Андрея, и Олега. Впрочем, быть хорошей, порядочной женщиной — это прескучное занятие.

24 сентября. День прощания. Я преувеличенно нежна с Андреем, поскольку чувствую свою вину. Мы отправились сегодня вечером в кино на французский фильм «Студентка» и весь сеанс ласкались и ворковали, как влюбленные голуби, вызывая неодобрительный шепот соседей. Содержание картины я помню смутно. Андрей засунул руку мне в трусы и медленно поджаривал меня на огне оргазма. Я кусала губы, чтобы не застонать. Потом он дрожащим голосом сделал мне предложение, я ответила согласием, и мы исступленно целовались до конца фильма. Я вышла из кинотеатра на ватных ногах, опираясь на руку Андрея. Ночью мы легли в одну постель, и я уснула с повинной улыбкой на губах. Странно, что любовь находишь тогда, когда меньше всего ждешь ее.

26 сентября. Вчера вечером мы с Олегом прилетели в Одессу и, поселившись в гостинице, тут же отправились в ресторан, типичное портовое заведение, где люди всласть нажираются водкой и поют дурными голосами слезные песни. Я ужасно соскучилась по Андрею и сама удивилась своим эмоциям — вот уж не думала, что тоска с такой силой возьмет меня за горло в первый же день разлуки. Олег, страшно волнуясь, начал серьезный разговор:

— Я решил развестись с женой.

Я поперхнулась шампанским.

— Ты это серьезно?

Он молча кивнул, и глаза его досказали остальное.

— Но, надеюсь, ты ей этого не сказал. Такие решения нельзя принимать наспех. Вы прожили вместе несколько лет, а ты так легко хочешь порвать со своим прошлым.

— Я уже говорил с ней о разводе.

«О Господи, — подумала я. — На что же он надеется?»

— Но ведь не я являюсь причиной?

— Ты. Но не только. Я не люблю ее и не хочу лгать ей, — сказал Олег, пытая меня взглядом.

— Но я не давала тебе поводов думать, что у нас возможна совместная жизнь. Ты же знаешь, ко мне нельзя относиться серьезно, — пролепетала я, улыбкой смягчая свои слова. Но Олег игнорировал мои попытки свести все к шутке.

Ночью, когда я никак не могла уснуть и ворочалась на узкой кровати в своем номере, меня терзала одна мысль: «Что же Олег сказал на заседании редколлегии и почему меня, журналистку, выгнанную с работы за прогулы, отправили за счет редакции в шикарный круиз?»

27 сентября. Я плыву на большом-большом корабле, заполненном разношерстным людом, и почти счастлива. Все волнения отъезда остались позади. Томительное ожидание на морском вокзале, суматоха с моим заграничным паспортом, где неправильно проставили срок действия, неверие до последней минуты, что сказочная поездка состоится.

Каждая жилка трепещет во мне от полноты жизни, за бортом переливается праздничное море, по вечерам в барах яблоку негде упать, много вина, шума, дневной лени и вечерней возбужденности, трепет предвкушения приключений, новые знакомства. Единственное, что портит мне жизнь, — это Олег, следующий за мной как тень, и где бы я ни оказалась, я все время чувствую его требовательный, зовущий взгляд. К моей радости, в ресторане нас посадили отдельно, и я хотя бы на некоторое время избавлена от его опеки.

Сегодня в шесть вечера мы прибыли в греческий порт Пирей. Нас долго не выпускали на берег, и я от волнения не находила себе места. Я металась по палубе в своем любимом пестром летящем костюме, который в свое время так сразил бедного Олега, и не сводила глаз с незнакомого берега. Меня завораживало бурное кипение чужой жизни. Вожделенная заграница сулила чудеса. Моя радость оказалась заразительной, Олег наслаждался моей неискушенностью, новизной моих ощущений и невинностью. Я превратилась в ребенка, который ждет неслыханного подарка.

Когда мы вышли на берег, все показалось мне прекрасным. Даже мусорные свалки — они были чужими, «загра-

ничными», следовательно, хорошими. Каждый встречен-
ный незнакомец — загадка, каждая реклама — искуше-
ние, витрины магазинов — чудо и восторг. Я пялилась на
них, раззявив рот и потеряв всякое чувство разборчивости
и критики. Я не замечала грязи на улицах, дурных запахов
и безвкусицы бедных кварталов, убогости многих товаров,
выставленных на продажу. Все имело волшебный вкус
«заграницы». Я хотела зайти в каждое кафе, и Олегу стоило
немалых трудов удержать меня от всеядности. «Мы найдем нечто особенное, — говорил он. — Настоящий греческий ресторан».

Наконец на тихой, почти домашней улице мы обнаружили милое заведение с приветливой хозяйкой, чья внешность внушила нам полное доверие к ее кулинарному ис-
кусству. Это был недорогой семейный ресторанчик с
большим выбором морских блюд и домашним вином. Нас
встретили с почестями, как китайского императора, и усадили на улице за маленький столик. Вечер был ласковым,
под ногами шныряли большие черные коты с изумрудны-
ми глазами. Хозяйка принесла графин белого вина и большое блюдо улиток, запеченных в пряном коричневом соусе
прямо в ракушках. К ним прилагались острые палочки,
которые следовало вонзить в сочную мякоть улитки и вытащить ее из «домика». Это требовало известной ловкости,
я промучилась минут десять и вся перемазалась в соусе, но
результат был равен нулю. Хозяйка хохотала, наблюдая за
моими бестолковыми действиями, а потом взяла дело в
свои руки. Она молниеносно доставала улиток из ра-
кушек, окунала их в соус и скармливала их мне, как не-
смышленому птенцу. Мне оставалось только открывать
рот. Олег смеялся от души над этим спектаклем.

После улиток мы налегли на сытные блюда греческой
кухни. Я выпила много вина и философствовала под
звездным небом. Ночь тянулась, как черный бархатный
шлейф.

— Странно, — вдруг сказал Олег, — я встречал женщин много красивее и элегантнее тебя, но почему ты повсюду привлекаешь внимание?

— Самоуверенность — вот что притягивает в женщинах моего типа. Вовсе не обязательно быть красивой, важно уметь внушать, что ты неотразима и обаятельна, что ты — центр земли, пуп вселенной. Люди с такой готовностью принимают навязанные мнения. Но я боюсь потерять это счастливое качество — умение убеждать мужчин в своей исключительности. У меня все меньше для этого оснований.

После долгих пьяных речей я слегка утомилась и настроилась на благодушный лад. Я внимательно рассматривала Олега и думала, почему мне не хочется с ним переспать. Он высок и поджар (я как раз люблю такой тип мужчин), у него чувственные губы, улыбка чеширского кота и вид ловеласа. Наверняка он нравится женщинам. Но в чем же тогда проблема? В серьезности его намерений, в страсти. Если бы он был заурядным юбочником, я бы отдала свое тело без сожалений, в знак благодарности за подаренную поездку. И мы были бы в расчете. Но я боюсь последствий. Олег не понимает, что от такой чаши, как я, можно лишь пригубить. Он захочет выпить до дна, а мое вино предназначается не для него.

28 сентября. Утром нас повезли на автобусе через Афины в Акрополь. Я умирала от желания опохмелиться. Солнце Гомера палило нещадно. Я представила себе, как буду взбираться на подгибающихся ногах по белым древним камням к храмам в мерцающем зное, и мне стало дурно. «Олег, — слабым голосом попросила я. — Давай выйдем в центре города и что-нибудь выпьем».

Я пришла в себя в уличном кафе после стакана кампари с апельсиновым соком и льдом. Вокруг бурлила современная жизнь огромного делового города из стекла и стали, без намеков на могучее легендарное прошлое. Мы пошли слоняться по улицам, и я тормозила у каждой витрины. Снисходительный Олег привел меня в модный магазин, где нас тут же облепили продавщицы в черной форменной одежде, как мухи, садящиеся на слиток меда. Они верещали в десять голосов и совсем сбили меня с толку. Моему неопытному глазу все казалось красивым. Шу-

стрые девицы натянули на меня розовый костюм деше-
вого вида, который к тому же был мне велик. Они тут же
заявили, что ушьют его, и всадили в меня уйму иголок,
убирая лишнюю ткань. Я стеснялась сказать, что мне не
нравится эта вещь, но меня выручил Олег. «Не валяй дурака, — спокойно сказал он. — Это совсем тебе не подходит.
Лучше взгляни на это». Он показал мне обманчиво простой пиджак классических линий чистого красного цвета
с таинственной печатью элегантности. Я примерила его с
короткой черной юбкой, и у меня захватило дух. Он сидел
как влитой. Это была Моя Вещь. Из зеркала на меня смотрела молодая эффектная дама, соблазнительная и благо-
воспитанная одновременно.

Далее мне купили маленькие черные трусики, закол-
ки, побрякушки, костюмчик моему племяннику. Я рассыпалась в благодарностях, но душу грызла черная мысль:
чем же я расплачусь?

30 сентября. Я схожу с ума. Красота и равнодушие моря только подчеркивают накаленность наших отношений.
Удушливая атмосфера маленьких ссор обещает бурю. Олег
постоянно ищет моего общества. Он хочет сорвать меня,
как розу, и вдохнуть мой аромат.

По утрам я выхожу на палубу, заваленную желе дряб-
лых тел богатых немолодых мужчин. С ними контрастируют
гибкие тела красоток в скудных купальниках, с ошпарен-
ным цветом кожи. Я пробираюсь к бассейну, устраиваюсь
поудобнее на полотенце, заказываю водку с апельсиновым соком, закрываю глаза и наслаждаюсь жгучими поцелуями солнца. Но вот я чувствую приближение Олега.
Сквозь опущенные ресницы я наблюдаю, как он высмат-
ривает меня, переступает через тела отдыхающих, наконец
лицо его светлеет — увидел. Он подбирается ближе, кладет
мне руку на плечо, я делаю вид, что сплю, но он настой-
чив. Тогда со вздохом покорности я открываю глаза, и его
радость приводит меня в раздражение. Страсть выдает его,
как колокольчик прокаженного. Ничто так не бесит женщину, как неумолимое постоянство поклонника. Если бы

он приволокнулся за какой-нибудь смазливой девицей, во мне проснулся бы азарт охотника и, держу пари сама с собой, я оказалась бы в его постели. Но он не отходит от меня ни на шаг. Если бы не водка, которую я пью с десяти часов утра, жизнь была бы несносной.

Все мы — пленники этого корабля. Нам некуда идти и негде спрятаться, мы обречены терпеть общество друг друга. Единственное мое убежище — крохотная каюта без иллюминатора, с тусклым светом ночника. Я прячусь там от Олега и сижу тихо, как мышка в норке. Намедни он ломился туда после ужина, но я не открыла. Я слышала его ревнивое дыхание у двери и боялась, что он меня учует.

Его ревность имеет основания. Я нравлюсь «корабельным» мужчинам и завела уже три морских романа. Оторванность от земли настраивает на легкомысленный лад. Я люблю по вечерам мечтать, глядя на море, разомлев от южного благоухания, шампанского и разлитой в воздухе чувственности. На закате море лежит как золотая скатерть, после захода солнца оно похоже на темно-синий бархат, который временами лоснится от движения волн и бледного света лимонной дольки месяца, болтающегося в небе. Страшно представить чудищ, которые населяют морские недра. Надвигается ночь с ее обещаниями счастья.

Круизы — это пора шалой любви и великолепных приключений. Цветущая мимолетная любовь, звездные узоры, вышитые искусной рукой, волнующая смесь музыки, доносящейся из бара, и лунных лучей, мираж искушений. Трудно не воспользоваться передышкой морского путешествия, которая освобождает от семейных обязанностей. Странствия срывают с человека привычную скорлупу. Жены и мужья, отправляющиеся в круизы в одиночестве, обречены на пиратское плавание по волнам запретного увлечения.

Не могу я обходиться без флирта и не удержусь от соблазна прибавить еще один скальп к своему ожерелью. Это все равно что читать роман о некой неотразимой особе со своим именем. Мною движет любовь к любви, желание чужого желания. Мне неинтересна конечная цель — секс, меня волнует сам процесс виртуозного кокетства. Это опасная ловушка не только для мужчины, который падет жертвой искусного прельщения, но никогда не получит сладкий кусочек, но и для меня самой — можно оказаться в чужой постели случайно, вопреки своему желанию.

Сегодня вечером я целовалась в своей каюте с милым мальчиком-музыкантом Геной. В дверь постучали, и я вынуждена была открыть. Я стеснялась показать Гене, что прячусь. Олег зашел решительным шагом, увидел моего приятеля и переменился в лице. В глазах его тревожно тлели ревнивые огоньки. Он был сильно пьян, и я почувствовала нечто вроде испуга. Гена смутился и ретировался, оставив нас одних.

— Кто это? — коротко спросил Олег.

— Мой сосед по столику в ресторане.

— Что он здесь делает?

— Зашел поболтать перед сном. А почему ты спрашиваешь?

— Я имею право знать, кто у тебя бывает.

— Вот как! — воскликнула я, вспыхивая как порох. — С какой стати ты устраиваешь мне допрос? Кажется, я предупреждала тебя перед круизом, что ничего не будет. Я свободная женщина и не навязывала тебе свое общество. Не моя вина, что твои чувства не совпадают с моими желаниями.

Он пришел в ярость:

— Ты просто используешь меня! Ты вскружила мне голову, а теперь издеваешься, топчешь мое чувство, приводишь к себе мужчин!

Я подумала, что его слова недалеки от истины. Эта сцена в патетическом жанре до боли напомнила мне объяснение с Сашей, и я высказалась в ясных и холодных выражениях:

— Я не желаю слушать эти глупости. Ты пьян, убирайся отсюда.

— Хорошо, я уйду. Можешь делать все, что хочешь. И не подходи ко мне близко, я не хочу тебя видеть!

Он хлопнул дверью, а я, оставшись в одиночестве, горько заплакала над собственной подлостью.

1 октября. Днем гуляла по Неаполю одна, утомилась от его кричащей яркости, и меня потянуло к блеклым северным краскам, в Москву, к Андрею. Во взвинченном состоянии я вернулась на корабль, заперлась в каюте и глушила кампари.

Вечер смягчил чрезмерную роскошь города, и я, презрев все наставления гидов по поводу прогулок после захода солнца, снова отправилась в Неаполь. Корабли любовались своим отражением в воде, с неба скатывались звезды, улицы сверкали и манили огнями. Я вышла из порта и направилась к старинному собору. Сзади раздался гудок машины, и я ускорила шаг. Ветер-предатель поднял мою легкую юбку, обнажив ноги. Теперь загудели сразу несколько машин. Я оглянулась и увидела, что поток автомобилей остановился, и некоторые водители гостеприимно распахнули дверцы салонов. Фары просверливали меня насквозь. На улице не было ни души. В панике я бросилась бежать, вслед мне раздавались крики и смех. Меня остановил молодой полицейский, который спросил: «Что случилось, синьорита?» «Посмотрите сами», — сказала я со слезами в голосе. Он рассмеялся и заметил, что в Италии девушки не гуляют по вечерам без сопровождающих. «Пойдемте лучше в бар, выпьем, — предложил полицейский. — Вам надо успокоиться». Мы зашли в ближайшее заведение, выпили по бокалу кампари, и он все время трещал как сорока. Я не понимала и половины. У меня отвратительный английский язык, я знаю только элементарные выражения. Но полицейскому и не требовалось, чтоб его понимали. В конце концов, язык любви понятен всем. Он гладил мои руки, целовал и покусывал мне пальцы. В Италии все происходит быстро. Я сказала, что мне пора идти. Он проводил меня до порта, коснулся губами моей щеки и сказал, что завтра будет ждать меня у бара на машине. Я послала ему воздушный поцелуй и пошла к кораблю, нарочито вихляя бедрами. Пусть ему нынче плохо спится!

2 октября. Везет мне на полицейских! Сегодня я заблудилась в Неаполе и зашла в мужскую парикмахерскую спросить дорогу. Меня угостили кофе и в качестве провожатого дали молодого комиссара полиции, который только что постригся. Мы сели в его «Фольксваген» и покатили по городу. Комиссар распевал арии из итальянских опер, хвастался своим пистолетом и вообще вел себя как щенок на прогулке. Это был весьма красивый молодой человек блудливого вида, но его красота тяжелого южного типа. Он смахивал на кавказца. Его запас английских слов оказался меньше, чем мой. Все, что он знал, — это как признаться девушке в любви и предложить ей переспать. Он завез меня в горы, в красивейшее место, где расположены виллы богатых людей. Там он живо задрал мне юбку и стал гладить мои ноги. Я рассмеялась, когда он впился поцелуем в мою шею. Перед этим мы выпили в придорожном кафе, и я находилась в томном, расслабленном, бездумном состоянии. Я закинула голову и раздвинула ноги, наслаждаясь этой лаской. «Может быть, отдаться? — лениво подумала я. — Впрочем, нет. Это яблочко аппетитное, но скорей всего червивое после общения со случайными женщинами». Я довела его до исступления, потом одернула юбку и разыграла сцену притворного гнева. Я так вопила, что комиссар сказал «сорри» и отвез меня в порт. Я вышла из машины с видом оскорбленной женщины, с треском захлопнула дверь и смерила его на прощание холодным взглядом. Он грустно улыбнулся и помахал мне белым нечистым платком.

Едва я успела, придя в каюту, припудрить след вампирского поцелуя на шее, оставленного пылким итальянцем, как ко мне явился гость. Я обомлела, увидев Олега с огромным букетом бравурных алых роз. Он был взведен, как пистолетный курок, и натянут, как гитарная струна. На его лице отражалась трогательная игра чувств. После неловкой паузы он заговорил вздрагивающим голосом: «Прости за вчерашнюю сцену и не гони меня прочь. Просто я думал, что все будет по-другому, я так надеялся на твою любовь». «Но ведь я не давала тебе поводов так думать», — безжалостно сказала я. «Да, конечно. Но только не покидай меня сейчас. Давай останемся друзьями. Я больше не буду тебе докучать». Я милостиво приняла извинения и розы. Мы заключили компромиссное соглашение — на корабле я веду свою независимую жизнь, в портах мы соединяемся для совместных прогулок.

Когда он ушел, я уселась в кресло и погрузилась в размышления о жестокости любви. Бог мой! Что она делает с людьми! Велика сила женщины, которая не дается в руки. Я думала о том, что сделал бы на месте Олега человек из социальных низов, необразованный, темный разумом. Скорей всего он бы убил меня и плакал над моим телом. Какое счастье, что я имею дело с интеллигентным мужчиной! Он способен обуздать свои чувства и спрятать их под личиной цивилизации. Люди же примитивного склада души легче поддаются страстям, в них мощно звучит голос природы. Как часто я читала в газетной хронике происшествий: «Молодой лейтенант разрядил пистолет в няню детского сада из ревности», «Шофер такси выкинул из окна свою любовницу», «Грузчик убил свою жену, приревновав ее к соседу». На газетной полосе это выглядит пошло, но за короткими криминальными сообщениями стоят любовные трагедии шекспировского масштаба, не уступающие трагедии Отелло. Но люди способны проливать слезы только над художественным вымыслом, а страсти соседа Васи выглядят в их глазах лишь грязноватым фарсом.

И никогда я не встречала сообщений такого типа: «Писатель прирезал свою жену», «Журналист пристрелил сожительницу», «Учитель выпустил кишки любовнице». Да и в нашей редакции я не сталкивалась с любовными драмами. Выходит, что образование и воспитание загоняют человеческие страсти в положенные рамки, лишая их непосредственной силы. Какая странная мысль! Надо выпить по этому поводу.

4 октября. Грустный дождливый день. Гуляла в одиночестве по улицам Барселоны. В этом грациозном чудо-городе на всем лежит печать старины, от него веет ароматом вековых легенд. Я рассматривала памятники истории и человеческой фантазии и мучилась тоской по Андрею. Мне хотелось разделить с ним увиденную красоту, вместе наблюдать уличные сценки, услышать его остроумные комментарии. Только любовь делает прекрасным город, в котором ты находишься. А сейчас очарование Барселоны лишь усугубляет мою тоску.

Я вернулась на корабль и пришла в каюту к Олегу. Он валялся на кровати, совершенно пьяный и мрачный. Рядом стояла початая бутылка водки. Часы показывали только два. «Дай мне денег, — бесцеремонно сказала я. — Я хочу позвонить любимому человеку». Последние слова я особенно подчеркнула. Он дернулся как от удара и проговорил бесцветным голосом: «Посмотри в тумбочке». Я выгребла из ящиков залежи испанских монет и отправилась в город.

Было воскресенье. Я стояла у телефона-автомата на шумной улице, заполненной гуляющими людьми, и дрожащей рукой набирала свой домашний номер. Сама возможность поговорить с Андреем казалась нереальной. Что-то из области снов. И вдруг неожиданно ясно и четко я услышала в трубке его голос, спокойный, как всегда. Не помня себя от восторга, я закричала на всю улицу: «Это я, я!» На меня оглядывались, я чересчур шумно выплескивала свою радость. Мне казалось, что надо кричать очень громко — только так мой голос донесется из Барселоны в Москву. Тем более все равно никто не понимает моих слов. Тут мимо прошла пылкая испанская демонстрация, заглушая любовные признания, летящие из России. Я говорила без умолку, пока автомат не сожрал последнюю монетку, потом, совершенно обессиленная, прислонилась к будке и подумала, что есть все основания назвать меня страстно влюбленной. За это дело надо выпить до дна стаканчик чистого горьковатого кампари.

Отметив праздник души в маленьком кафе, я вернулась на корабль и поняла, что нуждаюсь в утешении. В гости ко мне пришел Гена, милый, славный, ласковый человек, давно по мне сохнущий, и я совершенно безвольно, по слабости характера, скучая по чужому теплу, отдалась ему. И ничего при этом не почувствовала. Когда он ушел, я попыталась понять, что же произошло? Десять дней я блюла верность, а затем, сразу же после телефонного разговора с любимым человеком, переспала с «круизным» мужчиной? Фи, как пошло. Парадокс? Развращение нравов? Нет, пожалуй, все объяснимо. Телефонный звонок растревожил душу, подчеркнул расстояние, разделяющее нас, обострил одиночество. Гена оказался чем-то вроде болеутоляющего пластыря или листьев подорожника, приложенных к ранке.

Женщины чрезвычайно уязвимы, когда находятся в разлуке с любимыми. Они нуждаются в утешении, и обычно находится кто-нибудь, желающий взять на себя роль утешителя. Но жар утих, разум прояснился, все встало на свои места. У этого эпизода есть еще одна сторона. Опытные дамы знают, что если мужчина всерьез решил добиться женщины, то хотя бы раз он ее получит, даже если он стар и уродлив. Женщины часто уступают из жалости, по доброте душевной или из потребности вознаградить поклонника за долгие страдания. Непременно случится благоприятное расположение звезд на небе или подует удачный ветер — и влюбленный мужчина сможет обернуть ситуацию в свою пользу. Чувству Олега не хватает неистовства, насилия, сокрушительной энергии. Может быть, ему стоило взять меня как дикую самку, и кто знает, как бы все обернулось. Но он слишком мягок и воспитан.

Тут мои размышления прервал стук в дверь, и я невольно содрогнулась, представив, как Олег, словно дикий зверь, царапает пол когтями и рычит, готовясь напасть на меня. Но потом меня разобрал смех. Я открыла дверь, непристойно хихикая, и увидела кроткого как овечка Олега. Он уже протрезвел и находился в жалком и мятом состоянии.

Мы отправились на прогулку по Барселоне и наткнулись на прелестный магазин испанских традиционных костюмов. Я тут же загорелась, увидев черную кружевную шаль, усыпанную блестками, расписной веер и заколку в виде классического испанского гребня, сверкающую фальшивыми камнями. Олег уверял меня, что это слишком дорого: «Лучше купить тебе новое платье. Ну зачем тебе шаль и гребень? Ну что ты будешь с ними делать?» Но я настояла на своем. После приобретения этих испанских сувениров я захотела купить трусики из секс-шопа. Но тут уперся Олег: «Извини, дорогая. Я не буду дарить тебе эту деталь туалета». Бедняга, он, наверное, представил себе, как я надеваю пикантные трусики на свидание с любимым мужчиной.

Мы зашли в маленький студенческий кабачок в старом квартале Барселоны, где за дощатыми исцарапанными столами молодые люди пили вино и ели охотничьи сосиски. Я напилась до такого состояния, когда сосед по столику становится врагом. Мы с Олегом поссорились, я дала ему пощечину и выскочила на улицу. Помню, как звонко стучали мои каблуки по мостовой. Я забежала в какое-то кафе и остановилась в растерянности. Здесь были только мужчины с раскрашенными лицами и в обтягивающих попки штанах. Они недоуменно уставились на меня. Я заказала водки и выпила ее медленными глотками. Затем воткнула в волосы гребень, обмотала голову черной шалью и стала медленно обмахиваться веером. Я произвела фурор. Вид у меня был законченной идиотки. Впрочем, у посетителей кафе не лучше. Я расплатилась и, пошатываясь, вышла на улицу. Лил дождь, и я вымокла до нитки. Я вспомнила старую сказку, как в дверь королевства постучалась девушка, совершенно мокрая, вода бежала с ее волос и платья, и все-таки она уверяла, что она настоящая принцесса!

Стемнело. У меня стучали зубы от холода. Я долго блуждала в порту в поисках своего корабля. Когда я наконец нашла его и добралась до своей каюты, на мне не осталось ни одной сухой вещи. Даже трусы были мокрыми. Я разделась, легла в постель и уснула мгновенным сном усталого, хорошо поработавшего человека. Ночью я внезапно пробудилась от странных звуков. Кричала женщина, захлебывалась счастливым криком. Более низким голосом стонал мужчина, почти рычал. Стены между каютами картонные, я слышала даже, как ходила ходуном кровать, поскрипывая от ритмичных толчков. Я слушала эту музыку любви, испытывая острую зависть. Корабль качало, на море был шторм, ночь казалась долгой и беспросветной, и я заплакала сладкими, светлыми, облегчающими душу слезами, как будто выплакивала все свои ошибки и грехи, очищая сердце.

12 октября. Приплыли к острову Родос. Утром видела двух мужчин, мучимых похмельем. Они стояли, наклонившись над бортом, сплевывали в воду и спорили, в какой стране они сейчас находятся и в какое море плюют — в Эгейское или Средиземное.

Пьянство на корабле достигло критической точки. Люди потеряли представление о времени, алкоголь исказил реалии и закрутил все дни, страны, города в одну пеструю карусель. В этом есть какой-то гибельный шарм, полный упадок сил и духа имеет свое обаяние. Я сама поддалась общему стремлению к падению в пропасть. Мои собутыльники — развеселая компания телевизионных операторов, здоровых, привлекательных, легкомысленных мужчин. Они меня дивно забавляют. Оператор телевидения — это не профессия, это особый склад характера, особая порода. Эти люди столько видели в жизни трагических и смешных ситуаций (причем наблюдали их через призму камеры), что их трудно чем-либо удивить, и это придает их суждениям здоровый цинизм, шокирующий людей, далеких от мира экрана. Вместе с тем они хорошие товарищи и тайные романтики, ибо нельзя воспринимать этот мир как красочный спектакль, разыгрываемый перед камерой, без внутренней жажды красивого.

Наша компания благодушно спивается. Вечером я целуюсь с кем-нибудь из своих новых приятелей, а утром уже не могу вспомнить с кем. Эта вакхическая путаница имен, поцелуев, взглядов чарует меня своей невинностью. Иногда кто-нибудь провожает меня в два часа ночи до двери каюты и с силой сжимает мои хрупкие плечи, я барахтаюсь в чужих руках, безупречно исполняю сцену наигранной ярости и захлопываю дверь перед носом провожатого. Посреди этого веселья меня холодит ревнивый, мрачный взгляд Олега, который не осмеливается подойти ко мне, но следит за мной издалека.

Сегодня Олег выгуливал меня на Родосе. Мы шатались по старому городу, пили коктейль «Том Коллинз», толкались в маленьких лавчонках, глазели на витрины ювелирных магазинов, где на черном бархате блистали ожерелья, достойные пещеры Аладдина, и переливались холодными лучами камни, вправленные в браслеты и кольца. Недоступная мне роскошь. На узкой улочке, где могут разойтись только два человека, мы нашли маленький ресторан с мраморными статуями греческих богов. Потолком ему служило сумеречное небо с ранними звездами. Мы ели огромного лобстера, наслаждаясь его солоноватой морской сладостью и запивая этот вкус легким белым вином. Размягченная теплыми сумерками, пахнущими морем, я вдруг сказала:

— А знаешь, ведь все это можно описать.

— Что именно? — недоуменно спросил Олег.

— Море, плывущий корабль, женщины с золотой от солнца кожей, коктейли в неурочный час, ссоры, ревность, лобстеры и улитки в соусе, странные разговоры, праздность. Все происходящее выглядит как череда сцен из романа, последняя страница будет прочитана в Стамбуле.

— И наши отношения ты бы использовала в качестве основной интриги?

— Конечно, — сказала я убежденно. — Ведь все на свете — только подручный материал для писателя, глина, из которой он лепит свои творения.

Мы вымыли руки в большой чаше с плавающими лимонами, разрезанными пополам. Нас ожидала только что спустившаяся ночь, и мы пошли ей навстречу. Улицы обезлюдели, на небе высыпали тысячи звезд. Мы бродили по пустынным улицам до полуночи и отыскали православную церковь, находящуюся на реставрации. На ней лежала печать поэзии и мощи. Меня не остановила табличка «Стоп», и я потащила покорного Олега в церковь.

Мы поднимались вверх по лесам, каким-то чудом находя дорогу в полной темноте, инстинктом угадывая опасные провалы. Я добралась до самого верха, до полуразрушенного купола. Небо было совсем близко. Я стояла, задыхаясь от счастья, глядя на золотые слезы звезд. Стояла глубокая тишина, лишь ветер тихонько нашептывал старые песни. Отсюда были видны крыши домов, блестящие в серебряном свете луны.

— Как же мы будем спускаться? — вдруг спросил Олег.

Этот вопрос отрезвил меня, и я почувствовала острый страх. Под нами была черная пустота, деревянный пол поскрипывал при каждом движении. Алкоголь, придававший мне храбрости и капельку сумасшествия, утратил свое влияние.

— Я никуда не пойду, — захныкала я. — Давай останемся здесь и подождем рассвета. Мне страшно.

— Глупости, — отрезал Олег. — Смогли подняться, сможем и спуститься.

Он взял меня за руку и потащил к шаткой лестнице. Я спускалась, чувствуя пропасть под ногами и скуля от страха. Между пролетами не было соединений, лестница крепилась кусками кое-как. По-видимому, восстановительные работы только начались. Когда нам приходилось прыгать с одной опоры на другую, я удивлялась, как это мы не свернули себе шеи при подъеме наверх, и шептала импровизированные молитвы. У меня дрожали ноги и руки и заплетался язык, когда мы наконец очутились на твердой земле. Мы сели отдыхать на камни паперти и закурили, созерцая уснувший город. Через несколько минут ситуация уже показалась нам смешной, и мы расхохотались, как двое сорванцов, совершивших удачную вылазку за яблоками в соседский сад. Олег показался мне ужасно милым, и я послала ему самую теплую улыбку. Ведь скоро, очень скоро мы расстанемся.

17 октября. Стамбул остался в моей памяти дурным сном. Толкотня восточных улиц, скопление человеческих ульев, декоративная торжественность мечетей, запахи гниющей рыбы в порту, пестрота типов и костюмов — все это приобрело мрачный колорит из-за страданий Олега. Слишком много в нем накопилось горечи, его большая мечта рухнула. Страсть смяла его, исковеркала и выпотрошила, оставив одну оболочку. Он несчастен по моей вине, и я не могу это не осознавать. Его печаль — прилипчивый недуг, и я заражена этой постылой тоской. Я волоку за собой гремящие оковы совести, и так уж устроен человек, что тот, кому он причиняет зло, вызывает у него двойную неприязнь.

Вчера, когда я выходила из туристического автобуса, Олег помог мне и коснулся моих пальцев. Я резко отдернула руку, как от ожога, он заметил мою реакцию, и черты его лица исказились. Я попыталась улыбкой исправить положение, но было уже поздно. Еще одна царапина на его сердце, которую залечит только время.

19 октября. По приезде в Одессу я остервенела. Какой-то демон гнал меня вперед. «В Москву! В Москву! В Москву!» — твердила я. Мы примчались в аэропорт как сумасшедшие и выяснили, что билетов в Москву нет на неделю вперед. Можно было ехать поездом, но одна мысль, что придется тащиться до столицы два дня, когда до встречи с Андреем всего два часа лету, доводила меня до безумия. Я потеряла всякий контроль над собой и заявила Олегу: «Делай что хочешь, но сегодня я должна быть в Москве. Я хочу заснуть этой ночью в объятиях любимого человека». Не знаю, что толкало меня на такую жестокость, так дети добивают птицу камнем, не сознавая, что делают. Олег пошел к начальнику аэропорта и, тыча ему в нос своим редакционным удостоверением, стал рассказывать сказки про то, что мы выполняли журналистское задание и сегодня должны срочно вернуться в Москву. После долгих переговоров нам нашли два билета на четыре часа дня.

В Одессе были ранние заморозки, и я в своем легком плаще дрожала, как суслик. Мы грелись коньяком в местном буфете, закусывая его бутербродами. Тоска стояла такая, какая бывает только на вокзалах. Хоть волком вой. Я вся дрожала от нетерпения в предчувствии долгожданной встречи.

Когда мы в шесть часов вечера прилетели в Москву, я старательно избегала встречаться с Олегом взглядом. Я опускала глаза, чтобы не выдать эгоистическую радость молодой влюбленной женщины, спешащей на свидание. Он посадил меня в такси, бросил короткое «пока» и помахал вслед рукой. И когда я уже доехала до города, меня обожгло стыдливой мыслью: «Я забыла сказать ему «прости».

2 ноября. Что творится с Андреем! Мне страшно. Он начал пить. Раньше я не замечала за ним этой пагубной страсти. Я видела его слегка подвыпившим, навеселе, болтливым и нежным. Мне казалось, что алкоголь для него — то же, что и для меня, хорошее средство поднять настроение, когда на душе тягостно, способ сплотить людей в одну дружную компанию, помощник в задушевной беседе, и не более того. Всегда важно остановиться и взять себя в руки. Но то, что происходит сейчас, не имеет ничего общего с приятной выпивкой. Андрей напивается мгновенно, после нескольких стаканов водки глаза его наливаются кровью и пугают своим блеском, нежная кожа со всеми оттенками розового становится багровой, язык заплетается, походка теряет устойчивость. Здравомыслящий дельный молодой человек превращается в пьяного скота. Прежде я лишь мягко журила его за излишества, когда по утрам он мучился безумной головной болью, но то, что случилось вчера, переходит все границы.

Мы были в гостях, немного расслабились, и я пропустила тот момент, когда Андрея следовало увести. Спохватилась я слишком поздно — Советов таращил бессмысленные глаза и блаженно улыбался. Я простилась с хозяевами за двоих и вывела своего пьяного сожителя (так пишут в милицейских протоколах) на улицу, чтобы поймать такси. Он все время качался, и мне пришлось прислонить его к столбу. В течение получаса машины с ревом проносились мимо, не рискуя тормозить около подозрительной парочки. Наконец один храбрый «Запорожец» взялся доставить нас домой. Мне пришлось разбудить Советова, который спал, как конь, стоя, сладко похрапывая, и усадить его в машину. Я подумала, что все еще обойдется, дома я уложу его в постель, а утром устрою скандал по всем правилам женской науки. Не тут-то было.

Оказавшись в теплой квартире, Советов внезапно проснулся. Я пыталась снять с него плащ, но он оттолкнул меня и достал газовый пистолет, направив его прямо мне в лицо.

— Раздевайся, — сказал он хриплым голосом.

— Что?! Что ты говоришь? — заикаясь, пролепетала я.

— Раздевайся, сука! Сейчас я тебя вые...

Он смотрел на меня глазами припадочного, палец его лежал на курке, и меня обуял страх. Я медленно подняла руки к застежкам блузки.

— Ты что, не понимаешь? Быстрее! Иначе выстрелю.

Он говорил странным заторможенным голосом, растягивая слова. Глаза его бегали по комнате, как будто выискивая что-то необходимое. Я торопливо стянула юбку и блузку, оставшись в трусиках и колготках.

— Я должен, должен их найти, — пробормотал он с тоской.

— Кого? — спросила я, осторожно приближаясь к нему.

— Твоих любовников! Они, наверное, прячутся под кроватью.

«О Господи, — мелькнула мысль. — Вот она, белая горячка!»

Советов заметался по комнате, передвигая шкафы и стулья, потом опустился на четвереньки и внимательно осмотрел пол под столом и кроватью. Улучив нужный момент, я выхватила у него пистолет и помчалась в другую комнату. Я едва успела засунуть оружие в ящик стола под груду бумаг, как ко мне ворвался Советов.

— Отдай, отдай мой пистолет, — жалобно твердил он, как ребенок, у которого отняли любимую игрушку. — Верни сейчас же, иначе побью.

Андрей теребил мои плечи, раскачиваясь, как маятник. Потом он навалился на меня всем телом, мы оба потеряли равновесие и рухнули на пол. Я больно ударилась рукой и разбила новенькие блестящие часики, которые Андрей преподнес мне на день рождения. Поддельные бриллианты рассыпались по полу, и я заревела в голос от обиды. Но всласть поплакать мне не дали. «Сейчас я тебя убью», — вяло сказал Советов. Я взвизгнула и выбежала из комнаты, он погнался за мной неловкими прыжками. В прихожей я успела сунуть ноги в туфли, схватила пальто и сумку, выскочила в коридор, сорвав электропроводку над дверью, и помчалась наутек вниз по лестнице, как трусливый заяц. Только на улице я обнаружила, что совсем раздета, и натянула поверх голого тела пальто. В моем кошельке едва хватало денег на такси, чтобы добраться до подруги.

Утром я размышляла над дальнейшими действиями. Можно объявить войну и поселиться у подруги в ожидании, пока меня не заберут. Но долго мне не продержаться, денег нет, кроме того, в ее доме отсутствует горячая вода. Можно вернуться домой, по возможности соблюдая достоинство, и извлечь из этой ситуации максимум пользы — раскаяние и покорность Советова, новые часы и красное платье, которое я давно приметила в магазине, французские духи и возможность капризничать с утра до вечера. Поколебавшись, я выбрала последнее.

Я вернулась домой, дверь была незаперта. Советов, больной и несчастный, совершенно голый, дрожащий с головы до ног, пил кофе на кухне. Он сморщил лицо жалкой улыбкой и кротким голосом сказал: «Доброе утро, любовь моя. Почему ты не ночевала дома? Я очень беспокоился». Он был так нелеп, что меня начал разбирать смех. Но я гордо вскинула голову, холодно посмотрела на него сверху вниз, презрительно приподняла верхнюю губу, всем своим видом выказывая крайнее отвращение, затем молча отвернулась и ушла в ванную. Там я заперлась и вволю нахихикалась, зажимая рот полотенцем, пока Советов уныло выклянчивал за дверью прощение. Меня всегда в таких ситуациях подводит чувство юмора. Я совершенно не умею долго злиться и хранить высокомерное молчание. Минут через сорок я вышла из ванной с видом королевы, ударив Советова дверью по лбу. Он встретил меня со смирением кающегося грешника, и я наконец высказала все упреки, которые так тщательно припасала долгой бессонной ночью.

8 ноября. Если в доме завелся пистолет, он непременно выстрелит, этот театральный закон действует и в жизни. Вчера Советов опять явился домой пьяным, но без агрессии, а в том добродушном состоянии, когда хочется обнять весь мир и объясниться в любви к человечеству. Он бросился ко мне не раздеваясь, со словами нежности, и чрезмерно крепко стиснул меня в объятиях. Меня раздражал запах водки, исходящий от него, и эта беспричинная радость, навязанная алкоголем. Я попыталась вырваться, Андрей сжал меня сильнее, я замолотила кулаками по его груди, он шутливо укусил меня за руку. Завязалась борьба. Со стороны мы, наверное, были похожи на танцующую пару, которая неловко топчется на месте не в такт и совершает нелогичные движения. При неудачном рывке пистолет, висящий на розовой кружевной ленточке внутри его плаща, выскользнул из петли, грохнулся на пол и выстрелил. Комнату заполнило удушливое газовое облако. Кашляя и чихая, мы ринулись прочь и укрылись на кухне, дрожа как овцы во время бури. У меня слезились глаза и першило в горле. Советов намочил полотенце и, прижав его к лицу, вернулся в отравленное помещение, чтобы распахнуть окна.

Спать нам пришлось вдвоем на узкой кровати в маленькой комнате, где в прежние времена я укрывалась от поползновений Советова. От тесноты и неудобства я никак не могла заснуть и долго думала над тем, что же делать дальше. Я вижу, как Андрея засасывает омут пьянки, и все, на что я способна в таких случаях, — это нежно выбранить его утром. На затяжные ссоры у меня не хватает выдержки. Любовь лишает человека власти, и он не способен руководить тем, кого любит, ибо всякое правление требует разумной доли жестокости.

19 ноября. Я изучаю тонкости домашней политики, но не слишком преуспеваю в этой науке. Я плохой дипломат и не умею ходить на мягких лапах. Наши перепалки становятся все ожесточеннее. По-видимому, мы прошли период розовой влюбленности и видим теперь друг друга сквозь серую пелену взаимного недовольства. Это неизбежный закон природы — после лета наступает осень, и тот, кто хочет дождаться весны, должен набраться терпения. Все влюбленные пары проходят через черную полосу ссор после первых медовых месяцев. И только те выживают, которые способны стачивать острые углы и находить компромиссы.

Я великолепно знаю теорию, но слаба в практике. Я все люблю объяснять, каждому явлению придумывать кличку, каждой ссоре искать определенную причину, каждой обиде находить громкое словесное выражение. Тактика молчания мне незнакома. Андрей же терпеть не может вопросов. Он предпочитает в сумраке душевной неурядицы укрываться в храме своих сокровенных мыслей, отстраняя меня охолаживающим блеском глаз. Он учит меня понимать силу молчания. Я неизменно кричу и неизменно проигрываю.

С тоски я загружаю себя работой и торчу в редакции целыми днями. Сегодня один мой коллега обратился ко мне с насмешливым вопросом:

— Как прошло свадебное путешествие?

— Какое еще путешествие? — удивленно спросила я. — Что ты мелешь?

— Ну как же, ведь Олег заявил на заседании редколлегии, что вы собрались пожениться, и попросил в качестве свадебного подарка отправить вас в совместную поездку.

— Ты шутишь? Этого не может быть! Я ничего об этом не знала!

— Не притворяйся удивленной, — рассердился мой приятель. — Все прекрасно знают, что ты пудрила ему мозги с целью поехать в круиз. А ведь мог бы поехать кто-нибудь из сотрудников редакции, работающий уже несколько лет, а не девчонка, уволенная за прогулы.

У меня горели уши от стыда, а сердце пронзила острая

жалость к Олегу. «Бедняга! — подумала я. — Как же он надеялся, что свадьба состоится».

Я ехала домой на такси, растравляя в душе чувство нежного раскаяния и грусти, почти наслаждаясь этими сладостными эмоциями, но против воли мои мысли возвращались к Андрею. Почему у нас не вытанцовываются отношения? Почему он все время ускользает от меня, уходит, как вода из пригоршни? Прежде я знала его лишь веселым щенком, легкомысленным мальчиком, всегда готовым к шутке. Теперь он повзрослел, и я столкнулась с другой стороной его натуры — крайней замкнутостью, обостренной тайной ревностью, болезненным самолюбием и нежеланием выплескивать кому-нибудь свои эмоции. Только водка поднимает со дна его души осадок, ил, прах. Но почему меня волнует его отстраненность? Неужели я настолько безнадежно запуталась в сетях любви? Мне всегда казалось, что я в любой момент смогу взять себя в руки и даже посмеяться над своими чувствами. Кто он, в сущности, такой, этот мальчишка? И сколько грязи намешано в моей так называемой любви! Три года назад короткая вспышка похоти, чуточку любопытства, потом откровенная корысть, удобства жилья, привычка к совместной жизни, сознание того, что кто-то взял на себя все заботы. Почему же я так настойчиво стремлюсь завладеть его сердцем? Каким же словом назвать мою тягу к нему? Слово «любовь» кажется чересчур захватанным и сомнительным. Я просто очарована Андреем, потому что потеряла ключи к его сердцу. Как только загадка будет разгадана, я охладею.

3 декабря. Кризис наступил. Вчера у меня были гости. Андрей пил водку стаканами, веселел и сладко, липко, тошнотворно объяснялся мне в любви. Я не переношу пьяных публичных признаний, от них душа наполняется желчью, а рот злобными словами. Я выплевывала их в лицо Андрею, не стесняясь присутствия подруг, извивалась от злости, источала яд. Он почернел лицом и набычился. Гости сочли за лучшее уйти.

Мы остались одни, и несколько минут стояла напряженная тишина. Потом Андрей сказал грозным голосом:

— Отныне я запрещаю тебе оскорблять меня при посторонних.

— Да кто ты такой, чтобы устанавливать правила? Пьяный ублюдок, подонок, тварь. Ненавижу!

Он стал похож на быка, у которого перед носом размахивают красной тряпкой. Кулаки его сжались, дыхание участилось.

— Если ты еще раз оскорбишь меня, я тебя ударю!

Это был вызов. Я радостно засмеялась. Вот чего нам не хватает — драки!

— Дрянь, идиот, паскудник! — триумфально выкрикивала я, как будто награждая его титулами. Когда я перешла на матерные выражения, то получила такой удар в челюсть, что отлетела к стене и ударилась затылком о шкаф. Я ринулась в бой, но тут же потерпела поражение. Бить он меня не стал, просто выкрутил руки и подождал, пока я успокоюсь. Я смотрела на него в бессильной ярости, совершенно ошеломленная происходящим. Первый раз в жизни меня ударил мужчина, и притом тот, от которого я меньше всего ожидала нападения. Мозг сверлила одна мысль, вычитанная в какой-то научной статье: «В основе отношений между полами лежит враждебность и взаимное недоверие». Раньше это предложение казалось мне бессмысленным, теперь я поняла, что это значит. Не бывает любви без примеси жестокости.

Я начала хныкать. Он меня отпустил и холодно сказал: «Если не хочешь, чтобы я отлупил тебя по-настоящему, убирайся отсюда». Я уползла в соседнюю комнату, непрестанно жалуясь на судьбу.

Утром я проснулась, страшно недовольная собой. Вся жизнь представлялась мне чередой сплошных ошибок. Что он себе позволяет, этот мальчишка? Я должна немедленно уйти отсюда. Сейчас же соберу свои вещи и гордо отчалю. Недельку можно пожить у Юлии, пока Советов не приползет на коленях вымаливать прощение. Я распаляла свою ненависть, скидывая в чемоданчик все, что попадалось под руку. Потом услышала, как Андрей блюет в туалете, и это наполнило меня злорадством. Погибай, дружок, от своей проклятой водки. Я написала трагическую записку, нечто вроде «не ищи меня больше, я проклинаю тот день и час, когда встретила тебя» и т.д. Женщины всегда пишут подобные записки в надежде на то, что провинившийся перевернет небо и землю в поисках утраченной возлюбленной.

Юлия встретила меня с распростертыми объятиями. Мы целый вечер строили изощренные стратегические планы мести. Главная задача — «как посадить Советова на короткий поводок и надеть на него намордник, чтобы он не смел тявкать на свою хозяйку и кусать ее за ноги». Уснула я, не слишком уверенная в завтрашнем дне.

6 декабря. Я истерзана досадой. Прошло три дня, но Советов почему-то не выламывает двери у Юлии, не забрасывает меня цветами и не поет под окнами серенады. Он позвонил один раз, спросил Юлию, не видела ли она меня, в соответствии с нашим планом она ответила, что у нее нет никакой информации, и даже разыграла маленькую сценку волнения на тему: «Куда пропала Даша?» Я во время разговора сидела на кухне и тряслась от волнения. Юлия положила трубку и подошла ко мне со смущенным лицом: «Мне кажется, он догадался, что ты живешь у меня. Во всяком случае, голос у него был спокойный». «Черт бы его побрал! — возмутилась я. — Его невозможно обмануть. Он знает все наши уловки».

Целыми днями мы с Юлией режемся в карты, слушаем оперы Верди и пьем дешевое сладкое вино, чтобы убить время. Мое воображение заставляет меня драматизировать события. Мне начинает казаться, что Советов спивается и приводит в квартиру женщин, что все между нами кончено. Время свободы оказалось мне не по силам, надо вернуть себе повелителя. Какое мучительное душевное колесование! Я почти физически ощущаю, как меня пытаются сломать, я даже слышу, как трещат мои косточки. Странно, что этот мальчишка взял надо мной такую власть, победил там, где потерпели поражение мужчины старше и

опытнее его лет на десять. Любовь, как блуждающий огонек на болоте, мерцая и трепеща, заманила меня в тряси-
ну неуверенности, сомнений, унижения. К моему чувству
примешивается неприязнь к поработителю, и я начинаю
понимать, что только тот, кого любишь, способен превратить твою жизнь в ад. На свете гораздо больше преступлений и убийств совершается во имя любви, чем во имя ненависти.

9 декабря. Я выкинула белый флаг, причем в моем поражении не было благородства. Это была жалкая сдача на
милость победителя. Утром я позвонила Советову и попросила меня забрать, он, откровенно позевывая, сказал,
что еще спит и приедет только через два часа. Я бросила
трубку и заплакала от бешенства.

Юлия смотрела на меня с жалостью, потом сказала:

— Надо что-то придумать, чтобы его удивить. Он должен приревновать. Нужна какая-то новая деталь в поведе-
нии.

— Но какая? Он хитер, как змея.

— Вы будете вечером заниматься любовью?

— Ну конечно! Чем же нам еще заниматься?

— А ты примени в постели неожиданную позу, задай
ему задачку. Пусть думает, где ты за неделю выучилась
новым любовным трюкам и кто был учителем.

Это вдохновило меня. Через сорок минут мы изобре-
ли фантастическую позу, изображающую стилизованную
страсть, что-то из репертуара йогов.

Советов прибыл только через три часа с самым скучающим видом, как будто он приехал в бюро находок за не
слишком нужной ему вещью. Но поскольку из бюро уже
несколько раз звонили и умоляли забрать, то он соизволил
наконец прибрать к рукам свою собственность. Он за-
крылся высокомерием как панцирем.

Только вечером, в постели, мне удалось разбить лед
наших отношений с помощью объятий и домашних ласка-
тельных словечек. Я спешно латала дыры в ткани совместной жизни. Секс все вернул на круги своя. Я с непосред-

ственным видом применила изобретение Юлии и, когда мы уже лежали без сил, заметила, что Советов озадачен. Ему понадобилось несколько минут, чтобы найти решение, и лицо его озарилось радостным светом. «А-а, я понял! — воскликнул он. — Это вы с Юлией придумали, чтобы я приревновал тебя к несуществующему любовнику». Я засмеялась искусственным смехом и бросила на него досадливый взгляд: «Что за выдумки, дорогой? У тебя просто разыгралось воображение». А про себя подумала: «Угадал, хитрая бестия! Всегда был сметлив». Я уснула, положив голову ему на плечо, с мыслями о том, что даже рабство бывает сладким.

3 февраля 1992 года. Наши маленькие войны меня порядком утомили. Мы целенаправленно ломаем друг друга с целью возвысить партнера до тщательно взлелеянного идеала и никак не можем принять любовь без поправок. Наши схватки во имя самоутверждения отнимают много сил и иллюзий, но никто не предложил подписать мирный договор. Мы оба мысленно составили свои варианты этого документа, но основные пункты в них не совпадают. Советов выдвигает требования, которые мне кажутся идиотскими. Он хочет: а) приходя с работы в девять часов вечера, не заниматься ужином и не подавать его мне на стол, б) просит меня хотя бы иногда мыть посуду и покупать хлеб в магазине, поскольку я все равно целый день валяюсь на диване и плюю в потолок, в) не будить его в субботу и воскресенье, чтобы он приготовил завтрак, а хотя бы дождаться, когда он сам проснется (по поводу этого пункта я всегда воздеваю руки к небу и восклицаю: «Вернитесь, благословенные времена шоколада в постель!»), г) не превращать его в служанку, которая десять раз на дню должна подавать чай мне и моим гостям, д) он устал стирать мои трусы и колготки, которые я подсовываю в его корзину с грязным бельем (в этом месте я обычно кричу: «А ты что, брезгуешь?»). Все это представляется мне бессмысленным. Я выдвигаю следующие аргументы против: а) я творческая личность и не могу заниматься проблемами быта (тут непременно слышится реплика Советова: «А я, черт побери, зарабатываю деньги!»), б) поскольку я совсем не умею готовить, а Советов это делает превосходно, то кухаркой в доме должен стать он, в) в магазин я ходить не могу, так как при виде очередей теряю сознание. Такое несовпадение во взглядах на жизнь вызывает ожесточенные битвы.

Я веду войну без правил, руководствуясь женской тактикой, используя все традиционные приемы — сцены со слезами, уходы из дома, секс как сильнейшее средство воздействия, милое сюсюканье. Я выкручиваю руки под наркозом ласки и осторожно, пядь за пядью, продвигаюсь вперед. Советов предпочитает генеральные сражения, он терпит мои выкрутасы в течение двух-трех месяцев, не выказывая признаков недовольства, затем на несколько дней погружается в зловещее молчание, далее следует взрыв. Ницше считал, что, идя к женщине, надо брать с собой кнут. Советов использует моральную плетку — истязает меня пренебрежением и молчанием и лишает постельных удовольствий. Потом по сценарию идет примирение, когда он обнимает меня, кроткую и печальную, уверенным жестом хозяина и тащит в кровать, где так владеет моим телом, как будто оно мне не принадлежит. Я два дня хожу присмиревшая и даже мою посуду, затем снова начинаю медленно завоевывать утраченные позиции. Мы понемногу усваиваем привычки друг друга — я теперь применяю в спорах логику и спокойный, рассудительный тон, как это умеет делать Советов, он же пристрастился бить различные предметы в порыве негодования, что прежде было моей прерогативой. На днях он разбил о стенку будильник, а позавчера в пьяном виде грозился швырнуть стакан в экран телевизора, если я не переключу на другую программу. Я же стала замечать в себе бюргерскую осторожность. Если раньше я с удовольствием колотила чужие чашки и блюдца, демонстрируя свой темперамент, то теперь мне просто жалко бить свою посуду, которую придется покупать на общие деньги. У меня появилось чувство собственности, почти семейное желание обустраивать дом.

Трудно жить с ровесником. Я так привыкла к приятной жизненной игре «маленькая девочка и сильный взрослый мужчина», когда вся ответственность возлагается, разумеется, на старшего. Но наши позиции равны, и мне не дают исполнять роль обаятельной глупышки. Меня, наверное, больше устроил бы любовник-папочка.

5 августа. Как давно я не заглядывала в свой дневник! Слишком много работы в редакции, и после долгих мучений над газетными статьями совершенно не хочется еще что-то писать для себя. Меня снова взяли в штат «Комсомольской правды» и даже с повышением в должности. Я много езжу в командировки и отстояла за собой право не приходить на работу каждый день. Моя жизнь насыщенна и разнообразна, у меня появился свой круг читателей, отношения с Андреем вошли в ровную колею, но я не получаю полного удовлетворения. Мне хочется глотнуть настоящей славы, заставить говорить о себе, написать нечто сенсационное и не прозябать в унылой безызвестности. Такая жизнь вполне устраивает моих коллег, они могут годами корпеть над серьезными темами, получая в награду крохи читательского внимания и к пятидесяти годам так называемую известность в узких кругах. Но все это не по мне. Я хочу стать знаменитой сегодня, сейчас, пока я молода, хороша собой, пока во мне бурлит жизнь. Мне хочется проснуться утром и увидеть в разных газетах свои портреты. Да, это тщеславное, мелкое желание, но упорный труд и размеренность не моя стихия. Я игрок и мечтаю одним метким ударом выиграть сражение за славу. Пусть даже карты в этой игре будут крапленым, но мне еще слишком мало лет, чтобы руководствоваться соображениями морали.

Сегодня был жаркий день, и я наслаждалась холодным пивом в редакционном баре в компании журналиста Ваиза и газетной барышни Елены, работающей в отделе информации. Нас разморило от жары, и мы лениво перебрасывались репликами, чтобы поддержать разговор ни о чем. Перебрав все вечные темы, мы взялись за самую популярную — любовь и все ее последствия. Ваиз поведал нам историю своих привязанностей, я изложила свои любовные приключения со знаменитыми людьми. Мы были похожи на ветеранов секса, сидящих в трактире и угощающих друг друга непристойными рассказами. Мы оживились, в баре как будто повеяло прохладой, волны адреналина помчались по жилам. Ваиз вдруг сказал:

— Тебе надо написать газетную статью о своих романах со знаменитостями так же весело, в духе приключения, как ты сама сейчас рассказываешь.

— Ваиз, у тебя от жары помутился разум. Ты забыл, в какой дикой, ханжеской стране мы живем. Меня побьют камнями, как Марию Магдалину. И потом, — смущаясь, заметила я, — это как-то непорядочно.

— Можно подумать, ты что-то знаешь о порядочности! — фыркнул он. — И потом, ты женщина и как бы ни за что не отвечаешь. Зато утром ты проснешься знаменитой.

— Но даже если я напишу такую статью, ни одна газета не опубликует ее.

— Ерунда, — отмахнулся Ваиз. — Сейчас появилась желтая пресса, газеты будут рвать у тебя статью из рук.

Елена тоже с горячностью включилась в разговор, они оба так поддразнивали меня, провоцировали и убеждали, что невозможное возможно, что я и сама поверила в это. Очнулась я только дома и, перебирая в памяти обрывки их фраз, поняла, что только сумасшедший может затеять такую игру — ставить на карту всю свою репутацию и будущность ради мифической славы.

Я поделилась своими сомнениями с Андреем, и он, всегда одобряющий мои самые рискованные поступки, несколько растерялся. «Ты уверена, что хочешь этого?» — осторожно спросил он. Я кивнула. «Тогда тебе нужно взвесить все «за» и «против», — сказал Андрей. Я мерила шагами комнату и размышляла: «А что я, в сущности, теряю? Свое доброе имя? Я никогда им не дорожила. Репутацию порядочной журналистки? А что мне с ней делать — каши из нее не сваришь и шубы не сошьешь. Я буду еще десять лет писать военные репортажи, и всем будет наплевать, чем я занимаюсь. Что может случиться, если я напишу мемуары, посвященные интимным подробностям жизни знаменитостей? При худшем раскладе на меня подадут в суд. Но ведь не дураки же эти люди, раз они добились успеха и правят страной. Кому нужно шумное судебное разбирательство (а я постараюсь сделать процесс как можно более гласным, и все газеты будут смаковать подробности)? Это только скомпрометирует их». Я попыталась представить, как бы я поступила на их месте. Отрицала бы все с официальной холодностью или сделала вид, что укусы какого-то дерзкого щенка меня попросту не касаются. Люди, находящиеся на вершине Олимпа, могут позволить себе пренебрежение к желтой прессе.

А сколько выгод это могло бы мне принести! Я написала бы книгу о своей легкомысленной юности и продала бы ее какому-нибудь издателю. И я смогла бы бросить ремесло журналиста и заняться творчеством для своего удовольствия — писать о том, что мне интересно. Но для этого нужен крупный скандал, необходима шикарная выходка, о которой все заговорят. Да, чтобы завоевать себе положение, требуются бесчестные поступки и загрубелая совесть. Мне нравится болгарская пословица: «В основе каждого богатства лежит хотя бы одна грязная монета». Я бы перефразировала ее так: «В основе каждого успеха заложен хотя бы один низкий поступок». Несомненно, люди, которым дорогу в жизни проложили родители, избавлены от необходимости поступаться своей совестью и своими принципами. Но мне приходится самой пробивать кирпичную стену неблагоприятных обстоятельств. Я не боюсь сделать крутой поворот руля, будь что будет, а там посмотрим, куда вынесет мою машину.

17 августа. Мне не слишком везет. Я написала скандальную статью, но ни одна газета не берется ее опубликовать. На меня смотрят как на зачумленную, редакторы со смаком читают текст, а потом возвращают его со словами: «Мы не хотим неприятностей». Я уже отчаялась. Ко всему прочему я уже неделю не могу улететь в Тбилиси по делам. Каждый день Андрей отвозит меня на машине в аэропорт Внуково, и каждый раз рейс откладывают. Нет топлива. В аэропорту живут несчастные, не мывшиеся неделю — заросшие, бородатые мужчины и женщины с детьми. Все они плачут и стенают около авиакасс, но даже те, у кого есть билеты, не могут улететь. «Аэрофлот» начал хитрить. Теперь рейсы, которые не выполняются в течение двух дней, попросту отменяют. Билеты нужно сдавать в кассу и покупать новые. И нет никакой гарантии, что по ним можно будет улететь. Во Внукове скапливается все больше и больше людей. Я с ума схожу от этой давящей, стонущей массы и совершенно теряюсь в людской толчее.

Сегодня мы седьмой раз с ощущением безнадежности отправились в аэропорт. Как всегда, рейс отложили на сутки.

— Не везет, — сказала я со вздохом. — Поехали домой.

— Кому это не везет? — насмешливо спросил Андрей. — Это тебе-то? Да ты стену можешь проломить, если тебе надо. Значит, ты просто не хочешь лететь.

— Да как ты смеешь так говорить? — с яростью набросилась я на него. — А что бы ты сделал на моем месте? Ты попадал когда-нибудь в такие ситуации?

— Конечно, — невозмутимо ответил Андрей. — Однажды в Новосибирске я напился как свинья и опоздал на регистрацию. Я пошел прямо на летное поле с билетом в руках и наглой рожей и нашел свой самолет. Стюардесса спросила, почему у меня нет штампа на билете. А я тупо, с украинским акцентом сказал: «А я знаю?» Короткие идиотские вопросы в ответ на вопрос производят сильное впечатление. Меня пустили в самолет.

— Это гораздо проще. У тебя хоть самолет был. А тут пускают один завалящий рейс раз в двое суток, на который ломится пол-аэропорта со взятками. Как тут быть?

— Не хныкать. Иди одна, походи по зданию, найди лазейку, попробуй поговорить с летчиками, потряси удостоверением журналиста. Очаровательной женщине все готовы помочь. А я подожду тебя в машине.

Я уныло поплелась в аэропорт. Вокруг снова тысячи людей, озабоченные своими проблемами и совершенно безразличные ко мне. У входа на летное поле дежурил свирепого вида мужичонка с пышными усищами. Я было совсем упала духом, как вдруг заметила юного прыщавого курсанта в летной форме. Он выглядел простофилей и с наслаждением поедал мороженое. Я поправила прическу и решительным шагом подошла к нему.

— Молодой человек, — проникновенным голосом сказала я. — Я к вам обращаюсь как к мужчине, умеющему летать и способному подняться над заурядными проблемами. (В таких случаях мой приятель Вадим говорит: «Что сказал — сам не понял».)

— Я вас слушаю, — с готовностью ответил курсант.

— Вы хотите помочь газете «Комсомольская правда»?

— Конечно. — Он был весь внимание.

— Я журналистка, и мне надо пройти на летное поле, чтобы попасть в диспетчерскую, но тот противный мужик, что охраняет выход, не пустит меня без сопровождения человека в летной форме.

Курсант разволновался так, что даже забыл про мороженое. С него капало и капало, пока на полу не образовалась маленькая молочная лужица.

— Я готов, но что я должен сказать, если меня спросят, зачем вы идете со мной?

— А вы скажите, что я корреспондент и иду брать интервью у летчиков.

Сказано — сделано. Мы благополучно преодолели заградительный барьер. Я помахала удостоверением, курсант держался молодцом, взял меня под свое покровительство и даже проводил до диспетчерской. «Ну, теперь вы действуйте сами, — шепнул он. — Я здесь никого не знаю». Я подкрасила губы, заплела волосы в трогательную косичку и вошла в диспетчерскую. На меня уставились три матерых мужика, один из которых присвистнул и сказал: «Это еще что за чудо!» Я защебетала что-то про редакционное задание, при этом я стреляла глазками, надувала губки бантиком и как бы в смущении теребила подол платья.

— Значит, тебе нужно попасть в Тбилиси, — сказал один из диспетчеров. — М-да, проблема. На сегодня есть всего один рейс. В пять часов вечера должен прилететь самолет из Грузии. Если на нем будет русский командир экипажа, считай, тебе повезло, с ним мы договоримся. А если грузинский состав, тогда могут возникнуть сложности. Но все равно есть надежда. Ты сейчас погуляй в аэропорту часок, чтоб тебя никто здесь не застукал. А потом приходи, попробуем что-нибудь сделать.

Я вылетела из диспетчерской как на крыльях. Покружив вокруг здания аэропорта, я нашла какой-то странный выход и оказалась в зале для иностранных пассажиров. «Извините, а как можно выйти отсюда?» — спросила я у служащей. Та удивленно воззрилась на меня: «А как же вы сюда попали?» «Я просто заблудилась, — заканючила я. — А сейчас опаздываю на самолет». Она с недовольным видом указала мне дорогу, и через пять минут я уже сидела в машине Андрея, полная самодовольства. Меня распирало от гордости, и Советов, выслушав мой рассказ, сказал: «Немедленно хочу с тобой переспать». — «Но, дорогой, где?» — «Поехали в лес», — прошептал он с вожделением.

Мы нашли в нескольких километрах от аэропорта чудесную солнечную полянку, где, казалось, не ступала нога человека. Я приоткрыла дверь машины, чтобы чистый воздух вошел в прокуренный салон. Андрей набросился на меня как на желанную добычу с поцелуями, похожими на укусы, задрал мое платье и нетерпеливо вошел в меня. Мои ноги в туфлях на высоких каблуках упирались в потолок автомобиля, сиденье издавало жалобные стоны, намереваясь развалиться на куски под нашей ритмичной тяжестью. Он делал мне больно, удовлетворяя свою страсть как животное, и, как ни странно, эта разнузданность возбудила меня. Я, не стесняясь своих чувств, закричала так, что смолкли лесные птицы. И уже на вершине блаженства почувствовала, как кто-то смотрит на нас.

Мы лежали, расслабленные, не в силах пошевельнуться, и вдруг я увидела, как из чащи выезжают на лошадях две женщины. Они ехали не торопясь, с оттенком презрения поглядывая на нас. И даже лошадь неодобрительно заржала. Только когда они исчезли из виду, я подумала, что мне следовало бы опустить непристойно расставленные ноги. «Интересно, как они попали сюда?» — прошептала я. Советов лишь пожал плечами.

Мы вернулись во Внуково, я взяла свою дорожную сумку и велела Андрею ждать меня в течение часа. Если я не вернусь, значит, мне повезло и я улетела в Тбилиси. В аэропорту все оказалось не так просто. Я не встретила ни одного человека в летной форме, а без сопровождающего меня никто не пустит на поле с большой сумкой. Уже было пять часов, а я все еще металась по зданию из одного зала в другой. Наконец я заметила в кафе подходящего мужчину. Он аппетитно уминал солянку. Я налетела на него как тайфун и добрые десять минут умоляла его о помощи. Он оказался бортинженером из Петропавловска-на-Камчатке, летящим на родину как обычный пассажир, но имеющим право на всякие льготы как работник «Аэрофлота». Сначала он отказался наотрез, но потом не устоял под шквалом моих аргументов. План мой был великолепно прост. Бортинженер проходит через контроль с моей сумкой, через пять минут появляюсь я, тыкаю охраннику под нос свое удостоверение (он меня должен помнить) и говорю, что забыла свой блокнот в диспетчерской, когда брала интервью.

Так все и получилось. В четверть шестого я уже сидела в диспетчерской и распивала чаи в ожидании тбилисского экипажа. На мое счастье, командиром оказался русский, Николай Пырьев, спокойный и снисходительный к дамам мужчина. Он рассеянно заметил, что я могу хоть сейчас отправляться в самолет. Один из диспетчеров по имени Василий вызвался меня проводить. Мы шагали по полю, ныряли под брюхами самолетов, и я почти оглохла от шума, когда Вася ткнул пальцем в огромную серую птицу и сказал, что это, кажется, наша. Самолет оказался совершенно пустым, я распрощалась с любезным диспетчером и зашла в пилотскую кабину. Там я нашла на полочке початую бутылку коньяку и хлебнула для храбрости. Мне казалось, что вот-вот меня найдут и выкинут, как безбилетного пассажира.

Явилась стюардесса и подозрительно спросила, что я здесь делаю. Я ответила, что жду командира корабля Николая Пырьева. Она потянула носом воздух, почувствовала запах коньяка, но ничего не сказала. Одарив меня напоследок неодобрительным взглядом, она покинула пилотскую кабину.

Это был самый странный полет в моей жизни. Никогда я не видела, чтобы в один самолет набивалось столько народу. Я вообще удивляюсь, как он взлетел. Все проходы были забиты людьми, они стояли как в автобусе, держась за верхние полки, и беспрерывно курили. Некоторые даже умудрялись выпивать стоя. В двух туалетных кабинках тоже сидело по человеку с чемоданами. Они расположились на крышках унитазов, предварительно застелив их газетами. В пилотской кабине помимо экипажа сидело еще пять человек. Мне пришлось наблюдать, как летчики управляют самолетом, и это сильно действовало мне на нервы. Они с садистским удовольствием показывали мне грозовые облака и рассказывали, что может случиться, если мы попадем в самый центр грозы. Командир поведал историю, как в одном полете молнией разбило лобовое стекло.

Когда самолет коснулся посадочной полосы города Тбилиси, меня охватило чувство торжества. Я все-таки сделала это! Андрей выступил в роли катализатора, ущемив мое самолюбие. Он ускорил химическую реакцию гордости. С другой стороны, я ощутила легкую досаду. Он слишком хорошо знает меня и играет на моих душевных струнах, как профессионал.

31 августа. Вчера снова пыталась нежно попенять Андрею на его неблаговидное поведение. Но это все равно что мертвому делать припарки. Он не ведает раскаяния. Давеча, когда мы возвращались с вечеринки, он вел машину в нетрезвом виде, распевая фальшивым голосом детские песенки. На перекрестке нас остановил красный сигнал светофора. Андрей повернул ко мне голову и, лучась от нежности, сказал: «Если б ты знала, как я тебя люблю!» При этом он от избытка чувств непроизвольно нажал на газ, и мы въехали в стоящий перед нами «Москвич» пегого цвета. «Да иди ты к черту с такой любовью!» — в сердцах воскликнула я. Мы вышли из машины и вступили в изнурительные переговоры с владельцем пострадавшего «Москвича» и его другом. Андрей предложил пять тысяч за ремонт, вполне приличную, на наш взгляд, сумму. Но приятель хозяина машины вошел в раж и, истошно крича и матерясь, потребовал двойное возмещение ущерба. «У тебя недурные аппетиты, — заметил Андрей, — но шесть тысяч — мое последнее предложение». Наш оппонент завопил, что это грабеж среди бела дня. «Правильно, грабеж, — вздохнул Андрей, — только не днем, а глубокой ночью, на безлюдной дороге». И быстро, сквозь зубы, велел мне садиться в машину. Еще ничего не понимая, я вернулась к нашему старенькому «жигуленку» и уселась на переднее сиденье. Через стекло я наблюдала, как спорящие энергично жестикулируют и с пеной у рта доказывают собственную правоту. Я со страхом подумала, что пострадавшая сторона сейчас перейдет к кулачным действиям. Но Андрей вдруг резко повернулся и направился к нашей машине. Он забрался в салон, нажал на газ и круто повернул руль, чтобы обогнуть бросившихся наперерез автомобилю противников. Один из них успел ударить кулаком по дверце, но было уже поздно — «жигуленок» взревел и умчался вперед, как резвый конь.

Когда мы подъехали к дому, Андрей с ребячливой улыбкой сказал: «Ты сегодня очаровательно выглядишь, моя ласточка!» (Последнее слово входит в список обязательных ласковых обращений к моей персоне, который я повесила над нашей кроватью и заставляю Андрея повторять его каждое утро.) В ответ я вылила на него ушат грязных слов, оставивших его совершенно равнодушным.

До двух часов ночи я бродила по квартире, кипя бессильным гневом. Голый Андрей привольно раскинулся на широкой кровати и сладко похрапывал во сне. Я собрала по дому все мужские носки и натянула их один за другим на его ноги, затем обвязала его член красивой розовой ленточкой, а на голову натянула его зимнюю шапку пирожком. По постели я раскидала сочные сливы, чтобы Андрей передавил их во сне. «Пусть хоть раз, проснувшись после пьянки, он почувствует себя дураком», — удовлетворенно подумала я. Совершив в знак протеста эти бессмысленные поступки, я улеглась спать, и всю ночь мне снились фаллосы, украшенные шоколадным кремом и упакованные в праздничные коробки.

6 сентября. Экстравагантные, незабываемые дни! Пять сумасшедших суток, проведенных в Крыму, на берегу моря. Это была необременительная командировка от редакции на фестиваль телепередачи «Аншлаг», устроенный одной мощной коммерческой организацией-спонсором. Компания знаменитых артистов веселилась с непосредственностью дошколят. Каждое утро начиналось с шампанского и сулило приключение, а ночь заканчивалась отличной холодной водкой. Праздновали день рождения Александра Розенбаума (он пел в тот вечер как никогда), танцевали до рассвета еврейские танцы, купались в уже по-осеннему прохладном море, гоняли из города в город на белом «Мерседесе», объедались на природе шашлыками. Одним из любимых развлечений были качели у неглубокого пруда. Можно было уцепиться руками за перекладину, привязанную веревками к дереву, росшему у самого обрыва, посильнее раскачаться и долететь до самой середины водоема, визжа от страха и удовольствия. Кто-то из артистов умудрился сорваться с качелей и плюхнуться в болотистую воду, подняв фонтан брызг.

Вчера я установила свой личный рекорд самого длинного застолья. Я просидела в ресторане восемь часов. Мой самолет должен был вылететь из Симферополя в Москву в десять утра, но рейс отложили на неопределенное время. Сопровождавший меня представитель фирмы — устроительницы фестиваля отвез меня в частный закрытый ресторан. Там принимали только деловых партнеров и гостей президента фирмы. Я спала ночью всего три часа и решила подкрепиться шампанским и яичницей. В час дня рейс еще задерживался, и я приступила к коньяку, маслинам и бифштексу. В четыре часа самолет все еще не мог вылететь, и я перешла на водку и заливную рыбу. Мои партнеры по столу постоянно менялись, я переговорила со множеством людей, которые подсаживались ко мне, опрокидывали стаканчик и бежали дальше по своим делам. В шесть вечера, выпив бокал красного вина, я отправилась в аэропорт. Точнее сказать, меня отправили, поскольку мысли мои путались, а ноги заплетались.

В восемь вечера самолет вылетел в Москву, я мирно проспала в кресле два часа, но проснулась с помойкой во рту и отвратительным чувством тошноты. В аэропорту я разминулась с Андреем, который должен был меня встречать, и вынуждена была взять такси. От меня так несло перегаром, что таксист сморщился и заявил, что везет меня исключительно из жалости. У меня было мало денег, и мне пришлось промолчать. Это его только распалило. Таксист оказался высоконравственным идиотом и всю дорогу разглагольствовал о том, чем заканчивают девушки, ведущие такой образ жизни, как я. Ему явно нравилось слушать собственный голос. Наконец терпение мое лопнуло, и я сказала: «Не могли бы вы оставить меня в покое. Я плохо себя чувствую и не в состоянии слушать подобные высказывания». Он остановил машину на пустынном загородном шоссе и велел мне немедленно убираться. «Куда же я пойду? — растерялась я. — Сейчас ночь, вокруг лес, машин почти нет. Вы не можете бросить меня тут одну». «Очень даже могу, — злорадно ответил он. — Если хочешь доехать до дома, сиди и не вякай, а то будешь ночевать под кустом». Под влиянием таких веских аргументов я заткнулась и всю дорогу скрипела зубами от злости, слушая, как он раздает мне словесные удостоверения о дурной и безнравственной жизни. Когда мы доехали до моего дома, он отеческим тоном сказал: «Я же тебе только добра желаю, деточка. У меня дочка твоего возраста». Казалось, еще чуть-чуть, и он прослезится. Я швырнула ему деньги и вышла из машины. Отбежав на безопасное расстояние, я крикнула: «Чтоб у тебя яйца отсохли, м...ло хреновый!» Он выскочил из автомобиля как ошпаренный и погнался за мной. В состязании победила молодость, до лифта я добежала первая.

2 декабря. Завтра я проснусь знаменитой. Я нашла газету, которая опубликует мою скандальную статью о любовных связях провинциальной девочки со знаменитыми политиками и артистами. Еженедельник «Собеседник» решил взорвать эту бомбу. Завтра... Ночь давит на меня своей тяжестью, я брожу по дому из угла в угол, куря сигареты одну за другой. Андрей давно спит, и мне не с кем поговорить. Завтра... «Холодный страх по жилам пробегает и жизни теплоту в них леденит». Я покрываюсь липким потом от назойливых мыслей. Тысячу раз задаю себе вопрос: «Правильно ли я поступаю?» Я пытаюсь распутать переплетенные в моей душе нити добра и зла. Мне трудно применить абстрактные понятия морали к моему конкретному поступку, вернее, я не хочу этого делать. Я заглушаю голос совести и стараюсь все свести к беззлобной выходке шалой девчонки. Так гораздо проще. Завтра... У меня появится много врагов и недоброжелателей. Мне кажется, я вижу толпу злобных насмешников, которые показывают на меня пальцем. Я чувствую, что этот поступок изменит всю мою жизнь. Только бы знать, в худшую или в лучшую сторону? К чему он приведет — к падению в пропасть всеобщего презрения или к взлету славы, к возможности писать книги и выплескивать себя миру? Как бы я хотела заглянуть в магический кристалл, чтобы увидеть цепь событий будущей жизни. Меня бы порадовала сейчас встреча с тремя ведьмами, что предсказали судьбу Макбету. Завтра... Я пишу эти строки, чтобы избавиться от тоски. Ведь только бумага терпелива и способна выслушать, люди вечно торопятся. Мне страшно. Окажется ли карта, которую я выбросила на игорный стол, выигрышной? Сорву ли я банк? Люди сочтут меня циничной, но только я знаю, сколько наивной романтики скрывается за этим показным цинизмом, сколько детских книжных иллюзий, сколько мечтаний о театральных страстях и роковых встречах. Я втайне стыжусь их и прикрываюсь бравадой многоопытной женщины, взирающей на мир холодными глазами.

Завтра... А настанет ли оно когда-нибудь, это завтра? Минуты тянутся как часы, сигареты закончились, десятая чашка чая выпита. Я пытаюсь читать, но книга выпадает из моих рук. Я подхожу к окну, дышу на холодное стекло и на матовом облачке пишу знак вопроса. Жду, когда он растает, снова туманю стекло своим дыханием и рисую восклицательный знак. Завтра...

25 декабря. ...А потом нам пришлось сменить квартиру. Стены нашего дома стали прозрачными, как стекло. Нам казалось, что мы живем в большом аквариуме и случайный прохожий может подсмотреть интимные подробности нашей жизни. Телефон звонил беспрерывно, бесцеремонные люди в любое время суток врывались в квартиру с требованиями интервью, фотографий и съемок для телевидения. В основном это были иностранные корреспонденты. Российская пресса еще стыдливо молчала. Моя статья в «Собеседнике» «Записки дрянной девчонки» — один из самых дерзких и волнующих, на мой взгляд, фарсов года — взорвала общественное мнение страны, добавила изюминку сексуальных приключений и приправу авантюризма в пресное тесто обыденной жизни.

Меня и Андрея захлестнул лестный и обременительный поток общего внимания, и мы не в силах были противостоять его напору: «Ах, интервью! Очень мило. Конечно, заходите, будем рады. В 12 ночи?! Не слишком ли поздно? Сколько будет длиться съемка? Пять часов? Разумеется, я не могу отказать коллеге».

Фотографы и телевизионщики располагались в нашей квартире, как у себя дома. Они загромождали дом аппаратурой, снимали со стен непонравившиеся картины, переставляли мебель по своему усмотрению, стремясь извлечь из нашего бедного жилища максимум элегантности, соблазнительной интимности. Мы бродили по дому, шалея от их наглости и ослепительного света прожекторов, задыхаясь от сигаретного дыма и путаясь в многочисленных проводах. Для создания более раскованной обстановки фотографы привозили с собой шампанское для меня и водку для Андрея. В полночь, несмотря на декабрьские морозы, климат в квартире по нежной расслабленности и знойной романтике равнялся средиземноморскому.

Помню, однажды, когда съемки для какого-то французского журнала затянулись до глубокой ночи, я раскинулась на диване, совершенно голая и умиротворенная, не стесняясь присутствия трех мужчин-фотографов. Я для них была не конкретной женщиной, а символом восхитительного приключения, яркой легкомысленной бабочкой, дорогостоящей игрушкой, которую надо красиво подать на страницах журнала. Они испытывали вдохновение повара перед грандиозным банкетом, который украшает жирную уточку петрушкой, укропом, поливает ее острым, возбуждающим аппетит соусом.

По замыслу, я тоже должна была возбуждать аппетиты, поэтому меня пудрили, румянили и одевали в кружевное белье, чтобы от моего вида у мужчин потекли слюнки. Меня удивило, что Андрей вдохновенно обсуждает вместе со всеми мои эротические позы. «Неужели ты не ревнуешь?» — спросила я его. «Нет. Это просто работа фотомодели. Съемки у фотографа все равно что прием у врача — там тоже раздеваешься без стеснения», — ответил он.

Съемки для телевидения потребовали от меня не только терпения, но и физической выносливости. По сценарию, я должна была бежать по длинной лестнице к Белому дому в туфельках на высоченных «шпильках» и через десяток-другой ступенек эффектно скидывать шубу, оставаясь в одном купальнике, затем с радостной улыбкой подниматься на самый верх и исчезать за поворотом. Этакое эротическое видение у подножия Дома Большой Политики. Замысел был прекрасен, но в день съемок стоял двадцатиградусный мороз, снимали несколько дублей, шуба не желала изящно скидываться, каблуки туфель застревали в снегу. Я хохотала истеричным смехом, покрывалась «гусиной» кожей и спотыкалась о ступеньки на бегу. На пятом дубле группа депутатов, выходящая из Белого дома, узрела эту фантастическую картину — девушку в купальнике, бегущую по снегу к политическому Олимпу. К нам кинулся разъяренный милиционер, и мы едва успели скрыться на своей машине.

В следующем кадре я должна была играть с котенком, лежа на тахте. Для этой цели я выпросила у подруги Юлии индифферентного пушистого персидского кота, который, как всякое животное аристократического происхождения, был от рождения полным кретином и мог есть, только если его кормили с пальца. Пока оператор готовился к съемкам, я чесала кота за ухом, он мурлыкал и казался довольным жизнью. Но как только заработала камера, он выпустил когти и вцепился мне в грудь. Героически улыбаясь, я попыталась оторвать от себя взбесившееся животное, что мне удалось ценой кровавых полос, оставленных его когтями. (Позже я посоветовала Юлии свести этого вырожденца с какой-нибудь здоровой дворовой кошкой, чтобы смешать гнилую аристократическую кровь с бодрой плебейской. Но выяснилось, что Мартин — так звали персидского кота — не способен вести нормальную половую жизнь, ему нужна подставка под задние ноги, чтобы совершить сей сладостный процесс.)

Мое тело столько разглядывали, фотографировали и снимали на видео, что мне стало казаться, что оно мне больше не принадлежит. Его лишили интимности. Размноженная журнальными и газетными снимками, я стала общественной собственностью. Мне захотелось спрятаться в мягкое теплое птичье гнездышко, не доступное чужим взорам.

И мы переменили квартиру. Этому была еще одна причина. Странные люди подходили к моим друзьям в редакции «Комсомольской правды» и говорили: «Если вам ваша девочка дорога, спрячьте ее подальше. Когда утихнет шумиха вокруг ее имени, ею займутся». По-моему, когда говорят «сиди тихо», лучше кричать «караул» на каждом углу. Разумеется, я не преминула сообщить об угрозах во всех интервью. Но из осторожности мы переехали на новое место.

Через четыре дня я выхожу замуж за Андрея, но мне с трудом удается сосредоточиться на этом торжественном событии. У меня совершенно нет времени для подготовки к свадьбе. Андрей же, этот мученик предприимчивости, тоже слишком занят делами своей фирмы. Обычно вокруг будущих молодоженов суетятся многочисленные родственники. Мамы, папы, дедушки и бабушки берут на себя все хлопоты. А мы, дети общежития, привыкшие к самостоятельной жизни, вынуждены сами думать о всех мелочах. В прошлую субботу мы нашли часок для похода в магазин «Гименей» за свадебной фатой. Господи, какими неприкаянными и одинокими мы почувствовали себя в толпе невест, женихов и их родственников! Почему никто не шепчет нам советы, не выбирает наряды, не рассматривает нас придирчиво, вертя, как кукол, перед зеркалом? Мы чересчур долго жили вместе и слишком много видели грустного в жизни, чтобы относиться всерьез к этой сентиментальной идиллии. И все же какой-то древний женский инстинкт требует от меня соблюдения всех правил церемониала — фаты, символа непорочности, для той, что давно утратила невинность, белых перчаток, цветов, платья — белого, как лепестки яблоневых весенних цветов.

Вчера я достала из шкафа свадебное платье, купленное, если мне не изменяет память, три года назад. Оно слегка помялось и чуть-чуть пахнет пылью. Я рассматривала розы, прикрепленные к лифу платья, когда-то раскрашенные умелой Юлией лаками для ногтей, перебирала складки ткани и смеялась над причудами судьбы. Думала ли я той весной, подавая заявление в загс вместе с Андреем, что шутка станет реальностью, что легковесные отношения будут продолжаться годами и свяжут двух непохожих людей непостижимыми таинственными нитями? Как странно, что часто мелкие случаи, пустяковые встречи и желания являются поводами для крупных событий. Как необъяснимо плетется ткань судьбы! И кто подбирает нитки для замысловатых узоров?

29 декабря. Я бесстыдно счастлива. Пишу эти строки в полночь. Я еще не успела отколоть фату с волос и осознать значение события, но, кажется, торжественная увертюра состоялась. Советов спит прямо в парадном костюме и самым возмутительным образом храпит. Первая брачная ночь явно не состоится по причине фантастического пьянства жениха. И хотя он меня не слышит, я громко восклицаю: «Ты пьян от любви, моя радость!» Я хохочу во все горло и целую его.

Теперь все по порядку. Утро прошло нелепейшим образом. Очередь брачующихся в загсе, холодная казенная атмосфера, какие-то чинные пожилые пары, стесняющиеся самих себя и своего счастья, торопливая процедура заключения брака. Мы неловко надеваем друг другу кольца. Советов разволновался так, что даже забыл меня поцеловать. Он растерян, скован, и я, кажется, слышу, как скачет в груди его сердце. Я расстроена обыденностью обстановки и полным отсутствием контакта с женихом. После того как мы поставили свои подписи под документом, Андрей тут же уехал на работу, а я домой — готовиться к вечернему торжеству.

Эта скомканная процедура довела меня до слез, и я, как водится, порыдала, соблюдая древнее женское правило. «Ну, ты прямо классическая невеста, — удовлетворенно заметила моя сестра Юля. — Даже без слез не обошлось». Она взялась за мои волосы и соорудила мне чудную прическу — ну просто стихотворение из локонов. Приехали мои родители и принялись хлопотать вокруг меня. И я наконец-то почувствовала приближение праздника.

В шесть часов вечера, по дороге в ресторан, мы вдруг вспомнили, что забыли пригласить фотографа. «Как же так! — воскликнула Валентина Федоровна, мама Андрея. — У вас ведь ничего не останется на память. Вы должны обязательно где-нибудь сфотографироваться». Тут Андрей вспомнил, что около «Макдоналдса» всегда торчит фотограф, щелкая моментальные снимки «Полароидом». Нам пришлось выйти на Пушкинской площади, и на память мы получили единственную свадебную фотографию на фоне рекламы гамбургеров.

Праздник ждал нас в Царицыно, в ресторане «Усадьба». Это маленький старинный особняк в чудесном парке, неподалеку от церкви. Под Новый год его украсили голубыми елями с блестящими фонариками — настоящая рождественская сказка. Шел обильный снегопад, укутывающий деревья белым пушистым мехом. Стояла такая тишина, какая бывает только в лесу.

В особняке — прекрасная старинная мебель, изразцовые печи, фарфор, оружие и выставка драгоценных кружевных яиц в стиле Фаберже. И все это на один вечер принадлежало нам. Гости еще не прибыли. Я бродила по чудесным залам особняка, не в силах скрыть восторга, и любовалась своим отражением в огромных зеркалах. Старинное стекло показывало образцовую невесту, принцессу из сказки. Белое лицо в рамке темных волос, счастливая улыбка, тонкий стан, подчеркнутый пышной юбкой. Блестя свадебным нарядом, я излучала розовый налет невинности.

В семь вечера начали съезжаться гости. Мы принимали их у входа в особняк, все это напоминало картину из книги прошлого века — хозяин и хозяйка открывают бал. Вышколенные официанты разносили шампанское. Затем гостей пригласили в банкетный зал. Нас с Андреем и наших свидетелей посадили за отдельный стол на небольшом возвышении, откуда можно было обозревать все застолье. В необычайно высокие хрустальные бокалы налили искрящееся шампанское, я пила его как дурманящий напиток счастья. Я совершенно не помню, что мы ели, слишком у меня кружилась голова. Я бесстрашно выставляла напоказ свою радость. Плевать на злопыхателей, которые уверяют, что наш брак не продержится и года.

Маленький оркестр играл старинные романсы, скрипки выводили душещипательные мелодии. Я совсем спятила от шампанского и любви. Гости разбились на два лагеря — жениха и невесты, и все проводили время в свое удовольствие. Моя подруга из Финляндии Хеля великолепным серебристым голосом пела пронзительные русские песни. Жизнь представлялась большим подарком, пиршеством любви. Я нашла нечто теплое и пушистое, именуемое настоящим чувством, и с сумасшедшим восторгом нежности готовилась вступить в новую жизнь.

Я присоединилась к своим друзьям-мужчинам и на последующие два часа совершенно потеряла из виду своего новоиспеченного мужа. Впрочем, я и не нуждалась в его присутствии, мне достаточно было знать, что он где-то неподалеку. Мне хотелось щедро делиться со всеми счастьем. Я танцевала, пела, кокетничала, болтала глупости, наклонялась к мужчинам и томным голосом говорила: «В этом платье я похожа на лебедушку, прикрытую белыми перьями. Не правда ли, я сама невинность?» У мужиков в глазах читался тоскливый страх: «Невеста совсем сдурела и начинает приставать. Сейчас вся свадьба кинется нас бить».

Не дождавшись подачи сладкого, я подхватила свою слишком длинную юбку, в которой так приятно кружиться, и побежала к выходу. За окном падал легкий белый пух, я выскочила на крыльцо и с разбега прыгнула прямо в мягкий сугроб. Мне показалось, что я взбиваю перину, из которой летят снежные перышки. На крыльцо уже выбежали люди, которые что-то кричали мне и смеялись. Щеки мои горели, в душе пели скрипки, а тело потеряло свой вес. Меня увели в дом, отряхнули от снега. Праздник заканчивался, гости натягивали шубы и шапки. Я отыскала Андрея, вдрызг пьяного, но делающего попытки держаться прямо. Он смотрел сквозь меня куда-то далеко-далеко. Мне пришлось вернуть его на землю вопросом: «Ты сможешь вести машину?» Он рассеянно кивнул и ответил: «Только медленно-медленно».

Мы ехали по скользкой дороге с преувеличенной осторожностью, ползли, как улитки, сквозь снежный поток. Я вдруг с удивлением поняла, что и Андрей, и я праздновали свадьбу как бы отдельно друг от друга, не интересуясь ни мнением, ни впечатлениями партнера. У каждого было свое маленькое личное торжество, прощание с легкомысленной юностью. Меня клонило в сон, на улице разыгралась метель, ветер швырялся снежками, а я представляла себе нашу теплую комнату и широкую постель, где каждый вечер крепко сплетаются два тела. Мне стало уютно, я подумала, что колесо судьбы повернулось. Мне выпала удачная карта.

15 февраля 1993 года. Сначала все было прекрасно. Наши отношения обрели четкую форму. Я из тех женщин, которым для душевного равновесия необходим жесткий корсет семейной жизни, отчасти сковывающий движения, но не дающий клониться под невзгодами. В качестве жены-дилетантки я вела жизнь одалиски в своей квартире-бонбоньерке. Приголубленная мужем, я нежилась в крытом от бурь домашнем мирке, спрятанная, как жемчужина в раковине. Мир снаружи вонял, вопил, смердел, но до меня не доходили его запахи и краски.

Но, к несчастью, на свете существуют газеты, почта и телефон. Я обнаружила, что некоторые мои друзья вычеркнули меня из сферы своего покровительства. Ко мне приходили ужасные письма, в которых женщины с пуританскими наклонностями, не знающие другого огня, кроме кухонного, обжигали меня ненавистью только за то, что я успешно использовала оружие своего пола. В одном письме я прочла такие строки: «Я испугалась за своего десятилетнего сына: а вдруг такая же подколодная змея, мерзкая жена, как пиявка, прицепится к моему сыну? О горе всем матерям! Дарью надо отправить на медобследование в психдиспансер, так как она социально опасна и мы боимся за своих детей». Так называемых домашних женщин оскорбляла несправедливость моего семейного счастья — по их понятиям, я его не заслуживала.

Газеты развязали истерический язык сплетни. Журналисты слетались на мое прошлое, как пчелы на мед. В искаженном фокусе всеобщего внимания я выглядела роковой хищницей, высасывающей мозги, кровь и сперму несчастных мужчин. Михаил Жванецкий в одном из интервью сказал: «...Я понял, что путь Дарьи Асламовой очерчен мужскими трупами. Этими павшими телами, как тараканами, когда мы их морим дустом... Я чувствовал, что она несет в себе что-то такое. Это был дуст». В газетных заметках злобы было больше, чем у ос. Из «Московского комсомольца» я узнала, что моими обожателями были лишь лысые дядечки далеко не комсомольского возраста, что я всегда вела себя как шлюха и при каждом удобном случае раздевалась. А лондонская газета «Индепендент» заявила: «Момент публикации может навести на мысль, что это был грязный трюк ельцинского окружения». (Упаси меня Боже вмешиваться в политику!) Из мелких скандальных газет я узнавала, что я ненасытно, увлеченно занимаюсь мастурбацией и опубликовала на Западе свою книгу с огромным количеством порноснимков. Да, можно захлопнуть двери своего дома, закупорить все щели, не снимать телефонную трубку, но затхлый запах грязных сплетен все равно пробъется сквозь все преграды.

Иногда мне казалось, что всю эту шокирующую хронику я читаю о какой-то другой женщине с моим именем. Мое мирное домашнее существование не соответствовало роковому образу, созданному газетами. Подобно большинству известных женщин, я не оправдывала своей репутации.

Журнал «Деловые люди», подготовивший статью обо мне, предложил опубликовать мой телефон, с тем чтобы я могла найти издателей для своей будущей книги. Я опрометчиво согласилась. Телефонный номер сопроводили следующим текстом: «Тем, кто не прочь попасть на страницы воспоминаний Дарьи Асламовой, по ее просьбе сообщаем телефон». Заявление с весьма прозрачным смыслом: «Те, кто хочет побарахтаться в постельке с Дашей, поторопитесь». К счастью, я снова переменила место жительства, а в квартиру с указанным в журнале номером телефона въехала приличная семья с двумя детьми. Новая хозяйка квартиры, молодая женщина весьма почтенного нрава, ежедневно выслушивала страстные телефонные признания распаленных мужчин, читавших взасос «Записки дрянной девчонки». Ей обещали доставить райское наслаждение, уверяли, что приехали с другого конца страны с единственной целью — переспать с ней. Бедная дама потом жаловалась: «Мне все время кажется, что сейчас ворвется толпа мужчин, чтобы меня насиловать».

Ханжество наших людей поразительно. Одна женщина-режиссер хотела снять обо мне документальный фильм и решила, что наиболее подходящим местом для съемок является казино. В Москве сотни игорных заведений. Мы обзвонили множество казино, и везде нам отказали. Мы услышали две причины отказа: боязнь вызвать гнев чеченской мафии и высоконравственный моральный облик директоров заведений, не желавших опускаться до общения с такой падшей женщиной, как я. На меня наклеили этикетку «яд». По казино пронесся циклон добродетели. Мне казалось, что мы звоним в дом политпросвещения, а не в места, где ловкими способами выколачиваются деньги. Можно подумать, в казино играют только мальчики из церковного хора.

Из газет я узнала, что заработала кучу долларов на своей публикации и интервью. Единственный крупный валютный заработок, который мне предложили, — деньги за съемки в немецком документальном фильме о моей работе в качестве военной журналистки. Фильм должен сниматься в Абхазии, и это довольно опасный способ улучшить свое материальное положение. Такое лестное, но страшноватое предложение я получила от немецкого телекорреспондента Адриана. Мы беседовали с ним о войне в маленьком ресторане со швейцарской кухней, золотые дрожащие огоньки свечей и легкое белое вино «шабли» придавали особый шарм нашему разговору. Война казалась чем-то далеким и ненастоящим, каким-то киношным приключением с хорошим концом. Но ехать на фронт, вспоминать старую науку страха с привкусом тошноты мне не хотелось. «Две тысячи марок за три дня работы», — кинул мне аппетитную наживку Адриан. Я сразу представила себе, какие наряды я смогу себе купить и какие рестораны посетить. Меня возбудило звучание этой круглой красивой цифры — две тысячи марок. Я, как глупая рыба, заглотила наживку и попалась на крючок.

Вчера я выбирала себе в магазине эффектные свитера для поездки в Абхазию. Господи! О чем я думаю, собираясь на войну?! Не о том, что меня могут ранить или убить, не о трудностях пути, не о работе в тяжелых условиях, а лишь о том, как я буду выглядеть. Нет, я неисправима. Пусть все кругом горит огнем, но макияж в любых обстоятельствах должен быть безукоризненным, а костюм сидеть безупречно.

24 февраля. Буйная грязь — вечная спутница войны. Три дня я слушаю, как чавкает под ногами земля, превратившаяся в ледяную жижу, и проклинаю собственное кокетство. Вместо того чтобы надеть в дорогу непромокаемые удобные кроссовки на толстой подошве, я предпочла изящные сапожки на каблуках. Теперь у меня вечно мокрые замерзшие ноги, я постоянно хлюпаю носом и имею жалкий вид. Зима в Абхазии — самое пакостное время. Пальмы, укрытые снегом, холодное серое море, с грохотом набегающее на берег, чахлые цветочки, окруженные островками льда. Перенасыщенный ледяной влагой ветер пронизывает до костей.

Нашу журналистскую троицу — Адриана, оператора Юру и меня — поселили в общежитии для беженцев, где нет отопления, горячей воды, не работает канализация, а по вечерам отключают электроэнергию. Спать можно только в одежде, под тремя одеялами, но все равно я просыпаюсь по ночам, стуча зубами от холода. Вещи невозможно высушить, они постоянно пропитаны влагой. Целыми днями я мечтаю о горячей ванне и теплом туалете с удобным унитазом, в котором, представьте себе, есть вода. Но все эти чудеса цивилизации остались в Москве.

По вечерам мы втроем пьем малиновый чай, предусмотрительно захваченный Юрой из дома, и треплемся без передышки, обсуждая дневные впечатления. Адриан и я вечно спорим. Сталкиваются разные взгляды на войну — цивилизованный, европейский, которого придерживается Адриан, уповающий на мирные переговоры, гуманитарную помощь и разумное разрешение конфликтов, и дикий, с примесью Азии, свойственный мне, всегда берущей в расчет жестокие законы человеческой природы, не подчиняющейся доводам рассудка. Я знаю, что если отважная кавказская раса берется за оружие, то это надолго. Выстрелы в этих краях — единственные аргументы, национальное тщеславие — единственный закон. Стало модным подвергать свою жизнь опасности. Я видела в местной больнице мужчину, раненного в голову, которому удалили часть мозгового вещества. Теперь у него на лбу страшная пульсирующая впадина. Я слышала, как врач успокаивал его: «Мы тебе установим такую пластинку в черепе, что никакая пуля не пробьет. Через несколько месяцев снова будешь воевать!»

Здешние люди, едва затронутые цивилизацией и способные на любое бесчинство, действуют, не ведая нерешительности, свойственной утонченным, впечатлительным натурам. Адриан пытается найти объективные причины ожесточенности кавказских войн, я же отношусь к ним как к стихийному бедствию, как к грозному явлению природы, перед которым следует смириться и отступить в страхе, как отступает человек перед землетрясением или извержением вулкана. Мужчины нуждаются в войне, как и в сексе. Кто из них хоть раз заглянул в обольстительное лицо зла, тот не в силах отвести зачарованного взора.

Обаяние войны сильнее всего проявляется в человеческих историях, когда мирные по своей природе люди, часто незначительного характера, волею трагических обстоятельств достигают героических высот. Судьба жестоко берет их в оборот и ставит в такие условия, что они перерастают собственную обыкновенность.

Я слушала чудесные саги о подвигах и спасениях из плена в холодной слякотной Гудауте за стаканом вина, протягивая ноги к теплой печке, и глаза у меня блестели, как в детстве, от предчувствия счастливой развязки. Я представляла себе, как дома, устроившись поудобнее в кресле и закутавшись в плед, с чашечкой чая в руках я буду пересказывать лучшие истории на свете, страшные сказки, которые кажутся невероятными в мирной Москве.

Гамгия Амиран, режиссер абхазского телевидения, 18 января вместе со съемочной группой летел на вертолете, везущем гуманитарную помощь. Над грузинским селом Сакен вертолет сбили. В эти страшные минуты, когда машина падала, абхазский оператор стал снимать собственную гибель. Но летчик, прослуживший год в Афганистане, умудрился посадить вертолет. Не успели пассажиры возблагодарить Бога за чудесное спасение, как возникла новая угроза — вертолет понесло прямо в горную пропасть, но чудом на самом краю он удержался, зацепившись за пень. Абхазская съемочная группа, состоявшая из трех человек, тут же взяла интервью у летчика, находившегося в состоянии шока.

Но за последние полчаса смерть приготовила им третью ловушку. К вертолету бежали вооруженные до зубов люди, стреляя на ходу. Летчик велел всем выбросить оружие, если оно есть. Но среди пассажиров, везущих муку, военных не оказалось. Вертолет окружили и всех взяли в плен.

Амиран и его товарищи провели в подвале девятнадцать дней. Они прошли все круги ада и мечтали только об одном — о смерти. Чтобы сделать ее легкой и быстрой, они наметили своих возможных убийц среди охранников — тех, кто славился меткостью в стрельбе. Но когда они обратились с подобной просьбой к намеченным палачам, то даже в душах этих людей, закаленных холодным цинизмом войны, что-то дрогнуло. Они оскорбились отведенной им ролью.

Заложников избивали ежедневно. Каждый раз, идя на допрос, Амиран прощался с товарищами. Однажды пьяный тюремщик вывел его во двор, поставил к стенке и направил на него пулемет. Он раскачивался и выкрикивал грязные ругательства. Заложники, видевшие эту сцену, побелели как полотно. Но что-то отвлекло внимание тюремщика, и он отложил казнь на неопределенный срок.

Пленных трижды пытались обменять. Первый раз обмен не состоялся, потому что начальник грузинского отряда, поехавший осматривать трупы, предъявленные абхазской стороной, был невозможно пьян и не смог опознать погибших друзей. Второй раз молодой грузинский воин при обмене узнал своего погибшего брата. Потеряв разум от страданий, он ворвался в автобус, где сидели заложники в ожидании своей участи, с криками: «Я сейчас найду кого-нибудь для расстрела!» Он уже выбрал себе жертву и поволок ее к выходу, когда его, ослепленного болью, остановили его же товарищи.

И в третий раз жители села Сакен собрались на совет с целью решить судьбу заложников. Они много выпили вина и громко спорили. Крики тех, кто требовал кровавой мести, доносились до комнаты, где томились пленники.

Когда участники совещания разошлись, пленные стали умолять охранника сообщить им решение. Охранник сжалился и сказал: «Мы решили подарить вам жизнь».

Ни один человек не в состоянии трезво оценить свои нравственные и физические возможности. Только война, только экстремальные условия определяют истинную цену личности. Одна молоденькая абхазская журналистка до войны не знала о том, что способна, находясь на четвертом месяце беременности, добраться из Сухуми до Гудауты пешком через джунгли. Она шла босой, так как порвала свою обувь.

Шофер Вадим, который возил нашу журналистскую компанию на фронт, тоже не представлял себе, что ему придется из Гудауты в Адлер вести через тропический лес свою жену, сестру и четверых детей. Они шли трое суток, трехлетнюю девочку Вадиму пришлось нести на спине, так как она терялась в высокой траве. На вторые сутки кончилась еда, дети постоянно плакали от голода. Их спасли встретившиеся на пути русские туристы, которые накормили до отвала измученных странников тушенкой и макаронами.

На войне человек нередко переходит барьер страха, после которого он не боится ни Бога, ни черта. Сергей К., украинец, женатый на абхазке, житель города Гагры, впервые узнал страх, когда в город пришли грузины. За него вступился сосед по дому, грузин. Не легче стало, когда в город вошли абхазцы. Поздно ночью к нему в квартиру ворвались трое абхазских бандитов и увезли его на расстрел на берег моря, босого и в пижаме. Сергея завели по колено в воду. Он пытался выяснить, за что его хотят убить. «Ты помог бежать из города своему соседу-грузину», — заявили бандиты. (Действительно, сосед был ранен, и кто-то вывез его из Гагр.) «Это сделал не я, о чем очень сожалею, — сказал Сергей. — Мой сосед — порядочный и добрый человек, он спас меня, мою жену и моих детей, когда город держали грузины. Если бы он обратился ко мне за помощью, я непременно помог бы ему».

Справа, неподалеку от места готовящейся трагедии, находился корабль. То ли люди на корабле заметили спектакль, происходящий на берегу, то ли просто они маялись от скуки — во всяком случае, на корабле выстрелила пушка. В то же время бандиты заметили, что слева по направлению к ним по берегу движется человек. Два этих нелогичных факта — стреляющий корабль и гуляющий в два часа ночи мужчина — заставили бандитов изменить свои намерения.

«Если хочешь остаться в живых, ты должен дать нам гуманитарную помощь», — заявили разбойники. «Что вы имеете в виду?» — удивился Сергей. «Завтра привезешь в назначенное место свой автомобиль». Сергей немедленно согласился и на следующий день явился на место встречи с двадцатью родственниками своей жены. Но перевес оказался на стороне бандитов, которые собрали сорок человек. Не миновать бы кровавой битвы, если бы на противоположных сторонах не нашлись бы родственники. В Абхазии родственные связи святы, и дело уладили миром.

Выражение «гуманитарная помощь» чрезвычайно популярно в этих местах. Я присутствовала на пиршестве в абхазском отряде, где лакомились только что зарезанным и сваренным в огромном котле бычком, запивая его кислым вином. Этого бычка все называли «гуманитарной помощью». Его доставил в дар войску какой-то местный крестьянин. Люди ели, пили, говорили набившие оскомину тосты о неизбежной победе над врагом. Я томилась скукой и думала: «Безумцы! Снова эти дети Кавказа берутся за оружие с той же легкостью, как мальчишки за рогатку».

Война приобретает регулярный характер. На линии фронта, проходящей по реке Гумиста, абхазцы вывесили плакат: «Режим дня. Подъем — 9 часов утра. Перестрелка — с 10 до 2. Обед — с 2 до 3 часов дня». Дело в том, что время обеда на грузинском и абхазском фронтах не совпадает — часто осколки от взрывов залетают в тарелки с супом. Но плакат, к сожалению, грузины сбили пулеметной очередью.

В Эшерах осыпаются с деревьев золотые шарики мандаринов и гниют на холодной, стынущей земле. Собирать их опасно, так как территория обстреливается установками «Град». Это была дивная картина — сады, манящие зрелыми плодами, зеленые ветки с вспыхивающими в листве оранжевыми огоньками мандаринов, гнущиеся под тяжестью снега. Им бы подошло эффектное название «садов смерти». Цитрусовые на снегу теряют свой обычно самодовольный вид.

Линия фронта начинается сразу же за мандариново-снежным раем. Мне пришлось играть перед камерой роль храброй девочки-журналистки, которая ездит на войну, чтобы написать правду. Совершенно идиотская роль, тем более что у меня поджилки тряслись от страха. По сценарию, я должна была бежать через простреливаемые участки с легкостью горной козы, с блокнотиком в руках. Этакий отчаянный чертенок. Но я так изнемогала от ужаса, что у меня заплетались ноги и я беспрерывно падала в грязные лужи. Так бывает только во сне, когда хочешь убежать от опасности, но никак не можешь, ноги наливаются свинцом, руки тянут к земле, и чем больше стараешься, тем медленнее получается. Когда я добралась до окопов, то мои новые джинсы и небесно-голубая курточка оказались залитыми грязью. Зато получилась неплохая картинка для камеры — бесстрашная журналистка терпит лишения и работает в нелегких условиях.

Я оценила профессионализм Адриана. Он первый раз находился в военных условиях, но держался с завидным хладнокровием. Казалось, он совершенно лишен нервов. Его интересовало только дело. Он работал. Все мелкие страстишки и страхи должны были отойти на второй план. Работа газетчика сулит большую безопасность, чем профессия тележурналиста. Я могу написать свой материал, отсиживаясь в окопах. В телерепортаже необходимы сильные и даже кровавые сцены. Чем больше крови, тем эффектнее видеоряд. Операторы и журналисты телевидения не могут не рисковать собой.

Меня восхищало мужество Адриана и одновременно раздражало его упорство. Он мучил меня вопросами, я сбивчиво отвечала, нервно прислушиваясь к каждому выстрелу. «Зачем ты ездишь на войну?» — спрашивал Адриан. «Из чистого эгоизма. Опасность придает особый вкус жизни, — отвечала я. — А ты думал, что я хочу написать бессмертные статьи о том, что война — это плохо? Все и без того знают, что это плохо. Однако воюют. Меня не интересует военная статистика — сколько снарядов сброшено, сколько выстрелов сделано, на чьей стороне правда или сила. Мне интересно, на что способен человек, когда судьба берет его за горло».

Мы выпили окопной водки и отправились в обратный путь. Пробегая первый опасный участок, я зацепилась каблуком за камень и упала так, что ноги поднялись выше головы. Со стороны было похоже, что я пытаюсь кувыркаться. Я представила себе, какая я смешная и нелепая мишень. Сзади улюлюкали бойцы, подбадривая меня криками. Оператор Юра снял это эффектное падение, после чего заметил: «Хорошо бы после этого кадра дать картинку «Скорой помощи». Тогда бы зрители подумали, что тебя убили или по меньшей мере ранили». «Почему-то я сегодня плохо воспринимаю черный юмор», — ответила я, натужно улыбаясь.

5 марта. Деньги — лучшее, что есть на свете. Эти восхитительно хрустящие бумажки могут творить чудеса. А как кружит голову запах новеньких, только что отпечатанных банкнот! Две тысячи марок казались мне огромной суммой, но они растаяли за три дня. Я долго думала, как наиболее разумно их потратить, и вскоре нашла им отличное применение — пригласила мужа в один из самых дорогих ресторанов Москвы — в Боярский зал отеля «Метрополь». Мы заказали паштет из гусиной печенки, блины с икрой, запеченную осетрину, изумительные домашние пирожки, грибы и всякую всячину и не осилили даже половины приготовленных блюд.

Мы разорялись самым приятным образом, позволяли себе расточительные шалости — поедали семиэтажные ужины в ресторанах, изучали поэзию изысканных десертов и музыку вин. Часто бывало так, что вечером муж под влиянием любви и горячительных напитков выкидывал

60 000 рублей за букет роз, а утром нам не на что было завтракать.

К нашей взаимной страсти примешивается элемент насилия. Андрею нравится брать меня жестоко, причиняя боль, не думая о моих желаниях, и это пробуждает во мне древние инстинкты подчинения. Я властвую днем, но не желаю командовать ночью. Сладкое любовное унижение засасывает меня в опасный водоворот. Ночью приятно быть роскошной вещью, у которой есть господин, о том, что ты личность, вспоминаешь только утром.

5 апреля. Вот уже месяц я страдаю от автобиографического зуда и перекладываю на бумагу собственные страсти и страдания. Все, что в жизни выглядит отталкивающим, бестолковым, безвкусным, сентиментальным, я живописую, обволакивая каждую эмоцию бархатом метафор. Все мои друзья и любовники — персонажи произведения, и я обращаюсь с ними без всякой жалости, хладнокровно расправляюсь с их чувствами, вскрываю скальпелем собственную душу, вынимаю из нее все накопленное годами, все приготовленное впрок, и остаются пустота, холод и равнодушие. Выплескивая сердечные страдания, анализируя их и классифицируя, подбирая к ним нужную формулу, я избавляюсь от былой боли и нахожу покой, больше похожий на моральную летаргию. Я пишу и мечтаю об успехе, о славе, которую положу к ногам Андрея как бесценный подарок.

Я нахожусь под обаянием слов, и мне не важно, о чем я говорю, лишь бы это было сказано изящно и со вкусом. Тема, герои, события — все только повод для изысканной словесной игры. Блестящая отделка банальных чувств — вот что такое, в сущности, творчество. Что за чудовищная, бесчеловечная работа! Вечно занимать позицию наблюдателя, запоминать свои эмоции даже в постели, целуясь и лаская, запасать впрок свои ощущения, страдая от любви и видя, как страдают другие, анализировать эти муки, находить кличку для каждого чувства, безучастно-рассудочно взирать на происходящее, откладывая в ячейки памяти поступки, жесты, выражения глаз, стоны, движения истомленного любовью тела, провоцировать людей на неблаговидные поступки, чтобы иметь возможность рассмотреть пружины человеческих страстей, не позволять живым, горячим чувствам завладеть своим сердцем, иначе все, что выйдет из-под твоего пера, будет неуклюжим и патетичным. Мне жаль мужчин, которые влюбляются в меня, они всего лишь подходящий материал для работы, подопытные кролики, собаки Павлова. Я изучаю их рефлексы, применяя метод кнута и пряника, ласки и оскорбления, насмешки и поцелуя. Иногда я так увлекаюсь этой игрой, что позволяю нежным побегам весенних чувств взойти на своей духовной ниве. Главное, вовремя спохватиться и выполоть зеленые ростки, пока они не разрослись и не задушили семена рассудка. Но когда-нибудь я проиграю.

1 мая. Андрей — единственный, кто может заставить меня страдать. Его самодостаточный, холодно-независимый вид держит меня в постоянном напряжении. Если бы он время от времени показывал, что нуждается во мне, я бы успокоилась. Но никогда не знаешь, что скрывают его спокойные серые глаза — глаза человека, тщательно охраняющего свой внутренний мир от любых посягательств, даже исходящих от любимой женщины.

Я устала от приливов и отливов любви. Мне хочется покоя и ровной температуры отношений. Вечные качели — вверх и вниз, от ночной страсти до дневного равнодушия — выбивают меня из колеи. Я пытаюсь найти нечто общее, что связало бы нас, двух любовников-врагов, в единое целое. Я вся — вихрь эмоций, пляска страстей, Андрей же презирает откровенные выражения чувств, чрезмерную открытость, душевную распахнутость, не терпит объяснений и сцен. Его коробят мои слезы, истерики, он не доверяет моим любовным излияниям. Он — враг излишеств и поклонник простоты. Я же предпочитаю все гиперболизировать, придавая заурядной жизни чересчур яркий блеск. Я могу упасть на колени от восторженного преклонения, заплакать от избытка радости, влюбиться в книжного героя, смешивая вымысел и реальную жизнь. И при всей преувеличенности внешних эмоций я страдаю их поверхностью. Слезы у меня высыхают при виде новой игрушки, оскорбление тут же забывается под влиянием ласки, одно увлечение сменяет другое. Не таков Андрей. Он все воспринимает серьезнее, глубже, перемены в нем совершаются медленно, но затрагивают все пласты чувств. И мои краткие легкомысленные вспышки его шокируют.

Поскольку Андрей не лишен педагогической жилки, он исподволь воспитывает меня, и под прессом его представлений о жизни я задыхаюсь. Когда я кричу: «Ты стремишься уничтожить мою самобытность и непохожесть на других!», он лишь пожимает плечами и прикидывается простачком.

Я маюсь от скуки. Книга моя закончена, и у меня появилась масса свободного времени, которое я провожу, шатаясь по улицам и позволяя дурным мыслям хозяйничать в голове. Любовь так осложняет жизнь. Чужая любовь докучает, свое собственное чувство делает тебя уязвимой.

5 мая. Хороший способ сохранить себя в сумасшедшее время — самому стать сумасшедшим. Эффектное, театральное сумасбродство свойственно жителям андеграунда. Эти дети подземелий сознательно избегают всего рассудочного и преуспевают в симпатичном безумии. Целое государство андеграунда, населенное инопланетянами, процветает в центре Москвы, на Петровском бульваре. На уик-энд сюда стекаются неформалы всех мастей посмотреть новую выставку картин и послушать музыку.

Я попала к Петлюре (так зовут диктатора этого маленького государства) на субботний вернисаж. За двойными воротами с надписью «Оккупация» открывается прелестный московский дворик, который образуют три старых, обреченных на слом дома, — удобное место для привидений и тех, кто ценит запах старых вещей и поэзию разрушенных зданий. Меня привело сюда чувство тоски по нищему прошлому, по юношеской бездомности, когда можно пустить корни в любом месте и прижиться в любых обстоятельствах, когда веруешь в любовь без денег, братство и свободу.

На выставке иностранные корреспонденты интервьюировали веселого лысого мужчину, к которому, как котенок, льнущий к теплой печке, жалась улыбчивая рыжая девочка лет семнадцати. Голову мужчины, находившегося в состоянии эйфории, украшала веревочка с прикрепленными к ней пучками волос любимых им людей. Думаю, что рыжая девочка пожертвовала несколько локонов на это экстравагантное украшение. Потом пришел черед красоваться перед камерами паре забавных старичков, называющих себя Лениным и Крупской. Балаганный Ленин, страдающий болезнью Дауна, с бельмом на глазу и невероятным количеством соплей, представлял собой довольно тягостное зрелище, от которого меня отвлекли чудесные картины художницы Тани Морозовой — стремительные синие лошадки, бегущие в нежном сиянии.

После вернисажа публика отправилась на концерт, проходивший в зале с фиолетовыми пятнами света и коровьей шкурой на стене. Здесь жгли ароматный старый, сраженный молнией можжевельник. Местные музыканты научились извлекать душераздирающие звуки из предметов, не предназначенных для искусства, — из разнообразных металлических пластин и тазов, подключенных к электричеству. У этой музыки, подражающей песням тибетских монахов, мертвая хватка, она встряхивает, разминает и топчет нервы. В дни больших праздников (например, 5 мая — день рождения пани Брони, милейшей артистической старушки-шизофренички) эта своенравная музыка перемещается из закрытых помещений на улицу, прерывая добропорядочные, шаблонные сны окрестных жителей. В таких случаях Петлюра лично звонит в местное отделение милиции и заранее предупреждает, что планируется маленький гудеж. Вечером стражи порядка терпеливо отвечают на звонки перепуганных граждан, что на территории петлюровского двора ничего не взрывается, не горит и никого не убивают.

В этом суверенном государстве находят приют люди с

неколебимым сознанием собственной неповторимости и существующие вопреки здравому смыслу. Здесь живут такие достойные наблюдения объекты, как элегантный Вадим, поклонник Мэрилин Монро, подкладывающий себе грудь и бедра с тем, чтобы походить на знаменитую красавицу, художник Аристарх, недавно сшивший фрак из кусков растянутого мяса (фрак продержался всего три дня, потом его съели), Герман, который изобрел любопытный музыкальный инструмент — к металлической трубе с одного конца приставляют паяльную трубку, к другому концу подключается микрофон, усиливающий звуки, которые издает огонь в трубе. Высота звука зависит от длины трубы. Тот же Герман мечтает о создании храма природы, в котором под воздействием ветров и дождей пела бы каждая деталь.

Петлюровский двор стал крепостью для многих чудаков, избегающих повседневности. За его воротами начинается враждебная территория, полная ловушек. «Ты только представь, в каких условиях сейчас живут люди искусства! — говорит Петлюра (в миру Александр Ляшенко). — Выходит художник из своей конуры и тут же наталкивается на всякую нечисть. На лестничной площадке, в квартире номер один живет, например, Марья Петровна, старая коммунистка, и ее муж Иван Иваныч в кепочке «Зарница».

Первый шок для художника. На второй квартире надпись «Офис», из нее вываливается жлоб, весь в коже, обвешанный ключами от сейфов и «Мерседесов». А в квартире номер три проживает Вася-металлист, который бьет художнику морду при всяком удобном случае. Мир вокруг враждебен. Все считают художника ненормальным, а для него мысли и поступки соседей безумны. Чтобы убить в себе страх, чтобы не видеть людей, которые нападают, творческий человек использует наркотики, потому что он беззащитен. Это только я сильный, я уже родился наркоманом и не нуждаюсь в специальных препаратах для открытия духовных центров.

А здесь у нас покой, свобода и, главное, безопасность. Ни одна сволочь не может помешать радоваться жизни.

И народ бросает курить «травку», потому что нечего бояться, потому что вселенная открывается сама собой. Я вообще считаю, что люди должны селиться по ячейкам — коммунисты с коммунистами, рокеры с рокерами, панки своей коммуной, бизнесмены в своих домах. И не будет столкновений».

Петлюровский двор возник три года назад. В то время художника Сашу Ляшенко выгнали из мастерской из-за отсутствия у него московской прописки. «Я направился в сторону ветра в поисках жилья, — рассказывает Саша. — Ветер привел меня на Петровский бульвар. Иду, смотрю, вдруг... Оба! Дворик! Я и раньше на него обращал внимание, но не встречал в нем прежде Брони. Стоит посреди двора старушка. Я ближе к ней и говорю: «Ух ты! Привет!» А она мне: «Здрасьте» — и делает реверанс. «Вот те раз», — думаю я и делаю па-де-па. Кланялись мы, кланялись, и тут я говорю: «Нет ли у вас жилплощади приземлиться?» А она отвечает: «Целый этаж свободен. Большинство жильцов выехало, только мы с Володей остались». И тут выходит Володя (Абрамыч), славный такой, сопливый. И понял я, что пришел домой.

Но за двор пришлось бороться. В одном из домов поселилась казачья организация — пацаны 16 — 17 лет. Они бегали по крышам с шашками наголо, дрались и напивались. Я стал разлагать их изнутри, читал им лекции о военной дисциплине, рекомендовал им ехать в степи учиться воевать. Своими моральными провокациями я очистил двор от мальчишек, потом взялся за местных алкоголиков, которые заходили в наши дома выпивать, поскольку здесь неподалеку пивняк. Я устроил несколько красивых фейерверков — шуму и страху от взрывов много, а вреда никакого. Алкоголики сдали свои позиции. Потом мы гоняли наркоманов, которым нравилась эта духовно прокачанная территория. Здесь тихо, спокойно, культурно, они приходили расслабиться и «пыхнуть».

Мы за это место сражаемся, как воины за свою крепость. Мне нравится брать людей, сытых духовно и материально, попробовавших все ценности, их нельзя спровоцировать на подлости: «Вот тебе сто долларов, подожги

Петлюру». Поджоги пытались делать кооператоры, которые хотели сюда вселиться. Этот гектар земли принадлежит одному акционерному обществу. Чтобы выселить отсюда художников, хозяева места подослали к нам таганскую мафию, а мы для защиты пригласили «Московских волков» (это молодежная военизированная организация). В трудные дни мы построили баррикады, установили на них штыки, политые красной краской, и написали «кровь», организовали круглосуточное дежурство. Пока мы наш двор отстояли, но кто знает, что будет дальше. В конце концов, кому мы мешаем? К нам пол-Москвы на концерты и выставки приходит, здесь талантливые люди могут спокойно творить, здесь постоянно живут иностранные художники и музыканты. У нас жуткий район — Центральный рынок и урковые рестораны, от них — стрельба, а от нас — песни».

Петлюра действует как диктатор. Его правило: «Три крупных ошибки — и провинившийся покидает территорию». В ошибки входят наркотики, привод сомнительных друзей, неучастие в трудовой деятельности коммуны. Он окружает диктаторской любовью и своих больных старичков — пани Броню и Абрамыча. Он привозит им подарки из-за границы, кормит, следит за их чистотой. Абрамыча заставляет вытирать сопли и бегать по утрам в кедах и спортивном костюме. Два раза в месяц Петлюра и его жена моют Броню и Абрамыча в ванне.

Во дворе процветает культ пани Брони, устроен музей ее вещей, выставляются ее картины — она работает в стиле наива. Но Петлюра жалуется, что в последнее время Броня избаловалась — слишком много ей дают денег и подарков. В Германии ее просто носили на руках. «Броня стала фальшивить, играть под наив, — сердится Петлюра. — Она теряет непосредственность».

Двор напоминает пионерский лагерь — в центре детский «грибок» неизвестного происхождения, под которым жгут летние костры и проводят совещания, и абсурдная спиральная лестница, уходящая в никуда. Здесь не терпят лентяев, отлынивающих от общественных работ. У каждого есть свой участок территории, который он должен убирать. В столовой по очереди готовят еду. Дома, стоящие на честном слове, тоже требуют постоянных забот.

Моим гидом по лагерю был музыкант и художник Паша, наголо бритый мускулистый ангел, в прошлом один из главарей воронежской шпаны. Вечером, увидев таких парней, вы инстинктивно переходите на другую сторону улицы. Но Паша расстался с дурной привычкой решать спорные вопросы с помощью кулаков, хотя не утратил волчьего гипнотизирующего взгляда. Паша ненавидит длинноволосых хиппарей, которые, по его мнению, редко моются, много валяют дурака и гадят во дворе. Человека можно уважать лишь за то, что он упрямо создает в своей области — картины, музыку или стихи, которые часто не понимаются и подвергаются насмешкам.

Паша обещал мне показать «кое-что интересное» и с этой целью привел меня в большой зал разрушенного дома, где ветер шелестел кусками черного полиэтилена. Мы влезли на подоконник выбитого окна и увидели странную картину. Прямо за границей петлюровского царства начинались самые престижные теннисные корты Москвы. В этот по-летнему теплый день их заливало солнце. На кортах тренировались богатые жизнерадостные бизнесмены, из тугих спортивных трусиков вываливались сытые животики. «Ваучеры», — презрительно сказал Паша. Так во дворе называют состоятельных покупателей картин. Абрамыч чует их нечистый дух за версту, он выскакивает во двор, размахивая соплей и детской сабелькой, и кричит страшным голосом: «Пошли вон, негодяи!»

Сцена с кортами своей напыщенной театральностью просилась в фильм «Два мира, два образа жизни». Богатые и бедные. Не все так просто. Этот двор не назовешь банкротом. Место, где банду дворовых собак кормят продуктами из валютных магазинов, трудно заподозрить в нищете.

— Саша, где ты деньги берешь? — спросила я Петлюру.

— Я десять лет собирал по Москве старые вещи, вышедшие из повседневного обихода, вещи, которые жили и дышали несколько жизней назад. Я повсюду таскался со своими чемоданами, набитыми разным хламом. Теперь я создал свой театр старых вещей «Ням и бур». Я говорю на детском языке, ведь для детей слова не важны. «Ням» — родился человек, «Бур» — умер. А вот «бугли-мугли-дык-пердык» — это сам процесс существования. Мой театр — это мирская суета, показанная с помощью вещей, несущих на себе отпечаток времени. С этим театром мы давали платные выступления в Германии и Австрии, вот тебе и деньги. Кроме того, я открыл во дворе магазин, где продаются стильные, хорошо сохранившиеся вещи 30—70-х годов. У меня много состоятельных клиентов. Деньги не цель, а возможности. Они помогают отстаивать свой мир, и это надо признавать.

Петлюра сросся с двором, как улитка со своей раковиной. Его забавляют люди, готовые выкинуть неожиданное коленце в любой момент! Он хитер, как кошка, и отважен, как голодная крыса. (Кстати, Петлюра — знаток и покровитель белых крыс.) Его житейская гибкость и осмотрительность помогают ему балансировать на канате жизни. Среди его друзей и покровителей — режиссер Сергей Соловьев, группа «Моральный кодекс», актриса Татьяна Друбич, народные депутаты, панки, рокеры, металлисты. Когда я покидала двор, из дома выскочил Петлюра с полутораметровой саблей в руках и с криком: «Бей журналистов, гадов!» Он подбежал похвастаться саблей, залитой желтым маслом, которую ему только что подарил румяный солидный казак.

И все же мне было жаль его. Петлюровский мир обречен. Не сегодня-завтра этих отчаянных, славных, вдохновенных людей заставят убраться с частной земли. Всесильные деньги разрушат очаровательную атмосферу, и художники разбредутся по свету.

А пока вокруг Петлюры собираются люди, которых общество долгое время приучало не выходить из клетки ординарного мышления. Рядом с ним они могут расслабиться. Сам он не теряет благоразумия, следуя за извилистой тропой мышления своих друзей. 38-летний Петлюра не желает возвращаться в лоно респектабельности и крепко держится за свой образ жизни. В конце концов, может быть, именно здесь взорвется бомба истины. Весь мир, который так гордится своей нормальностью, куда более безумен, чем те, на кого он, смеясь, указывает пальцем.

12 мая. Моя жизнь сузилась до размеров моей квартиры. Я, как собака на прогулке, могу двигаться только на длину своего поводка. Любовь, благополучие, относительная обеспеченность — все это у меня есть, но мне не хватает бездомной, легкокрылой стихии путешествий и кислорода авантюр. Я ржавею от бездействия, как сабля в ножнах в мирное время. Когда меня спрашивают о моем образе жизни, я отвечаю: «Посмотрите на вашу кошку!» У этого грациозного и независимого создания жизнь делится на два периода — охоты и лени. Когда вы смотрите на кошку, дремлющую у теплой печки, вам и в голову не приходит, что это то же самое дикое животное, которое вы видели час назад в уличной кошачьей драке. Хвост поднят трубой, в глазах горит священный огонь охоты, шерсть встала дыбом — кошка отправляется на поиски приключений. Так и я после сонной, мечтательной домашней жизни люблю отдаться на милость неразборчивого случая. Я враг свинцовой монотонности человеческого существования.

Мир — это гигантская сцена, где постоянно меняются декорации, а восхищенные зрители следят за быстро меняющейся игрой красок. Только путешествуя, можно испытать божественное чувство свободы. Но то, что я больше всего ценю в странствиях, — это встречи с новыми мужчинами, возможность очаровательного флирта. Я — дочь легкомыслия, жадно хватающая каждую игрушку. Выпотрошить из мужчин деньги, выбить из них пламя небывалой страсти, подлить масла в светильник любви, поманить их возможностью полета — вот занятие для настоящих женщин. Потом исчезнуть из их жизни, обучив страданию.

Путешествия — это фантастическая смесь грязи и красоты, мудрости и пошлости, карнавал случая, и мне не терпится примерить маску странствующей аферистки.

23 мая. Почему ко мне вечно липнут незнакомые люди? Вот и сегодня, едва я вышла из самолета, приземлившегося в аэропорту города Будапешта, как ко мне тут же пристала какая-то пожилая американка. Она услышала, как я спрашиваю у носильщика, где находятся автобусы, отправляющиеся в Югославию, в Белград. «О милая девочка, нам по пути», — заявила она, вцепившись мне в руку. На мне была элегантная черная шляпка и строгий черный костюм, чересчур теплый для здешней жары. Я обливалась потом, стоя на тридцатиградусном солнцепеке в ожидании автобуса. Американка целый час трещала как сорока, из потока ее болтовни мне удалось выхватить всего лишь несколько фраз. Я узнала, что зовут ее Луиза, что она владеет небольшим рестораном в Нью-Йорке, что у ее сына русская невеста, которая целыми днями лежит на диване, читает книжки и ничего не делает. Вся остальная ее речь представлялась мне бессмысленным набором английских слов. Я натянуто улыбалась, делая вид, что все понимаю. Луиза спросила, замужем ли я, и, услышав утвердительный ответ, страшно расстроилась. Она заявила, что я больше подхожу ее сыну, чем его нынешняя невеста. При этом она ущипнула меня за щеку, наговорила кучу комплиментов и взялась меня фотографировать, обращаясь со мной как с куклой и заставляя принимать различные позы.

В автобусе я совершенно расклеилась. Я встала сегодня в пять утра, в самолете выпила чересчур много белого вина, на солнце меня развезло, и к горлу подступил тошнотворный комок. Жара растопила косметику на моем лице, помада растеклась по подбородку, а пудра размазалась жирными неровными полосами. Я закрыла глаза и притворилась спящей, чтобы хоть немного отдохнуть от Луизиной болтовни. И она немедленно вступила в какую-то бурную политическую дискуссию с соседом.

Я перебирала в памяти утренние события и удивлялась тому, что мне удалось оказаться в Венгрии. Началось все с таможенных проблем. Я имела право провезти только 500 долларов, а наивный Андрей уверял меня, что он как муж может передать мне на таможне по своей декларации еще 300 «зеленых». Но тут нас ждало разочарование. Таможенница заявила, что это возможно, только если есть письменное заявление Андрея, заверенное у нотариуса. В семь утра на границе нотариусы не водятся. Кроме того, она потребовала, чтобы я на ее глазах вернула мужу лишние деньги. У меня губы задрожали от обиды и слезы хлынули градом. Я отдала доллары, таможенница наклонила голову, чтобы поставить отметку в моей декларации, и в этот момент сквозь слезный туман я увидела, как Андрей жестом фокусника засунул деньги в карман моего плаща.

Все еще плача и покачиваясь от недосыпания, я прошла на пограничный контроль. Выездную визу, проставленную в моем паспорте, отменили еще 1 апреля, но на моем штампе стояло 31 марта. Его шлепнули в какой-то липовой конторе за 100 долларов три дня назад. По всей видимости, печать просто-напросто украли. Женщина-пограничник (нет никого страшнее женщин в форме) спросила, когда я получила визу. «31 марта», — не моргнув глазом, ответила я. Она повертела паспорт, подозрительно рассматривая штамп, и заявила, что он ненастоящий. «Вы меня обижаете», — слабым голосом сказала я. «Я сейчас позову начальника», — безапелляционным тоном отрезала дама.

Я опустила белую вуаль на глаза и с томным видом высморкалась в платок. Явился начальник. Разыгралась сценка «милая, незаслуженно оскорбленная леди и великодушный, облеченный властью джентльмен». Меня пропустили через контрольный пункт.

Вспоминая утренние происшествия, я победно улыбалась, но тут мои размышления прервал симпатичный юноша, сидевший сзади. Он спросил, из какой я страны и зачем еду в Югославию. Я с достоинством ответила, что я русская журналистка, еду по заданию редакции писать военный репортаж. «О!» — только и смог вымолвить юноша, и я почувствовала, как в его глазах я поднялась на недосягаемую высоту. Меня всегда смешит это преклонение у неискушенного большинства перед профессией журналиста. Все наперебой начинают твердить, какое это необыкновенное призвание — писать правду о мире. В таких случаях я фыркаю от смеха и чувствую себя Лжедмитрием в юбке. Вот и сегодня присутствующие, подслушивающие наш разговор, выказали мне все положенные знаки уважения, восклицая, какая я храбрая и оригинальная девушка. О, если б они знали, что мне ровным счетом наплевать на идеалы справедливости и мне чуждо стремление выяснять, кто прав и кто виноват в югославской войне. Каждая из воюющих сторон подрумянивает и подкрашивает свою правду, и у меня нет никакого желания смывать эти слои идеологической косметики, чтобы увидеть истинные, неприглядные черты очередной «правды». Биение пульса жизни, чудесная неизвестность, запах незнакомой страны, приключения, ожидающие тебя за каждым углом, внезапная любовь, гримасы человеческих характеров, которые так отчетливо проявляет война, попытки ординарных людей перейти границы обыденности — вот что меня привлекает в путешествиях. Я еду в командировку ради собственного удовольствия, а не из-за абстрактного, высокопарного стремления донести до мира правду.

На остановке юноша сбегал в придорожное кафе за гамбургерами и соком, и мы продолжили разговор, жуя безвкусные котлеты с хлебом. Мой собеседник оказался скрипачом, он даже продемонстрировал мне свой инструмент. Потом посмотрел на меня своими темными, как косточки сливы, глазами, сказал, что я для него как хорошая музыка, и предложил встретиться в Белграде. «Какой шустрый!» — подумала я с внутренней улыбкой, но глаза мои смотрели серьезно и вдумчиво, и я сказала: «Может быть».

Луиза бесцеремонно вмешалась в наш разговор и завладела моим мальчиком, задавая ему обычные дорожные вопросы: кто он такой, куда едет и зачем? Я поскучнела и уставилась в окно, любуясь мелькающими зелеными картинками. Но пронзительный голос Луизы не давал мне расслабиться. Я слышала, как она на разные лады твердит одно и то же — «трудиться, трудиться и трудиться», «работа — это главное в жизни», «труд — дело каждого» и т.д. При этом в голосе ее звенел металл. «Какие они скучные, эти американцы! — думала я. — И неужели смысл жизни — это профессиональный труд? Какая тоска! Неужели нужно всю жизнь зарабатывать деньги, чтобы потом, в старости, потратить их на удовольствия?» Я вторглась в бесконечный монолог Луизы, заметив, что русским трудно понять философию американцев, что мы предпочитаем мелкие, нечестные деньги, дающие возможность пьянствовать, шляться по свету и развлекаться от души не слишком пристойными способами. Что-то в этом роде я изложила на своем несносном английском языке. Я тут же упала в глазах Луизы, она облила меня презрительным взглядом, и я, по всей видимости, потеряла место предполагаемой невестки.

В Белграде я, прощаясь, перецеловалась со всем автобусом, скрипач сунул мне записку, и я машинально положила ее в карман. Меня встретил русский телекорреспондент Володя Соловьев. Он помог мне устроиться в гостинице, и вечером мы отужинали с ним в ресторане. Он ввел меня в курс дела, выложив массу ценных сведений о положении в стране, а я выпила целую бутылку вина, чтобы снять усталость.

В десять вечера я поднялась в свой номер, слишком возбужденная, чтобы уснуть. Я долго стояла у окна, рассматривая ночную улицу и пытаясь представить, что меня ожидает в этой стране, какие гроздья пленительных ситуаций мне удастся сорвать. Слово «приключение» перекатывалось у меня на языке, как упругая виноградинка, — мне хотелось надкусить его, чтобы узнать вкус неожиданности. Но я сделаю это завтра и во все последующие дни.

Разбирая вещи, я наткнулась на записку музыканта с нацарапанным телефонным номером и просьбой позвонить, без сожаления разорвала ее и выбросила в мусорное ведро. Милый скрипач! Сколько еще будет таких мальчиков на моем пути! Мне бы встретить мужчину, от которого зачастит пульс — сто ударов в минуту!

25 мая. Кровавое пятно, которое вот уже два года расплывается на карте Югославии, не задело Белграда. Этот город ошеломляет атмосферой беззаботности. Здесь торжествуют любовь и великолепие жизни, свободомыслие в вопросах добра и зла. Трудно поверить, что страна уже год живет в условиях блокады и пузырь инфляции увеличивается каждый день на семь процентов. Уже в десять утра в ресторанах сидят шумные компании, еда и вино здесь недороги. Правда, цены в меню пишутся карандашом, чтобы можно было каждое утро стереть их и написать новые. «Почему вы жалуетесь на трудности? — возмущалась я. — Вы живете по меньшей мере в двадцать раз лучше, чем мы». «Но, милая, до войны мы жили в сто раз лучше, чем Россия, — отвечали мои сербские друзья. — И потом, хотя мы сыты и одеты, мы не имеем бензина, лекарств, многих элементарных вещей. В стране парализована деятельность многих предприятий».

До Белграда не доносится холодное дыхание войны, до которой всего несколько часов езды на автобусе. Гремят городские ночи, в ресторанах голоса цыганского пошиба исполняют неистовые «Очи черные», в бокалах переливается вино «цвета крови из сердца», сытные запахи национальной кухни щекочут ноздри, десятилетние девочки разносят цветы и шепчут на ушко кавалерам цены, чтобы не смущать дам. Иностранцы широко открывают глаза: «Это называется блокадой? Это последствия эмбарго?» Люди с пунцовыми от возбуждения щеками хохочут, поют и часто говорят с вызовом: «Вот так мы боимся американцев!» В этом веселье чувствуется что-то отчаянное, боязнь катастрофы, которую можно заглушить только лозунгом: «Наслаждайся жизнью сегодня, до конца света осталось несколько дней!» «Раз мир не желает понять нас, мы забудем о том, что он существует» — этот принцип знаменитой сербской гордости сильно раздражает пацифистски настроенное молодое поколение. Оно не желает слышать о войне и живет в мире рок-музыки, дискотек и кафе.

Здешний воздух переслащен сексом. Нигде я не видела столько опаляюще красивых мужчин. Сочность, чувственность и сила, совершенные сочленения могучих мускулов, фигуры чудесного литья — прекрасные экземпляры жестокой мужской породы. У большинства из них рост под два метра, и я наконец-то могу позволить себе высокие каблуки без риска чувствовать себя шпалой. Вчера я купила прелестную соломенную шляпу с огромными полями и теперь ношу ее в сочетании с красноречиво обтягивающим фигуру коротким ярко-зеленым платьем. Этот наряд мешает уличному движению — машины резко тормозят и сигналят, пешеходы сворачивают шеи, чтобы рассмотреть меня во всех подробностях. В отеле мне просто не дают прохода. В ресторане я выбираю обычно самое укромное место, но все равно кто-нибудь присылает цветы или оплачивает счет. У меня появился один жирный воздыхатель-грек, который при моем появлении плотоядно причмокивает губами, отводит меня в сторонку и, тиская мою руку, предлагает мне совместную поездку к морю. Его низменно чувственные глаза обещают все сокровища мира.

Сегодня утром я завтракала яичницей с беконом и двойной порцией отборной клубники со взбитыми сливками. Я медленно погружала ложку в белое сладкое облако и думала, что все идет прекрасно. Официант принес мне пузатый графин розового вина и сказал, что это привет от соседнего столика. Я оторвалась от клубники и увидела молодого красавца с фантастическими голубыми глазами на смуглом лице. Я наполнила бокал вином, пригубила его, и наши взгляды встретились. Он расценил это как приглашение. Он поднялся и не спеша направился к моему столу, давая возможность рассмотреть свою великолепную фигуру.

Мы выпили за знакомство. Его зовут Душан. Он так театрально хорош собой, что кажется ненастоящим. И эти будто нарисованные голубой эмалью очи. Я почти не понимала его английский, и он стал писать все предложения на бумаге. Я лучше читаю по-английски, чем говорю и воспринимаю на слух. Мы исписали целый блокнот. Графин опустел, нам принесли новый — на этот раз красного вина. Душан подробно описывал на бумаге все части моего тела с прибавлением всевозможных эпитетов. Когда он дошел до ног, то отложил ручку в сторону и сказал, что не может их описывать, поскольку они спрятаны под столом. «А если на ощупь?» — с вызовом спросила я. Глаза его загорелись, а рука скользнула к моим ногам. Он изучал их медленно, бережно, как величайшую драгоценность, его пальцы скользили по моей коже, исследуя ее как дорогой шелк. Но как только они добрались до теплой ложбинки, я сделала протестующий жест и одними губами сказала «стоп». Он послушался, в качестве вознаграждения за хорошее поведение завладел моей рукой. Он с нежностью перебирал мои пальцы, затем принялся целовать их и покусывать. Кровь бросилась мне в голову; в каком-то ослеплении я позволяла делать со мной все, что ему хочется. Официант наблюдал за нами с большим интересом. Я отдернула руку и сказала, что мне нужно подняться в номер и позвонить. «Но потом ты вернешься, и мы поедем кататься по городу», — он говорил повелительным голосом. Я пробормотала что-то в знак согласия. Душан взял мой ключ и внимательно посмотрел на бирку, запоминая номер. «Если тебя не будет больше четверти часа, я зайду за тобой», — в этих словах было что-то угрожающее, он словно почувствовал надо мной власть.

Я ворвалась в свой номер, скинула узкое платье и встала под душ. Я намылила все тело, представляя, как Душан возьмет его через пятнадцать минут. У меня закружилась голова, и я была вынуждена присесть на край ванны. Прежде чем прозвучит симфония плотской любви, надо собраться с мыслями. «Слишком много вина с утра, — подумала я, чувствуя отрезвление. — А нужен ли мне этот писаный красавчик? Я достаточно с ним поигралась. Лучше сбежать, и как можно быстрее». Я натянула платье на еще мокрое тело, сунула ноги в туфли, спустилась по лестнице в вестибюль и легкой тенью выскользнула на улицу. Да здравствует свобода от собственных желаний! Надо на время укротить свою кровь, иначе я пересплю с половиной Белграда.

26 мая. Легко не замечать войну, сидя в Белграде, трудно игнорировать ее в Вуковаре — городе, разрушенном на 80 процентов. Он стал центром паломничества журналистов, которые приезжают сюда, как на экскурсию, полюбоваться скелетами домов с пустыми глазницами окон, оплетенными кустами крупных алых роз, и заминированными полями, заросшими дикими маками. На всем лежит печать бесцельного зверства. Эта сюрреалистическая красота, достойная картин Пикассо, таит в себе смерть — 1600 трупов извлекли из-под руин, а сколько еще осталось! Не хватает рабочих рук, чтобы разбирать завалы. Каждая улица была ареной какой-нибудь кровавой драмы. Камю утверждал, что самый удобный способ познакомиться с городом — это попытаться узнать, как здесь работают, как здесь любят и как здесь умирают. Работа в этом городе мертвых замерла, выполняется только самое необходимое, что должно поддерживать жизнь, любовь только поднимает голову, а своей смертью за последние два года здесь никто не умирал.

В Вуковаре я отправилась в одно из подразделений русского батальона, где привела в шок молоденьких солдат. Если бы к ним явилась инопланетянка, они были бы меньше удивлены. За последний год они не видели ни одной русской женщины. Эти грубоватые ребята, весьма косноязычные, потребовали у меня карточку-аккредитацию ООН, которой у меня, разумеется, не оказалось. Тогда они заявили, что им запрещено разговаривать с журналистами без соответствующего разрешения ООН. Я прикинулась возмущенной: «Вы что, хотите сказать, что я приехала за тысячу километров, чтобы услышать такое теплое приветствие?» Они смутились и сказали, что просто боятся пускать меня внутрь, поскольку начальство отсутствует. Их неправильная речь резала мой слух. Наконец один из них решился и пригласил меня в казарму.

«А какие у вас тут развлечения?» — спросила я, осмотрев казенное серое помещение. «Только настольный теннис», — ответили мне. «Так давай поиграем. Все равно делать нечего до прихода вашего командира».

Мы весело перекидывали мячик, похожий на солнечный зайчик, случайно залетевший через окно в казарму. Он все время спрыгивал со стола и норовил ударить по тусклому каменному полю. Приходилось становиться на четвереньки и шарить в поисках мяча под солдатскими шкафами. За этим занятим нас застал румяный молоденький лейтенант. Его красивые каштановые брови удивленно поползли вверх. «Это еще что за явление?!» — воскликнул он. «Не видите — в теннис играем! Что ж тут странного? — весело сказала я, протягивая ему руку. — Давайте знакомиться. Даша, русская журналистка, приехала по заданию «Комсомольской правды». Хорошенького лейтенанта звали Мишей, и он первым делом озабоченно спросил: «Вас уже покормили?» «Какое там! — возмущенно ответила я. — Меня даже не хотели пускать сюда!» «У нее нет аккредитации ООН», — уныло оправдывался дежурный. «Но покормить-то все равно надо», — рассеянно заметил Миша.

Умяв в столовой несколько гамбургеров, йогуртов и апельсинов, я сказала Мише, что здесь можно неплохо жить. Миша признался мне, что ему пришлось дать большую взятку, чтобы попасть в Югославию. Это вызывает немалое удивление у его коллег-англичан: «Как вы можете платить за то, что попадаете в опасное место?!» Просто англичане никогда не служили в российских войсках и им трудно поверить, что солдатская зарплата 800 долларов и апельсины к завтраку — это манна небесная для русских парней, привыкших к грязным казармам, отсутствию горячей воды и к перловой каше.

— Тебе придется трудно без карточки ООН, — сказал Миша. — Никто не даст тебе интервью, это запрещено.

— А как же я могу получить эту карточку?

— Пресс-центр находится в Хорватии, в Загребе.

— Но я-то нахожусь на сербской стороне. Как же мне перейти линию фронта? Только с помощью ООН. Но никто мне не поможет, поскольку у меня нет аккредитации. Получается замкнутый круг.

— Да, задачка, — сказал, вздыхая, Миша. — Я должен отвезти тебя к командиру батальона и вообще отчитаться перед начальством, что прибыла журналистка.

Мы вышли из столовой и направились к стоянке джипов, мимо футбольного поля, где бегала целая команда отборных красавцев. «Это британский медвзвод, — объяснил Миша. — Пойдем, я познакомлю тебя с их капитаном». Мы подошли ближе, и к нам подбежал слегка вспотевший черноусый джентльмен. Он тут же расплылся в широчайшей улыбке, обнажавшей безупречные белые зубы. Такие зубы могут быть только у мальчиков, которые все детство питаются исключительно фруктами, йогуртами и овсянкой. «Майкл», — представился он, крепко сжав мою руку. Я подумала, почему меня так возбуждают военные? Наверное, я слишком хрупка от природы, и потому меня всем телом тянет к силе, символом которой во все времена был мужчина-солдат. Майкл обрадовался, узнав, что я приехала на два дня. «Я приглашаю вас завтра на праздник, — торжественно заявил он. — Наш медвзвод устраивает его в честь окончания своей миссии на сербской земле. Вы будете единственной леди на завтрашнем вечере». Приятно, черт побери, быть единственной дамой на празднике в окружении английских офицеров, но, боюсь, на целый взвод меня не хватит. Я поблагодарила за приглашение, не говоря ни «да», ни «нет», и сказала, что сейчас нам, к сожалению, пора идти. Миша повез меня по улицам Вуковара — города цветов, тишины и развалин. Алые розы на сером фоне казались капельками крови.

— Во всем этом есть какая-то мертвая красота. Тебе не кажется? — спросила я лейтенанта.

— Да, страшная, гнетущая красота. Я первое время не мог спать. Все время казалось, что мертвецы ночью выходят из могил.

Начальство батальона встретило меня как почетную гостью. Мне отвели хорошенький гостевой домик, на стол выставили превосходное красное вино, но моя попытка получить информацию от командира Николая Ивановича окончилась ничем. Это было все равно что выжимать воду из сухой губки. Я с рассчитанной наивностью хлопала глазами, перепробовала несколько интонаций — от легкой девичьей придурковатости до усталого тона светской львицы, — но все было бесполезно. По-видимому, Николай Иванович принадлежит к тому твердолобому типу мужчин, которые наслаждаются своей непреклонностью и страсть как боятся хоть в чем-то нарушить правила — будь то семейная мораль или статья воинского устава. Мы беседовали с ним до трех часов ночи, и я убедилась, что его пугают собственные желания. Он был не в силах отпустить меня и в то же время страшился моей близости. Но я по опыту знаю, что самое захватывающее — будить зверя в мужчинах подобного типа. Они долго раскачиваются, но если вдруг трогаются с места, их не остановить. Если бы меня не клонило в сон, я бы соблазнилась трудностью задачи.

27 мая. Люди в Вуковаре отличаются необычайной живучестью. Их не пугают привидения, которые затевают ночные прогулки. В разбомбленных домах, в которых сохранились первые этажи, жители устраивают кафе и рестораны. Сегодня меня пригласили в подобный ресторан. Я отправилась туда в компании русского полковника Леонида, милейшего человека, сербского бизнесмена и журналиста местного радио. Мы заказали рыбу, и нас просили обождать полтора часа — рыбу еще надо выловить в Дунае или выбрать ее из сегодняшнего улова местных рыбаков и затем изжарить особым способом. Мы решили прогуляться среди живописных развалин, чтобы скоротать время и нагулять аппетит, и вскоре наткнулись на странное зрелище — стайку щебечущих девушек в огромных шляпах и вечерних платьях. Тут же суетились гримеры и парикмахеры. «Это показ мод, — с гордостью сказал мне модельер Симо Демонич. — Мы хотим продемонстрировать всему миру, что город продолжает жить и радоваться». Странно было наблюдать типичную атмосферу конкурса красоты среди руин, унесших сотни вздохов, улыбок, плачей, любовей.

Телекамеры снимали местных хорошеньких девчушек в большой зале с полуразрушенным потолком — кто бы мог подумать, что это бывший музейный особняк! Девушки, непрофессиональные модели невысокого роста, страшно стеснялись, застенчиво хихикали и ходили чуточку неловко, боясь сделать неверный шаг. Я уже приняла утреннюю дозу алкоголя, и меня понесло: «Я могу показать вам, как надо двигаться! Я работала некоторое время манекенщицей». Меня тут же поволокли в гримерную, подправили макияж, сделали мне высокую прическу, открывающую шею, и надели на меня длинное вечернее платье из черного трикотажа с откровенным разрезом и оригинальной отделкой из белой тесьмы, без рукавов, обнажающее мои тоненькие бледные руки. Шею обмотали длиннющей ниткой искусственного жемчуга. Я вышла в зал вольной походкой уличной шлюшки и сорвала аплодисменты. После показа модельер преподнес мне черное платье, и я подумала, что, пожалуй, это самый странный подарок в моей жизни — платье из Вуковара, города, практически стертого с лица земли.

Потом мы обедали в ресторанчике, беседа текла свободно, размоченная белым вином. Ничто так не располагает к общению, как бутылка доброго вина. «Поверишь ли, в Афганистане мне было легче, — говорил полковник Леонид. — Там все было ясно — война. Здесь мы находимся меж двух огней, контролируем так называемую розовую зону — нейтральную полосу между сербами и хорватами, и наши задачи довольно неопределенны. Мы скорее дипломаты, чем воины. Мы должны улаживать конфликты, по возможности не применяя оружия.

В январе была жуткая ситуация. В южном секторе хорваты прорвались через заслон УНПРОФОРа (войска ООН) и убили много мирных сербов. Реакция на эти события не заставила себя ждать. 300 вооруженных сербов окружили наши казармы в Вуковаре и велели нам убираться восвояси. Что я мог сделать? Стрелять? Немыслимо. Уходить? Невозможно, наш батальон обязан охранять британский медвзвод, который уже стал собирать чемоданы. Я пошел на переговоры и применил откровенный шантаж: «Вы войдете в казармы только через мой труп. Я как русский офицер обязан выполнять свой долг. Если я застрелюсь, вас обвинят в убийстве служащего ООН». Много было эмоций, но в конце концов все уладилось.

Русские в Вуковаре — гарант спокойствия, потому что Югославия — единственная страна в Европе, где еще искренне нас любят. В этой любви есть что-то детское, простодушное, сербы всячески стараются доказать свою благожелательность».

Да, сербы любят говорить: «Нас вместе с русскими двести миллионов». Пушкина, не смущаясь, называют великим сербским поэтом: «Гений принадлежит всему человечеству, дорогуша. Пушкин в такой же степени ваш, как и наш». Любой уважающий себя фольклорный ансамбль с успехом исполняет русские романсы. Может быть, сербам нравится та тоска, что дрожит в золотой музыке.

Я вдруг загорелась одной идеей: «Леонид, поехали сейчас всей компанией в Белград, устроим развеселую ночь по ресторанам. Я мечтаю послушать сербские песни. Поехали. Сегодня суббота, можно гульнуть». — «Но ты же приглашена на вечеринку к англичанам, они даже гонцов прислали с официальным приглашением». — «Это все неинтересно. Европейские мужчины — вырожденцы. Только здесь живут люди бурлящей крови. Едем в Белград». Наши сербские друзья с энтузиазмом поддержали мое предложение.

Ах, что это была за ночка! Яростно заливались соловьи, опьяненные лунным светом, круглый фонарь луны покачивался в небе и отражался в дунайских волнах. За один вечер мы сменили пять ресторанов. Нас было семь человек — две сербские журналистки, директор вуковарского радио, двое сербских бизнесменов и мы с Леонидом. Уже во втором ресторане мы перешли на язык жестов и улыбок. Слова не требовались. Сербы не любят длинных тостов, они говорят «живели» (нечто вроде «будем здоровы») и опрокидывают стаканчик. Звучала щекочущая нервы музыка, дерзко захватывающая душу. Я была в коротком красном платье и с высокой вечерней прической, сделанной на вуковарском показе мод. Какой-то старик с палочкой упал передо мной на колени, поцеловал мне руки и торжественно заявил, что перед красотой нужно преклоняться. Она — творение Господа и наделена божественной силой.

Что за мужчины сидели в ресторанах — высокие, смуглые, полные причуд! Я глаз не могла оторвать от их цыганской красоты. Недаром сербы славятся по всей Европе своей романтической внешностью. В их жилах течет отменная, неразжиженная кровь, от них разливаются мощные волны жизненной энергии.

Мы много пели, Леонид и я — русские романсы, наши друзья — лихие сербские песни. Настоящая эмоциональная оргия! Последнее заведение, которое мы посетили, — цыганский ресторан на берегу Дуная. Тихонько плескалась река, я видела мягкую усмешку неба над головой и думала, что так не бывает — май, Белград, Дунай, молодость, вино, ошеломляющее разум. Это слишком хорошо, чтобы быть правдой. Цыгане со сладкими черными глазами пели с надсадом свои сатанинские песни. Особенно хорош был один — совсем старик, с лицом, оплетенным сетью морщин, седыми кудрями и взглядом, пробирающим до костей. Он наклонялся волнующе близко к моему лицу, заглядывал прямо в душу, и из его золотого горла неслись дрожащие от истомы, растопляющие сердце звуки. От этой зажигательной, вихревой музыки у меня появился неудержимый танцевальный зуд в пальцах ног. Не в силах усидеть на месте, я вскочила и закружилась по залу и тут же попала в чьи-то объятия. Партнеры менялись один за другим, мелькал калейдоскоп незнакомых лиц, чьи-то руки сжимали мой стан. И вот уже ночь перевалила за половину, меня отвезли в отель, я, не раздеваясь, упала на кровать и заснула с улыбкой, чувствуя во рту вкус клубники со сливками, отведанной напоследок в ресторане.

28 мая. Меня разбудил телефонный звонок. Я с трудом дотянулась до аппарата, сняла трубку и выдохнула хриплое «алло».

— Привет, это Бани. Уже десять утра, и я жду тебя внизу. Мы едем завтракать.

— Кто-кто?

— Бани. Мы вчера вместе были в ресторане и договорились завтра ехать в Боснию, в Сараево. А сегодня мы решили встретиться и обсудить детали.

Человек, говоривший со мной по телефону, так же скверно знал английский, как и я, но отличался большим терпением. Он несколько раз повторил свои слова, чтобы я наконец-то усвоила информацию.

— Дайте мне хотя бы полчаса, чтобы привести себя в порядок, — слабым голосом сказала я.

— Хорошо, жду, — бодро ответил голос.

Я положила трубку и напрягла память, чтобы установить личность человека, с которым у меня назначена встреча. В голове у меня постукивали молоточки. Кажется, это дородный мужчина лет тридцати семи, с хитрыми узкими глазами и обаятельной улыбкой, владелец фирмы, торгующей автомобилями. С какой стати он везет меня в Боснию? Ему что, делать нечего? Времени для размышлений у меня не было, я смыла вчерашний грим и наложила новый, приняла душ, побрила ноги, сунула в рот жвачку, чтобы отбить запах перегара. Несколько минут колебалась с выбором наряда: одеться поскромнее или вызывающе? Лучше выглядеть сексапильно — этот человек может мне понадобиться, и я выбрала свое любимое зеленое платье и соломенную шляпу. У платья есть один секрет — оно так коротко, что, когда садишься напротив мужчины, он имеет возможность наблюдать соблазнительный треугольник трусиков.

Я спустилась в холл походкой королевы, оставляя за собой шлейф духов «Сальвадор Дали». Бани поцеловал мне руку и наговорил комплиментов. Глаза его смотрели оценивающе. Мы сели в его шикарный серебристо-серый «Мерседес» и поехали завтракать в ресторанчик на открытом воздухе. Солнце светило по-летнему жарко. Мы откушали молоденького барашка в остром томатном соусе, запивая его терпким красным вином, и мою любимую клубнику со взбитыми сливками. Я вела себя как институтка, стараясь видимостью беззащитности и доверчивости возбудить в Бани покровительственный инстинкт. Невинность в сочетании с эротическим платьем — беспроигрышный вариант. Сила женщин в их мнимой беспомощности. Ни одна банальная истина так не оправдывает себя в жизни, как эта.

Мы едва понимали друг друга. У меня сложилось ощущение, что я выучила одну половинку английского разговорника, а Бани другую. Нам приходилось больше обращать внимание на модуляцию голоса и мимику собеседника, чем на значение слов. «Боже мой! Как же мы будем общаться в трехдневной поездке?» — в панике думала я.

После завтрака мы колесили по городу, заезжая то в одно кафе, то в другое выпить стаканчик вина или кампари. Бани беспрерывно фотографировал меня. Мы больше жестикулировали, чем разговаривали, но кое-что я все же понимала. Бани спросил меня, в какой машине я предпочитаю ехать в Сараево — в «Мерседесе» или в «Пежо». Победило тщеславие. «Конечно, в «Мерседесе»!» — завопила я, не думая о том, что на узких горных дорогах разумнее использовать небольшой юркий «Пежо», чем громоздкий «Мерседес».

Бани завез меня к себе домой, чтобы показать мне любительский видеофильм, снятый им в Сараеве. У него хорошенькая двухкомнатная квартира на первом этаже двухэтажного дома, с большой террасой. В гостиной висит огромная фотография Бани, лежащего в обнимку с девицей потрясающей красоты. «Моя маленькая авантюра», — сказал Бани с легкой улыбкой, заметив, что я разглядываю фото. В гости к Бани зашел сосед, они занялись какой-то деловой беседой, а мне поставили кассету с фильмом и налили превосходного французского розового шампанского. Замелькали кадры насилия, несчастий и ужаса. В фильме были страшные сцены передачи убитых пленников с мусульманской стороны на сербскую. Плачущие жены и матери, обглоданные смертью лица, гробы с клубками белых червей. Шампанское застряло у меня в горле, и я почувствовала приступ дурноты. Таинство смерти, открытое всем глазам. Бани посмотрел на меня и испугался:

— Что-нибудь случилось? Тебе плохо?

— Нет, все в порядке.

— Может быть, выключить фильм?

— Нет, ничего, я досмотрю.

Бани мельком взглянул на экран, показывавший обугленные трупы. «Это называется «гриль по-мусульмански», — сказал он. — Пленные, зажаренные живьем на вертеле». Слово «вертел» договорила я после выразительного жеста Бани. Да, черный юмор здесь в большом ходу. Бани вернулся к своему разговору и шампанскому, а я подумала о том, что человеческая психика великолепно умеет защищаться от перегрузок, точно отмеряя меру радости и горя. Наступает момент, когда переполненная чаша не приемлет ни капли, когда любая добавка не ощущается. Это можно наблюдать в местах, страдающих хроническим воспалением, — в «горячих точках». Люди, обреченные жить в них, бережно сохраняют, как хрустальный сосуд, свое душевное равновесие и ясными глазами смотрят в лицо любой опасности. Вот, например, Бани, не раз бывавший в самом пекле, или его сосед, потерявший на войне близких друзей и родственников, — они с особой простотой говорят о таких вещах, от которых у нормального человека волосы встанут дыбом. Чувствительность их притупляется, их трудно чем-либо удивить, сердца черствеют. Загрубевшие душевные ткани и парализованные нервные клетки защищают организм и от повседневного шока. Жизнелюбие жителей «горячих точек» и их упорное желание наслаждаться радостями бытия до некоторой степени шокируют журналистов. Но было бы глупо упрекать их в бессердечности. Они принадлежат другому миру, и не в их привычках рвать на голове волосы из-за того, что ежедневно жестокие жернова перемалывают десятки, а то и сотни жизней.

Ночью я долго не могла уснуть и ворочалась с боку на бок. Фильм населил мое воображение ужасными картинами. Я слишком впечатлительная натура и заранее переживаю все опасности. Во сне я видела жареных пленников.

29 мая. Мы выехали из Белграда в 9 часов утра на хорошей гоночной скорости. Бани был возбужден и чрезвычайно весел, я напряжена и неуверенна, с одной мучительной мыслью в голове: не потребует ли Бани плату за свои услуги? На языке вертелась фраза из романа Виктора Гюго: «Мужчина с женщиной наедине не подумает читать «Отче наш».

«Мне бы надо быть с ним полюбезнее, — решила я. —

Все-таки он из-за меня бросил на три дня работу». Я принужденно улыбнулась, и тут Бани дотронулся до моего обнаженного плеча, где розовело пятнышко от укуса комара. Меня бросило в жар. «Тебя покусали ночью?» — спросил Бани. «О черт! — подумала я. — Уже начинает приставать». Я по-женски насторожилась и решила атаковать первой.

— Бани, я тебя боюсь, — жалобным голосом сказала я.

— В самом деле? — удивленно спросил он.

— Ну, ты и я будем вместе три дня, мужчина и женщина в таких сближающих обстоятельствах — это опасно. Ведь я замужем.

Бани развеселился.

— Даша! Ты в моих руках! — радостно вскричал он, бурно жестикулируя и бросая на произвол судьбы руль машины. Но, по-видимому, на моем лице отразился такой страх, что Бани решил меня успокоить: — Не бойся, девочка, я тебя не трону. Все будет хорошо.

Последующий путь мы молчали, мчась по дороге со скоростью двести километров в час. Меня раздражало мое неумение распоряжаться английскими словами и очень вольное истолкование ответов Бани. Неуклюжие фразы, выкатывавшиеся из моего рта, приобретали какую-то неприятную двусмысленность от неточного употребления слов. Чтобы молчание не сделалось тягостным, я поставила кассету бешеной латиноамериканской музыки, чей ритм соответствовал нашей скорости.

На границе с Боснией у нас проверили документы и обыскали машину. Пограничник нашел на заднем сиденье тяжелый американский пистолет. Бани холодно посмотрел на него, что-то сказал по-сербски, забрал у него свое оружие и положил его в карман куртки. Пограничник лишь пожал плечами.

Босния — это уже другое государство, где гуляет ветер войны. Вокруг толпились горы, меня угнетало оглушающее безмолвие леса, грозное, как молчание заряженной пушки. Бани ехал настолько быстро, насколько это позволяла опасная горная дорога. Он рассказал мне, как однажды попал в этих местах в засаду. По дороге двигалась целая колонна машин, самую первую из них изрешетили пулями. Она взорвалась, перекрыв движение всей колонне. Люди вынуждены были принять бой.

За два часа мы не встретили ни одной машины. Все словно вымерло. Это безлюдье действовало мне на нервы, особенно когда мы проезжали через мертвые, разоренные и брошенные села. Первых людей мы увидели уже довольно высоко в горах, в поселке, куда мы заехали выпить чашку чая в каком-нибудь баре. Пришельцы здесь были в диковинку. Нас все внимательно рассматривали, и я ежилась от этих пристальных взглядов и заметного похолодания. Небо, загроможденное тяжелыми серыми тучами, готовилось пролиться дождем. Первые капли застучали по стеклу, когда мы снова тронулись в путь.

По дороге Бани затеял какой-то сложный политический разговор. Вообрази себе, мой возможный читатель, какого взаимопонимания мы достигли, не имея общего языка для объяснений! Я раздражалась от этой бессмысленной беседы. Трудно укладывать сложные мысли в элементарные слова, в упрощенные формы. Но Бани это не останавливало, он разливался соловьем. В конце концов я перестала отвечать и отвернулась к окну. Наконец Бани спросил: «Даша, почему ты молчишь?» Я разразилась было гневной тирадой, но задохнулась от недостатка слов. Бани принялся хохотать. «Даша, ты очаровательна, когда злишься! Ну позлись еще немножко для моего удовольствия», — сказал он, смеясь. От этого беспечного мальчишеского смеха мое раздражение как рукой сняло.

В пять часов вечера мы въехали в Пале, пригород Сараева, вестибюль ада. Мы оставили вещи в пресс-центре и отправились в гости к русским добровольцам, которые воюют на стороне сербов, в отряд «Царские волки», в селе Прача на границе с мусульманами. Но встретили нас в штыки. «Ненавидим газетчиков, — заявили добровольцы. — Каких только гадостей о нас не пишут! Что «царские волки» идут на запах крови, что приехали мы сюда за деньгами, хотя получаем чуть больше двухсот долларов в месяц. А мы приехали сюда из чувства патриотизма, понимаешь?» — «Ребята, если вы патриоты, что ж вам дома-то не сидится. И в России дел полно». — «Это же наши братья. Разве можем мы их оставить в беде!»

Добровольцы пренебрежительно относятся к русским, работающим в ООН: «Вот кто приезжает сюда деньги заколачивать и вольготно жить!» В этих парнях много злости и язвительности, видать, крепко их обидела жизнь там, на Родине. Один не имеет работы, от второго ушла жена, а третий просто чувствует себя ненужным дома. В Боснии их любят, оказывают им трогательные знаки внимания, в их силе и мужестве нуждаются, а значит, они могут уважать себя как мужчин. Их философия незамысловата, они живут сердцем, а не разумом. Вместе с ними в большом деревенском доме поселилась маленькая сильная сербка, воевавшая два года. Эта легкая на ногу женщина патрулирует вместе с добровольцами лес, печет им блины и варит кофе. «Она наш товарищ», — говорят добровольцы. О том, что в мире существуют женщины-нетоварищи, сумасбродные птички с радужным оперением, напоминают стопки совсем неуместного здесь журнала «Бурда».

В селе Прача я обнаружила на удивление хорошо работающий телефон в разбитом кафе. Международная связь еще действует, хотя счета никто не оплачивает уже два года. Я позвонила в Москву. Странно было услышать родной голос Андрея в этом наполовину опустевшем селе.

Мусульмане совсем недалеко, но дети, привыкшие ко всему, беспечно играют на деревенской улице. Куклы за пулеметами и пугала на дорогах отвлекают внимание вражеских снайперов. В древней замшелой мечети, где эхо молитв пропитало стены, взломаны гробы двух святых — там только мрак, холод и паутина.

«Я здесь по-другому стал чувствовать жизнь, научился быть благодарным за красоту, — сказал мне доброволец Петр. — Горы, звезды, луна, одиночество — здесь много думаешь». Трудно представить, что на свете есть такое великолепие, как горы Боснии — зеленые сумерки леса (рай для партизан), прозрачно-синий горный воздух, звон колокольчиков (их привязывают на шею лошадям), стада барашков с кроткими глазами. Красота, которая несет в себе утешение и примирение с несправедливостью жизни. На обратном пути из села дорогу нашей машине преградила мама-лошадь, кормящая своего жеребенка в теплом свете звезд.

В Пале Бани и я перекусили чем Бог послал в маленьком кафе. Там я встретила русского журналиста, корреспондента «Красной звезды» Александра Н., который только что вернулся из Сараева. Он с нескрываемым удовольствием описал мне все трудности и опасности, ожидающие меня завтра, и сказал, что на моем месте он бы и носа не сунул в Сараево. Я не раз наблюдала в «горячих точках», как журналисты, только что вернувшиеся с фронта, злорадно стращают своих коллег, собирающихся на войну. Каждый раз мне многозначительно говорили: «Мы тебе, девочка, не советуем туда ехать», как будто можно написать материал, сидя в теплом месте. И теперь в Пале я выслушала все положенные благоглупости в надежде, что в конце концов Александр расщедрится и сообщит мне что-нибудь ценное. Основательно запугав меня, Александр наконец сказал: «Так как у тебя нет аккредитации ООН, то в мусульманское Сараево тебе попасть не удастся. Единственный, кто тебе может помочь, — русский наблюдатель Игорь. Найди его, он что-нибудь придумает».

В полночь нас пригласили к местному влиятельному бизнесмену Милошу, другу Бани. Я так хотела спать, что едва сдерживала челюсти от судорог зевоты, но Бани сказал, что отказаться неудобно. Милош оказался сорокалетним красавцем с проседью в роскошной бороде, он прекрасно говорил по-русски, так как учился в России пять лет. Его сластолюбивые бархатные глаза сразу раздели меня, снимая одну деталь туалета за другой. Он подсел ко мне и, обволакивая меня взглядом, стал нашептывать рискованные парадоксы и маленькие язвительные вольности. Мы начали с поэзии Цветаевой, а закончили собственными взглядами на мир.

— Вы такая же, как я, — говорил он томным голосом мне на ухо, и его дыхание согревало мою кожу. — Вы, как кошка, любите снимать сливки с молока, оставляя обезжиренную жидкость для дураков. Вы жадная до жизни и любите издеваться над теми, кто слабее вас. Вы мните, что можете всех обмануть, но скоро начнут обманывать вас.

— Что вы имеете в виду? — спросила я, поддавшись магии этого сладкоречивого хищника.

— Вы ведь замужем, правда? И любите своего мужа — я сужу о вашем чувстве по тому, как вы меняетесь сейчас в лице при одной мысли о нем. Итак, вы здесь, он там. Все просто. Я уверен, что он обманывает вас в разлуке. Я не знаю его, но я чувствую вас — если он не глупец, он должен изменять, чтобы сохранить вас для себя.

— Я не сторонница парадоксальных высказываний, тем более в любви. Они не более чем игра слов. И вообще вы заходите слишком далеко. Мы едва знакомы. Что вы, собственно, себе позволяете?

— Не цепляйтесь за общепринятые установки. Не важно, что я знаю вас каких-нибудь полчаса, я вижу вашу душу, бессовестную и сентиментальную одновременно.

Мне захотелось стереть с его губ наглую усмешку и освободиться от напора его глумливого взгляда.

— Что за идиотский разговор! — сказала я, натягивая на лицо улыбку. — А взамен моему неверному мужу вы предлагаете себя?

— Да, моя милая девочка. Я очень умелый человек и неплохо бы обошелся с вами. Но, кажется, вы мне не доверяете. Вот телефон, проверьте мои слова, позвоните мужу, его наверняка нет дома. Ну же, смелее.

— Я разговаривала с ним три часа назад.

— О, я тоже так поступаю со своей женой, когда уезжаю. Нежно беседую с ней по телефону, убаюкиваю ее ложью, затем выхожу из отеля и отправляюсь на поиски приключений.

— Вы сейчас похожи на змия, соблазняющего Еву.

— Вот как? Я вызываю у вас подобные ассоциации? Что ж, я польщен. И все же позвоните.

«Ты непроходимая дура», — убеждала я себя, набирая дрожащей рукой свой домашний номер, и через минуту услышала бодрый голос автоответчика.

— Он спит, — убежденно сказала я, встречая насмешливый взгляд Милоша. — В Москве сейчас два часа ночи.

— Вы сами не верите в то, что говорите. Позвоните еще раз, разбудите его.

— Идите к черту! — крикнула я, швыряя трубку.

Бани бросил на меня тревожный взгляд. Он тщился понять, что происходит, но вся сцена шла на русском языке. Он догадался о ссоре только по выражению наших лиц.

— Я устала и хочу спать, — уже спокойным голосом сказала я. — Вы хорошо порезвились, я была удачной мишенью для ваших стрел.

— Я заказал для вас номер в гостинице, — холодно ответил Милош. — Думаю, вам действительно надо отдохнуть.

Бани и я вышли на улицу, под россыпь звезд на небе. Луна блестела как жемчуг, освещая небольшие горные домики для туристов. Раньше здесь был лыжный курорт, но война превратила его в прифронтовую полосу. Я вдохнула всей грудью свежий воздух майской ночи и пришла в себя. «Все это чепуха», — громко сказала я, но на губах остался ядовитый привкус сомнений. Я ревновала, я отчаянно ревновала Андрея к одной мысли о его возможной неверности.

В номере гостиницы я до трех часов ночи пыталась открыть кодовый замок моего дорожного сундучка. И поскольку я забыла код, мне пришлось будить мужчину из соседнего номера, который перочинным ножом взломал мой хорошенький сундук. Это происшествие окончательно испортило мое настроение. Укладываясь спать, я мучилась одной мыслью: «Надо же было мне влипнуть! Думала, что все на свете пустяки, и так напоролась на любовь!»

30 мая. Утром мы вяло позавтракали хлебом с вареньем и чаем и отправились в путь. В яркой, густой, полетнему ослепительной голубизне неба чувствовался праздник. Нас было трое — Бани, я и сербский писатель с русским именем Иван, ехавший к родственникам в Сараево и согласившийся выступить один день в качестве переводчика с сербского на русский.

Чем ближе мы продвигались к линии фронта, тем хуже я владела собой. Сначала я пыталась разговаривать тоном человека, который желает проявить выдержку, но потом просто замолчала, истязая свое воображение картинами опасности. Вчера эту дорогу пытались перерезать мусульмане, погибло более пятидесяти человек. Бани все время приставал ко мне с вопросом: «Даша, что с тобой? Почему ты молчишь?» Мне было трудно объяснить ему, что для таких женщин, как я, молчание — лучший способ сохранить присутствие духа. Если я заговорю, то впаду в истерику. Я ответила Бани: «Когда мы проедем опасный участок, я начну болтать как сумасшедшая».

Когда до простреливаемого места осталось совсем немного, Бани остановил машину и велел мне надеть бронежилет. «Я специально захватил для тебя», — сказал он. «Ух ты! Какой он тяжеленный», — пробормотала я, натягивая на себя двадцать килограмм железа. «А теперь поехали!» — крикнул Бани, машина взревела и понеслась вперед, как стремительный зверь. Опасный участок имеет три приметы: сквозняк страха в желудке, гниющий труп лошади с задранными кверху копытами, убитой снайпером ради забавы, и останки сгоревшей машины (ее водитель погиб от снайперской пули, труп убрали, а машина осталась как памятник). Тормоза визжат на поворотах, автомобили-мишени торопятся проскочить простреливаемый участок. Метнулась под колеса белочка. «Не расстраивайся, это мусульманская белка», — успокоили меня. Мои попытки улыбаться подобным шуткам полностью провалились. Добродетель самообладания, столь ценная в здешних местах, мне несвойственна. Я съеживалась в собственной коже и праздновала труса. Я, по-видимому, принадлежу к тому типу людей, которые с детских лет, начитавшись романтических книжек, мечтают о приключениях и подвигах, но, как только жизнь сталкивает их с ними, они тут же проклинают свою тягу к странствиям и думают: «Какая огромная разница между воображением и действительностью!»

Перед въездом в Сараево мы остановились около сербского поста. Трое мужчин, щурясь от яркого солнца, обедали чечевичной похлебкой за столом, роль которого исполнял деревянный ящик. Один из них — хорошенький восемнадцатилетний блондин — сказал нам на превосходном английском языке, что он воюет уже два года, с шестнадцати лет. Этот солдат, ставший ветераном еще в мальчишеском возрасте, явно научился владеть пистолетом раньше, чем бритвой. Я смотрела на него и думала, как все это глупо — природа создала таких отборных самцов для любви, а они пренебрегают своими прямыми обязанностями ради исполнения сурового ратного долга.

Сараево — это город-тир, простреливаемый насквозь, где убивают не задумываясь, город, потерявший уважение к смерти. Здесь не нужно никаких особых оснований, чтобы умереть. Огромные серые полотнища маскируют наиболее опасные места. Ядро города принадлежит мусульманам, его окружает плотное сербское кольцо. Жителям Сараева свойственно состояние фатализма: чему быть, того не миновать. Звездный путь уже проложен. Перебегают от дома к дому улыбчивые старушки, уже не вздрагивая от выстрелов и взрывов, ходят по улицам хорошенькие девушки в лосинах и кокетливых блузках. Некоторые носят изящные синие бронежилетики с приколотыми на грудь брошками. Если суждено погибнуть от снайперской пули, значит, так тому и быть. Всех ведет вперед слепая судьба.

Талант к жизни — редкое свойство. Сербским мужчинам достаточно выпить стакан вина, чтобы освежить сердце, и жизнь снова кажется медом. «Каждый день — только игра в карты», — говорят они, зная, как быстро и неразборчиво здесь настигает смерть. Возвращаясь с передовой, они с увлечением играют в компьютерные войны, как будто им мало реальной войны.

Сербы родились партизанами. Эти мужчины с их разрушительной энергией, с дикими сердцами и бесстрашными глазами сказочных героев, с могучими животными порывами — представители последней в старушке Европе нерассуждающе, первобытно храброй расы. Их бесконечные распри приобретают эпический характер. К этим людям необузданного темперамента и свободы в выражении чувств нельзя подходить с обычной меркой. В цивилизованном обществе они опасны, как опасен тигр, проломивший клетку в зоопарке. Их страсти не имеют полутонов — либо большая любовь, либо сильная ненависть. Те приглушенные, спокойные обозначения чувств, которыми мы пользуемся — например, неприязнь, привязанность, дружеское расположение, — здесь не проходят. Присущие им пылкость и богатство красок делают их очаровательными и свирепыми в наслаждении любовниками, но в их горячей, бьющей в глаза красоте есть что-то от сверкания разящего меча. Как прекрасны мужчины перед смертью!

В их кодекс чести входят галантность, каскады преувеличенных комплиментов дамам и рыцарское преклонение перед женщиной. Но точно так же, как средневековый рыцарь-паладин мог молиться на свою даму, робко мечтать о ее поцелуях, возить с собой повсюду ее портрет и в то же время брать силой визжащих от страха женщин в завоеванных городах, так и сербы, способные на романтическую страсть, могут выступать в роли безупречных насильников. Эти неисправимые дамские угодники не забывают о любви даже на службе. Командир военной полиции Миладин, роскошный пират с мускулами пантеры, включает рацию в машине и «вылавливает» в эфире мусульманских телефонисток: «Сладкая моя! Помнишь, как до войны мы гуляли с тобой?»

«Миладин, а сколько ты изнасиловал мусульманок?» — не удержалась я от вопроса. «Послушай одну историю, — сказал командир полиции. — Когда шел бой за один из районов Сараева, я случайно попал в одну мусульманскую квартиру и увидел там девушку-красавицу. Она посмотрела на меня обреченно и стала раздеваться. Если б я и хотел чего-нибудь, то всякое желание от такого зрелища пропало бы. Я сказал ей: «Не надо. Ну зачем ты так? Одевайся». Сейчас мы с ней друзья, я иногда захожу к ней выпить кофе».

Трагедия Ромео и Джульетты нашла в Сараеве свое новое воплощение. Влюбленные серб и мусульманка решили бежать из города и страны. Кто-то подстрелил двух голубков. Сейчас обе стороны обвиняют друг друга в этом преступлении. Невозможно жить в таком мире, не оправдывая его, иначе можно проклясть Бога, но как же трудно находить всему прощение и оправдание.

Эй, где ты там наверху, тощий ангел надежды с помятыми крыльями? Долго ли еще этим людям таскать бронежилеты и кататься на танках? Молчишь. Или час твой еще не пришел. На земле царствует время волков, и, чтобы выжить, надо убивать.

Миладин пригласил нас в гости, в штаб военной полиции на окраине Сараева. Я уже сварилась в солнечном кипятке, забронированная в жилете, как краб, и была рада любому месту, где можно скинуть эту тяжесть. У входа в штаб молодой солдат нежно, с каким-то чувственным удовольствием прочищал затвор автомата. Мы расположились в прохладной, почти пустой комнате, я сняла бронежилет и почти упала в кресло, радуясь тому, что не надо прятаться от пуль. Миладин сбегал за красным вином, и мы стали пить из одного стакана. Сначала пила я, потом Миладин припадал губами к следам моей помады.

— Миладин, как мне попасть в мусульманское Сараево? — спросила я.

— Это нереально. Если только у тебя есть карточка ООН, то ты можешь обратиться к русскому наблюдателю. Он находится в соседнем здании.

— Да ты что? Он здесь, неподалеку?

— Конечно. Я могу проводить тебя туда.

Когда я увидела Игоря, в моем сердце случился обвал. Он стоял передо мной, высокий, прокопченный солнцем, и я видела полоску белой кожи, которую обнажил закатанный рукав. Вокруг были люди, мы произносили слова официального диалога между журналисткой и военным, но я почти не вникала в их смысл. По ускоренному биению моего сердца я поняла, что грозные силы уже начали свою работу. С губ моих неудержимо рвалась улыбка, хотя Игорь говорил совсем нерадостные вещи: «Ну что же с вами делать? Ведь у вас нет аккредитации. Поймите, я даже не имею права разговаривать с вами. Но ради вас я могу съездить сегодня в мусульманскую часть Сараева и сделать вам пресс-карточку. У вас есть фотография?»

Я сделала отрицательный жест. «Ну ладно, давайте ваше удостоверение, я сниму с него фотокопию. Вы, наверное, голодны?» Я кивнула. Он метнулся в соседнюю комнату, притащил пайки для служащих ООН и черную икру. Пока он накрывал стол, я наблюдала за его ловкими движениями с какой-то болью и думала: «Неужели так бывает — с первого взгляда все ясно без слов!» Инстинкт настойчиво звенел в моей крови. «У вас кончились сигареты. Возьмите мои», — сказал он, протягивая мне блок «Мальборо». «Зачем так много?» — «Возьмите, у меня есть». Мы говорили о какой-то ерунде, ощущая взаимную силу нежного притяжения. Бани служил нам буфером. Не будь его, мы бы тут же кинулись друг другу в объятия. «Оставайтесь ночевать у нас, — говорил Игорь, и голос его срывался. — Мы найдем вам место. Сейчас очень опасно ехать. Сегодня обстреляли несколько машин на дороге». Словно в подтверждение его слов за окном раздался грохот взорвавшегося снаряда, и от ударной волны задребезжали стекла. «Это довольно далеко, не бойтесь, — успокоил Игорь. — Тем более у нас окна обложены мешками с песком. Ну так как, остаетесь?» «Не могу, — в отчаянии ответила я. — У нас на семь вечера назначено интервью с лидером боснийских сербов. Мы приедем завтра». «Это точно? Вы не обманете?» — взволнованно спросил он. «Нет, конечно нет. Ждите меня завтра, в девять утра».

На обратном пути в Пале Бани задумчиво сказал: «Очень хороший мальчик, очень, поверь мне, Даша». Я посмотрела на него с благодарностью. Бани хитрый, Бани все понимает.

Вечером, когда мы собрались идти на интервью к Радовану Караджичу, я обнаружила, что оставила в Белграде диктофон. Пришлось позаимствовать его у местных коллег с радио. У входа в президентский дом нас несколько раз обыскали люди с автоматами и после тщательной проверки документов пропустили в приемную. Там на каждый квадратный метр приходилось по одному вооруженному охраннику. Нам сообщили, что придется подождать. Я оставила диктофон на столике и вышла покурить на свежий воздух вместе с Бани. Вернувшись через пять минут, я обнаружила, что диктофон исчез. Несколько секунд я тупо смотрела на пустой столик с одной лишь мыслью «не может быть», затем тщательно обыскала все вокруг. «Кто спер диктофон?» — громко по-русски спросила я. Все обернулись и уставились на меня в недоумении. Я перевела. Какая-то девица с кобурой на боку возмущенно накинулась на меня: «Вы понимаете, что вы говорите? В приемной президента украли диктофон! Это абсурд! Это невозможно! Вы, наверное, где-нибудь его потеряли». Но тут за меня вступился Бани, который заявил, что он сам видел диктофон на столе. Все бросились искать — перевернули диваны и кресла, заглянули под все шкафы и столы. Все напрасно, диктофона не было. Теперь пришла моя очередь возвысить голос: «Вас тут двадцать человек охраны, и на ваших глазах стащили диктофон! Какая же вы после этого охрана? У вас президента украдут, а вы и не заметите. Поймите, диктофон чужой, я за него отвечаю, был бы мой — я бы так не расстраивалась». Речь на английском давалась мне с трудом, и я перешла на русские ругательные выражения. Все опустили глаза и сделали вид, что ничего не происходит. Бани успокаивал меня, говорил, что купит новый диктофон и вернет на радио.

Через полчаса из кабинета вышел Караджич, что-то коротко сказал по-сербски и ушел обратно, хлопнув дверью. Мне перевели его слова: «Найдите диктофон». Значит, кто-то ему настучал. Все засуетились, и одна из девиц растерянно спросила: «Что же теперь делать?» «Надо всех собрать в один кабинет и обыскать», — радостно сказала я, предчувствуя хороший спектакль. В десять часов вечера так и сделали. Всех согнали в одну большую комнату и начали обыск, женщин обыскивала дама-охранница, мужчин — сын Караджича. Я сидела за огромным столом в картинной позе мстительной фурии и барабанила пальцами по его блестящей поверхности. Во всех фильмах этот жест обозначает, что человек злится или нервничает. Обыск не дал результатов. Народ высказал предположение, что диктофон стащил кто-нибудь из охранников, уже ушедших домой.

Только в час ночи мы вошли в кабинет Караджича, чтобы взять интервью.

— Чай, кофе? — предложил любезный президент.

— Вина, — усталым голосом ответила я.

— Понимаю, — весело сказал Караджич. — У меня как раз есть бутылка хорошего французского красного вина.

Когда по стаканам уже разлили благословенную алую жидкость, Караджич протянул мне маленький японский диктофон со словами:

— Я хочу уладить сегодняшний неприятный инцидент. Примите, пожалуйста, от меня этот подарок на память о встрече.

— Благодарю вас, но, к сожалению, я не могу этого сделать. Пропавший диктофон принадлежал не мне, а корреспонденту вашего радио.

— Не беспокойтесь, я все улажу. Мне бы хотелось, чтобы мой личный диктофон остался у вас.

Бани зашептал мне на ухо, что неудобно отказываться, надо брать.

— Большое спасибо. Сейчас мы испробуем диктофон в деле.

Я нажала кнопку, и началась беседа, сиюминутную, политическую часть которой я опускаю, оставляя лишь те вопросы, которые характеризуют личность президента.

— В политике нет места прямодушию. Как вы, писатель, совмещаете два таких разных ремесла — литературу и политику, искусство быть откровенным и искусство скрывать свои мысли?

— Я не считаю профессию политика лживой по своей сути. Моя работа прекрасна. Тысячи сербов получили свободу и государство, избежали угрозы геноцида. Разве это не достойная цель?

— Какие ошибки, по вашему мнению, вы допустили на посту президента?

— Крупная ошибка — это плохая пропаганда. Мир настроен против нас. Из гордости, из стремления не унижать себя оправданиями мы допустили такое положение вещей, когда мировое сообщество смотрит на сербов как на воплощение зла. Это несправедливо.

— Мне кажется, в этом виновато знаменитое сербское упрямство.

— Может быть, и так. Кроме того, мы всегда склонны надеяться на лучшее, на то, что все уладится само собой. Я люблю анекдот про английского короля Генриха Восьмого. (Это тот, у которого было шесть жен.) Он славился своей жестокостью и однажды приказал казнить придворного из-за какой-то мелкой провинности. Несчастный осужденный упал на колени и обратился к повелителю: «Мой государь! Если вы оставите меня в живых, я за год научу вашего коня разговаривать». Король рассмеялся и велел отвести ловкого придворного на конюшню. Удивленные друзья спросили придворного: «Как же ты научишь коня разговаривать?» «Пустяки, — ответил тот. — За год король может умереть, я могу умереть, а может быть, и конь заговорит».

— По профессии вы психиатр, психотерапевт. Помогает ли вам эта специальность в политической деятельности?

— Прежде всего, знание законов психики помогает мне держать себя в хорошей форме. Я чрезвычайно вынослив, и физически, и морально, могу работать по двадцать часов в сутки.

Я писал научные работы как групповой аналитик. Изучая психологию различных социальных групп, я пытался понять законы общественного поведения. Как психиатр, могу сказать, что закон, применимый к отдельной человеческой личности — оставайся в одиночестве, и ты станешь зрелым человеком, — распространяется и на целый народ. Вынужденная изоляция народа сломает его, если он духовно ничтожен, или возвысит, если он того стоит. Сербы сейчас одиноки, но это даст им духовную зрелость и мудрость. Бог знает, что мы правы.

Интервью закончилось в два часа ночи. Бани стал проситься ко мне в номер переночевать, мотивируя это тем, что его поселили в «комнате для животных» вместе с двумя неизвестными мужчинами. «Дай мне место в своей комнате», — просил Бани, а я мысленно добавляла: «И в своей кровати».

— Нет, дорогой Бани, никак не могу. Я очень стеснительная девушка.

— Даша, ты эгоистка.

— Это правда. Но что поделаешь?

Ночью я представляла завтрашнее свидание с Игорем. «Кажется, я влюбилась, как девочка, с первого взгляда, — думала я. — Но разве можно любить двоих?» Тут мне на ум пришел Советов, который не ответил на телефонный звонок вчерашней ночью. «Ну, я тебе отомщу, — распаляла я себя со всей женской непоследовательностью. — Завтра же отомщу». За что отомщу, я не знала. Впрочем, разве в любви есть логика?

31 мая. Утро я провела как в лихорадке. Мне казалось, что Бани чересчур медленно завтракает, что зря мы ждем каких-то нужных людей, что машина нарочно не заводится. В результате сборов мы выехали только в девять часов. Уже на дороге меня снова затеребил страх. Но что может остановить женщину, бегущую за любовью? Только смерть. Чувство опасности лишь обостряет желание, а препятствия придают любви притягательную силу.

Мы приехали в Сараево в десять часов. «Ну, наконец-то», — с облегчением выдохнул Игорь, и по его лицу я поняла, что он все утро не находил себе места от волнения. «Твоя пресс-карточка готова. — Он незаметно перешел на «ты». — Надевай бронежилет, и поехали». Ему явно не терпелось остаться со мной наедине. Он помог мне одеться. Натягивая на меня бронежилет, он осторожно погладил мою грудь. Теперь я понимаю, что называется кожным электричеством. Я испытала почти обморочное чувство от его прикосновения, меня как будто ударило током.

Мы сели в служебную машину ООН, оставив Бани в штабе. Как только мы выехали на дорогу, Игорь сказал:

— Я рад, что бронежилет закрывает твою невозможную футболку.

— Чем же она так плоха? — удивленно спросила я.

— Сквозь нее видны твои вызывающие соски, — ответил он. — Я вчера чуть с ума не сошел, когда ты сидела напротив меня. Мне не хочется, чтобы ты возбудила весь штаб ООН. Эта футболка только для меня.

— Никогда бы не подумала, что обычная спортивная майка обладает таким сексуальным воздействием.

— Когда я вчера поехал делать для тебя аккредитацию, один офицер в пресс-центре, увидев твою фотографию в журналистском удостоверении, сказал мне: «Игорь, я тебя понимаю. Мы мигом сделаем ей документ».

Я рассмеялась и с удивлением обнаружила, что совсем не испытываю страха. Вот она, нейтральная полоса, проходящая мимо развороченных домов, вот мертвый аэродром, вот мусульманская граница, вот мы въезжаем на другую территорию, а я ничего не боюсь рядом с Игорем, я занята лишь собственными упоительными чувствами. От него исходит успокаивающая сила и уверенность.

В мусульманской части Сараева расположен украинский батальон, который местное население называет русским. Жители Сараева не видят разницы между украинцами и русскими. Мы были гостями батальона.

Нас угостили обедом и красным вином. Мы подняли бокалы в честь награждения батальона медалью ООН за успешное проведение мирных конвоев в мусульманскую деревню Жепа, осаждаемую сербами. «Во время Второй мировой войны немцы не смогли взять Жепу, — рассказывал подполковник Кива Иван Николаевич. — Если про Сараево можно сказать, что оно находится в тарелке, то Жепа расположена на дне горного стакана. Туда ведет единственная дорога, контролируемая сербами. Поскольку мы говорим по-русски, сербы принимают нас прекрасно. Ставим им водку, ведем переговоры, чтобы они пропустили гуманитарную помощь. Сербы говорят: «Ребята, мы вас пустим, только покажите нам содержимое ваших бронетранспортеров». А по уставу ООН никто не имеет права досматривать конвой. Но ведь это справедливое требование. Часто подкупленные служащие ООН провозят в БТРах оружие для мусульман. Мы однажды показали сербам БТРы (ведь надо ехать, в Жепе люди голодные), после чего получили строгий выговор от начальства.

Но сейчас командующий сектором Сараева сплошные

благодарности шлет, пишет, что поражен успешными результатами. Люди в Жепе, когда наш конвой приходит, слезами заливаются от радости и руки целуют нашим солдатам.

Скажу честно, надоела эта работа, уже и деньги не радуют. Какие, к черту, доллары, когда каждый день по краю пропасти ходишь?! Домой хочу. В нашем батальоне 4 человека погибли и 22 ранены, некоторые остались без ног. Два дня назад был страшный обстрел — 1500 снарядов упало на город. Я здесь уже несколько месяцев, казалось бы, ко всему привык, но, веришь ли, упал от страха на землю.

Мусульмане нас используют без зазрения совести. Подтаскивают к нашим казармам пушки и начинают бить по сербам. Те, естественно, отвечают на огонь. Снаряды летят прямо на батальон. Мы звоним русскому военному наблюдателю, который сидит на стороне сербов, и просим: «Не могли бы сербы лупить в другое место?» Те отвечают: «Мы бы с удовольствием, пусть тогда мусульмане отодвинут танк от войск ООН». Мы в свою очередь просим мусульман перейти на другую улицу, на что нам часто говорят: «Где хотим, там и стоим».

В столовой украинского батальона после солдат обедают голодные мусульманские дети. Уличные мальчишки атакуют машины ООН и просят еды. На рынке Сараева килограмм картофеля стоит 4 немецкие марки, килограмм мяса — 60 марок, кофе — 50 марок за кило. По слухам, чтобы выбраться из блокадного кольца, нужно заплатить около 1000 марок специальным проводникам, которые знают безопасные горные тропы. Но мусульманское Сараево наперекор всем трудностям устроило конкурс красоты, причем первое место заняла хорватка, второе — сербка и только третье — мусульманка. «Лепота есть лепота», — сказали мусульмане.

В Сараеве чувствуется постоянное ожидание беды. В этот расплавленный солнцем день мои ощущения обострились в тысячу раз, нервы обнажились. В машине, нашем единственном укрытии, Игорь будто случайно касался меня, и каждое его движение дышало страстью. И эта мольба в его глазах, ощущение неотвратимости происходящего. Включились невидимые флюиды притяжения, и на обратном пути, в самом опасном месте, на нейтральной полосе мы начали неистово целоваться. Почему-то я вспомнила идеал средневековья — нежно впиваться поцелуем в губы возлюбленной в то время, как на улице свистят пули. Нам мешали бронежилеты и подсознательное ожидание выстрелов. Но стояла невероятная деревенская тишина, мы чувствовали на себе чужие взгляды. Весь сербский пост вышел на дорогу, пытаясь понять, почему остановилась машина ООН.

В помещении военного штаба было полно людей, но мы нашли крохотную пустую комнату. Мы скинули бронежилеты. Он шагнул ко мне навстречу, и я прошептала: «У нас есть всего десять минут». Я впивала его дыхание и стоны, каждой клеточкой ощущая жгучее слияние тела с телом. Эта острая связь — нечто могущественное, неотвратимое и жестокое, древнее, как гроза, схватка, которая приносит боль, непреодолимая тяга двух тел. Кончено. Несколько яростных объятий, и над нами навис меч разлуки. Вспыхнул яркий огонек и подернулся пеплом. «Может быть, останешься?» — спросил он с грустной нежностью. «Не могу, Бани должен быть сегодня в Белграде», — ответила я, пытаясь придать голосу твердость и непреклонность интонаций. «Я буду в Москве через неделю, я должен тебя увидеть, — заговорил Игорь. — Не может быть, чтобы все оборвалось вот так, сию минуту. Оставь мне свой телефон». «К чему все это?» — подумала я, нацарапав на листочке номер. Пришел Бани и сказал, что нужно срочно ехать, уже вечереет, а ночью дорога особенно опасна. Я чувствовала на себе его испытующий взгляд, он словно пытался прочесть на моем лице особые тревожные знаки.

Мы выехали из Сараева в пять часов вечера и на бешеной скорости понеслись к границе. Спустя час пути на пустынную дорогу выполз танк с гордо реющим сербским флагом. Похотливо виляя гусеницами, он шел впереди нас, регулярно пуская нам в лобовое стекло облако едкого черного дыма. Мы попытались обойти этого навозного жука. Танк изящно вильнул и придвинул нашу машину к горной стене, ободрав крыло с моей стороны. Я вскрикнула от испуга. «Пьяные», — пробормотал Бани. «Пьяный» танк в течение часа не давал нам вырваться вперед, наверное, ему льстил такой эскорт.

Когда мы пересекли границу Боснии, я уже клевала носом. У Бани тоже слипались глаза, и он все время теребил меня: «Даша, разговаривай со мной, иначе я усну и мы разобьемся». «Очень хорошо. Я об этом просто мечтаю», — томным голосом ответила я, устраиваясь в кресле поудобнее и закрывая глаза. Бани поставил кассету Моцарта, и я предалась грезам под серебряные звуки музыки. Все пережитое крепко держало меня в объятиях. Я снова вспоминала наркоз блаженства и жар чужого тела. Моя новая любовь виделась мне розой, вплетенной в венок из терновника.

В Белград мы приехали поздним вечером и сразу же отправились в ресторан. Мы так проголодались, что заказали половину блюд из меню. Было странно после военной Боснии узнать, что существует веселая ночная жизнь, изобилие пищи и музыки, беспечный смех довольных людей. Один из посетителей ресторана, совершенно пьяный красавец бородач, пытался танцевать со стаканами на голове. Они постоянно падали и со звоном бились об пол. Люди за столиками заключали пари, сколько минут бородач сможет удерживать стаканы. Мы с Бани поддались общему веселью, все события прошедших трех дней вдруг показались нам невероятно смешными, и мы хохотали до упаду, вспоминая забавные мелочи. После бутылки вина меня совсем развезло, и Бани отвез меня в отель.

Я радовалась, что осталась одна и могу без помех мечтать об Игоре. Краткие телесные узы — это все равно что рассказ без названия или картина без подписи. Мужчина входит в твою жизнь ненадолго, можно впоследствии дорисовать его портрет, придумать его мысли, построить догадки о его характере. Это похоже на страницу, вырванную из неизвестной книги. Есть странное очарование в коротких встречах, когда знаешь, что тебе не дано стать частью чужой жизни.

Но иногда одна строка волнует больше, чем целая поэма.

1 июня. Утром в отеле мне сообщили, что вчера несколько раз звонил мой муж. Я почувствовала легкий укол и упрекнула себя за присущую мне впечатлительность и склонность к опрометчивым поступкам. Я решила заглушить укоры совести розовым вином и клубникой со сливками.

В десять утра я, совершенно пьяная, вышла на улицу и почему-то направилась в прелестную действующую православную церковь, находящуюся в самом центре города. Я шла вольной походкой, покачивая бедрами, и мужчины смотрели мне вслед. Ворота церкви были закрыты, я обошла вокруг ограды несколько раз, пытаясь найти лазейку. Мне пришлось лезть через забор, путаясь в длинной черной юбке. Я подошла к дверям церкви и осторожно постучала, но мне никто не ответил. Тогда я постучала сильнее, и снова тишина. Я замолотила кулаками по массивной двери и закричала: «Откройте!» Чего я хотела? Покаяться? Я и сама не знала. Я плакала и стенала у церковных стен, пока холодной змеей в душу не закралась мысль, что мне нет места в храме Господнем.

Я снова влезла на забор, но не стала спускаться, а уселась сверху, болтая ногами. Ветер надувал мою юбку и играл белой вуалью моей шляпки. Идущие мимо люди смотрели на меня с удивлением, но мне было наплевать. Я любовалась красотой своих грехов, они проходили перед моим мысленным взором длинной вереницей. Я сидела и думала: кто виноват в том, что естественный акт воспринимается как трагедия? Кто внушил нам этот старинный ужас перед искушением и грехом? Из поколения в поколение передается свинцовая тяжесть религиозных догм, инстинктивное, тайное сознание, что все связанное с сексом — постыдно. Женщины разучились жить в гармонии со своим телом — они либо опускаются до низкого холодного разврата, либо пугаются радостных проявлений своей чувственности. Лишь боязнь взглянуть правде в глаза скрывает от нас очевидный факт — бывают минуты, когда человек, вполне уравновешенный и сдержанный, утрачивает власть над своими поступками и теряет контроль над своими эмоциями. Тогда торжествует тело. Лишь тот ведет себя безупречно, кто не имел соблазнов.

От этих размышлений меня отвлек какой-то молодой человек с яркими синими глазами. Он стоял у забора, что-то кричал по-сербски и протягивал ко мне руки.

— Я не понимаю, — сказала я по-английски.

— Прыгай, я тебя ловлю! — крикнул он, тоже переходя на международный язык.

Я прыгнула и оказалась в его объятиях. «Позавтракайте со мной», — предложил он, глядя на меня васильковыми глазами. Я с достоинством освободилась из плена его рук и заявила, что очень религиозна и не знакомлюсь на улице с легкомысленными молодыми людьми. Произнеся отповедь замогильным голосом, я опустила вуаль на лицо и степенным шагом пошла прочь от церкви. Вслед мне раздался смех синеглазого юноши.

Вечером мы ужинали с Бани в ресторане. Это была прощальная встреча. Я уезжала в Венгрию, чтобы завтрашним утром вылететь из Будапешта в Москву. Мы болтали с Бани на своем птичьем языке, который у нас сложился за три дня путешествия, — на языке, состоящем из жестов, мимики, взглядов и настоящей каши из сербских, русских и английских слов. Моя любовь давила своей тяжестью на душу, как непереваренная пища на желудок. Мне нужно было с кем-то поделиться ею.

— Бани, я хочу тебе сказать, — начала я, — что у меня с Игорем было все. Я влюбилась, Бани.

— Так я и думал, — сказал он, и глаза его смеялись. — Это великолепный роман. Прими мои поздравления.

— Ты издеваешься надо мной. Ты же знаешь, что я замужем.

— Ну и что? Это был лишь прелестный эпизод, одна сцена из книги жизни, притом красивая сцена. Завтра ты вернешься к своему мужу, и все будет по-прежнему.

— Ты не осуждаешь меня?

— Вовсе нет. Без таких встреч жизнь была бы однообразна.

— Бани, а почему не ты? — вдруг спросила я с любопытством.

— Ты слишком молода для меня. Я предпочитаю женщин за тридцать. Они понимают толк в любви.

Я надулась как индюк и с важностью сказала, что я тоже кое-что смыслю в сексе. Бани рассмеялся и ответил с какой-то странной нежностью в голосе:

— Ты милое дитя, девочка. У тебя впереди столько приключений, ты всему научишься и будешь прелестной женщиной в тридцать лет. А пока в тебе больше энергии и напористости молодости, чем подлинного чувства.

В девять вечера Бани посадил меня в автобус, идущий до Будапешта. Я помахала ему букетом цветов и почувствовала желание пустить слезу. Прощай, милый Бани! Вряд ли мы когда-нибудь увидимся. До свидания, Белград! Я однажды вернусь к тебе теплым майским днем.

2 июня. В шесть утра я приехала в аэропорт Будапешта. До самолета на Москву оставалось еще четыре часа. Я познакомилась с тремя русскими мальчиками; дождавшись семи часов утра, времени открытия бара, мы заняли столик и пьянствовали до самой посадки. В самолете я дошла до хорошей кондиции и в Москву прилетела пьяная и веселая. Это помогло мне легко перенести первый момент встречи с Советовым. Он вручил мне букет роз, чмокнул меня в щеку и тут же спросил, кто те три мужика, что вертелись вокруг меня на границе. Я ответила, что просто познакомилась с ними в дороге.

По дороге домой я болтала без умолку, чтобы скрыть неловкость и предупредить его вопросы. «Как я рада тебя видеть, любовь моя!» — воскликнула я голосом, исполненным страсти, поймав его цепкий взгляд. «Вот это меня и настораживает, — спокойно заметил Советов. — Ты ведешь себя так, как кошка, вылакавшая хозяйскую сметану, как будто ты в чем-то провинилась». Я разыграла сцену справедливого негодования, но это не произвело на Советова большого впечатления.

Дома он тщательно просмотрел все мои фотографии, привезенные из Югославии. «Кто это?» — спросил он, ткнув пальцем в снимок, запечатлевший меня и Игоря. Я подивилась, что из стольких мужчин, окружавших меня на фотографиях, он выбрал именно Игоря. Какой тонкий нюх у ревнивых мужей! «Это русский наблюдатель», — невинным голосом ответила я, стараясь скрыть правду под видом незначительности. «Как его зовут?» — продолжил допрос Андрей. Я сделала вид, что припоминаю, и после паузы ответила: «Игорь. А почему ты, собственно, спрашиваешь?» (Мысленно обругала себя за этот вопрос, демонстрирующий мою нервозность.) «Так просто», — сказал Андрей, не сводя с меня внимательного взгляда. Он безошибочно чуял запах измены. «Вот уж не думала, что ты ревнив», — с легким смешком бросила я. «Я не ревнивец, — надменно ответил он. — Просто я не люблю, когда моими вещами пользуются другие».

Ночью мы занимались любовью, и мне казалось, что Андрей несется по следу измены, как гончая, принюхивается к ней, ловит фальшь в моих стонах и словах, пытается выхватить чужое имя из моего рта. Утомленная его страстью, я вскоре уснула и без его ведома увидела чудесный сон. Мне снился Игорь, его тело, его улыбка, я чувствовала, как его руки ласкают меня, касаясь самых чувствительных точек, и я застонала от острого наслаждения. Я слышала его шепот: «Даша, это я, Игорь, обними меня скорее». «Сейчас, мой любимый», — ответила я, придвинулась к нему ближе и обвила руками его тело, чувствуя, как колотится его сердце. Но это уже не сон, это реальность. Я действительно обнимаю кого-то, кто шепчет: «Это я, Игорь». В душу мне закрался страх. Где я? В Боснии или в Москве? Кто в моих объятиях? Я нажала выключатель ночника, и в комнате зажегся свет. Андрей лежал с дьявольской улыбкой на губах, и я в ярости закричала: «Что за идиотская комедия! Ты совсем спятил?!» «Любовь моя! Ты не умеешь обманывать, — сказал он, привлекая меня к себе. — Лучше сознайся, что у тебя было с тем парнем на фотографии? Я подкараулил тебя во сне. Когда я назвался Игорем и позвал тебя, ты сразу кинулась ко мне в объятия и зашептала слова любви». «У тебя больное воображение», — осторожно ответила я, чувствуя, что попала в ловушку. Я выключила свет и прижалась к нему всем телом, стараясь лаской усыпить его бдительность.

7 июня. «Наслаждение вспоминать свои наслаждения», — утверждал Казанова. У многих замужних женщин в чулане памяти есть специальный уголок, где хранятся сладкие воспоминания о всполохах запретной страсти — и постыдных, и романтических, согревающих сердце. Я говорю об изменах, молевых дырочках в ткани супружеской жизни.

Для женских измен больше подходит изящное словечко «адюльтер» — секс в этих случаях чаще всего лишь восклицательный знак в конце любовной фразы. Женщины вспоминают не минутный трепет в постели, а прелюдию к нему — лихорадочное биение сердца, слабеющее сопротивление, шепот признаний, распухшие от поцелуев губы. Если б можно было понежиться в атмосфере влюбленности и при этом обойтись без секса, чтобы не испытывать потом угрызений совести, они бы так и поступали. Но, по выражению Наполеона, нельзя приготовить яичницу, не разбив яиц. Мужчины, которые понимают в женской психологии не больше, чем свинья в апельсинах, требуют от своих жен признаний: «Было или не было?» Для них факт физической измены — главная проблема, душевные движения их редко занимают.

Мужчины не могут удовлетвориться сладкой водицей поцелуев и прогулок при луне. Женатый мужчина, вспоминая свои запретные любовные приключения, чувствует, как шевелится и пробуждается его плоть. Все, что в нем есть от мартовского кота, облизывается, урчит и, слегка устыдившись, затихает. Мужским изменам больше подходит слоновье слово «прелюбодеяние», поскольку ими движет алчная плоть. Поддаваясь ей, они сознают, что грешат. А женщины, как истинные дочери Евы, не имеют понятия о грехе и тянутся к золотому яблоку без стыда, без опаски и с любопытством. А если и почувствуют легкий укол сомнений, то всегда найдут себе оправдание: «Это ведь не измена. Это все равно что глоток воды, чтобы утолить жажду». Мужчины, угадывая истинную сущность своих жен, давно уже насадили их, как бабочек, на булавку морали, пришпилили их легкие крылышки догмами и запретами. Позволяя себе любое приключение, они постарались обезопасить свой семейный очаг и уготовили моральную казнь своим ветреным женам. Горе бедным грешницам, попавшим в тиски общественных правил.

Означает ли измена утрату любви? Нет, конечно. Это лишь краткое отторжение, бунт против монотонности семейной жизни. Два существа, которые день и ночь вместе, чувствуют желание отстраниться, чтобы потом слиться еще теснее. Они вросли душа в душу, корни и ветви так крепко переплелись, что уже душат друг друга. В таком случае маленький роман на стороне не только не помешает, но, напротив, освежит притупленные чувства, заставит кровь с обновленной силой бежать по жилам. Необходим перец авантюры — недолгое романтическое бегство из респектабельной страны супружества.

Но нелегко быть пожарником в огне собственных чувств. Что случилось со мной в Югославии? Безнадежная встреча двух тел, короткое землетрясение, и надо уповать на то, что подземные толчки не разрушат самое существенное — семейную жизнь. Что делает мудрая женщина в подобной ситуации? Не подкидывает дров в бесполезный костер — никаких телефонных звонков, никаких встреч. Одно лишь забавное воспоминание, вызывающее усмешку лет через десять. Не стоит разогревать вчерашнее блюдо, лучше выбросить его и приготовить новое.

И все-таки я встретилась с Игорем. Он снова появился на страницах моей жизни. Вчера, когда я изнывала от тоски, раздался телефонный звонок. Я услышала в трубке его голос, и у меня перехватило дыхание. Он говорил очень осторожно, тщательно выбирая выражения, и я поняла, что рядом жена. Мы договорились о встрече — он подъедет к моей редакции и заберет меня.

Шел дождь, и все вокруг казалось серым. В легком плаще, с намокшими прядями волос, я села в машину Игоря и встретила его жадный, всепоглощающий взгляд. Мы уставились друг на друга, заново изучая все подробности чужого лица. «Я не мог тебе позвонить сразу. Жена не отходила от меня ни на шаг. У нас есть только час для встречи», — сказал он грустно. Эти слова резанули меня своей обыденностью — в то, что было чудесной сказкой, вторгались житейская пошлость и обман. Мы ехали в машине неизвестно куда, дождевые капли стучали в стекло, словно аккомпанемент нашей беседе. Я подумала, что этого человека я, в сущности, совсем не знаю, и нас ничто не связывает, кроме взаимной страсти, но это страшная, необъяснимая связь. «Ты прилетела ко мне в Сараево, такая яркая, светлая, как весенняя бабочка, — говорил он торопливо, казалось, он спешит выплеснуть все слова разом. — Ты была такой, какой я тебя придумал. Я завтра снова уезжаю в Боснию. Ты приедешь ко мне?» «Не знаю», — растерянно ответила я, задав самой себе молчаливый вопрос «а зачем?». «Ты нужна мне, не знаю, как объяснить, — сказал он в волнении. — Я приеду в Москву в конце июля и заберу тебя с собой. Мы уедем в Загреб, в Хорватию. Ты согласна?» Я неопределенно кивнула. Он наклонился, чтобы поцеловать меня, и я увидела совсем близко его умные, обжигающие глаза. И снова, как в тот жаркий день, у меня поплыли круги перед глазами и застучало в висках, — мы поцеловались, и сразу стало не важно, что у нас нет общего языка и общего дела, кроме разговора двух тел. Я вышла из машины с ощущением, что это была последняя наша встреча. Ах, почему нельзя сочетать радости вольной охоты и замужнюю жизнь!

15 июля. К газетной болтовне насчет меня я со временем привыкла и даже стала находить в ней удовольствие. Но неделю назад я прочитала заметку в еженедельнике «Супермен», которая меня больно уязвила. Актер Станислав Садальский в своей рубрике «Скандальские новости» написал следующее: «Королева советского секса Дарья Асламова пребывает в нервном стрессе, потому что ни один из ее многочисленных знакомых мужчин не хочет иметь с ней... как бы это поинтеллигентнее сказать. Теперь на праздники ей дарят только вибраторы». Я была несказанно удивлена таким злобным выпадом, тем более что я не имею чести знать господина Садальского. Больше всего меня задело, что автор взял под сомнение мою сексуальную привлекательность. Я через газету «Московский комсомолец» выразила свое недоумение по поводу этой заметки, заявила, что женщина, у которой есть молодой обаятельный супруг, не нуждается в вибраторах, а также что я подаю в суд на г. Садальского.

Честно говоря, я еще надеялась уладить дело миром. О реакции газеты «Супермен» я узнала в следующем номере, где г. Садальский уверил, что все стоящие мужчины меня боятся, а за исход судебного разбирательства он спокоен, поскольку «один из высокопоставленных любовников Даши дал согласие выступить на суде свидетелем». Мое терпение лопнуло, и я подала в суд исковое заявление о защите чести и достоинства на двадцать миллионов рублей.

Скандал нарастает как снежный ком. Еженедельник «Аргументы и факты» пересказал слух о том, «будто Руслан Имранович и его референт послали коварной журналистке, поставившей некогда под сомнение мужские достоинства Руслана Имрановича, вибратор. Сделано это было с понятной целью — унизить теперь уже женские достоинства последней. Снести такое «роковая» Даша, конечно, не могла». Садальский дал интервью еженедельнику в непечатных выражениях, подытожив разговор следующим образом: «Каждый делает себе карьеру на ком может. Она — на вибраторах». Можно было бы ответить в стиле «сам дурак», но я предпочитаю встретиться в суде, куда Садальский являться не собирается, мотивируя это тем, что «даже Горбачев на суды не ходит».

Все это и смешно, и глупо. Я устала объяснять, что я обычная женщина, а не разновидность дьявола. Правда, я получила своеобразное удовольствие от этих газетных схваток. Забавно вести словесную дуэль, нанося уколы шпагой противнику, которого ты в глаза не видел.

20 июля. Вот уже несколько дней я не нахожу себе места. Мой внутренний голос твердит мне, что надо что-то предпринять. Я с нетерпением жду звонка от Игоря и в то же время боюсь услышать его голос. Надо уехать, не важно куда. Подальше, к морю и покою. Сегодня уговаривала Андрея съездить в Литву на недельку отдохнуть. Балтика, холодное неприютное море вернут мне чувство реальности, прочности семейных ценностей, я вычеркну из памяти свое былое сумасбродство.

27 июля. Странная неделя, проведенная на Куршской косе, в литовском городке Нида. Сосны, серебристые пески прибалтийских дюн, маленькие, словно игрушечные домики, утопающие в цветах, неласковое море, безрассудный ветер и чувство, что я убежала от самой себя. Время здесь как будто остановилось, сюда не доносится эхо больших событий, один день похож на другой как две капли воды. Мы мало разговариваем друг с другом, каждый спрятался в свою скорлупу. Андрей насторожен и замкнут, его удивила поспешность этой поездки, мое отчаяние и слезы в голосе, когда я уговаривала его уехать. Ночью мы спим, отвернувшись друг от друга, как незнакомые люди, и совсем не занимаемся любовью. Днем мы гуляем в сосновом лесу или плаваем на кораблике вдоль берега. Здесь начинаешь понимать вкус простых вещей — неторопливых прогулок, долгих завтраков в кафе и разговоров со случайными людьми, вкус копченого угря и холодного пива, просоленного воздуха, которым можно закусывать, как селедкой. Завтра мы уезжаем, и я рада, что путешествие заканчивается. Процесс выздоровления завершился. Я чувствую себя чуть усталой, холодноватой и опустошенной.

10 августа. Я пишу эти строки в два часа ночи, лежа на узкой кровати на борту самого большого в мире самолета «Руслан», стоящего на Чкаловском аэродроме, и слышу, как внизу, на первом этаже, грузят вертолеты. Нелегко набить брюхо такому прожорливому зверюге, как этот самолет. Завтра утром, если повезет, мы вылетим в Таиланд, на американскую военную базу.

Докладываю по порядку, как меня занесло в это странное место. (Кажется, я перешла на армейский стиль.) Мои друзья журналисты договорились с крупными военными чинами, что меня посадят на самолет, везущий команду летчиков в Камбоджу, отправляющихся на работу по контракту с ООН. Два дня назад мне позвонил подполковник Николай Степаненко и велел быть у Главного штаба 9 августа в 6 часов утра.

В 5 утра сонный, зевающий Андрей повез меня к месту встречи. Город еще спал, только поливальные машины мыли улицы да птицы уже исполняли утренний концерт. У Главного штаба нас ждал автобус, в котором уже сидели люди с дорожными сумками и чемоданами. Меня встретил подполковник Степаненко, добродушный, еще молодой мужчина с простоватым лицом. Я сразу поняла, какая роль больше придется ему по душе — роль кокетливой полудетской наивности, прелестной вертушки, милого упрямства. Надо возбудить в нем теплое чувство покровителя.

В девять утра мы уже сидели в автобусе на Чкаловском аэродроме. Лил дождь, и я порядком продрогла. Я позволила себе вслух помечтать: «Сегодня отогреемся в Таиланде». Один из летчиков обратил ко мне усталое, невыспавшееся лицо: «Ты что, в самом деле думаешь, что мы сегодня улетим?» «Конечно», — с легкой тревогой ответила я. «Святая простота, — усмехнулся летчик. — Еще самолета нет, фирма, которая нас отправляет, что-то задолжала Чкаловскому аэродрому, и «Руслан» не сядет, пока не разберутся с деньгами. И вертолетов нет, которые должны загрузить в самолет, — они еще летят откуда-то из центра России. Их погрузка занимает не меньше десяти часов». «А зачем же нас собрали?» — удивилась я. «А так всегда. Я однажды четверо суток улетал».

После такого разговора я совсем озябла. В час дня мы все сидели на взлетной полосе в ожидании «Руслана». Самолеты садились и взлетали ежеминутно, и летчики на глаз и слух издалека определяли, что за птица направляется к аэродрому, и даже заключали пари. В два часа «Руслана» еще не было, зато приехал представитель какой-то международной организации принимать у летчиков экзамен по английскому языку. Это было пресмешное зрелище. Из тридцати человек летчиков, бортинженеров и механиков только один мог сносно сказать, как его зовут и кем он работает. Всем остальным я надиктовывала слова приветствия, и эти немолодые мужчины старательно записывали в тетрадки: «Май нэйм из... Хау ду ю ду. Ай хэв май вайф, май сан энд май флэт». «Господи, как же вы будете летать в Камбодже без языка? Вы же глухонемые!» — ужаснулась я. «Подумаешь, проблема! — с важным видом ответил мне один из летчиков. — Я уже работал в Египте». «И как ты выкручивался?» — с любопытством спросила я. «Очень просто. Например, иду я на посадку, слышу, диспетчер что-то злобно вопит. Значит, не моя очередь садиться. Я еще один круг сделал и снова захожу на посадку, у диспетчера голос спокойный, значит, для меня зеленый свет».

Экзамен сдали все. А я попросила международного представителя подбросить меня в Москву, предупредив Николая Степаненко, чтобы он звякнул мне домой, как только «Руслан» сядет.

Не успела я повернуть ключ в двери, как услышала телефонный звонок. Я ворвалась в квартиру, схватила трубку и услышала короткое: «Срочно на аэродром». Я успела запихнуть в рот один йогурт и бутерброд с колбасой, вызвала Андрея с работы, и он снова отвез меня на Чкаловский. Но тут возникла проблема. Как пройти через контрольный пункт? Пропуска на меня не было. В прошлый раз я проезжала в общем автобусе, и документы у меня никто не проверял. Мы дождались шести часов вечера, когда через проходную хлынул поток народа. У меня был довольно скромный вид — джинсы и свитер, да и чемоданами здесь никого не удивишь — все куда-нибудь летят. Но вот шляпа — моя роскошная соломенная шляпа величиной с хорошее сомбреро, блестящая, как солнечный круг, — она слишком привлекает внимание. Советов подтолкнул меня к проходной и велел идти без шляпы. Опустив глаза и ссутулив плечи, я улучила момент, когда окошко контролера закрывали двое высоких широкоплечих и мордастых офицеров, и проскользнула на территорию аэродрома. Отбежав на приличное расстояние, я помахала Андрею рукой. Далее спектакль разыгрывался как по нотам. Советов подошел к проходной и сказал, что его жена, улетающая сегодня в теплые края, забыла свою любимую шляпу. «Вон она идет, — сказал он, неопределенно махнув рукой в мою сторону. — А у меня нет пропуска. Что же делать?» Женщина-контролер растрогалась от такого проявления мужней заботы и пропустила его. «Вы только быстро, — сказала она. — Это ведь военный аэродром. У нас здесь строго». Андрей догнал меня, и мы с ним, как бы в припадке забывчивости, удалились в парк.

«Руслана» все еще не было. «Ну как же так! — огорченно воскликнула я, обращаясь к подполковнику Степаненко. — Зачем же вы вызвали меня? Я даже не успела поесть». «Ну кто же знал! — ответил он, разводя руками. — Сообщили, что вот-вот приземлится, я боялся, что ты опоздаешь». Я уже собралась снова уезжать в Москву, чтобы вернуться ночью, но потом подумала, что в поздний час мне не удастся пройти на территорию аэродрома незамеченной. Один из летчиков стал рисовать мне схемы поиска дырок в заборе, через которые обычно лазят все, кому не лень. Но схемы были так запутаны, а дырки так ненадежны, что я решила остаться. Я попрощалась с Андреем, и он укатил в Москву, а мы снова уселись на полосе ждать самолет. Сгущались сумерки, мы тихонько потягивали из фляжки коньяк, закусывая его прихваченными кем-то из дома бутербродами, а металлические птицы, с воем рассекая воздух, садились и взлетали.

Только в десять часов вечера приземлился «Руслан». У меня дух захватило от его колоссальных размеров. Это был целый завод на колесах с огромным цехом в металлическом пузе. Трудно было представить, что такая громадина способна оторваться от земли. Началась грандиозная погрузка вертолетов. Меня отвезли в служебное помещение, чтоб я не путалась под ногами.

Слоняясь без дела и от скуки читая объявления на стенах, я нечаянно подслушала разговор между представителем фирмы, владеющей самолетом, и работником Министерства обороны, отвечающим за отправку летчиков. Представитель, потрясая списком пассажиров, говорил примерно следующее: «В списке 41 человек. Кислородных баллонов всего сорок. Девчонку придется не брать». Я подошла ближе и вмешалась в разговор:

— Вы что, хотите сказать, что я не полечу?

— По-видимому, так, — ответил «фирмач». — Я тут ни при чем. Лично против вас я ничего не имею. Мне все равно, кто полетит. Я отвечаю за безопасность пассажиров — если баллонов сорок, значит, отправим только сорок человек. Если хотите, можете отстранить от полета хоть командира экипажа, чтобы освободить себе место. Если это вам, конечно, удастся, — добавил он ехидно.

Я сделала испуганные глаза, ищущие покровителя:

— Что же мне делать?

— Не знаю, — отрезал «фирмач». Потом более мягким тоном продолжил: — Все, чем я могу вам помочь, — это отвезти вас в Москву, поскольку сейчас время позднее и автобусы не ходят. И то я могу это сделать только в час ночи, так что вам придется подождать в моей машине.

Я была в отчаянии. Я предприняла все бесполезные шаги — беготню по аэродрому, эффектные слезы, переговоры с большими начальниками. Но все напрасно. В полночь, совершенно обессиленная борьбой и театральными истериками, я села в машину представителя фирмы и стала ждать. На меня навалилась усталость этого трудного, долгого-долгого дня. Я закрыла глаза и с наслаждением затянулась сигаретой. Я так измучилась, что нервы утратили чувствительность, и мне уже было наплевать, лечу я или нет.

К машине подошел Николай, я сделала страдальческое лицо. Он наклонился к открытому окну и сказал:

— Даша, мы тут посоветовались и решили, что ты полетишь.

— Каким образом? — спросила я, выпустив изо рта облачко сигаретного дыма.

— Мы сняли с рейса одного бортинженера. Он оказался лишним.

— Как это — лишний? — воскликнула я, от удивления стряхивая пепел прямо на свою голую руку.

— Ну, в общем, он там не нужен. Этот бортинженер был запасным, и мы решили, что как-нибудь без него обойдемся.

— Представляю, как он меня возненавидел, — задумчиво сказала я.

— Нет, мы ему ничего не говорили про тебя, — поспешил с ответом Николай.

— Ага! Значит, это все-таки из-за меня.

— Не совсем. Но я за тебя отвечаю и должен доставить тебя в Камбоджу. А за бортинженера не переживай, он человек военный и ко всему привыкший.

— Спасибо вам огромное за вашу заботу, — сказала я с искренней теплотой в голосе. — Будь у меня силы, я бы вас расцеловала от радости.

В два часа ночи погрузка была в разгаре. Сверкали ночные огни летного поля, гудели грузовые машины, кричали люди, стараясь голосом перекрыть металлический лязг и грохот. Меня уложили спать на втором этаже самолета, куда я поднялась по крутой высокой лестнице. У меня не было сил, чтобы умыться, и я сразу упала на кровать. Мне казалось, что я уже вижу за чертой серого горизонта свет далекой страны.

11 августа. Утром я проснулась в полном одиночестве, с трудом совершила обряд омовения и смены белья в узком туалете. Потом я собралась спуститься вниз, но обнаружила, что лестницу убрали. Через люк я видела, что погрузка продолжается, и попыталась докричаться до людей, стоящих прямо подо мной, но быстро охрипла. Тогда я уселась на небольшой диванчик и стала скулить. Скулила я упоенно, со вкусом, пока в углу под грудой одеял что-то не зашевелилось. Вскоре появилась всклокоченная голова, которая спросила: «Ты чего с утра воешь?» Я сказала, что хочу чаю, а вниз спуститься не могу. «Ну, это не страшно. Сейчас я тебе сделаю хорошего крепкого чая, и даже с сахаром», — заявила голова, принадлежащая молодому крепкому мужчине в летной форме. Он выбрался из-под одеял и взялся за хлопоты на маленькой кухне, где нашлось даже печенье 1969 года.

Пока я пила чай, любезный хлопотун спустил лестницу. Я осторожно слезла вниз, держась руками за ступеньки, и пошла шарахаться по самолету в поисках знакомых лиц. Кое-где мне приходилось становиться на четвереньки, чтобы проползти под брюхами вертолетов. Наконец меня кто-то окликнул: «Эй, журналистка! Иди к нам!» Я обернулась и увидела в вертолете вчерашних летчиков. Там же сидел Николай, приветственно помахавший мне рукой. «А покушать у вас что-нибудь есть?» — спросила я, карабкаясь в вертолет. «Найдется», — весело ответили мне. Летчики пили спирт, закусывая его сыром и колбасой. Я тоже выпила за компанию стаканчик и пришла в доброе расположение духа. Мужики затеяли разговоры о любви, а потом, желая сделать мне приятное, перескочили на «Войну и мир» Толстого. По-видимому, они считали, что с журналисткой надо непременно разговаривать о литературе и прочих высоких материях. Я давилась от хохота, слушая, как они честили Наташу Ростову, называя ее вертихвосткой и жалея, что ей не всыпали как следует по первое число после интрижки с Анатолем. Они всем героям дали живописные характеристики. Пьера обозвали тюфяком и недоумевали, что в нем нашла Наташа, Болконский в их глазах выглядел настоящим мужиком, правда с философскими штучками. Я прервала это бурное обсуждение злободневным вопросом: «Когда мы летим?» Народ высказал разные предположения, но все сошлись на том, что во второй половине дня мы вылетим в Ульяновск. «Куда-куда?» — спросила я, вытаращив глаза. «В Ульяновск, — снисходительно объяснили мне. — Там мы пройдем таможню и пограничный контроль, только потом мы сможем вылететь в Таиланд, где на американской базе мы должны выгрузить вертолеты. И уже на вертолетах мы отправимся в Камбоджу». Я присвистнула: «Вот это маршрут!»

В два часа нам разрешили взлет на Ульяновск. Огромная машина задрожала и тронулась с места. «Господи! — думала я. — Неужели эта махина, набитая вертолетами, может подняться в воздух?!» Грозная птица стремительно набирала скорость и вдруг неожиданно легко оторвалась от земли. «Летим! — в восторге закричала я. — И все-таки это невозможно!»

12 августа. В три часа ночи в мой гостиничный номер постучал Николай и велел собираться на аэродром. Вчера ульяновская таможня отказалась нас принять, мотивируя это тем, что мы слишком поздно прилетели (в четыре часа дня), и мы были вынуждены поселиться в гостинице.

В ночном автобусе я не могла сдержать дрожь от недосыпания. Руководитель летной группы Виталий Сергеевич спросил, есть ли у меня таиландская виза.

— Нет, — испуганно ответила я, предчувствуя новые трудности. — А разве она нужна?

— Конечно, ты же журналистка, — объяснил Виталий Сергеевич.

— Но ведь все остальные летят без виз, — возразила я.

— Потому что они военные и направляются на американскую базу.

— Но я тоже направляюсь на военную базу. Ведь не выкинут же меня по дороге.

— Боюсь, у тебя сейчас будут трудности на границе, — сказал Виталий Сергеевич со вздохом.

На аэродроме мы отправились будить пограничников. Они спали сном праведников и очнулись, только когда мы начали выламывать дверь. Первой из комнаты с лаем выскочила их собака, классический пограничный Мухтар. Потом выползли сами герои границы, продирая глаза и отчаянно зевая. «Эх, не стоило их будить, — с сожалением сказала я. — Взлетели бы и без них. От них только неприятности».

Я ходила за пограничниками хвостом, заглядывала в глаза, рассказывала байки, чтобы не дай Бог не всплыл вопрос о моей визе. Но он все-таки всплыл. В шесть утра ребята дозвонились в Москву, в Шереметьево, и испросили разрешение на мой вылет.

Теперь все волнения остались позади. Летчики начали энергично праздновать отъезд. В восемь утра в самолет явилась таможня. Красавец офицер, сморщив нос от запаха спиртного, спросил, где лежат личные вещи пассажиров. «Загружены в один из вертолетов на первом этаже», — последовал ответ. «Как же мы будем проводить досмотр? — растерялся таможенник. — Ведь их надо разгружать, а там нет места». Он задумчиво почесал подбородок, потом ткнул пальцем в самого пьяного летчика и мстительно сказал: «Вот ты пойдешь со мной. Твои вещи хочу просмотреть лично». Остальным он поставил штампы на декларации. Путь на юг был свободен.

14 августа. В самолете я беспрерывно грезила, вытянувшись на узкой кровати в спальном отсеке. Я видела землю, полную душистых зарослей и неведомого солнца, сверкающую страну, созданную из морского ветра и цветущих трав. Она шумит где-то далеко, на берегу океана. Для человека, одаренного богатым воображением и чувствительностью, приближение к незнакомой стране всегда сулит чудеса. Я представляла себе увлекательное кипение событий, новые встречи, бесконечное разнообразие жизни, полной причуд. Замечтавшись, я не заметила, как уснула.

Проснулась я через несколько часов от громкого храпа. Все двадцать коек в спальном отсеке были заняты. Я люблю подсматривать за спящими людьми, они кажутся такими беззащитными и в то же время вызывают тревогу своей замкнутостью, отстраненностью, желание проникнуть в их недоступный мир. Я рассматривала своих соседей по спальне, их лица, скроенные на скорую руку матушкой-природой, но вскоре мне стало дурно от спертого воздуха, сдобренного сигаретным дымом и ароматами двадцати пар грязных носков. Я встала и перешла в «гостиную» — отсек, где расположены мягкие диванчики и столики и где можно выпить чаю. Я немножко почитала, немножко поболтала со своими спутниками, и вскоре раздался характерный свист. Самолет пошел на посадку.

Двенадцатичасовой перелет закончился в полночь в Патайе, на американской военной базе. Едва я вышла из самолета, как мне показалось, что все мои вещи увлажнились и прилипли к коже. Воздух казался прозрачной теплой влагой, разлитой повсюду. Нас встретили и на небольших кондиционированных автобусах отвезли в прелестный отель в центре Патайи. После трех суток, проведенных в самолете, мой номер показался мне просто чудом. Свежайшая белизна простыней, легкое, нежное, вышитое цветами одеяло, глубокие податливые кресла, большой балкон. В час ночи нас покормили ужином в ресторане, а после все побежали купаться. Мы с визгом резвились в прохладном бассейне, смывая с себя усталость трех дней. Потом я легла на спину и отдалась ласковой воде, любуясь пепельным светом звезд в ночном небе. Как хорошо! Покой и расслабление. Я вышла из воды в три часа ночи, поднялась в свою комнату и уснула мгновенно, едва коснувшись головой подушки.

15 августа. Весь день я провела около бассейна. Летчики рано утром уехали на базу, и я отдыхала в одиночестве. Я попыталась выйти в город, но трескотня чужой речи, суетливый и беспорядочный людской муравейник, нестерпимое сверкание неба, лишающая рассудка жара доконали меня. Я вернулась в отель и пролежала на кушетке возле бассейна до раннего вечера, время от времени заказывая себе ледяное кампари с апельсиновым соком. Его приносили девушки в национальных костюмах, становились на колени, от чего я страшно смущалась, и с улыбкой протягивали мне бокал. Таиландцы — настоящие ревнители церемоний.

В пять часов за мной зашел Николай, и мы отправились с ним прогуляться по городу. Мы дошли до берега моря, я немножко покаталась на водном мотоцикле и захотела искупаться. «Поехали на коралловые острова, — предложила я Николаю. — Там кристально чистая вода».

Мы поторговались с владельцем моторки, и за двадцать долларов он согласился отвезти нас на остров. Что это была за поездка! Душистый морской ветер бил нам в лицо, лодка неслась как птица, взрезая носом воду и поднимая тучу теплых брызг, закат окрасил море в цвет красного вина. Через полчаса показался воздушный остров несказанной прелести с огромной головой Будды на вершине горы. Лодка подъехала к самому берегу, мы спрыгнули в воду, и нам не захотелось из нее выходить. Мы погрузились в ее матерински нежные объятия и принялись болтать обо всем на свете, любуясь островом из воды. Повсюду с тропической пышностью плодилась первобытная, стихийная растительность. Спустились сумерки, сотканные воображением поэта. Все туристы уже покинули остров, и кафе на берегу пустовало. Мы вышли из воды и оказались его единственными посетителями. Николай заказал бутылку красного вина, и мы осушили несколько стаканов, разговаривая о судьбах и звездах. Девочка лет пяти в ярко-розовом пышном, кукольном платье, дочь хозяина и всеобщая любимица, забралась на стол и стала с забавной важностью крутиться под музыку. Ее пухленькие голые ножки лихо притоптывали, она что-то напевала с серьезным видом и поднимала над головой ручки с растопыренными пальчиками. Все смеялись и аплодировали, а мы выпили с хозяином за здоровье его дочери. Николай ухаживал за мной с бесхитростной простотой, я видела, что он влюблен, но не знает, как ко мне подступиться. Я для него незнакомый тип женщин.

В обратный путь мы захватили недопитую бутылку вина. Лодка плясала на волнах, а я пыталась пить прямо из горлышка, что требовало известной ловкости. Николай тихим голосом звал меня к себе. По его сценарию, я должна была сидеть рядом, а он — обнимать меня за плечи и осторожно целовать, чтобы не спугнуть. Но я смеялась и кричала в ответ, что мне некогда, я разговариваю с луной. Я смотрела на море и думала о зреющих в нем жемчужинах. Патайя, залитая огнями, приближалась к нам на всех парах.

Лодка причалила к набережной. Мы вышли на берег и

отправились в город на прогулку. К нам пристал уличный торговец с маленькой обезьянкой. Она скулила и плакала, обвила меня за шею тоненькими ручонками и прижалась ко мне дрожащим тельцем, уткнув детское личико в мое плечо. У меня сердце разрывалось от жалости. «Сколько она стоит?» — спросила я у торговца. «Пятнадцать долларов», — ответил он. «Может быть, купить?» — обратилась я к Николаю. — Она такая несчастная». «Что ты с ней будешь делать в Москве? Она там умрет от перемены климата», — ответил тот и увел меня подальше от соблазна. Мы зашли в небольшой симпатичный ресторанчик, где я успешно исполнила роль прекрасной и черствой женщины. Николай уже был мягким воском в моих руках, и я могла лепить из него все, что заблагорассудится.

Я выпила еще вина и поволокла Николая покупать обезьянку. Ее сморщенное жалкое личико стояло у меня перед глазами. Но, к счастью, торговец покинул свой пост на набережной, иначе, ума не приложу, что бы я с ней делала?

16 августа. Утром пришлось встать в шесть утра и тащиться вместе со всеми на американскую базу. Предполагался вылет в Камбоджу. Я до двух часов дня сидела на солнцепеке в дрожащих струях горячего воздуха, изнывая от духоты. Мимо ходили американские содаты, похожие на сытых жеребцов, — высоченные, широкоплечие, поигрывающие мускулами, с неизменными белозубыми улыбками. Ну просто образчики американского образа жизни.

В два часа хлынул ливень чудовищной щедрости, и полеты отменили. Я в припадке дикарской радости выскочила под поток воды, визжа от удовольствия. Ничего общего с нашим бедненьким, заплаканным серым небом. В этом ливне было торжество природы, ее вдохновение и сила. Гроза гремела, как симфония Бетховена. Когда меня втащили в машину, я уже вымокла до нитки. «Сумасшедшая», — сказал загорелый молодой мужчина с усиками, один из ответственных за переброску группы в Камбоджу.

Судя по цвету его кожи, он провел в этих краях уже немало времени. Так я познакомилась с Сергеем.

Вечером Сергей и его друг Толя пригласили меня на экскурсию по злачным местам Патайи. Но сначала мы решили основательно подкрепиться в добротном немецком ресторанчике. «Ненавижу экзотическую кухню, — заявил Сережа. — После нее только спазмы в желудке и чувство неудовлетворенности. Нет ничего лучше жирных немецких сосисок с картошкой, капустой и отличным пивом». Мы заказали сочные свиные отбивные и картофель, жаренный на сале, и накинулись на них с жадностью классических бюргеров. «Я называю такую еду свинячьей, — сказала я, отправляя в рот солидный кусок. — В процессе ее пожирания хорошо чавкать, хрюкать и облизывать жирные пальцы. А еще лучше, когда сало течет по подбородку. Что все наши страсти и чувства по сравнению с отличной отбивной? Тлен и разочарование. Вот кусок зажаренной свиньи — это истинное наслаждение!» После ужина мы вышли прогуляться.

Вся Патайя вечером — это огромная секс-ярмарка. Каждый здесь — либо продавец, либо покупатель. Смазливых изящных таиландок с гибкими, податливыми телами можно покупать пачками. Некоторые сластолюбивые американцы берут в аренду сразу трех девиц — все равно они маленькие и в постели много места не занимают. В Патайе можно найти удовольствия, способные потрафить любому вкусу. К ночи оттенок порочности сгущается. Бары и секс-клубы зажигают огни, и на блеск этих сияющих ночных цветов слетается рой мотыльков — легкомысленных мужчин и развратных женщин.

Мы посетили одно такое заведение, лесбийское шоу, где светилась смуглая нагота молоденьких женщин, восточных узкоглазых вакханок. На небольшой сцене перед зрителями извивались их детские, неразвитые тела с гладкой плотной кожей. Своим тоненьким смехом и щебечущими голосками они напоминали птичек. Эти девочки-женщины продемонстрировали нам весь традиционный таиландский репертуар. Они засовывали в свои влагалища и медленно вытаскивали жемчужные бусы, ожерелья из бритвенных лезвий, вставляли туда сигареты и с большим искусством их курили. Все это больше напоминало трудный фокус, чем сексуальное действо. Одна девочка натолкала между ног яйца и села их высиживать, кудахтая, как курочка. Одно яичко выкатилось и разбилось, вызвав большой переполох. Потом была прелестная сценка за прозрачной ширмой. Восточные красотки поливали друг друга из душа, оглашая зал пронзительным визгом и смехом. Все это напоминало картину «Купающиеся нимфы».

Странно, но, наблюдая этот спектакль, я даже не возбудилась. Все эти голенькие гладенькие девчушки с раскосыми глазами казались мне детьми, которые сами не ведают, что творят. Просто они родились в особенном мире, где с 14 лет женщины занимаются привычным бизнесом — проституцией. Это такое же законное, честное предприятие, как, например, торговля канцелярскими товарами. В этом не было привкуса разврата, который умеют вносить в секс белые женщины, наслаждающиеся грехом.

Я выпила порцию кампари, а мужчины — виски, и мы покинули лесбийское заведение. Пошатавшись еще немного по улицам и подышав запахом сексуальных приключений, мы вернулись в отель. Упаковывая вещи перед отъездом в Камбоджу, я думала: в каком месте я буду распаковывать их завтра?

20 августа. Вот уже три дня, как я живу на вилле русских летчиков, в столице Камбоджи Пномпене. Во всем городе я единственная привлекательная одинокая белая леди, а если учесть, что здесь работают несколько тысяч белых мужчин, одуревших от местной жизни, то мое положение мне все больше и больше нравится. Правда, титул «Самые длинные ноги Пномпеня», который мне тут же присвоили, вызывает смех. Поскольку все кхмерки — низкорослые и коротконогие, то длина моих ног выглядит поистине устрашающей.

В Пномпене дорогие рестораны и элегантные отели, сверкающие кичливой роскошью, соседствуют с огромными мусорными кучами, в которых копошатся совер-

15*

шенно голые дети. Неподалеку от изящных, недавно выстроенных вилл устраиваются на ночлег прямо на земле тощие завшивленные люди. Пол Пот считал города порождением дьявола, и среди трех миллионов убитых им соотечественников большинство составляло городское население. Сейчас в Пномпень перекочевало множество деревенских жителей, которые принесли сюда свои сельские привычки. Они застраивают хижинами целые кварталы, где ведут незамысловатую жизнь. Целыми днями, если нет работы, они играют в карты, заключают пари по любому поводу, даже на результаты выборов. Кхмеры — чрезвычайно азартный народ, дети четырех-пяти лет не мыслят игры без денег.

Утро в Пномпене начинается с появления на улицах буддийских монахов в оранжевых тогах, с зонтиками и серебристыми трехэтажными бидончиками в руках. Босиком они отправляются на сбор еды. Поскольку их религия запрещает им касаться денег, то единственный способ их пропитания — подаяния. Монахи подходят к воротам домов и молятся до тех пор, пока хозяйки не вынесут им три вида блюд.

Утро — активное время работы для рикш. Они ездят на больших трехколесных велосипедах — впереди, на двух колесах, помещается тележка для седоков, сзади, на одном колесе, — сиденье для водителя и руль.

В обеденное время улицы пустеют. Еда — это святое, ничто не может кхмера вынудить пропустить точное время обеда. Правда, европейцы объясняют это весьма прозаической причиной — глисты. Люди и глисты давно привыкли друг к другу и вступили в своеобразное сотрудничество.

Вместе с тридцатью тысячами служащих ООН в город потекли деньги — на улицах появились дорогие машины, процветает ресторанный бизнес, как грибы после дождя выросли новые дома. Но строительство ведется активно только в Пномпене, поскольку большая часть страны заминирована. По самым скромным подсчетам, на территории Камбоджи находится пять миллионов мин, программа их обезвреживания рассчитана на 25 лет. Проблема еще и в том, что, как только отряд саперов расчистит какую-нибудь деревеньку, ее жители тут же снова минируют окрестности, опасаясь нападения бандитов. На рынках в Пномпене можно встретить множество калек, пострадавших от взрывов, с оторванными руками и ногами. Есть несчастные, которым отрубили руки еще во времена Пол Пота за мелкое воровство.

Рынки — это центр дневной жизни Пномпеня. Здесь можно купить все — от иголок до видеотехники. Кхмеры все свои деньги вкладывают в небольшие золотые слитки, составляющие основу благосостояния семьи. На рынке считается большой удачей ущипнуть за зад толстого человека — это приносит богатство и успех. А детей подносят к белым женщинам, чтобы они прикоснулись к их нежной коже — это к счастью. Нельзя гладить ребенка по голове — ведь через голову человек общается с небом, а этот ласковый жест перекрывает всякую связь.

Я люблю бродить по городу в компании какого-нибудь русского переводчика, хотя мне уже десять раз объясняли, что белой леди неприлично ходить пешком. Но как же можно почувствовать страну, если наблюдать ее только через окно автомобиля? Иногда мы заходим в местные храмы. Я убедилась, что дикие туземные боги Камбоджи обладают хорошим аппетитом. Поклонники устраивают им обильные трапезы — на жертвенном кухонном столе режут куски сырого мяса и кладут их в оскаленные пасти каменных львов, туда же разбивают яйца. Все это разлагается на солнце, привлекая тучи мух, устойчивый запах гнили заглушается ароматом горящих благовонных палочек. Каждое жертвоприношение — настоящий праздник для тощих бездомных кошек, которые получают свой обед прямо из пасти каменного идола.

Вчера мы забрели в небольшой магазинчик, привлекший мое внимание длинными расписными ящиками. Мы долго любовались яркими диковинными узорами. Чего там только не было! Сверкающие яркие птицы, драконы с причудливыми крыльями, тропические цветы удивительной красоты. Потом мы узнали, что это гробовая лавка!

Кхмеры любят отправлять своих покойников в вечность в праздничных, красочных гробах.

Тропическими ночами у белых мужчин пробуждаются иллюзии, что любая здешняя женщина — заморское чудо, экзотическое и загадочное. Они отправляются в знаменитый «Мартини-клуб», куда слетаются, как тучи мошкары, толпы проституток. Они, как чайки к добыче, устремляются к каждому входящему мужчине. Здесь самый воздух дышит досугом. В клубе рождаются колониальные романы, служащие ООН заводят тропических походных жен. Здесь происходят сцены ревности, отчаянные драки и перестрелки. Мужчины произносят дешевые, минутные слова и обсуждают любовь с грубостью студентов-медиков. Они неразборчивы — одиночество невзыскательно в выборе спутников.

Столица Камбоджи — это мир в миниатюре. Здесь работают представители 30 стран. Но репутацией самых бесшабашных пользовались солдаты болгарского батальона. На дискотеках их звали «парни номер один». Славянская кровь показала себя во всей своей необузданности: несколько случаев СПИДа и сифилиса, два случая самоубийства при сомнительных обстоятельствах. Болгары высоко несли знамя национального темперамента и так намозолили глаза благопристойному ооновскому начальству, что их выслали в дикую провинцию Кампонгспы. Там они подружились с красными кхмерами и пригласили их на пьянку. Кхмеры пришли со своими женщинами. Через пару часов болгары напились в дым и стали приставать к местным дамам. Красные ушли, вскоре вернулись с автоматами, пристрелили троих и ранили несколько болгар.

Шальные солдаты болгарского батальона умели делать женщин счастливыми. При отъезде их провожал целый полк рыдающих проституток, хотя при расплате наши братья славяне исходили из принципа: «Гусары с дам денег не берут». При отъезде они набили чемоданы крокодилами, обезьянами, змеями, тарантулами и скорпионами, чтобы продать их за большие деньги на родине. Всю эту живность болгары выпустили погулять в таиландской гостинице. Целые сутки персонал отеля вылавливал эту живописную компанию. Таможенника в аэропорту бросило в пот, когда из чемодана на него глянули немигающими холодными глазами две гадюки. В самолете болгары выкурили столько сигарет, что сработала пожарная сигнализация.

Я веду здесь развеселую жизнь. Вечером Сережа, Толя и я ужинаем в их комнате (для них готовит изумительные блюда китаянка Лида), после ужина музицируем на синтезаторе, распевая русские романсы, потом едем пьянствовать в бар или на дискотеку, где я лихо отплясываю ламбаду. Правда, здесь напряженка с вином, в основном все хлещут виски и джин, но и к джину можно привыкнуть.

Вчера познакомилась с одним красивым молодым человеком, русским служащим ООН. Он под каким-то сомнительным предлогом явился ко мне в комнату и пригласил в ресторан. Мы отправились в очень тихое приличное заведение, где полакомились королевскими креветками, запеченными в тесте. Его зовут Артур. У него темные глаза с золотой искрой, овеянные длинными ресницами. Я испытала к нему самое низменное вожделение. Это заставляет меня думать, что я совсем лишена нравственных устоев. Вечером я со стаканом джина и сигаретой размышляла над этой проблемой, сидя в своей комнате на кровати, скрестив ноги по-турецки. Я пыталась найти себе оправдание, но так и не нашла. Потом решила, что оправдание все-таки найдется, если выпить еще стакан джина. Ну а после третьего стакана я поняла, что пересплю с Артуром, и пожалела, что это произойдет только через два дня, так как завтра я улетаю в провинцию Кратье.

21 августа. В шесть утра меня разбудил наблюдатель ООН из России, привлекательный мужчина с восточным именем Тенгиз и европейской внешностью. Он велел мне быстро собираться, поскольку вертолет в Кратье улетает без пятнадцати семь.

Я отвратительно себя чувствовала, а причина столь скверного состояния стояла у моей кровати — наполовину опустевшая бутылка джина. Я скинула в дорожную сумку то, что мне попало на глаза, и спустилась вниз к служебной машине.

Тенгиз отвез меня в аэропорт, и в половине седьмого мы уже сидели в вертолете вместе с тремя мрачными неграми. Я непрерывно зевала и никак не могла собраться с мыслями. От нечего делать я исподтишка рассматривала Тенгиза — правильные черты лица, большие красивые глаза, высокий рост, хорошая фигура. Симпатичный малый. Его, пожалуй, можно назвать красивым. Но не в моем вкусе — чересчур флегматичен и спокоен.

Во время полета я задремала, а проснулась оттого, что Тенгиз ткнул меня в бок и велел выходить. Мы вышли на большую песчаную площадку, вертолет тут же поднялся в небо, швырнув в нас напоследок пыльную тучу. Мне показалось, что я вмиг пропиталась жирной грязью. Солнце неумолимо тиранило нас с высоты, и я чувствовала, что задыхаюсь от вязкой густоты воздуха. «Бедная девочка! Куда ты попала? В самую малярийную провинцию в Камбодже, в самый неподходящий сезон, — насмешливо сказал Тенгиз. — Вчера, пьяненькую, после ресторана подкараулили и велели лететь в Кратье. Вот и попалась рыбка на крючок». У меня не было сил отвечать на его шутки. Через пять минут к нам, поднимая клубы пыли, подкатил джип с американским наблюдателем Майклом.

Вилла, на которую нас привез Майкл, представляла собой обычный деревянный дом с небольшой верандой. В прихожей мимо нас со смущенным смешком метнулась девица-кхмерка. «Она у нас кухаркой работает, — объяснил Тенгиз. — А как видит мужчин, тут же начинает хихикать». «В таком случае она должна беспрерывно хохотать, — заметила я. — Вы ведь тут живете». «То-то и оно, — вздохнул Тенгиз. — Лучше б она за стряпней следила».

Мы сели обедать. Собрались все обитатели дома — американец, англичанин, китаец, японец, кхмер-переводчик и Тенгиз. У меня сложилось впечатление, что все они порядком осточертели друг другу. Ели молча, изредка бросая вежливые фразы о погоде или о качестве еды. Меня устраивало общее молчание — мне было так плохо, что любой разговор казался пыткой. Я вяло поковыряла в тарелке с похлебкой, потом поднялась и сказала, что пойду отдохнуть. Тенгиз проводил меня в свою комнату, где я сразу рухнула на кровать. Басистый вентилятор энергично месил воздух, создавая иллюзию прохлады. Я стащила с себя всю одежду и жалела только, что нельзя снять собственную кожу. Я чувствовала себя рыбой, выброшенной на берег. В Пномпене от жары спасали кондиционеры, здесь же мне казалось, что я попала в оранжерею, полную влажных удушливых испарений.

Я не заметила, как задремала, мне снились какие-то кошмарные сны, и проснулась я в твердой уверенности, что умираю. Я кое-как натянула одежду и выползла на террасу, где коротали свой послеобеденный отдых японец и китаец. При виде меня они что-то быстро спрятали в нижний этаж чайного столика на колесиках. С трудом подбирая английские слова, я сказала им, что у меня малярия и я вот-вот умру. Японец с серьезным видом поставил мне градусник. Чтобы протянуть пять минут, необходимые для измерения температуры, я порылась в столике и нашла то, что от меня спрятали, — японские порнографические журналы. Китаец страшно смутился. Я вытащила из подмышки градусник, показывающий температуру 36,6. Японец прочел мне длинную лекцию, из которой я уловила всего несколько фраз: «Климат в Кратье очень тяжелый. Каждый, кто впервые попадает сюда, чувствует себя заболевшим. Ничего страшного, это со временем пройдет». Я хотела сказать ему, что у меня нет времени, но не смогла подобрать слова. Тогда я взяла стопку журналов и утащила в комнату Тенгиза.

Вскоре явился Тенгиз и застал меня за рассматриванием картинок в журнале. «Неинтересные картинки, — сказала я ему. — Все интимные места закрыты квадратиками». «Как ты себя чувствуешь? — с тревогой спросил он. — Мне сказали, что ты совсем раскисла». «Отвратительно, — ответила я. — Но надо работать. Ты говорил, здесь есть интересный буддистский монастырь. Отвези меня туда».

К монастырю вела лестница из ста с лишним ступенек.

Вокруг яростно росла тропическая зелень, почти отталкивающая своей пышностью. Я поднималась по лестнице, устраивая перерыв через каждые десять ступенек и жадно хватая ртом воздух. Тенгиз наблюдал за мной с ехидной усмешкой.

Первое, что мы увидели наверху, — наглядные изображения суровых наказаний для грешников. Одна из картин показывала прибытие грешников под землю, в ад. Их приводят к главному черту со списком грехов, а он назначает кару в соответствии с тяжестью проступков. Пьяниц заставляют пить огонь, если грешник лгал, его положат на гвозди и вырвут язык, тех, кто прелюбодействовал, отправляют ползать по колючкам, убийц пилят на мелкие кусочки. Эти яркие картины, сделанные в стиле детских рисунков, воздействуют на воображение сильнее, чем десятки проповедей. «Очень доступно», — сказала я, отворачиваясь от картинки, где корчилась в смертных муках погрязшая в распутстве молодая женщина.

В храме был час молитвы. Мне объяснили, что молящиеся не понимают смысла санскритских молитв, они просто наслаждаются мерными звуками и блуждают по лабиринтам своей фантазии. Для вящей красоты священнослужители активно используют электричество и обвешивают алтари гирляндами сверкающих фонариков. Будда становится похож на рождественскую елку. Я спросила одну из монахинь, бритоголовую женщину преклонных лет, глядя на нее с безмерным уважением, как же ей удалось с легкостью отказаться от земных удовольствий. «Ну, это нетрудно, — ответила она с улыбкой. — Буддисты считают, что человек должен посвятить себя Богу, когда он уже закончил земные дела — создал семью, родил и воспитал детей, сделал карьеру. Изжив в себе желания, можно с легким сердцем идти в храм и любоваться несуетной созерцательностью, отрешенностью от времени неподвижного Будды». Мне такой взгляд на вещи показался очень разумным. Действительно, глупо тратить молодость и зрелость на молитвы, потопив в религиозных догмах все горячие желания человеческого естества. Это вызов природе. Логичнее прийти в монастырь успокоенным, равнодушным к плотским и иным утехам.

Мы вышли из храма, когда уже стемнело, и я спросила Тенгиза, где здесь можно поразвлечься.

— Поразвлечься? — спросил он, вытаращив на меня глаза.

— Вот именно, — отрезала я. — И нечего корчить мне рожи и делать вид, что вы целыми днями работаете. Ну, куда вы ходите всей компанией выпить? В какие кафе или рестораны?

— Обычно в публичные дома.

— И что, вы покупаете кхмерок? — спросила я с любопытством.

— Да нет же, — с досадой ответил Тенгиз. — Просто это единственные общественные места, где вечерами собирается народ.

— А вы меня сводите туда сегодня? Вам как раз будет полезно посидеть за выпивкой всей честной компанией, сгладить шероховатости совместного житья.

Вечером мы отправились в бордель. В Кратье работают три публичных дома. Ближе к ночи в них зажигаются гирлянды огоньков, и скучающие ооновцы отправляются туда пить противное теплое пиво. Мое появление в борделе произвело сенсацию — крохотные смуглые женщины окружили меня с детским щебетом. Их пальчики взялись за исследовательскую работу — они ощупывали и тормошили меня, как новую куклу, оценивали качество кожи, из которой сшита белая женщина, рассматривали платье и туфли. Я отдалась на милость этих маленьких бесцеремонных зверьков — одна проститутка наливала мне бокал пепси, другая обмахивала веером мои ноги, третья выпрашивала у меня фотографии, чтобы повесить над своей кроваткой, и сравнивала цвет и мягкость наших рук.

Эти женщины производят обманчивое впечатление молоденьких девочек из-за маленького роста, высокого голоса и гладкости кожи, которая благодаря влажному климату долго не стареет. Их выдает только утомленное выражение глаз. Целыми днями они, в ожидании добычи, лежат в гамаках и отгоняют веером назойливых мух. Белых мужчин они встречают с почтительными улыбками и предоставляют в их распоряжение свои прелести за три доллара. Они, как зеркало, отражают каждого мужчину, который в них смотрится. Кхмерки чрезвычайно стыдливы и занимаются любовью только в платьях, они даже моются, не снимая нижнего белья. Мужчины выходят отсюда с легкими чреслами и звоном виски в висках, мечтая о поцелуях, не оплаченных деньгами. И надо отдать должное служащим ООН — они покупают любовь только в случае крайней нужды. Чаще в бордель идут от скуки, когда тоска берет за горло, чтобы скоротать вечерок и получить суррогат женского общения.

Комната проститутки украшена с наивностью пятнадцатилетней школьницы — стены заклеены фотографиями кукольных таиландских красоток с конфетными улыбками, с потолка свисают фигурки, вырезанные из цветной бумаги. Это душное тесное помещение, где нет вентиляторов, влажные липкие простыни предназначены для быстрого сопряжения, лишенного иллюзий. Но даже здесь требуется романтическая бутафория — полог, защищающий от москитов, пышно украшен розочками, а на потолке блестят звезды из серебряной фольги (жалкое подобие ночного неба). То, что называется пороком, обезоружило меня своей непосредственностью и наивностью.

Легкомысленная обстановка подтолкнула нас к фривольным разговорам. Майкл рассказал, как развлекались в Сингапуре американские солдаты. Покупали молоденькую проститутку, сажали ее под круглый стол. Все стаскивали штаны и садились вокруг стола. Проститутка делала кому-нибудь минет. Счастливчику важно было сохранить невозмутимое выражение лица и сдержать стоны наслаждения. Присутствующие старались угадать, кому в данный момент хорошо. Если догадка оказывалась верной, проигравший оплачивал выпивку. Я сказала Майклу: «Если б тут не было меня, вы бы наверняка развлеклись подобным способом». Он смущенно рассмеялся в ответ.

От разговоров о сексе мы перешли к местным историям. Мне рассказали хороший способ защиты от пуль. Он довольно изощрен, но многократно проверен: надо сделать ребенка любимой женщине. На пятом месяце беременности отвести ее в лес, вспороть ей живот ножом и достать зародыш. То, что при такой операции возлюбленная умирает, имеет второстепенное значение. Затем нужно основательно прокоптить зародыш на огне с тем, чтобы он уменьшился в размерах и не гнил. Теперь можно носить его у сердца, как крохотный бронежилет. И еще одно условие: талисман «копченый зародыш» не имеет волшебной силы, если женщина не пошла на смерть добровольно, движимая чувством любви и силой самопожертвования.

Эти страшные рассказы приобретают особую достоверность, когда слушаешь их душным тропическим вечером в самом гнилом малярийном месте Камбоджи. Ароматы тропиков доносятся порывом ветра и ударяют в голову — запахи свежих цветов и диких зверей. Изредка можно услышать одиночный выстрел (так от дома отгоняют злых духов). Стакан джина на столе — добрый вечерний друг и весьма наивное средство защиты от малярии. Прихлебывая «еловую» жидкость, я думала о том, что Европа и Азия имеют разное кровообращение — то, что естественно для азиата, неприемлемо для европейца. Тропическое солнце, подмешанное в кровь, рождает фантазии и обычаи, которые в более умеренном климате покажутся порождением больного мозга. Но когда ведешь жизнь, далекую от раздумий и прикрас цивилизации, на девственной земле, в окружении людей с кожей кофейного цвета, любое суеверие кажется столь же логичным и трезвым, как статья уголовного кодекса.

В борделе я познакомилась с веселым буддийским священником Паной — девять лет он был монахом в таиландском монастыре, а потом перебрался на родину, в Камбоджу, с целью всласть пожить мирской жизнью.

— Мне стало скучно в монастыре — там слишком много лицемерия, — пожаловался Пана. — Многие монахи пьют вино и водят девочек, а притворяются, что их единственная цель — достижение нирваны.

— Что же такое нирвана? — полюбопытствовала я.

— Это чудесное состояние, при котором нет рождения

и смерти. Человек прошел трудный путь нескольких рождений и добрыми делами добился райского блаженства, как Будда. В прежние времена это удавалось людям, а сейчас о нирване и не слышно.

Если я ушел из монастыря, это вовсе не значит, что я плюнул на нирвану. Постараюсь совершать добрые поступки в миру.

— Пана, не слишком ли резкий переход от монастыря к борделю?

— Религия не существует отдельно от общества. Наивно полагать, что мирская жизнь не влияет на монашескую. Происходит взаимопроникновение идеала и реалий. Если я с монахами, я молюсь, если с пьяницами, пью (кстати, в древности использовали вино как лекарство), если в публичном доме, то снимаю девчонку.

И помни: совершенство не приходит сразу. Трудно вырубить лес за день, легче это сделать постепенно — дерево за деревом. Так поступают мудрые люди. В этом месяце я иду в бордель девять раз, в следующем месяце восемь раз, к концу года я сведу посещения до трех. Таким образом, я все ближе подбираюсь к совершенству.

— По-моему, ты весьма прохладный буддист и твоя нирвана — это женщина.

Пана расхохотался, оценив шутку, и хитро сказал:

— Тогда в следующей жизни я буду чертом.

Он выпил виски, взял самую молоденькую проститутку и отправился в ее любовное гнездышко. А мы поехали на виллу.

Я едва ворочала языком от усталости и джина. На вилле было темно, хоть глаз выколи. «Электричество здесь выключают в девять часов вечера», — сказал Тенгиз, зажигая керосиновую лампу и ставя на плиту чайник. От света ящерицы, сидевшие на потолке, разбежались по темным углам. Стояла знойная тишина, прерываемая вскриками ночных животных. Каждый шорох был слышен с пугающей отчетливостью.

— Покажи мне, где я буду спать, — сказала я Тенгизу, когда мы уже напились чаю.

— Как это где? — удивился он. — В моей комнате. Где же еще?

— А ты где будешь ночевать? — с напряжением в голосе спросила я.

— Там же.

— Надеюсь, ты шутишь? В твоей комнате всего одна кровать.

— Не бойся, я к тебе не буду приставать.

— Но твои коллеги подумают, что я твоя любовница.

— Они не сомневаются в этом. Если тебе не лень, попытайся их разубедить, — холодно заметил Тенгиз.

При тусклом свете одинокой свечи я вымылась под ледяным душем и на всякий случай побрила ноги. В комнате Тенгиза из-за отсутствия электричества не работали вентиляторы, горячий жирный воздух казался почти осязаемым. Я быстро разделась и скользнула на жаркое ложе. Тенгиз опустил легкий белый полог от москитов и вытянулся рядом. Мне казалось, я слышу, как колотится его сердце.

— Я уже полгода не был с белой женщиной, — тихо сказал Тенгиз.

— К чему ты это говоришь? — мгновенно ощетинившись, спросила я.

— Просто так. Мысли вслух.

— Пожалуйста, избавь меня от подобных замечаний. Лучше дай мне какую-нибудь простыню, чтоб я могла прикрыться.

— У меня есть только махровое полотенце, но ты под ним взмокнешь.

— Ничего страшного. Давай его сюда. Так надежнее.

— Даша, ну что за глупости! Здесь все равно темно. Я тебя не вижу.

Я прикрыла грудь полотенцем и почувствовала себя в сауне, на верхней полке. Все тело покрылось испариной. Вдруг послышался пронзительный писк и топот маленьких ножек.

— Что это? — вскрикнула я и села на кровати, вся дрожа от страха.

— Крысы, — флегматично ответил Тенгиз.

— Судя по грохоту, их тут целое стадо, — заметила я. — А они могут забраться на кровать?

— Нет, не бойся, — успокоил он меня. — Тем более я надежно закрепил полог.

В эту ночь мы оба долго не могли заснуть, непрестанно ворочались, задевая друг друга обнаженными телами. Когда я наконец задремала, мне приснились змеи, вползающие на нашу кровать через дырку в пологе. Я проснулась от собственного крика и разбудила Тенгиза.

— Что случилось? — испуганно спросил он.

— Змеи! На кровати клубок змей! — Я была почти в истерике.

Тенгиз включил маленький фонарик и осветил постель. Я инстинктивно прикрылась полотенцем.

— Никого здесь нет. Успокойся, — ласково сказал он и как будто невзначай погладил меня по ноге. — У тебя такая нежная кожа, — вздохнул он.

— Иди к черту, — буркнула я, отдернув ногу.

Я снова попыталась уснуть, но крысы резвились вовсю. Кто-то рассказывал мне, что если крыса ночью доберется до человека и станет грызть ему ногу, тот не почувствует во сне боли, поскольку хитрое животное выделяет со слюной специальное обезболивающее вещество. Где-то вдалеке грохотал гром. Только на рассвете я впала в тяжелое забытье.

22 августа. Утром мы долго валялись в постели, совершенно обнаженные и расслабленные, стараясь не смотреть друг на друга. Я курила сигарету, морщась от ее горького вкуса.

— Чем мы сегодня будем заниматься? — лениво спросил Тенгиз.

— А что есть интересного в вашей рисово-кокосовой дыре? — задала я встречный вопрос.

— Можно покататься на слоне, можно проехаться по джунглям. А кокосовый сок ты когда-нибудь пила?

— Нет. Давай начнем с сока, а потом пойдем к слону.

Так мы и сделали. Купили огромные кокосовые орехи

с вставленными в них соломинками и потягивали прохладный своеобразный сок, как коктейль в баре. Кхмеры боготворят кокосовый орех — рассказывают, что в красных отрядах тяжелораненым ставят капельницы с кокосовым соком.

Как мы выяснили, слон пасется неподалеку от поселка, поедая сладкий тростник и деликатно почесывая ноги. За несколько долларов погонщик сел ему на шею и, упираясь пятками в его рваные уши, пригнал животное к месту прогулки. Белые люди на слоне — это целый спектакль для местного населения. Толпы народа высыпали на улицу и науськивали мирное животное заняться бегом (сомнительное удовольствие для седоков). Тенгиз неожиданно воодушевился и принялся, точно мельница, размахивать руками, издавая при этом приветственные крики, чем несказанно меня удивил.

После катания на слонах мы поехали на джипе по деревням. Для белого человека камбоджийская нищета выглядит почти живописной — дома из красного дерева, которое так дорого ценится в Европе, и хижины на сваях, сложенные из соломенных блоков, с прорубленными отверстиями вместо дверей. В хижине на бамбуковом полу спит семья из десяти человек. Кхмеры поражают своей простодушной радостью и редкой доброжелательностью. При виде гостей их изношенные лица разверзают трещины улыбок. Ребра мужчин напоминают стиральную доску. Жизнь сцедила их, как молоко, и отжала, как сыр. Их женщины находятся в перманентном состоянии беременности, и часто маленькая человеческая личинка еще кормится у материнской груди, а в чреве уже поспевает новый ребенок. На женских лицах застыло выражение безмятежного слабоумия. Детям до трех лет из соображений практицизма не покупают одежду, поскольку многие умирают еще в младенческом возрасте. В скудном рационе нет молочных продуктов, хотя множество коров бродит по улицам — наш переводчик говорил, что до войны люди умели доить коров, а потом разучились это делать.

Война разорила этот край, и она же дает ему некоторое пропитание. Есть два способа прокормить семью: можно уйти в джунгли, к красным кхмерам, и грабить на дорогах грузовики, а на реке суда, можно пойти в правительственные войска за двенадцать долларов в месяц и горстку риса в день и взимать дань с водителей проезжающих машин — сигаретами, продуктами, иногда мелкими деньгами. Профессия «красного кхмера» приносит несравнимо больший доход.

Сегодня мы познакомились с живым красным кхмером мистером Тоном. Он копался на своем огороде с мотыгой в руках. «Да, я действительно принадлежу к красным, — ответил он на наш вопрос. — Время от времени я ухожу в джунгли, в свой отряд. Но я выпросил у местных властей бумагу, где сказано, что я вполне надежный человек. Дело в том, что в красные я пошел не по убеждению, а по необходимости. Просто я поддерживал с ними хорошие отношения, чтобы они не обижали меня и мою семью. А правительство обвинило меня в подрывной деятельности. Мне пришлось бежать в лес и стать красным. Теперь я работаю на две стороны — мирно живу в своей деревне и время от времени выполняю приказы своего лесного командира. Я с удовольствием бросил бы войну, да боюсь мести нашего отряда.

Сейчас в джунглях период затишья. Мы расчистили небольшой участок от леса и выращиваем рис. Это наше единственное пропитание. Но когда прикажут, снова пойдем воевать».

С правительственными войсками мы встретились на дороге, проходящей через джунгли. Двое полуголых мужчин спали в гамаке под пальмой. В траве лежали два автомата. «Это правительственный пост», — сказал переводчик и пошел будить солдат. Они вышли из леса, почесывая грязные босые ноги.

Солдаты ведут «растительную жизнь» — спят и едят. На обед черпают котелком мутную воду из болотца и варят на костре рис. Невозможно сопротивляться расслабляющему влиянию климата, под одуряющим солнцем размягчаются мозги, и человек впадает в мучительное оцепенение.

Переводчик рассказал нам, что солдаты, несмотря на

свой юный возраст, уже женаты. «Им очень хочется помочь своим женам, — говорил он, — поэтому после получки они выделяют женщинам четыре доллара на хозяйство, но так уж получается, что в конце месяца они забирают деньги обратно». Удобный способ: и волки сыты, и овцы целы.

Страх смерти у обеих воюющих сторон порождает легенды о чудесных силах, защищающих человека. Рассказывают, что в отряде красных кхмеров воевала женщина, которая собирала пули подолом платья и изменяла траектории пулеметных очередей одним взглядом. Ее убил более сильный человек, владеющий волшебным цветком. Для того чтобы найти цветок, надо спалить часть леса. Там, где останутся островки нетронутой зелени, и растет это чудо. В качестве талисманов можно использовать также древние камни знаменитого дворца Анкор, но они стоят дорого, простым людям не по карману, их контрабандой отправляют в Таиланд. Для людей, у которых даже нет летосчисления, все эти символы имеют огромное значение. Любому поступку они подыскивают знак, все, начиная от стрижки волос и заканчивая свадьбой, делается по гороскопу.

Вечером мы снова до одурения пили джин, мне казалось, что нас забросили на далекую потухшую звезду, куда не долетают звуки большого мира. Завтра же уеду отсюда.

23 августа. Утром мы вдвоем, лежа в одних трусах, рассматривали порножурналы — единственную доступную нам «литературу» в Кратье. Я потихоньку возбуждалась от соблазнительных картинок и близости мужского тела и воображала, как я сегодняшним вечером доберусь до Артура. «Через час вертолет, — размышляла я. — Можно немножко побаловаться с Тенгизом». «Погладь меня, пожалуйста», — шепнула я ему. Он прикоснулся к моей коже с бесконечной нежностью, пальцы его затрепетали, спустились со спины к двум холмикам ягодиц. Прикрыв ресницы, я наблюдала за ним. Мне нравились его интеллигентные манеры, его мягкая меланхолическая улыбка, я оценила его тонкое чувство юмора. Я любовалась его дремотными, медлительными движениями и представляла себе, как бережно он овладел бы мною. Если б я не встретилась с Артуром, мы бы провели с Тенгизом чудесные дни. Он осторожно перевернул меня на спину, и мы принялись неспешно целоваться, наслаждаясь новизной ощущений. Эти трепетные поцелуи, похожие на касания крыльев бабочки, чрезвычайно возбудили меня. Вдруг он с силой впился губами в мою шею, и я застонала от острого удовольствия.

Почувствовав, что воля моя слабеет, я отстранила Тенгиза со словами: «Довольно, пора ехать на посадочную площадку. Вот-вот приземлится вертолет». «Ну, это уже садизм, — заявил Тенгиз. — А ты уверена, что он сегодня прилетит?» «Ну конечно, — самоуверенно сказала я. — Я всем в Пномпене говорила, что лечу только на два дня. Значит, меня сегодня заберут».

В штабе ООН нам сообщили, что вертолета не будет. Я почувствовала холодный озноб. Я слишком много позволила Тенгизу утром, чтобы отвертеться от его притязаний ночью.

— Что, доигралась? — услышала я его насмешливый голос.

— Тенгиз, забудь все, что было утром. Это недоразумение, — процедила я сквозь зубы. — Я ожидаю в Пномпене встречи с другим мужчиной.

— Уже забыл, — угрюмо ответил он. — Куда поедем?

— Не знаю. А что ты предлагаешь?

— Можно посетить вьетнамскую плавучую деревню.

Вьетнамцы, которых кхмеры недолюбливают, часто не имеют денег для покупки земли и устраивают свою жизнь на воде. Дом строится на плоту, кроется соломой, и плавучая деревня кочует по реке Меконг в поисках рыбы. Единственный современный предмет в таком доме — магнитофон, работающий от аккумулятора. Все остальное, от циновок до посуды, делается вручную. Туалет представляет собой коробку без дна, которая нахлобучивается на палку, прибитую на краю плота. Часть этой полукоробки находится в воде. Задача проста: залезть в коробку, взяться за шест и справить нужду прямо в воду.

Любезные хозяева угостили нас мутным бледно-желтым чаем. «Пей, — шепнул Тенгиз. — Неудобно отказываться». Я из вежливости сделала несколько глотков, потом спросила у хозяйки, где они берут питьевую воду. Та сделала неопределенный широкий жест, как бы показывая, что весь грязный Меконг к их услугам, потом ткнула пальцем в сторону туалетной коробки: «Тут же, около плота, мы и черпаем воду. Зачем далеко ходить?» «Меня сейчас стошнит, — тихонько сказала я Тенгизу. — Надеюсь, воду для чая они хотя бы прокипятили». «Держись, — прошептал он. — Мне чего только не приходилось есть в гостях. Даже жареную собачатину и обезьянину». Нам предложили еще одно угощение — популярный вьетнамский соус. Я вежливо отказалась, сказав, что мы не голодны, но попросила рассказать его рецепт. «Очень просто, — ответили мне. — Рыбу кладут в воду, где она разлагается в течение десяти дней, потом соус процеживают, кипятят и разливают в бутылки».

В полдень жара загнала меня на виллу. Я легла на кровать прямо под вентилятор и в сладкой полудреме провела полдня. Этакая латиноамериканская сиеста. Тенгиз уехал по делам, и никто мне не мешал. Я мечтала о том, что я сделаю завтра, когда выберусь из этой чертовой дыры. Прежде всего как следует вымоюсь под теплым душем, потом отправлюсь с Артуром в ресторан и выпью бутылочку хорошего вина, а не этого вонючего джина, ну а потом... Тут у меня начинало колотиться сердце, и я чувствовала приятную истому в низу живота.

Вечером, когда сгустилась тьма, Тенгиз учил меня водить джип по пыльным деревенским дорогам. «Осторожнее, — твердил он. — Главное, не задави курицу. Человека еще можно, но не больше одного. А вот за курицу могут отомстить — придут и на ножи поставят». Я сознательно оттягивала момент возвращения на виллу. Любой, даже самый уравновешенный мужчина может стать опасным, если его дразнить в его же постели в течение трех суток. Вокруг бодрствовали джунгли. Ночь — время охоты для многих диких животных. Таинственные звуки, доносившиеся из глубины леса, будили воображение и настраивали на романтический лад. В сущности, мы находимся так далеко от всех условностей, что соблюдать правила просто смешно. Я вспомнила прелестную фразу из фильма «Безымянная звезда»: «Как же можно ревновать свою возлюбленную, если она изменила тебе где-то на Большой Медведице?» Нас всего двое на одинокой звезде, и я решила, что если ночью в Тенгизе проснется зверь, я дам ему полакомиться.

Мы вернулись на виллу и легли в постель. Жара накрыла нас плотным колпаком. В душном воздухе чувствовалось напряжение. «Даша, — послышался шепот Тенгиза, — можно я тебя потрогаю?» «Можно, но только недолго, я хочу спать», — ворчливо ответила я, подавляя желание рассмеяться. Он осторожно погладил дрожащей рукой мое плечо и припал к нему губами. «О Господи, — подумала я в раздражении, — ну чего же он медлит? Кто же спрашивает у женщины, можно ли к ней прикоснуться? Надо брать ее без вопросов». А вслух сказала: «Хватит. У меня слипаются глаза». Я соблюдала все правила игры — недовольство и сопротивление, которое можно сломить первым же натиском. Но Тенгиз убрал руку. Он лежал рядом, весь дрожа, и я чувствовала, как в нем поднимается злость, точно кипящее молоко в кастрюле. «Тогда я сейчас пойду к проституткам», — сказал он обиженным голосом. Меня разобрал смех: «Так кто ж тебя держит? Иди, скатертью дорожка. Я буду плакать здесь от горя. Потом расскажешь мне, каковы они». Тенгиз взорвался: «Ты издеваешься надо мной уже три дня! Как будто я не мужчина! Я полгода не был с женщиной, а теперь сплю с тобой рядом и не могу даже погладить тебя». Он подскочил, быстро оделся и ушел, хлопнув дверью.

Через десять минут после ухода Тенгиза полчища крыс вышли на вечернюю прогулку. Они как будто почувствовали мою беззащитность и устроили настоящие гонки с препятствиями. Я щелкнула зажигалкой и увидела двух толстенных крыс, сидящих на табуретке около моей сумочки. Я пронзительно завизжала, они спрыгнули на пол, табуретка с грохотом перевернулась. Некоторое время было тихо, но вскоре снова послышались шорохи и тихий писк. Я хотела выйти из комнаты, но боялась ступить на пол. Тогда я подняла полог, взяла самый толстый порножурнал, наклонилась и постучала им по полу. Моему воспаленному воображению показалось, что крысы смеются. Тогда я набрала побольше воздуха в легкие и закричала на весь дом по-русски: «Помогите! Кто-нибудь! Да помогите же!» Со страха я забыла все английские слова. Дом притих, я была уверена, что японец и китаец приникли к замочным скважинам, чтобы послушать, как русские занимаются любовью. Они, наверное, думают, что я кричу истошным голосом от удовольствия. «Черт бы вас всех побрал! — заорала я и тут вспомнила нужные английские слова. — Маус! Маус! Хелп ми!» На крики прибежал кхмер-переводчик с керосиновой лампой в руках. У меня зубы стучали от страха. От света, шагов и криков крысы разбежались. Переводчик успокоил меня как мог и, уходя, оставил лампу.

Тенгиз явился через полчаса, злой как черт и улегся рядом со мной. От него пахло джином. «Тенгиз, миленький, как хорошо, что ты пришел! — захныкала я. — Мне было так страшно. Приходили крысы. Как ты мог меня оставить одну!» Он буркнул в ответ что-то неопределенное и отвернулся к стене. Если бы он хоть немножко разбирался в женской психологии, то понял бы, как я сейчас нуждаюсь в ласке и покровительстве. Это был хороший шанс взять меня без особых усилий. Я не без сожаления прикрылась неизменным полотенцем и погрузилась в сон.

24 августа. Утром за завтраком Тенгиз был мрачен и молчалив. Я с удовольствием поддразнивала его: «Ну как прошла вчерашняя ночь? Как проститутки? Ты обещал поделиться со мной впечатлениями». Тенгиз отвечал натянутыми шутками, и я оставила его в покое.

После завтрака я собирала вещи в нашей комнате. Тенгиз вошел и улегся на кровать, наблюдая за мной. «Поскольку сегодня даже два вертолетных рейса, то перед отъездом я могу без опаски поцеловать тебя», — проговорила я со сладкой улыбкой. Я легла рядом, и мы принялись тихонько ласкаться. «Я чувствую себя школьником, — сказал Тенгиз. — Когда целуешься в комнате с девочкой и боишься, что вот-вот войдет мама». Я прижалась к нему крепче и спросила: «Пожалуйста, расскажи мне, как ты вчера переспал с проституткой. Меня это возбуждает». «Да не было ничего вчера, — грустно ответил Тенгиз. — Это я от злости сказал. Не смог я купить кхмерку — по-видимому, меня привлекают только белые женщины. Выпил с Майклом с горя джину и вернулся домой». «Бедняжка, — промурлыкала я, погладив его по голове. — Ну, мне пора, дорогой. Поехали».

Экипаж вертолета был французским. Я сидела в салоне и обменивалась ядовитыми шутками с Тенгизом, который стоял у трапа. За этой язвительностью скрывалось взаимное разочарование и сожаление о близкой разлуке. Летчик-француз подошел ко мне с улыбкой, опустился на одно колено и очистил тряпкой мои туфельки, запачканные в болотистой грязи. Я засмеялась: французы есть французы.

Зажужжали воздушные винты, я помахала Тенгизу рукой в иллюминатор, машина напряглась, побежала по полю и вдруг оторвалась от земли. Мы полетели очень низко, почти касаясь верхушек деревьев. Это был захватывающий полет. Под нами сплошным зеленым ковром расстилались джунгли. Их грозная красота потрясала воображение. Меня удивило, что мы так долго летим, не набирая высоту. Один из членов экипажа, приятный молодой мужчина, вышел из кабины и спросил, нравится ли мне полет. Я рассыпалась в комплиментах. «Мы специально летим низко, чтобы вы могли полюбоваться картинами природы», — сказал он с любезной улыбкой. Я вспомнила полет из Таиланда. Земля была в тумане, и нам пришлось лететь совсем низко над морем. От зеленого шелка воды нас отделяло всего несколько метров, и я приставала к соседям с вопросами, много ли там акул и удастся ли нам доплыть до берега целыми и невредимыми, если вертолет упадет в море.

Пока я предавалась воспоминаниям, вертолет взмыл вверх и через полчаса благополучно приземлился в Пномпене. Я вышла под жаркое солнце, села в служебный автобус и доехала до здания аэропорта. Мне нужно было позвонить на виллу, чтобы за мной прислали машину. Тут ко мне подошел молоденький черноглазый солдат и на смутном для меня английском языке попросил куда-то пройти с ним. Я непонимающе уставилась на него и спросила, что случилось. Он снова что-то залопотал умоляющим голосом, я решила, что это нечто срочное, и безропотно отправилась с ним. Солдат привел меня к микроавтобусу, где сидели десять мужчин в военной форме. Один из них, весьма приятной наружности, кинулся ко мне навстречу с приветственными словами: «Как мы рады вас видеть! Мы знаем, что вы русская журналистка, и приглашаем вас сегодня вечером в один прелестный ресторан». Он говорил по-русски с иностранным акцентом. «И только-то? — рассвирепела я. — Кто вы такой?» «Я болгарский наблюдатель», — ответил он с широкой улыбкой. «А-а, братья славяне, все понятно, — холодно сказала я. — Вы находите приличным хватать женщину в аэропорту, тащить ее к автобусу под предлогом какого-то безотлагательного дела только для того, чтобы пригласить ее поразвлечься? Все ваши предложения пришлите по почте в письменном виде, а я постараюсь найти свободную минутку, чтобы их рассмотреть». Я повернулась к нему спиной и зашагала к зданию аэропорта. Вслед мне понеслось жалобное: «Мы не хотели вас обидеть!» Внутри меня все ликовало: «Если б вы знали, какая меня ожидает ночка, вы бы умерли от зависти!»

25 августа. Боги могут хорошо посмеяться. Первый раз в жизни я потерпела сексуальное фиаско. Стендаль в своей книге «О любви» отводит этой проблеме целую главу. Я всегда читала ее как нечто абстрактное и невозможное, и вот пожалуйста — первая половая авария. Даю отчет об этом выдающемся событии.

Вчера мы с Артуром провели прелестный вечер на реке

Меконг в элегантном ресторане, выдержанном в золотистых тонах. Мы выпили отличного вина, отведали изысканных морских блюд под джазовую музыку небольшого оркестра. Сгорая от нечестивого желания, я почти не слушала, что мне говорит Артур, и думала только о том, как побыстрее залезть к нему в постель. После ужина мы поехали к нему домой, где в этот вечер очень удачно отключили электричество. Артур зажег свечи и поставил приятную музыку. Мы пили вино, Артур вел неспешную беседу, а меня жгла единственная мысль: «О черт! Почему же он не торопится!» Наконец он приступил к делу — медленным поцелуям, неторопливым, осторожным ласкам, нежным объятиям. Я чуть не взвыла от злости. Я разделась с такой быстротой, с какой одевается солдат по сигналу «тревога», и кинулась на него с алчностью голодной акулы. Боже мой! Какое меня ожидало разочарование! В этот момент Артур был похож на вегетарианца, которому предлагают мясной пирожок. Моя рука скользнула к тому месту, где полагалось быть грозному скипетру страсти, но ничего не нашла. Мне стало смешно. Три дня я ждала этой минуты и потерпела такой афронт. Тенгиз был отомщен.

Я оделась, не обращая внимания на протесты Артура, и сказала, что хочу домой. «Дай мне время, — умолял он. — Тебе будет очень хорошо». Я покачала головой и взяла свою сумочку. В полном молчании мы вышли на улицу. После 11 часов вечера служащие ООН не имеют права ездить по городу на машине, и нам пришлось идти пешком. Не успели мы пройти и десяти шагов, как нам наперерез с отвратительным писком бросилась жирная крыса. Я встала как вкопанная и заявила, что дальше не пойду даже под угрозой пистолетного дула. Артур посадил меня на плечи и понес по городу. Последний раз я сидела на закорках у папы, в глубоком детстве, на первомайской демонстрации. Я старалась не давить Артуру на шею и все время жаловалась ему на крыс: «Эти противные твари просто преследуют меня в Камбодже».

У ворот виллы мы простились, не глядя друг на друга, и я поспешила в свою комнату к недопитой бутылке джина. Я легла в кровать со стаканчиком неразбавленного джина в паршивейшем настроении и задумалась над превратностями судьбы. В дверь постучали. «Кто там еще?» — вялым голосом спросила я. В комнату вошел Николай с самым разнесчастным видом и сел на край моей кровати. От него пахло виски.

— Даша, я так ждал, когда ты приедешь из Кратье, — сказал он дрогнувшим голосом.

— Ну вот, дождался, — мрачно заметила я. — Что дальше?

— Я так ревновал тебя, мучился, что ты там с Тенгизом, а ведь он красивый мужчина, — лепетал Коля.

Я лениво рассматривала его и думала, что он как личность не представляет для меня литературного интереса.

— Коля, чего ты хочешь? Говори яснее, — поторопила я его.

— Можно я тебя поцелую? — робко спросил Коля.

«О Боже! — подумала я. — Шутки богов сегодня зашли слишком далеко». А вслух сказала:

— Что за вздор! Иди проспись.

— Меня мои друзья уговаривают пойти к девочкам в «Мартини-клуб», но я отказываюсь из-за тебя.

— Какая жертва! Я в ней не нуждаюсь. Чем раньше ты это сделаешь, тем лучше для тебя.

Тут мне показалось, что я уже в который раз смотрю один и тот же надоевший фильм и реплики героев навязли в губах. От этого утомительного разговора меня избавили подвыпившие друзья Николая, которые утащили его в клуб. Я мысленно пожелала ему легкого пути в мир порока.

26 августа. Чудесный вечер в компании русских дипломатических работников Павла и Евгения. Они повезли меня не в фешенебельный европейский ресторан, а в маленькое симпатичное кафе на открытом воздухе, куда ходит по вечерам местное население. Я пришла в коротком платье, и москиты кусали меня за голые ноги. Мы ели руками любимое блюдо кхмеров — рисовые крекеры в густом мясном соусе — и пили джин с листьями мяты. После еды мы вымыли руки кусками льда. Павел вспоминал то время, когда он работал в международной комиссии по правам человека сразу после изгнания полпотовских войск из Пномпеня. Он жил с коллегой в номере гостиницы, где воду пускали тонкой струйкой только в дневное время, когда члены комиссии мотались по джунглям. За день набиралась ванна холодной воды. Когда вечером Павел и его сосед возвращались в отель, усталые и мокрые от пота, они тянули жребий, кто первым полезет в ванну. Павел ломал спичку на две части, если сосед вытягивал половинку спички с серой головкой, то он получал «право первой ванны». После него в уже использованную воду лез Павел. Он вспоминал эту смешную историю с легкой ностальгией.

После ужина мы отправились во вьетнамский квартал проституток. Если в «Мартини-клубе» цена женщины доходит до двадцати долларов, то здесь можно купить подешевле — за три-пять долларов. Это целая улица борделей, грязный рынок всех страстей. Красные фонарики горят у входа в мрачные хижины. Воздух набух неожиданными опасностями и стал тяжел от разлитой в нем похоти. Над всем властвует внушающий ужас эрос. Здесь начинаешь понимать, что в человеке таится нарушитель всех законов. Эта отверженная улица рождает редкое состояние беспомощности, желание безвольно отдаться любым неожиданностям. Не важно, какая рука — смуглая или белая — коснется тебя, не важно, чьи губы найдут твои. Надо расслабиться и плыть по течению.

Закончили мы вечер в кхмерской дискотеке, где танцевали местный танец птичек. Все становятся в круг и под плавную очаровательную мелодию медленно движутся друг за другом, улыбаясь и имитируя изящные движения птичьих крыльев. Нас приняли в общий круг чрезвычайно доброжелательно. Никогда у меня не было так легко на сердце.

Когда я вернулась на виллу, мне передали, что приходил Артур. Я лишь пожала плечами.

27 августа. Вместе со всякими экзотическими сувенирами белые люди увозят из Камбоджи целый букет болезней. Любимое вечернее занятие на нашей вилле — рассказывать товарищам о своих многочисленных язвах, с наслаждением почесываясь. Медики утверждают, что здесь водятся все болезни, которые есть в учебниках, и даже те, которых в учебниках нет. Влажный воздух насыщен ядом и любую царапину превращает в незаживающий гнойник. Но самое отвратительное — это вода, поступающая из Меконга, которая так и кишит микробами, поскольку в городе нет очистных сооружений. Белый человек легко может подхватить амебу — тварь, которая поселяется в печени и медленно, но верно ее пожирает. А с венерическими заболеваниями в госпиталь ежедневно обращается до 50 человек.

Всеобщее обсуждение тропических болячек приводит меня в панику. Я каждый вечер придирчиво осматриваю себя в душе, выискивая следы какой-нибудь экзотической чесотки. Будучи в Кратье, я натерла новыми узкими джинсами нежную кожу на лобке, постоянно влажную от пота. Теперь там небольшое воспаление, и это вызывает у меня ужас. Я боюсь, что занесла местный микроб через воду в душе. Мне совершенно не с кем посоветоваться, поскольку рядом нет ни одной белой женщины, а с мужчинами обсуждать такой интимный вопрос как-то неудобно.

Вчера я посетила немецкий госпиталь вместе с русским переводчиком Олегом, у которого в ступне язва величиной с детский кулачок. Бедный парень с трудом может ходить, язва вызывает нестерпимую боль. Ожидая приема у большого начальника, мы во всех подробностях обсудили с Олегом его заболевание. Люди в здешних местах давно утратили стыдливость в таких деликатных вопросах. Поддавшись общему настроению, я сказала этому почти незнакомому человеку, что у меня тоже есть повод для беспокойства. Он страшно заинтересовался. Я по секрету поведала ему, что у меня сыпь на интимном месте, Олег высказал свои соображения по поводу того, чем может быть вызвано воспаление и как его лечить. Мы углубились в детали, и я почувствовала облегчение от возможности поделиться своими неприятностями.

Наш разговор был прерван появлением военного врача, который повел меня на экскурсию по госпиталю. Я увидела страшные картины человеческих несчастий — людей, гниющих и разлагающихся заживо от различных тропических инфекций, мужчин, подорвавшихся на минах, с кровавыми лохмотьями вместо рук и ног. Они были похожи на поломанных, мертвых кукол, брошенных за ненадобностью. Вернувшись после госпиталя на виллу, я залезла под душ и с ожесточением терла себя мочалкой, пока кожа не начала саднить. Мне хотелось смыть жуткое прикосновение больницы.

Стоя под сильной струей душа, я думала о том, что у каждой вещи есть своя изнанка, у любви — язва, у золота — суета и тлен, у тропической природы — ее колючки и укусы. Камбоджа — это трагический карнавал, где у каждого есть страшная и в то же время привлекательная маска. Есть маска Пол Пота, который наслаждается жизнью где-то на границе с Таиландом, маска красного кхмера, ведущего животную жизнь в джунглях, маска нищего крестьянина с мотыгой в руках, маска старухи гадалки, маска молоденькой проститутки, развращенной быстрыми деньгами. Эти яркие типажи увлекают в свой хоровод, и вскоре ты сам надеваешь личину — маску белого человека, очарованного тайнами чудовищно-прекрасной Камбоджи.

Вся чистенькая, благоухающая дезодорантами и духами, я отправилась обедать к Сереже и Толе. За обедом мы подробно обсудили чумку, которую Сережа подхватил на таиландском пляже. Все его тело покрылось страшными язвами, к тому же они непрестанно чесались. Сережа рассказал, что повариха Лида, дочь китайского доктора, очень сведущая в тайнах восточной медицины, купила вчера на рынке экзотическое народное средство для лечения Сережиных болячек, в состав которого входит нечто особенное — то ли сперма слона, то ли слюна бегемота. Что-то в этом роде. «Вчера вечером, — рассказывал Сережа, — Лида взялась меня лечить. Она вскрывала ножом мои нарывы, заливала туда спирт, а потом закладывала в ранку лекарство. Я от боли выкрикивал непотребные ругательства, но она даже бровью не повела».

Я поделилась своими тревогами насчет моего кожного воспаления. «Тебе надо срочно показаться Лиде, — уверил меня Сережа. — У нее золотая голова». «Она мне подсунет какую-нибудь отраву под видом лекарства», — мрачно сказала я. «Может, — подтвердил Толя, уписывая только что приготовленную Лидой рыбу в тесте. — За ней глаз да глаз нужен».

Все знают, что Лида меня ненавидит, только я об этом не догадывалась. Ничто не выдавало неприязни в ее неизменно приветливой улыбке, гостеприимной услужливости и любезных манерах. Лида как кошка влюблена в Толю и яростно ревнует меня к нему. Стоит мне выйти за порог, как она закатывает Толе дикие сцены со слезами, обвиняя его в том, что он слишком близко ко мне сидел или чересчур ласково со мной разговаривал. Весь юмор ситуации заключается в полном незнании Толей английского языка. Чтобы переложить свой гнев в доступные Толе выражения, Лиде приходится прибегать к услугам Сережи в качестве переводчика.

Я совсем не понимаю Лидин английский. Он отличается особой певучестью, которая свойственна восточным языкам, и, слушая беспрерывный поток ее речи, я не могу выхватить из него ни единого слова. Она так мягко произносит согласные, что ее английский напоминает чириканье птичек. Сережа уверяет, что это вопрос времени — он тоже первые два месяца не понимал Лиду, теперь он привык к ее своеобразному произношению и даже находит в нем удовольствие.

Лида — очень привлекательная дама высокого для китаянки роста. Ей сорок лет, но я бы не дала ей больше тридцати. Годы не оставили отметин на ее плотной гладкой коже. Она прекрасно двигается и замечательно танцует, великолепно готовит, лечит людей и вообще отличается здравым смыслом и сообразительностью. По-видимому, она получила превосходное воспитание, ее манеры интеллигентны и мягки. На месте Толи я бы бросилась к ее ногам. Но он не спешит этого делать, скучает по своей жене и пишет ей в Россию трогательные письма.

История с Лидой — предмет мужских пересудов и насмешек. Но за всем этим чувствуется растроганность при виде такой необычной любви и зависть к Толе.

Ранним вечером ко мне явился Артур со своим обычным невозмутимым видом. Ничто, казалось, не может поколебать его высокое мнение о себе как о мужчине. Мы поехали с ним в «Мартини-клуб», где выпили джину с тоником и потанцевали. Уже поздно вечером, сидя в его машине, я попросила отвезти меня на виллу. «Разве ты не поедешь ко мне?» — напряженно спросил он. Я посмотрела на него с недоумением, потом рассмеялась и сказала, что с меня хватит разочарований. Мы молча доехали до виллы, но я понимала, что последнее слово еще не сказано. Когда джип остановился у ворот, Артур вдруг заговорил с волнением в голосе: «Такое может случиться с каждым мужчиной. Ты должна сейчас поехать со мной. Я прошу тебя». Я поняла, как он уязвлен, несмотря на весь свой мужской апломб. Я ему необходима сегодня лишь для того, чтобы вновь обрести уверенность в своих силах, утвердиться в своем самомнении, но у меня нет желания оказывать ему такую услугу. Неплохо бы сбить с него спесь. «Извини меня, Артур, но я не могу выполнить твою просьбу», — сказала я мягким голосом. У него в глазах появился злой огонек. «Тогда ты меня больше не увидишь», — почти выкрикнул он. Я приподняла брови в знак легкого удивления и вышла из машины не прощаясь.

28 августа. Прелестный вечер в обществе командира русских летчиков Рафаила Шакуровича. Этого чудесного человека обожают все подчиненные. Он мужик с хитринкой, умеет прикинуться простачком, но всегда доводит до конца принятые решения, иногда вопреки желанию начальства. За его внешним простодушием скрывается острый ум, сильная воля и отличное чувство юмора. Настоящий мужчина и летчик высокого класса.

Мы ужинали с ним в ресторане самого шикарного отеля «Камбодиана» с вышколенными официантами и экзотической кухней. Там можно заказать настоящее французское вино, что мы и сделали. Самое интересное блюдо, которое я попробовала, — это рис в кокосовом орехе. Для этого у ореха срезают крышку и вычищают мякоть — получается нечто вроде кастрюли, в которой варят рис со специями и овощами. Во время варки рис пропитывается запахом и вкусом кокосового сока.

Несмотря на то что мы люди разных поколений, мы быстро нашли общий язык. С такими людьми, как Рафаил Шакурович, нет необходимости приглаживать свои мнения или выбирать изысканные выражения, можно затеять спор, зная наперед, что к твоим словам прислушаются.

Когда мы вернулись на виллу, коллеги Рафаила Шакуровича наварили ведро креветок, и мы с неожиданной жадностью набросились на них, запивая морские продукты вопреки всем правилам красным вином. Весь смак креветок в том, что их можно шелушить, как семечки, ведя при этом неторопливую беседу. Поедание неочищенных креветок — это почти ритуал. Рафаил Шакурович подарил мне гранатовые бусы на память о поездке. У меня дома есть шкатулка, в которой я храню различные мелкие вещицы, привезенные из дальних странствий, — пуля из Югославии, аметистовые бусы с Памира, карманное издание Корана из Таджикистана, янтарная черепашка из Прибалтики, кинжал, привезенный из кавказского путешествия. Гранатовые бусы займут в шкатулке памяти достойное место.

29 августа. Мой отъезд мы начали отмечать с восьми утра. Толя и Сережа где-то достали несколько бутылок красного вина, и к десяти утра я уже была в таком состоянии, когда хочется обнять весь мир. Лида, светящаяся от счастья, крутилась перед зеркалом, надевая хорошенькую соломенную шляпку, украшенную цветными лентами. Глаза ее сияли радостью влюбленной женщины. Толя поведал мне по секрету, что она со своей подругой идет праздновать мой отъезд в ресторанчик. «Какая красивая шляпка», — сказала я Лиде, чтобы сделать ей приятное. Она тут же сняла ее с головы и надела на меня. «Это подарок, — пропела она своим птичьим голоском, — не отказывайся». Сережа расхохотался от души: «Даша! Ты можешь просить у нее все, что угодно. Лида все отдаст, лишь бы ты уехала». Я попыталась вернуть Лиде шляпку, но она с сияющей улыбкой чмокнула меня в щеку и выбежала за дверь. Я пожала плечами и примерила шляпку. Она изумительно мне шла.

Когда мы ехали в аэропорт, я уже была так пьяна, что высунула длинные голые ноги в открытое окно автомобиля и болтала ими в воздухе. Летчики каким-то хитрым образом выписали мне бесплатный билет в Москву. Да, авиация — это сила. Мои новые друзья провожали меня до трапа самолета. Я перецеловалась со всеми и поднялась в салон с нежным чувством сожаления.

Войдя в самолет, я сразу же увидела Артура. Для меня не было новостью то, что мы летим одним рейсом. Но я огорчилась, увидев, что он машет мне рукой и уже занял для меня место. Я совершенно не представляла, о чем можно говорить в пятнадцатичасовом полете с человеком, с которым связывают только малоприятные сексуальные воспоминания. Усевшись рядом с Артуром около иллюминатора, я тут же начала болтать всякий вздор, лишь бы снять неловкость. Фразы торопились, толкались, наскакивали друг на друга, сталкивались между собой, рождая двусмысленности, — и все для того, чтобы смягчить напряжение.

До посадки в Лаосе мне с трудом удавалось поддерживать непринужденный разговор, но все мои доброжелательные реплики встречали язвительный отпор. Всего за час пути Артур успел сказать мне столько вежливых гадостей, что у меня пропало желание налаживать с ним сносные отношения. Казалось, он нарочно попросил меня сесть рядом с ним, чтобы иметь удобную жертву под рукой. В нем говорила ярость оскорбленного мужчины, уязвленное самолюбие самца. Я разозлилась. В конце концов, какого черта я стремлюсь разрядить обстановку? Это наша последняя встреча, и мне наплевать на его мнение о моей персоне. Я замолчала и уставилась в иллюминатор.

В аэропорту Вьентьяна мы вместе выпили в баре, почти не разговаривая друг с другом. Благо с нами был какой-то приятель Артура, и мы смогли направить реку беседы в его русло.

Когда самолет снова поднялся в воздух, я опять применила тактику молчания и закрыла глаза, делая вид, что сплю. Артур подставил мне плечо, чтобы я могла устроиться с относительным комфортом. Я прислонилась к нему и погрузилась в легкую полудрему. Рука Артура отправилась в приятное путешествие по моему телу. Сквозь сонную пелену я почувствовала возбуждение. Его пальцы сделались настойчивее, требовательнее и забрались под мою юбку. Я ощутила, как желание разливается от пяток до кончиков волос. Артур стал откровеннее в своих ласках. Пассажиров, сидящих рядом, шокировала эта сцена, и они вышли покурить. Острый мускусный запах женщины, получившей удовольствие, разносился вентиляторами по салону. Когда я встала, чтобы размять ноги, то увидела, что в радиусе возбуждения находятся даже задние ряды. Я спаслась бегством в туалет.

Самолет пошел на снижение. Я вернулась на свое место и в объятия Артура. Мы вели нежную беседу, прерываемую поцелуями. «Как неудобно построен человек, — жаловался Артур. — Почему, например, вместо десяти пальцев не разместить десять фаллосов? И удовольствия в десять раз больше, и заниматься любовью проще». «Ну да, — сказала я, — а яйца повесить на уши, чтоб они были доступнее». Мы рассмеялись с чувством сообщничества. «Как жаль, что Бог делал человека, когда нас еще не было на свете, — заметила я. — Мы бы подсказали ему множество полезных идей».

Мы легонько поцеловались в тот момент, когда самолет коснулся посадочной полосы в городе Дубай, в Объединенных Арабских Эмиратах.

От Дубая до Москвы мы вели самую благопристойную беседу. Артур показывал мне фотографии своей супруги-красавицы, я рассказывала ему о своем любимом муже. До холодной Москвы оставалось совсем немного времени, и все экзотические приключения жаркой Камбоджи отошли в прошлое. Наступила реакция — трезвая оценка былых сумасбродств. Любовное браконьерство придает жизни остроту, но охотиться в чужих угодьях надо с большой осторожностью.

В Шереметьево мы, почти любовники, стараясь не смотреть друг на друга, выискивали в толпе встречающих свои законные половины. Было четыре часа утра. Я забыла свои очки, и мне пришлось подойти совсем близко к перегородке, отделяющей зону контроля, чтобы найти глазами своего мужа. Наконец я увидела Андрея, он радостно махал мне букетом цветов. Я послала ему воздушный поцелуй и направилась к месту выдачи багажа. Дорогу мне преградил таможенник с красивыми злыми глазами.

— Вы соображаете, что вы сейчас сделали? — грозно спросил он.

— Что? — испугалась я.

— Вы нарушили государственную границу, — сказал он веско.

— Я не покидала территорию зоны контроля, — попыталась я все объяснить. — У меня просто плохое зрение, и я хотела увидеть мужа. Пожалуйста, извините мою оплошность. Я не сделала ничего плохого. И потом, на таможне никого не было.

— Вы пересекли линию границы, — зловеще сказал он. — Вы знаете, что я могу с вами сделать? Я заставлю вас ждать, когда все пассажиры получат багаж, и потом устрою вам официальное опознание ваших вещей. Это займет как минимум три часа времени.

Таможенник просто наслаждался моим испугом и своей властью.

— Но вы же наблюдали за мной, — заговорила я умоляющим голосом. — Вы же видели, я не совершила никакого преступления.

— У вас валюта есть?

— Совсем немного.

— Так вот, я вам обещаю, — заявил он торжествую-

ще, — что вы не провезете через границу ни одного доллара законным путем.

«Черт бы тебя побрал», — мрачно подумала я.

Я внесла в декларацию тридцать долларов, остальную
сумму старым проверенным способом засунула в трусы.
На таможне меня проверял молоденький мальчик, который сказал, что такую маленькую сумму необязательно
вносить в декларацию. Подошел мой грозный контролер,
внимательно просмотрел мою бумагу, потом буркнул:
«Ладно, пусть идет».

Я вышла из зоны контроля и тут же попала в объятия
Андрея. Целуя его, я подумала, что привезла с собой целый чемодан ярких, пестрых воспоминаний, но, к сожалению, не могу предъявить их для досмотра своему мужу.
Слишком много секретов. «Как я скучал по тебе, любовь
моя!» — воскликнул Андрей, прижимая меня к себе.
«Я тоже», — прошептала я и спрятала лицо у него на груди. Впервые в жизни я почувствовала, что краснею.

7 декабря. Как я пропустила тот момент, когда Андрей
пошел в гору? Я с удовольствием наблюдала, как он бьется
за место среди избранников фортуны, но теперь я чувствую невнятную боль от того, что бизнес захватил его целиком. Те чувства и мысли, которые раньше безраздельно
принадлежали мне, теперь отданы Делу. Его захватил ти-
пично мужской пафос созидания, он рвется к успеху, как
гончая на охоте, почуявшая след. Я чувствую себя ни-
зложенной королевой, которая веселилась и прожигала
жизнь в то время, как ее враги отбирали у нее лучшие
земли и власть. Я охвачена ревностью к тому миру, который мне недоступен и пугает меня своей математической
жесткостью. Я знаю, что это чувство мелко и не делает
мне чести, но не могу с ним справиться. Андрей относится
к бизнесу с почти религиозным рвением, он находит поэзию даже в области финансов, его опьяняет положение
лидера. Я любуюсь изящными проявлениями его мысли и
сгущенностью его воли, но меня пугает та сосредоточен-
ная сила, с которой он добивается поставленной цели.

Мне жаль, что вся кипучая энергия страстей и мыслей отдана Делу, далекому от меня.

Мы вступили в типичный конфликт: бизнесмен и его жена. Я ненавижу себя за банальность своих реакций, но ничего не могу поделать и устраиваю Андрею скучные сцены за поздние приходы домой и превращение уик-энда в рабочий аврал. Эти локальные баталии изнуряют нас обоих, и Андрей все больше замыкается в себе.

Я пыталась разрушить его обособленность и этой осенью повезла его отдыхать на море в Болгарию. Мне казалось, что чудесная неделя на курорте романтизирует наши семейные отношения. Но я потерпела неудачу. Андрей маялся от безделья и читал в кафе английские газеты, чтобы узнать вести с Родины. Ему доступна только романтика бизнеса. А когда мы летели с ним вдвоем на одном парашюте над густо-синим блестящим морем, он все время жаловался, что креплением ему прищемили яйца. «Не порти мне полет», — процедила я. «Ага, — скулил он за моей спиной, — тебе бы так!»

Роль победоносного, преуспевающего мужа пришлась Андрею по душе. Когда я звоню ему в контору, его речь звучит как четкая автоматная очередь. В своем офисе он ведет себя как дипломатическая персона на важном приеме. Когда я вижу его в безупречном костюме и галстуке строгих тонов, за столом, заваленным деловыми бумагами, я испытываю прилив жгучего сладострастия и одновременно раздражения от его мрачной корректности. Мне хочется стащить с него штаны и трахнуть где-нибудь в туалете. Холод, которым веет от его официально-вежливых фраз, его жесткий, как железо, голос до крайности меня возбуждают. Его бесстрастное лицо является тюремщиком чувств. Ярость туманит мой мозг, и мне хочется крикнуть: «Эй ты, крутой начальник! Ты что, забыл, как рычал ночью от удовольствия, как спал, уткнувшись мне в плечо и сопя как щенок!»

Однажды в субботу мы с Андреем заехали в его офис за каким-то документом. Там никого не было, кроме охранника, игравшего в компьютерный морской бой где-то в дальней комнате. Вся эта деловая обстановка — множество телефонов, факсов и компьютеров, папки с бумагами, строгая офисная мебель — имела необъяснимый эротический подтекст. Я прижалась к Андрею и прошептала ему на ухо: «Сейчас мы с тобой поиграем в секретаршу и начальника. Я буду делать вид, что разговариваю с клиентом по телефону, а ты подкрадешься сзади, расстегнешь ширинку и засадишь кинжал в ножны по самую рукоятку». У Андрея загорелись глаза, лицо приобрело хищное выражение. Игра началась. Я ворковала в телефонную трубку, с трепетом ожидая грубого мужского вторжения. Андрей задрал мою юбку и вошел в меня как насильник, причиняя жестокую боль. «Еще, — застонала я, — сделай мне больно. Еще больнее!» Эта беспощадная случка закончилась взаимным взрывом оргазма. В таком неистовом соединении, могучем, как сама природа, не было и намека на нежность и любовь. Только древняя как мир, космическая тяга самца и самки.

Тщеславие Андрея не знает границ. Я для него предмет, доставляющий блеск его имиджу. Он с нескрываемым удовлетворением любуется моими фотографиями в обнаженном виде в журнале «Пентхаус». На мой вопрос, не пробуждают ли в нем ревность такие снимки, он неизменно отвечает: «Пусть все мужчины умирают от желания переспать с тобой, видя тебя на эротических снимках, но каждую ночь ты принадлежишь только мне. Ты моя собственность, а завистливые взгляды окружающих придают двойную ценность такой хорошенькой вещице». Когда же я спрашиваю: «Любишь ли ты меня?», он неизменно отвечает фразой своего любимого киногероя: «Любишь ли ты меня, люблю ли я тебя — не знаю. Но когда мы входим с тобой в вестибюль отеля «Метрополь» и все на тебя оглядываются, мне это как-то приятно».

20 декабря. Первый раз в жизни я была в суде. Сегодня утром я и мой адвокат Володя выиграли процесс по иску к газете «Супермен» и г. Садальскому. Я встала рано и ужасно нервничала. Я выбрала скромный, но элегантный наряд — белую кружевную кофточку, черную длинную юбку и черный же пиджак с золотой отделкой. Из волос сделала девичий «хвостик» и долго раздумывала над коробочкой румян — наложить или нет. Потом решила, что оскорбленная сторона должна быть бледной.

В зале суда уже стояла новогодняя елочка, украшенная гирляндами, что совершенно не вязалось с душевным состоянием людей, приходящих в это мрачное место. Там я встретила журналиста Юрия Гейко, представителя интересов Садальского, моего бывшего коллегу по редакции газеты «Комсомольская правда». Мы с ним дружески поболтали, разминаясь перед схваткой.

В девять утра начался суд, и я сразу упала духом. В его состав входили только женщины, а я не привыкла иметь с ними дело. Я подумала, что вряд ли они симпатизируют моему образу жизни и моим убеждениям, и приготовилась к худшему. Мне показалось, что я угодила в бесстрастную машину, лишенную человеческих эмоций, и мне нельзя рассчитывать на понимание и сочувствие.

Когда мне предложили высказать свои претензии, я начала свою отрепетированную речь весьма торжественно: «Высокий суд! Дамы и господа!» Далее голосок мой задрожал от неподдельного волнения и прервался, но я взяла себя в руки и продолжила выступление. Кажется, моя искренность произвела благоприятное впечатление на судью. Затем шпаги скрестили мой адвокат Володя и Юрий Гейко. Меня удивил театральный взрыв негодования со стороны Юры, с которым мы раньше приятельствовали, но потом я подумала, что это входит в правила игры.

Вскоре я поняла, что на все наши эмоции и драматические жесты суду начхать, их интересовали факты. Адвокат противоположной стороны давил на моральную сторону вопроса:

— Как может женщина, появляющаяся на страницах журнала «Пентхаус» в обнаженном виде, чувствовать себя оскорбленной невинными газетными шутками?

— Это не имеет отношения к существу дела, — холодно заметила судья. — Нас интересует другое: есть ли у вас доказательства того факта, что Дарья Асламова получила в подарок вибратор?

— Есть, — гордо ответил адвокат. — Одна из читательниц нашей газеты из Узбекистана написала нам письмо, что она послала гражданке Асламовой вибратор, но его не пропустила таможня.

— Но ведь Асламова так и не получила подарок, — возразила судья. — Кроме того, в газетной заметке сказано, что вибраторы истице дарят ее друзья. Является ли жительница Узбекистана другом гражданки Асламовой?

— Нет, — вынужден был признать адвокат «Супермена».

В конце заседания враждующим сторонам предоставили время для заключительного слова. Адвокат «Супермена» страшно торопился на следующее судебное заседание и потому совершенно скомкал свою речь. Зато Володя подготовился основательно. Его душил пафос. Володя убийственно молод для авторитета, зато настырен. Его речь пестрела такими возвышенными оборотами и вдохновенным негодованием, что я чуть было не пустила слезу. Володя забрался в настоящие дебри нравственности и морали, и я боялась, как же он спустится потом на грешную землю. Суд слушал с дежурным терпеливым вниманием. Время шло, а Володя все говорил и говорил. Судья со скучающим выражением лица попросила его говорить конкретнее и покороче. Но Володю не так-то легко сбить с толку. Я раздумывала, можно ли незаметно пнуть его под столом ногой или суду все видно. Наконец на какой-то особо торжественной фразе его речь закончилась, и суд удалился на совещание.

В ожидании решения мы продолжили милую беседу с Юрой, обсуждая, кто где будет справлять Новый год. Трудно было поверить, что всего лишь четверть часа назад мы бросали друг другу в лицо яростные обвинения. Вскоре явился суд и зачитал решение: обязать еженедельник «Супермен» выплатить гражданке Д. Асламовой миллион рублей по ее иску о защите чести и достоинства. Я мысленно прокричала «гип-гип ура!».

29 декабря. Андрей любит преподносить мне сюрпризы и превращать любое событие в эффектное театральное действие, в котором есть завязка, развитие сюжета и развязка. Сегодня мы праздновали первую годовщину свадьбы. По пути в ресторан Андрей спросил, что бы я хотела получить в подарок. Я робко сказала, что видела сегодня в магазине хорошенький комплект нижнего белья за сто пятьдесят долларов. «Это слишком дорого», — отрезал Андрей. Я промолчала.

Мы заехали в маленький магазин, где я рассеянно осматривалась, не видя ничего интересного, что укладывалось бы в маленькую сумму. Вдруг Андрей снял с вешалки и накинул мне на плечи прелестную американскую норковую шубку. «Тебе нравится?» — спросил он с улыбкой. «Ты, верно, шутишь надо мной», — сказала я, волнуясь, и с вожделением погладила нежный темно-коричневый мех. «Почему же шучу? — прошептал он мне на ухо, щекоча мою кожу дыханием. — Разве моя очаровательная жена недостойна такой шубки?» Я не ответила, созерцая себя в зеркале с видом чувственного удовольствия. Ну кто может устоять перед неповторимой прелестью легкой блестящей норки? «Мы покупаем», — небрежно бросил он ошеломленным продавщицам, царственным жестом указывая на шубу. Я тут же включилась в игру. Недовольным тоном я заметила, что предпочитаю соболиный мех. «Норковые шубы — это так банально», — со вздохом заметила я, не в силах оторваться от зеркала. «Ну что вы! Вам так идет!» — с жаром воскликнули продавщицы. «Вы находите? — спросила я высокомерным тоном светской женщины. — К тому же мне не нравится покрой. Я предпочитаю расклешенные шубы». Я еще минут десять ломалась перед работниками магазина, выслушивая их комплименты и уговоры и принимая рассчитанно-томные позы. Наконец покупку оплатили, и я вышла на улицу, закутанная в новую шубку. Какое это было облегчение — сменить тяжелый волчий мех на невесомую норку! В машине Андрей снисходительно выслушал воркующие изъявления моей благодарности. «Дурашка, — ласково сказала я. — Все еще находишься в образе? Расслабься, мы уже не в магазине. Впрочем, я люблю все твои маски и личины. А больше всего — твою непредсказуемость».

8 января 1994 года. Советов любит контрасты. Когда мы идем с ним в элегантный ресторан, он надевает свою куртку грузчика, в которой инспектирует овощные базы (его фирма специализируется на овощах и фруктах). Вчера мы праздновали Рождество в ресторане «Театро», я — в роскошном вечернем платье и в черных перчатках до локтей, он — в потертых джинсах и неприметном свитере. Советов выглядел милым мальчиком-альфонсом, которого купила богатая избалованная сучка. Я обращалась с ним соответственно и сама расплатилась с официантом, дав щедрые чаевые. Советов после двухсот грамм водки находился в романтическом настроении и предложил провести ночь любви, сняв номер в отеле «Метрополь». «Я тебя сегодня так оттрахаю, что чертям в аду станет тошно», — мечтательно сказал Советов. «Да что ты!» — оживилась я. «Ты забудешь всех своих прежних мужчин», — пообещал он торжественно.

Когда мы вошли в гостиницу, охрана заметалась в растерянности. Впереди шла я, блестя норковой шубкой, за мной на невидимом поводке плелся Советов в драной куртке. Охранники пропустили без вопросов. Двухместный номер в «Метрополе» стоил четыреста долларов, а у нас с собой было только 350. Советов заказал к подъезду отеля серебристо-серый «Опель», и мы съездили на нем домой за деньгами.

Номер оказался небольшим, но шикарным. Я плюхнулась на мягкую кровать и заявила, что никуда больше не пойду. Но Советов сказал, что так не годится, предстоящую ночь любви необходимо отпраздновать шампанским и клубникой. Мы спустились в бар, Андрей действительно заказал мне шампанского, но себе почему-то двести грамм водки. Я удивилась, но промолчала, не желая портить вечер. Зачем Андрей попросил официанта повторить заказ. «Не много ли?» — осторожно спросила я. «Пустяки! — отмахнулся он, блестя глазами. — Перед ночью любви нужно как следует размяться». «Конечно», — обреченно согласилась я. Через двадцать минут Андрей заявил официанту, что «незачем бегать туда-сюда, лучше сразу принести пол-литра водки». Я поняла, что заключительным номером

программы будет его коронная песня, пропетая фальшивым голосом, «Бывали дни веселые, гулял я, молодец».
Я решила, что тихий бар «Метрополя» не совсем подходящее место для подобного концерта, и, когда он распра-
вился с содержимым хрустального графинчика, потянула
его в номер.

В комнате Советов сразу упал на кровать, не раздеваясь и даже не снимая ботинок. Я пребывала в состоянии
холодной ярости. Чтобы как-то расслабиться, я открыла
мини-бар и достала из него маленькую бутылочку водки.
«Черт бы тебя побрал! — восклицала я, прихлебывая водку. — Отличная ночка любви!» Советов отвечал мне сладким похрапыванием.

Утром я заказала в номер роскошный царский завтрак,
чтобы вознаградить себя за вечернее разочарование. Явились двое официантов, вкатили в комнату элегантно сер-
вированный круглый стол, где красовалась в серебряном
ведерке бутылка шампанского. Я начала завтрак с черной
икры. Проснулся Советов, сел на кровати и уставился на
меня мутными глазами. «Доброе утро, любовь моя», —
сказал он хриплым голосом. Я смерила его уничтожающим взглядом и приступила к йогурту. Позже, слушая, как
Советов блюет в туалете, я с торжеством подумала: «Ничто
на свете не испортит мне аппетита» — и потянулась за папайей и половинкой дыни.

1 февраля. Что за скучная роль — быть женой бизнесмена! Два дня я сопровождала мужа в его деловой поездке в Грецию и чуть не спятила от скуки. Я чувствовала себя неким малозначительным придатком к персоне моего
мужа, и это царапало мое самолюбие. Наша поездка напоминала визит президента какой-нибудь небольшой страны и его супруги в дружественную державу. Не хватало
только посещения детских домов и раздачи подарков бедным.

В Афинском аэропорту нас встречал официальный
представитель фирмы, пригласившей нас в Грецию, с женой, которая ни слова не знала по-английски. Нас привез-

ли на фабрику (страсть как люблю фабричные экскурсии!), Андрея куда-то увели, а меня оставили с женой представителя Анной и секретаршей, которая спросила, что я предпочитаю — чай или кофе. Я увидела в шкафу выставку благородных вин и ответила, что в это время суток я пью исключительно красное вино. Секретарша открыла бутылочку и налила мне бокал вина. Это помогло мне скоротать двадцать минут в обществе Анны, которая улыбалась сладко, до приторности. Поскольку мы не могли с ней общаться, я тоже пристроила на лицо приветливую улыбку и держала ее до тех пор, пока не почувствовала спазмы в лицевых мускулах. Но время шло, а наши мужья не появлялись. Я попросила секретаршу подлить мне вина, и она снова наполнила бокал. «Черт бы тебя побрал! — думала я в тоске. — Неужели нельзя сразу поставить бутылку». Я сидела с кислой улыбкой и от скуки рассматривала рекламные проспекты. Секретарша бросала на меня встревоженные взгляды, наконец решилась и отдала мне на растерзание бутылку. За два часа я вылакала вино и примирилась с ролью жены бизнесмена.

Вечером нас повели в греческую таверну с превосходной кухней. Мы лакомились мясом жаренного на вертеле молодого бычка, ели жареные кальмары, мусаку (мясо, запеченное в тесте с овощами) и пили легкое греческое вино. Я обожаю средиземноморскую кухню — эту смесь лука, чеснока и оливкового масла. Греки ходят в рестораны, одетые совсем по-домашнему, без особых изысков. Обычно в тавернах очень свойская, располагающая к общению атмосфера, немножко шумная из-за экспансивности местного населения.

Ближе к ночи нас отвезли в шикарный отель «Интерконтиненталь». Мы выпили там чаю с пирожными в венском кафе и отправились в свой номер. По пути к лифту мы увидели потрясающий магазин драгоценностей. В немом восторге мы застыли у витрины, которая буквально лучилась деньгами. Там лежали сказочно прекрасные, украденные из райских садов ожерелья, стоящие дьявольских денег. Во мне проснулась любовь к блеску. Верно говорили наши предки, что драгоценные камни — ловушка сатаны. Особенно хорош был один браслет, созданный ювелиром, влюбленным в свое ремесло, — на ослепительном бриллиантовом фоне синяя змея из сапфиров. У Андрея загорелись глаза. «Как бы он сверкал на твоей руке», — прошептал он со страстью. «Но у нас нет таких денег», — заметила я. «Почему же? — возразил он. — У него есть ценник — 3425, наверное, долларов». Андрей с небрежным видом зашел в магазин и спросил, указывая на змеиный браслет: «Сколько стоит эта вещица?» Надо было видеть, как вытянулось его лицо, когда он услышал цену: «Тридцать пять тысяч долларов». «Ценник» оказался номером браслета в специальном каталоге драгоценностей. Андрей еще минут пять постоял в магазине якобы в раздумьях, чтобы сохранить достоинство, затем вышел с разочарованным видом.

Я видела, что его просто трясет от злости. Его мужское самолюбие оказалось задето — он не смог купить любимой женщине понравившийся ей браслет. Мы пришли в номер, Андрей плюхнулся на кровать и стал выискивать на дистанционном пульте телевизионный порнографический канал. В пятизвездочных отелях даже «порнуха» отличается особой благопристойностью и добропорядочностью. Под томные «охи» и «ахи», несущиеся с экрана, он взял меня со всей свирепостью, на которую только способен разъяренный неудачей мужчина. Я посмеялась и сказала: «Дорогой, но я же не виновата в том, что у тебя нет лишних тридцати пяти тысяч долларов».

На следующее утро Советов купил мне бриллиантовое кольцо в ювелирном магазинчике в Плаке, старой части Афин, и успокоился, пролив целебный бальзам на раны уязвленного самолюбия.

15 февраля. Любовь — это тюрьма с крепкими, надежными запорами, крохотными окошками, куда не проникает свет большого мира, и тюремщик в ней — сам влюбленный. Я чувствую, что мой благополучный брак обул меня в домашние шлепанцы. Я пленница своего чувства, но добровольная пленница, хотя иногда мне хочется порвать те крепкие узы, которые связывают нас с Андреем, чтобы снова почувствовать себя свободной. Хотя бы ненадолго. А потом опять вернуться в свою чудесную бюргерскую семью.

Мысль об отъезде в далекую страну все больше привлекает меня. Такое путешествие даст мне возможность расправить крылья. Два дня назад я рассматривала карту мира и размышляла, куда бы мне поехать. Мне захотелось попасть в страну с диковинной обстановкой и первобытными нравами. Для этой цели лучше всего подходит Африканский континент. Я решила выбрать страну «методом тыка». Закрыла глаза и ткнула пальцем в точку на карте. Палец закрыл сразу две страны в самом центре Африки — Руанду и Бурунди. В принципе Бурунди — более симпатичное и уютное название, но справедливости ради нужно кинуть монетку — «орел» за Руанду, «решка» за Бурунди. Выпал «орел».

На следующий день я отправилась в редакционную библиотеку и набрала брошюрок про Африку. Я выяснила, что Руанду называют африканской Швейцарией за ее мягкий, благодатный климат, множество чудесных зеленых холмов, живописные вулканы и сказочные озера. В этой стране, расположенной всего в 120 километрах от экватора, стоит вечная весна. Умеренная температура от 17 до 21 градуса тепла круглый год объясняется значительной приподнятостью Руанды над уровнем моря. А вот Бурунди — малособлазнительная в этом смысле страна. Там более жаркий и влажный климат. Я порадовалась, что монетка упала так удачно. Редакция обещала оплатить бóльшую часть моей поездки, что сразу сделало ее реальной.

Вчера я видела во сне банановую страну, где живут люди цвета ночи.

1 марта. Жили-были в одном маленьком африканском государстве по имени Руанда три племени: пигмеи, хуту и тутси. Пигмеи отличались чересчур маленьким ростом и, по-видимому, очень этого стеснялись, поскольку прятались в лесах, где вели замкнутый образ жизни, охотились на зверье и собирали лесные плоды. Когда кто-нибудь из них приходил в большой город, люди показывали на него пальцем и говорили: «Смотри-ка, пигмей идет!» Хуту были повыше ростом, с мясистыми расплющенными носами и такими широкими ноздрями, что острые на язык тутси говорили, что через такие ноздри можно увидеть все внутренности хуту. Сами тутси гордились своими точеными, изящными носиками, полными, чудесно вырезанными губами, правильной скульптурой лица и чрезвычайно высоким ростом (около двух метров). Они отличались не только красотой, но умом и хитростью, дипломатичностью и красноречием. Их называли африканскими евреями, и они быстро захватили власть над менее образованными хуту и пигмеями. Люди из племени тутси стали правящей королевской династией, завели себе коров с рогами метровой длины и стали откармливать густыми сливками своих детей в лежачем положении, чтобы те могли накопить много сил.

Черные, как туз пик, племена вели свою неспешную жизнь, деля время на день и ночь. Потом в страну пришли белые и быстро прибрали все к рукам. Жизнь стала торопливее и жестче. Они научили эту чистую, первобытную местность поклоняться золотому тельцу и объяснили, что такое стыд. И женщины, прежде ходившие нагими, развесив мягкие и пышные, как свежие булки, груди, стали заворачиваться в куски пестрой ткани, а мужчины носить длинные африканские балахоны «бубу».

Яд белой цивилизации входил в плоть и кровь народа. Появилось много новых слов: демократия, конституция, республика, расизм, этнические проблемы. В шестидесятых годах народ Руанды не только сумел избавиться от колонизаторов, но и низложил собственного короля. Последняя, безупречно вдовствующая королева живет сейчас в городе Бутаре, богатая воспоминаниями и добродетелью. Руанда стала президентской республикой, хуту пришли к власти и выгнали из страны большинство тутси, принадлежащих к привилегированным слоям. Национальная рознь развязала язык сплетникам. Хуту стали верить кошмарным историям о том, как тутси, убивая своих врагов, отрезают им половые органы и бросают на ритуальный барабан, что якобы, когда королева купалась в молоке, ей после ванны клали под ноги убитого младенца хуту.

Оскорбленные красавцы тутси бежали в соседнюю Уганду, где воспитали своих детей в лютой ненависти к новому режиму. А в Руанде в течение двадцати лет правил жесткой рукой президент Хабиаримана. И в каждом доме висел его портрет в красивой раме, и после те отщепенцы, что посмели жениться на «умузунго» (белых), под влиянием своих жен отказали в таком знаке почтения своему президенту.

Белые принесли в эту страну не только фанту и кока-колу, но и множество новых понятий, как, например, «угнетенное меньшинство». Государство вспомнило о своих маленьких пигмеях и стало посылать их на учебу в далекие холодные страны. Но они не слишком интересовались учебой, их регулярно пытались отчислить из институтов и университетов, и посольства Руанды постоянно хлопотали о нерадивых студентах-пигмеях. Мой приятель-тутси, блестяще окончивший МГУ, жаловался мне, что по возвращении на родину не сможет поступить на государственную службу, зато его бездарный соученик-пигмей будет принят с распростертыми объятиями, поскольку он «угнетенный».

Среди недовольных режимом президента Хабиариманы появилось много хуту, тоже покинувших страну из-за боязни расправы. В Уганде подросли дети беженцев-тутси, горевшие желанием вернуться на свою родину. Объединенные общей ненавистью, беженцы хуту и тутси создали Руандийский Патриотический Фронт (РПФ). Осенью 1990 года начался вооруженный конфликт между РПФ и правительственными войсками. Для войны выбрали одно из самых неудачных мест — национальный заповедник Кагера. Немало постреляли ценных зверушек: антилоп, зебр, буйволов, бегемотов, львов, леопардов. Часть животных, не выдержавших такого скотского обращения, мигрировала в соседнюю Танзанию. Выжила только муха цеце, которой все нипочем.

Навоевавшись до изнеможения, противники подписали в 1993 году соглашение о мире и создании коалиционного правительства, но впоследствии политические партии передрались из-за количества мест в парламенте. И вот уже на дворе март 1994-го, а правительства все еще нет.

Я прилетела в Кигали, столицу Руанды, после убийства двух политических лидеров. Министра общественных работ и энергетики расстреляли в упор, когда он подъехал к своему дому. Отдача после этого выстрела дала почувствовать себя немедленно. На следующий день в Бутаре, родном городе министра, из мести убили его политического противника — председателя коалиции в защиту республики. Его автомобиль был остановлен толпой манифестантов. Председателя выволокли из машины и забили насмерть мачете и мотыгами. Убивали в течение двух часов, пока он не превратился в кровавое месиво. После двух убийств в Кигали в течение нескольких дней шла резня, в результате которой погибло больше пятидесяти человек.

В Кигали ввели режим чрезвычайного положения и комендантский час. В семь часов вечера всякая жизнь в городе замирает. Разрешено передвижение только для дипломатов и патрулей миссии ООН, в которой работают, кстати, 15 русских военных наблюдателей. Водители автомобилей вынуждены включать дальний свет, чтобы не раздавить ненароком черных людей. Они совершенно сливаются с темнотой, и почувствовать их приближение можно только по специфическому запаху кожи, который так враждебно воспринимают собаки, живущие у белых.

Содержание миссии ООН, в составе которой 2500 человек, обходится в 700 тысяч долларов ежедневно. Но как сказал специальный представитель Генерального секретаря ООН мсье Бобо: «Мир всегда дешевле, чем война. Эти расходы окупятся».

Любимое развлечение местных жителей — террористические акты. Граната стоит всего 25 центов. Взрывы происходят каждую ночь. Иногда в международные маршрутки подкладывают бомбы. Мои друзья-руандийцы успокаивают меня: «Белых мы не трогаем. Убиваем только своих». В это трудно поверить, особенно если учесть их ненависть к бельгийцам, которые составляют большинство белого населения в Кигали. У руандийцев хорошо развита историческая память. И они никогда не забывают, что Руанда была бельгийской колонией.

Кигали делится на черный и белый районы. В белом городе расположены респектабельные гостиницы, посольства, официальные представительства, виллы богатых людей с роскошными садами, где растет бугинвий — дерево с фиолетовыми, розовыми, алыми, желтыми цветами. Белые люди передвигаются только на автомобилях, не смущаясь ничтожностью расстояний. Черный город отделен незримой стеной и научился защищать себя сам, без армии и полиции. В каждом квартале ночью на дорогах строятся заграждения из камней и палок. Заборы покрывают сверху слоем битого стекла. В качестве сигнализации можно использовать павлинов — эта красавица птица не переносит ночных вторжений и омерзительным голосом предупреждает хозяев о приходе посторонних.

Центр Кигали похож на прелестный дачный поселок, высоких зданий практически нет. Люди просыпаются в шесть часов утра, когда множество птиц затопляют город свирельным пением, и ложатся спать в девять часов вечера. Здесь ночью на небе тесно от высыпавших звезд, лунные лучи путаются в листьях авокадо, а днем золотые брызги света дрожат в цветущих тюльпановых деревьях, акациях и банановых рощах. Обильную зелень оттеняют дети в ярко-синих школьных платьицах и множество «фламинго» (так называют заключенных, бродящих по городу в нежно-розовых пижамах).

За городом начинаются лагеря «перемещенных лиц», людей, бежавших с севера страны от напастей войны. Они строят свои лачуги, как ласточки гнезда. Бамбуковый каркас облепляют мокрой красной землей или навозом — и готова коробка размером с собачью конуру, где на земляном полу, на циновках, спит все семейство. В этих страшных местах дети из мусорных ящиков облепляют белых, нагло требуя денег. Это непохоже на просьбы о милостыне трогательных детей-скелетиков из Юго-Восточной

Азии, это озлобленное попрошайничество черных людей, ненавидящих белых, живущих в светлом богатом мире, полном удовольствий. Белые разрушили их незатейливый уклад, показав цивилизованную жизнь, возбудив зависть и доказав невозможность такой жизни для большинства. Руандийцы недоверчивы к чужакам, скупы на улыбку и на редкость сдержанны — закрытые книги в черном переплете. У них нет умения выражать свои эмоции. Чувство юмора находится в зачаточном состоянии. Они слегка презирают соседей-заирцев за их бурную веселость. Большая радость или большая беда — необходимо держать себя в руках. Даже на похоронах неприлично заливаться слезами. И уж совсем невозможно представить руандийскую женщину, бьющуюся в истерике. У черных высоко развито умение вести себя при трагических обстоятельствах с достоинством. Единственная эмоция, которую они себе позволяют, — ребяческое любопытство при виде белых. Трудно выдержать напор их взглядов и недобрых усмешек. Правда, селяне в отличие от городских жителей более простодушны и раскованны, искренни и приветливы.

Здесь медленно и бесхитростно течет жизнь, люди пассивно подчиняются течению времени. Руандийцы еще не познали нетерпения. Большинство населения передвигается пешком, неся на голове глиняные круглые горшки, вязанки хвороста, блюда с бананами, а у женщин за спиной привязаны дети. Благодаря привычке переносить любые предметы на голове у африканок вырабатывается великолепная осанка, прямая посадка головы и необыкновенно сексуальная походка. Верхняя часть сильного полного тела неподвижна, зато мощные бедра в расцвете плодородной силы (залог легких и быстрых родов) двигаются с такой откровенностью, что вызывают краску стыда у европейских женщин и пламя в паху у белых мужчин. Отполированное женственное тело, облитое складками яркой ткани, обруч золотого цвета на голове, огромный зад и тупик непроницаемого лица — вот вам портрет руандийки. Понятия о красоте в Африке весьма своеобразны. Если у вас не хватает бокового зуба или есть дырка между передними, знайте, что вы приближаетесь к руандийскому эталону красоты.

У мужчин волосяной покров на голове растет часто посаженными кустами, а их хорошие фигуры уже к 30 годам портят большие выпирающие животы — следствие безмерной любви к пиву. Оно делает сносным такую жизнь, которую трезвому не вынести. Этот напиток, завезенный в страну немецкими и бельгийскими колонизаторами, стал местным богом. Роженицам в качестве подарка преподносят ящик пива, даже грудным младенцам дают соски с пивом, разбавленным водой. Впрочем, этот обычай популярен не только в Африке. Во Вьетнаме, например, новорожденного окунают в тазик с пивом, чтобы он крепко спал, пока молодая мать принимает поздравления.

В черный город я хожу только в сопровождении своих знакомых руандийцев. Вчера была в трущобах, в гостях у выпускника волгоградского института Мусемы. По местным понятиям, его отец — очень богатый человек. Он имеет несколько такси, но деньги зажимает, прячет в кубышку и совсем не дает сыновьям. Так жаловался мне Мусема. Его улыбчивая мама сжарила мне на костре курицу, которую мы слопали, запивая ее пивом. Мусема с ума сходит по России и привез оттуда кучу пластинок и кассет. Он поставил мне кассету Шуфутинского, и я хохотала до колик. Сидеть в центре Африки, неподалеку от экватора, в черном городе Кигали и слушать «блатные» песни — такое можно представить только во сне. Шуфутинского сменила пластинка Аллы Пугачевой, Мусема распевал «Миллион алых роз», и глаза его увлажнялись от воспоминаний. Он сказал, что у него есть целая подборка песен про снег, и когда он слушает их, то неизменно плачет.

Мусема показал мне фотографии русской девушки, с которой он крутил любовь в Волгограде, и признался, что никак не может ее забыть. «Жениться тебе надо, — степенным голосом промолвила я, — на местной девушке, и сразу выкинешь дурь из головы». «Да что ты! — с грустью воскликнул Мусема. — Тут каждая вторая девица СПИДом болеет. Веришь ли, я уже три месяца не занимался любовью из страха заразиться». Он посмотрел на меня маслеными глазами, и у меня мелькнула опасливая мысль, уж не наметил ли он меня в качестве своей любовной жертвы. Я тут же заторопилась в гостиницу: «Спасибо, все было очень вкусно. Но мне пора».

Мусема проводил меня до отеля. Когда я шла через его квартал, люди буквально пожирали меня глазами. Их липкие взгляды ощупывали меня с ног до головы и вызвали у меня приступ удушья. Какие черные мысли скрываются за этими широко расставленными глазами! Руандийцы напоминают мне вулканическую лаву, на которой образовалась корка, но алые отблески напоминают об опасном огне, таящемся внутри. Одно я знаю точно: когда этот вулкан проснется, земля в Руанде промокнет от человеческой крови.

2 марта. От СПИДа в Руанде вымирают целыми семьями. По официальной статистике, гибнет 18 тысяч человек в год, по неофициальной — более половины городского населения заражено вирусом. В деревнях, где моральные устои крепче, болеют всего три процента. Католические монахини из Бельгии организуют лазареты для умирающих. В гостиницах постояльцам вместе с Библией выдают презервативы. Иногда их раздают бесплатно на улицах в качестве гуманитарной помощи. Но люди пренебрегают опасностью и говорят с иронией: «Заниматься сексом в презервативе — это все равно что есть конфету в целлофане, нюхать розу в противогазе или мыться под душем в плаще».

Вот она, Любовь, двуликий Янус. Одно лицо — пристойный брак, добропорядочные спокойные отношения, другой лик — сексуальные порывы, приводящие к СПИДу и венерическим заболеваниям. Однажды на рынке меня окружили сифилитики с провалившимися носами. Они просили милостыню, хватали меня за руки, я чувствовала их нечистое дыхание и боялась смотреть в их объеденные болезнью лица. Мне удалось вырваться из этого ужасного кольца, содрогаясь от брезгливой жалости.

Любовь законную, очищенную от грязи, я имела удовольствие наблюдать на местной свадьбе, куда меня привел Мусема. Для такого мероприятия обычно снимается помещение небольшого концертного зала. Гостей приглашают не меньше тысячи человек. Они рассаживаются в зале, а для невесты, жениха и их родственников на сцене устанавливают кресла.

Когда прибыл свадебный кортеж, гости встретили его аплодисментами. Невеста, откровенно брюхатая, была настолько напряжена, что напоминала пациентку, находящуюся под наркозом во время тяжелой операции. Ее живот барабаном выпирал через белое, затканное серебром платье. Сзади меня захихикала группа молодых парней. Мне объяснили, что это смешливые заирцы. Полные достоинства руандийцы никогда не позволят себе столь легкомысленных выходок.

Молодоженам подали калебасы с пивом из сорго и тростниковыми палочками. Калебасы — это сосуды правильной формы и разных размеров, растущие прямо на дереве. Все, что нужно сделать, — это снять горшок с дерева, вытряхнуть из него семена, и готова прекрасная посуда.

Невеста и жених отпили пива, все женщины запели протяжное: «И-и-и». (Кажется, в переводе это означает пожелания счастья, благоденствия и здоровья.) Это был знак для гостей начать накачиваться пивом, пока не потекут через край. Из угощения на одну персону полагалось две картофелины и два куска мяса. Негусто.

В это время на сцене родственники молодоженов демонстрировали искусственное тепло взаимных чувств. Отец жениха вручил родителям невесты две пачки сигарет, связку листьев табака и бутылку виски. Затем отец невесты разделил табак и половину отдал обратно вместе с одной пачкой сигарет. Этот торжественный обряд доказывает доброе намерение двух семей делиться последним. На этом представление, длившееся чуть больше часа, закончилось. Мне объяснили, что теперь праздник продолжится в очень узком кругу, где избранные гости смогут угоститься на славу.

Едят руандийцы и в праздники, и в будни примерно

одно и то же. Мое любимое блюдо, по вкусу напоминающее печеный картофель, — жареные бананы с перцем «пили-пили» и домашним, очень жирным майонезом. Для приготовления этого деликатеса используются очень крупные зеленые бананы. После перца пожар во рту необходимо заливать вином. «Пили-пили» опасен для желудка в больших дозах. Недавно был грустный случай — один швейцарец на спор съел целиком, без закуски два стручка перца и на месяц загремел в больницу с сожженным желудком. Домохозяйки используют «пили-пили» для стерилизации продуктов — например, стручка перца достаточно для предохранения от порчи молока.

Руандийцы питают слабость к шашлыкам из козлятины и непромытых бараньих кишок «зингалу». Из фруктов любимыми лакомствами считаются маракуйя (внешне похоже на сливу, внутри — нежное кисловатое желе с косточками) и «сердце быка» (нечто чересчур сладкое). На свадьбах, помимо пива, в больших количествах пьют банановые вина и ликеры.

Любовные обычаи тоже отличаются своеобразием. В первую брачную ночь невесту натирают сливками, чтобы тело скользило и не давалось в руки. Она ждет прихода молодого мужа, яростная и дрожащая в предвкушении битвы. Гулко и неровно бьется сердце. Из одежды на ней только набедренная повязка. Входит решительный противник, начинается беспощадная битва, когда два мокрых от пота тела, содрогаясь от желания, катаются по полу. Родственники мужа караулят за дверью, чтобы в самый тяжелый момент оттащить дерзкую кошку, которая когтями и зубами впивается в мужчину, пока не почувствует вкус его крови.

На следующий день, если сражение не принесло результата, родственники мужа начинают торг: «Что ты хочешь за то, чтобы сдаться?» Обычно в качестве подарка молодая жена принимает корову. Но даже после подношения порядочная женщина не отдаст себя без боя.

Нынешние мужчины слишком нетерпеливы, чтобы драться неделями. Они зовут на подмогу своих товарищей. Четверо друзей держат молодуху за руки и ноги, пока муж готовится въехать в неё. Потом он кричит: «Отходи!» — и берет визжащую дикарку. Современные женщины иногда нарушают моральный кодекс. Пример тому — свадьба с беременной невестой, о которой я рассказывала выше.

Руанда славится высоким уровнем детопроизводства. Мужчины плодят детей, как петухи. Аборты здесь запрещены законом, и женщины рожают каждый год. По местным обычаям, жена должна подпустить к себе мужа уже на восьмой день после родов. Кроме того, руандийские гурманы считают, что женщин нужно держать постоянно беременными. В это время в их детородных органах повышается температура. «Сексом заниматься теплее», — уверяют эстеты.

Воспитанием детей занимаются жены. Мужчины гордятся своей способностью производить большое потомство. Однажды на похоронах ребенка был характерный случай. Молодая мать заливалась слезами. Отец некоторое время терпел проявления ее горя, потом не выдержал: «Как тебе не стыдно! Ты меня перед соседями позоришь. Поплакала, и хватит. Я тебе еще штук десять сделаю».

Клубок руандийских историй слишком запутан для белого человека, а логика многих сюжетов необъяснима. Это придает тревожную прелесть местной жизни. С помощью Мусемы я надеюсь разобраться еще в одной африканской тайне — в колдовстве.

5 марта. Колдуны (марабу) обладают неслыханной властью над доверчивыми душами. Они внушают священный ужас не только совсем темным людям, чей разум не смущен книгами, их опасаются также руандийцы, получившие образование в Европе. Талисманы в виде пластинок, которые носят на груди, — это местный фетиш.

Я и Мусема нанесли визит одному старому босоногому марабу, живущему в одном из самых подозрительных черных кварталов. Он принял нас в крохотной, невероятно грязной комнате без окон, находящейся позади своеобразного магазина колдовских лекарств в пивных бутылках. Одно из них мне тут же предложили — средство, которое необходимо подсыпать мужу в еду, чтобы он не смотрел на других женщин. У меня возникли подозрения, что после этого лекарства мой муж не только перестанет смотреть на женщин, но вообще ни на что не будет способен, и я вежливо отказалась.

Старикашка держался страшно важно, он с гордостью продемонстрировал мне засаленный диплом народного целителя, выданный руандийским университетом, и дал понюхать странный белый порошок, от которого у меня потекли слезы, защипало в носу и слегка закружилась голова. Марабу объяснил, что порошок защищает от злых духов, которые имеют обыкновение увязываться за посетителями, и предложил изготовить для меня африканский талисман.

На следующий день мы прибыли к старичку, предвкушая захватывающий спектакль с вызовом духа Африки. По всей комнате с легким шепотом горели свечи и маленькие жаровни, в углу сидела белая курица. Вошел помощник колдуна с огромным ножом, схватил птицу, выщипал на ее шее перья и стал медленно резать ей горло. Курица издавала леденящие душу вопли, и все кричали мне: «Смотри же, смотри!» Кровь брызнула на циновку, и скоро маленький тазик наполнился темной жидкостью, выдавленной из несчастной птицы. Ее обезглавленное тело еще долго содрогалось в конвульсиях, придавая всей картине мрачный колорит. Марабу перекрестил меня окровавленной куриной головкой и бросил ее в таз. Туда же он вылил маленький флакон духов, которыми я обычно пользуюсь. Таз поставили на огонь, который, по-видимому, питался адским топливом, и вскоре комната наполнилась приторно-сладким чадом.

Марабу велел мне взять яйцо убитой курицы и капать на него воском. Он объяснил, что птицу принесли в жертву духам Африки, чтобы добиться их расположения. Он взял закапанное воском яйцо, поплевал на него, покатал в грязи перед портретом русалки с обнаженной грудью и крестом в руках. Потом колдун схватил две погремушки и зашаманил вовсю. Он приплясывал, хихикал, бормотал заклинания, похожий на гнома, вырвавшегося из преисподней. Заинтригованные его действиями, мы смотрели во все глаза. Вдруг лежащий в углу кусок шкуры зебры сказал: «Бонжур. На каком языке предпочитаете говорить: руандийском, французском или английском?» Это был странный голос, он в равной степени мог принадлежать и мужчине, и женщине. Мусема вытаращил глаза и открыл рот от удивления.

У шкуры было неважное английское произношение, и я выбрала для общения руандийский, использовав в качестве переводчика Мусему. «Рад вас видеть. Я — дух Африки, — представилась шкура. — Я готов стать вам папой и мамой, если вы мне понравитесь. Зачем меня вызывали?» «Хочу попросить талисман на счастье», — ответила я. «Если ты выполнишь все мои указания, то получишь его. Возьми яйцо с воском, положи на него три тысячи франков (примерно 15 долларов) и разбей его», — велел бодрый Дух.

Я так и сделала. Из яйца выпали крошечная пластинка золотистого цвета и записка, предусмотрительно упакованная в полиэтиленовый пакетик. Я нагнулась, чтобы поднять пластинку, но услышала: «Э, нет. Сначала прочти послание». Мусема разрезал пакетик, развернул записку и перевел с французского: «Если хочешь иметь много счастья, заплати 200 тысяч франков» — что-то около 1000 долларов. Я начала хохотать, как сумасшедшая: «Что за вульгарный дух с повадками мошенника!» Мусема испуганно схватил меня за руку: «Не смейся! А то тебя накажут». Дух-жулик забеспокоился: «Почему она смеется? Она не уважает предков Африки? Или у нее нет денег? Объясните ей, что этот талисман принесет ей в будущем богатство». Старикашка марабу в это время сидел с таким видом, как будто весь этот спектакль его совершенно не касается. «Мусема, переведи этому меркантильному духу, что я не нуждаюсь в деньгах, а прошу любви и здоровья», — велела я своему приятелю. Мусема совсем спятил от сознания важности дипломатических переговоров с потусторонним миром, он весь трясся от возбуждения и не успевал вытирать пот со лба. Начался долгий мелочный торг. Дух просил хотя бы одну корову и негодовал по поводу моих моральных устоев: «Объясните этой белой женщине, что с духами не торгуются. Это просто неприлично. Это позор!» Я встала с видом человека, потерявшего терпение: «Пусть подавится своим вонючим талисманом. Я ухожу». Дух, решив, по-видимому, что с паршивой овцы хоть шерсти клок, согласился на четыре тысячи франков. При этом он тяжело вздохнул. Я швырнула деньги (уж очень мне хотелось получить талисман на память об этом маленьком приключении) и подняла с пола маленькую пластинку, на которой для дураков было написано: «Золото, 10 грамм». Судя по всему, ее чеканили в какой-нибудь загробной мастерской фальшивомонетчиков. Напоследок Дух не удержался от маленького шантажа: «Если на следующей неделе не придешь отблагодарить, талисман потеряет свою силу».

Только на улице я обратила внимание на странное выражение лица Мусемы. «Когда я заработаю много денег, то приду просить такой же талисман», — сказал он с мечтательным видом. У Мусемы «поехала крыша».

6 марта. Следующий визит мы нанесли знаменитой деревенской колдунье. Она сразу же попросила 200 тысяч франков (излюбленная цифра местных марабу), сторговались на пяти. Старуха продемонстрировала весь набор колдовских штучек: шкуры льва и леопарда, океанские камни, шаманскую гитару, ритуальные барабаны. Ну просто ведьминская кухня из «Фауста» на африканский манер. Но особый предмет гордости колдуньи — столетний рог буйвола, потемневший от времени. Она заверила, что, если приложить его к больному месту, рог зазвенит. Для примера она поднесла этот сомнительный диагностический инструмент к своей ноге, пораженной тяжелым кожным заболеванием, рог издал мелодичный свист. Тут есть от чего свихнуться. Если даже белым людям все это в диковинку, то на суеверных африканцев все это производит сногсшибательное впечатление. Но мое скептическое отношение к лекарским способностям колдуньи окрепло, когда она попросила выслать ей американское лекарство от сахарного диабета.

Меня удивила почти непристойная комбинация на стене: шкуры крыс размером с толстую кошку и портреты Христа и Девы Марии. «Но ведь католическая религия категорически запрещает колдовство, — заметила я. — Это пахнет сатаной». «Мы все здесь добрые христиане, — простодушно ответила колдунья. — Дар вызывать духов, видеть будущее и лечить людей я получила от Бога».

Громко пожаловавшись на мою скупость, старуха взялась за гадание с помощью пластин из слоновой кости и деревянного желоба. Результат меня ошеломил. Нагло глядя мне в лицо своими кошачьими глазами, колдунья сообщила, что мой муж в этом году влюбится в высокую женщину с двумя бородавками на лбу, живущую на соседней улице и у которой в семье двое близнецов, после этого мы разведемся и я рожу детей от большого волосатого мужчины. Старуха насладилась маленькой местью — сообщить дурные новости несговорчивому клиенту.

Методы лечения марабу просты до идиотизма — больное место прижигается каленым железом или надрезается ножом. Поэтому у руандийцев с детства остается множество шрамов. Одна местная колдунья нажила себе целое состояние, когда торжественно объявила, что умеет лечить от СПИДа. Народ повалил косяком. Она всем давала таблетку аспирина. Обман обнаружился, но мошенница уже успела выстроить себе огромный дом.

8 марта. Утро началось с традиционного завтрака в ресторане отеля «Дипломат», где я живу. Меня уже тошнит от однообразного меню. На столе, усыпанном фиолетовыми цветами, стояли тарелки с ананасами, неизбежными бананами, папайей и маракуйей, булочки с медом, чай и кофе. Как я мечтаю о хорошем бифштексе или добром куске осетрины! От фруктов у меня только бурчит в желудке. В руандийской кухне всего пять-шесть наименований блюд, чересчур легких для европейского человека.

Днем меня пригласили в русское посольство, где отмечали женский праздник. Пришли вместе с детьми русские женщины, вышедшие замуж за руандийцев. В большинстве своем это были женщины, разменявшие третий десяток, скромно одетые и слишком усталые от борьбы с бедностью, чтобы высоко нести голову. Вино их молодости выдохлось и превратилось в уксус. Некоторые из них держались высокомерно, демонстрируя перед заезжей журналисткой мнимое благополучие. У них сработал защитный рефлекс. Я оказалась в роли катализатора, который выявляет и ускоряет химические реакции человеческих характеров. У этих дам сохранились весьма отсталые представления о России. Они играли роль заграничных див, вышедших замуж за иностранцев, что меня очень смешило. Одна из них по имени Наталья заявила, что терпеть не может русских мужчин: «Они такие грубые, невоспитанные, совсем не джентльмены». Я заметила, что большинство руандийских мужчин тоже не отличаются хорошими манерами, щедростью и высокой культурой. На мой взгляд, лишь единицы из них соответствуют понятию «джентльмен».

Жизненные дороги этих женщин видны как на ладони. Многие из них уехали из России в период застоя, когда всех томила одна мечта — вырваться в большой мир, вдохнуть воздух цивилизованной жизни. И где же было знать им, тогда ещё девочкам, что Руанда — нищая, отсталая страна в центре Африки, жизнь на чужбине не сладка и требует больших усилий и талантов, чтобы добиться достатка и высокого положения. Их волновало только то, что в Африке много бананов, светит солнце и растут пальмы. Особенно мне было жаль совсем молоденьких девочек, которые живут в нищете и не могут собрать денег на дорогу домой.

Русских в белой общине Кигали не жалуют. Некоторые из них позорят цвет своей кожи. Недавно был скандал, когда в супермаркете поймали русскую леди, некую Анну Герасименко, стащившую шоколад и бутылку дорогого коньяка. Она засунула шоколад в трусы, от тепла тела он растаял и потек. Когда ее схватили, она устроила дикий скандал. Дирекция супермаркета рада была бы замять скандал. Ведь это неслыханно — белый человек, пойманный на таком мелком воровстве. Все бы уладилось, если бы г-жа Герасименко извинилась за свое, мягко говоря, неприличное поведение. Но она вошла в раж. Она кричала на весь магазин: «Как вы, черномазые, можете хватать меня, белую леди? Вы не имеете права и пальцем до меня дотронуться!» Такое хамство взбесило директора, и он вызвал полицию, которая арестовала русскую даму. Такого случая, чтобы белый, тем более женщина, оказывался в тюрьме, не припомнят даже старожилы белой общины Кигали. В тот же вечер радио Руанды злорадно объявило, что белая леди попалась на воровстве.

У русских женщин, вышедших замуж за черных, есть одно бесспорное сокровище — дети, редкие тропические цветы, пронизанные огнем. Они похожи на пляшущие яркие язычки пламени. Метисы от природы наделены выдающимися и прекрасными свойствами. Они смышлены, честолюбивы и темпераментны и обладают оригинальной внешностью. Хотя многих из них мучает раздвоенность сознания, метание между белой и черной расой.

Праздник 8 марта вызвал у русских дам некоторый прилив сентиментальности и тоски по родине. Они послушали русскую музыку и потанцевали под знакомые до боли мелодии. Ближе к вечеру все разошлись.

Ужинала я в одиночестве в ресторане отеля. Человек, с которым я должна была встретиться, служащий ООН Владимир Н., опоздал. Я предпочла спуститься вниз, а не заказывать еду в номер. Африканские понятия о времени доводят меня до белого каления. Любой заказ нужно ждать около полутора часов. Официанты отличаются заторможенностью движений и сонным выражением лица.

Когда я уже приканчивала десерт, явился совершенно бледный Владимир. «Что случилось?» — испуганно спросила я. «Бомба, — ответил он, тяжело дыша. — Я сейчас ехал на машине, и прямо на моих глазах в толпу людей у ночного клуба метнули бомбу». — «И что же ты сделал?» — «Нажал на газ, — сказал он, криво усмехнувшись. — Что же мне было делать? Стоять и смотреть, как бросят вторую бомбу? Я даже не имею права применять оружие. Я могу только наблюдать и собирать информацию. Не нравится мне эта страна. Здесь все пропитано злостью — хуту ненавидят тутси, тутси ненавидят хуту, а все вместе ненавидят белых. Здесь самый воздух насыщен тревогой и предательством».

После ужина я поднялась в свой номер с бутылкой вина и с неприятным осадком на душе. Я призналась самой себе, что боюсь здешних людей и не доверяю им, что и я не свободна от расистских предубеждений. Пусть самую малость, но все же я склонна преувеличивать значение белой расы. Африка пробудила во мне кастовые эмоции. Я вышла на балкон со стаканом вина. Воздух был нежно влажен после дождя. Город спал или делал вид, что спит. Я почувствовала себя белоснежным северным цветком, заброшенным под пламенное южное небо и не способным прижиться на чуждой почве.

9 марта. Утром я отправилась в руандийскую провинцию, в городок Бутаре. Ооновская миссия поручила русскому подполковнику Ивану Николаевичу Д. довезти меня до места. Всю дорогу я пыталась растопить лед его неприязни, но все напрасно. Я щебетала как птичка, восторгалась красотами природы, расспрашивала его о работе, но он отвечал нехотя, всем своим видом выказывая недовольство. У него на лице было написано: «Я, русский офицер, должен бросать работу и везти какую-то соплячку черт знает куда». По его представлениям, журналист должен быть мужчиной средних лет, солидным, спокойным, интересующимся официальной информацией. Этот консерватор и закоренелый зануда громко возмущался в посольстве, что, едва познакомившись с ним, я попросила его выгулять меня по злачным местам, в частности в публичный дом, поскольку я интересуюсь проблемами СПИДа. Я точно не помню подробностей той нашей беседы, поскольку тогда прилично выпила, но очень может быть, что такая просьба с моей стороны имела место. Иван Николаевич придирчиво расспрашивал меня, выслушала ли я все официальные лекции ООН. Я отвечала, что получила это удовольствие, но не почерпнула для материала никакой полезной информации. Трудно объяснить тяжеловесному, покрытому коростой привычек мужчине, что читателей не интересуют «Четыре стадии развития миссии ООН в регионе» (именно так называлась лекция), что чем моложе и привлекательнее журналистка, тем больше у нее шансов собрать любопытный материал, что яркая внешность не говорит об отсутствии ума, что жизнь гораздо богаче и красочнее, если наблюдать ее в тех местах, где не ступала нога добропорядочного обывателя.

Неприятные стороны этой поездки с лихвой возместила красота зеленых холмов и долин. Холмы выглядели застывшими волнами, и я вспомнила, как говорят руандийские крестьяне — не «я живу в деревне такой-то», а «мой дом на таком-то холме».

В Бутаре в гостинице мы попытались найти русских наблюдателей, но обнаружили только малярийного англичанина, ослабевшего от страшной болезни. Я с большим облегчением рассталась с Иваном Николаевичем и пошла искать дом Светы, русской женщины, которую мне рекомендовали в Кигали. Эта чудная дама приняла меня без всяких вопросов, с необыкновенной душевностью и теплотой. Света приехала с Украины двенадцать лет назад и до сих пор говорит с неповторимым харьковским акцентом. Она чрезвычайно привлекательна — блондинка с выразительными глазами ясного голубого цвета и обаятельной улыбкой. Ее бьющая через край жизненная сила делает ее просто неотразимой.

У нее большая вилла с красивым ухоженным садом и огородом, где растут всевозможные фрукты и овощи — от помидоров и редиски до апельсинов и клубники. Предмет ее гордости — так называемая пальма путешественника. «Не знаю, почему она так называется, — задумчиво сказала Света. — Одни говорят, что так ее назвали первые колонизаторы, которым она сразу бросилась в глаза. По другой версии, такое имя ей действительно дали благодарные путешественники, поскольку в ее листьях скапливается чистая дождевая вода. Получается маленький водоемчик, из которого можно напиться по дороге».

Из Светы ключом бьет неиссякаемая энергия. Она не только целыми днями копается в огороде, разводит кро-

ликов, воспитывает двух детей, зарабатывает на жизнь
шитьем, но еще дает уроки русского языка. Ее ученики-
бельгийцы говорят по-русски с характерным харьковским
акцентом. Своего ленивого, как и все руандийские мужчины, мужа Жана она держит в ежовых рукавицах и заставляет его зарабатывать неплохие деньги для семьи.

Света накормила меня обедом и выложила целый во-
рох местных сплетен и захватывающих историй. Она дру-
жит с половиной женского населения Бутаре, и ей известны подробности всех свадеб, родов, измен, скандалов.
У нее неукротимое чувство юмора, и она изначально воспринимает жизнь как большое захватывающее приключение. «Жена для руандийского мужчины все равно что бан-
ка с вареньем — поел и отставил, — заявила мне Света. —
Она не имеет никаких прав, при разводе дети переходят к
отцу. В женском удостоверении личности даже не записы-
ваются ее дети, как будто не она их рожала и воспиты-
вала». Но и смиренные руандийки учатся защищать свое
достоинство. Света рассказала мне об одном скандале, который в прошлом году взволнованно обсуждал весь город.
Муж выгнал из дома жену после шестнадцати лет семейной жизни, оставив ее без средств к существованию и
лишив общения с пятью детьми. Родители оскорбленной
жены посоветовали ей обратиться в суд: «Ты работала в
доме 16 лет, одна вырастила детей. Ты просто обязана потребовать свою долю имущества». Муж, влюбленный в одну молоденькую красотку, с готовностью пошел на развод.
На суде он заявил, что его жена — проститутка. У него потребовали доказательства. Муж выставил по бутылке пива
своим приятелям, и те с готовностью заверили, что имели
интимные отношения с его женой. А надо представить себе последствия такого заявления для женщины в маленьком городе, любящем сплетни, в обществе с косной моралью! Но оклеветанная жена не собиралась сдаваться. Она
с гордо поднятой головой пришла в суд и заявила: «Да, я
проститутка. Но женщина легкого поведения зарабатывает минимум триста франков в день. Я хочу вернуть мои
деньги, заработанные в течение 16 лет». Суд признал ее

требования справедливыми и обязал мужа либо выплатить миллион франков, либо пустить жену обратно в дом. Хитрец предпочел последнее.

«Эх, Даша, — расчувствовалась Света, — знала бы ты, какой наивной я была, когда выходила замуж. Жан мне все про Руанду рассказал — что страна бедная, что жить будем первое время перебиваясь с хлеба на воду. А я сумасшедшая была. Только спросила: «Бананы есть? Кокакола есть? Тогда поехали!»

У Светы двое шустрых хорошеньких мальчиков, смышленых не по годам, — сладострастные продукты смешения двух кровей. Огромные глаза, подвижные губы, трепет изящно очерченных ноздрей, гибкие фигурки — залюбуешься! «Знаешь, — говорит Света, — когда я на них смотрю, то думаю — только ради того, чтобы родить двух красавцев сыновей, стоило выйти замуж за черного».

Света потащила меня в Национальный музей. По пути мы заехали к еще одной русской женщине, вышедшей замуж за руандийца, по имени Лена. Она выглядела совсем юной и трогательной, вся розовенькая, пухленькая, русоволосая, измученная заботами о двух детях, бедной, неустроенной жизнью и кожным инфекционным заболеванием, которое подхватывают почти все белые после нескольких месяцев жизни в Руанде. Лена приехала совсем недавно и всего дичилась. Она страшно обрадовалась возможности пообщаться с соотечественниками да и просто выйти куда-нибудь из дома.

В Национальном музее Света отстранила экскурсовода и сама начала красочный рассказ о всех особенностях местного быта. Мы рассматривали хижину с каркасом из жердей и с крышей из соломы. Внутри жилище разделено плетеными циновками на несколько помещений. Такой вид искусства, как плетение, необычайно популярен в Руанде. В музее несколько девушек с бесконечно терпеливым, сосредоточенным видом плели из травяных соломок крохотные изящные корзинки. Это дело требует необычайной ловкости. Одно неверное движение, и соломинка ломается в неосторожных руках. Такие корзинки исполь-

17*

зуют в качестве табакерок и шкатулок для ароматических трав.

Вечером мы большой компанией отправились в ресто-ранчик — правда, там можно заказать только шашлыки, жареные бананы и пиво. Нас было пять человек — рус-ский наблюдатель Миша, бельгиец Огюст (ученик Светы), влюбленный в русскую девушку, оставленную в Москве, Света, Лена и я. Дети резвились на лугу. Мы сидели за столиком на открытом воздухе, шлепая озверевших мос-китов. Непроглядная ночь уже опустила свой полог на го-род. Над нами светилось небо, вышитое звездами. В рес-торанчике отключили электричество, и мы едва могли видеть друг друга при свете одинокой свечи.

Огюст сказал, что у него на вилле есть настоящее французское красное вино. Лена уехала с детьми домой, а мы отправились в гости к Огюсту. Он наполнил наши бо-калы вином и поставил пластинку с «Болеро» Равеля. И никогда эта музыка не казалась мне такой прекрасной, как здесь, в Африке, густой жаркой ночью, наполненной ароматами незнакомых цветов и москитным жужжанием. Музыка тянулась медленно и ритмично, как тянется за монархом на праздничном шествии роскошная бархатная мантия.

Близилась полночь, и мы со Светой спохватились, что начинается комендантский час. Слегка во хмелю, мы по-кинули виллу, сели в машину и поехали к Свете домой. По дороге нас остановил патруль, но, увидев, что в машине белые женщины, тут же отпустил,

Мы крались в дом на цыпочках, но вдруг услышали в темноте голос, говоривший по-русски с сильным ак-центом: «Света, где ты была?» Жан совершенно слился с ночью, стал ее частью, его можно было найти только на ощупь. «Я показывала нашей гостье город», — ответила Света, ориентируясь на голос. Она открыла дверь и тут же потащила меня на кухню, где можно разговаривать без помех. Нас встретил жалобным мяуканьем дикий котенок с чудесной, отливающей серебром светло-серой шерстью и фантастическими голубыми глазами. Его поймал в лесу по заказу Светы ее садовник. Пока он нес котенка домой, это чудо природы успело разодрать ему все лицо.

На кухню явился Жан, чтобы продолжить семейную сцену. «Фу! — сморщилась Света, уловив от него запах алкоголя. — Ты опять пьян». И затем продолжила, обращаясь ко мне: «Удивительное дело! Русским мужикам, чтоб так напиться, нужно выжрать бутылку водки. А руандийцам достаточно трех баночек пива — у них слабые желудки». Для удобства выяснения отношений Света и Жан перешли на французский. Мне совсем не улыбалось стать свидетелем семейного скандала, но их жесты, быстрый диалог, выразительная мимика были так забавны, что напоминали сцены из прославленных комедий Мольера.

Света одержала победу, и Жан с позором бежал. Но чтобы восстановить свое мужское достоинство, он демонстративно запер дверь спальни на ключ. Мы посмеялись, и Света сказала: «И так почти каждый вечер. Пиво для руандийских мужчин не просто напиток, а средство общения. Оно объединяет их в своеобразный клуб. Ни одна жена не смеет посягать на традиционные «пивные» встречи друзей. Недавно в городе шла стрельба, и трое суток никто не высовывал носа на улицу. На третий день Жан заявил, что умрет, если не выпьет пива. Я собралась с духом и вышла на улицу. Прячась по кустам, дошла до магазинчика и купила несколько бутылок». «Ну, тогда ты исключительно преданная жена», — заметила я с улыбкой.

В этот момент мы услышали, как ключ в спальне снова поворачивается, и прыснули со смеху. Жан вновь появился на кухне в белом женском халатике, принял геройскую позу, выставив вперед босую черную ногу, и требовательным тоном заявил, что хочет знать, когда его жена пойдет выполнять супружеский долг. Света вылила на него ушат французских ругательств, и Жан снова ретировался в спальню, закрыв дверь на ключ.

«Мне кажется, действительно пора спать, пока вы не передрались», — сказала я, подавив зевок. Мне постелили в большой гостиной. Света забыла укрепить противомоскитный полог, и я всю ночь слышала угрожающее комариное зудение над ухом.

10 марта. Утром я проснулась вся искусанная. Я запаниковала, вспомнив несчастного малярийного англичанина. «Не бойся, — успокоил меня Жан. — Все обойдется. Это домашние москиты, дрессированные».

Света покормила меня завтраком и посадила на маршрутное такси, идущее в Кигали. Предварительно она поругалась с наглым высоченным руандийцем, который не захотел мне уступить самое привилегированное место рядом с водителем. Я благополучно и быстро добралась до столицы и уже в полдень лежала у большого бассейна в отеле, где жили служащие ООН. Сюда меня привез Владимир. Мы были единственными посетителями, и ленивый уборщик не торопясь пылесосил воду в бассейне.

Местный сервис — предмет отдельного разговора. Заказ в ресторане — это долгая, изнурительная борьба с официантами, в результате которой терпит поражение клиент. Вот вам характерная сцена.

Мы с Владимиром долго сидели в одиночестве, пока не показался важный официант, исполненный достоинства. Володя заказал стакан пива и бокал красного вина. Официант выслушал все очень внимательно и исчез. Через четверть часа нам принесли два джина с тоником. Володя набрался терпения и снова повторил по-английски наш заказ. Официант кивнул в знак понимания и удалился. Еще через четверть часа появился другой прислужник в накрахмаленной белой униформе и спросил, чего мы хотим. Выслушав ответ Владимира, он сделал умное лицо и ушел, унеся с собой джин. Прошло еще двадцать минут. Наконец явилась улыбающаяся девица и сказала, что первые два официанта не говорят по-английски, поэтому заказ примет она. «Бокал красного и стакан пива», — буркнул Володя. Девица уплыла, покачивая бедрами, и через пятнадцать минут нам доставило пиво и белое вино. Мы не стали спорить. В конце концов, белое вино — это не так уж плохо.

Руанда насылает на меня сонное оцепенение. Я чувствую, что поддаюсь сокровенному влиянию этой страны, ее вкрадчивой способности замедлять темп жизни. Африка расставляет для европейцев силки, и вырваться из их сладкого, проклинаемого плена можно только ценой тоски. Я знаю, что буду скучать по убожеству и великолепию здешней жизни.

11 марта. Сегодня утром шофер посольства отвез меня на автовокзал, откуда ходят автобусы до Гисеньи, маленького городка на берегу мерцающего озера Киву. Меня проводили вздохами и сострадательными возгласами: «Как же бедная девочка поедет одна по такой опасной дороге в руандийском автобусе!» Но поскольку посольство ничем не могло мне помочь, а денег на такси у меня не было, то пришлось выбрать самый неприятный способ передвижения — маршрутное такси.

Автовокзал — это местная клоака. Белая женщина в таком месте привлекает всеобщее внимание. Вокруг было черным-черно. Запах стоял как на невольничьем рынке. Я машинально поискала глазами хоть одно европейское лицо и увидела вдалеке белого мужчину, который приветственно помахал мне рукой (так делают все белые люди, встречаясь в черном городе, — знак солидарности и поддержки). Меня тут же облепили нищие в грязных лохмотьях, но шофер отогнал их с грозным криком. Он усадил меня в смердящий микроавтобус на переднее сиденье и договорился с водителем, что тот довезет меня прямо до гостиницы. Я вела себя как космонавт, высадившийся на незнакомой планете и настороженно ожидающий всяческих неприятностей от ее возможных обитателей. В маршрутку набилось множество женщин с крикливыми младенцами на руках и мужчин в пестрых рубашках с лоснящейся кожей, от которых несло стойким запахом пота. Сразу чувствовалось, что привычка к умыванию еще находится в конфликте с естественными наклонностями. Все они желали со мной общаться, но, на мое счастье, никто из них не знал английского языка.

Со мной рядом сел молодой улыбчивый мужчина, дружелюбно настроенный. Когда автобус тронулся, он достал из своей дорожной сумки икону с изображением Христа, указал пальцем на меня, потом на себя и на икону, по-видимому желая сказать, что всех нас, и белых, и черных, связывает единая вера в Бога. Это было странное зрелище — бело-розовый Христос в черных руках.

Трехчасовое путешествие запомнилось мне как сплошной кошмар. Я задыхалась от жары и тяжелых запахов. Массу неудобств мне причиняли бесцеремонные соседи, которые как ни в чем не бывало наваливались на спинку моего кресла. Мне приходилось держать спину очень прямо, чтобы не касаться чужой липкой и нечистой кожи. Каждые четверть часа нас останавливали дорожные патрули. Пассажиров выгоняли из маршрутки и проверяли у них документы. Первые два раза я послушно выходила и протягивала свой паспорт. А потом меня разобрала злость: «Какого черта! Я белая леди, если им так нужно посмотреть мои документы, пусть подходят к машине и берут их у меня сами». Началась развеселая игра. На остановках я с безмятежным видом сидела на своем месте и не реагировала на окрики полицейских. Наконец кто-нибудь из них подходил к машине и просил на французском мой паспорт. Слово «паспорт» на всех языках произносится одинаково, но я таращила изумленные глаза и отвечала по-английски, что я не понимаю французского. В наш разговор вмешивались пассажиры автобуса. Они совали мне под нос документы и знаками пытались объяснить, что от меня требуется. Я минут пять непонимающе смотрела на них, доводя их до исступления, затем хлопала себя по лбу, показывая, что наконец до меня дошел смысл их просьбы, и с невинной улыбкой протягивала свой паспорт. На следующей остановке спектакль повторялся снова.

В Гисеньи я попросила отвезти меня к шикарному отелю «Меридиан», чем вызвала всеобщее возбуждение и вздохи зависти. Я думаю, никогда еще к этому респектабельному отелю не подъезжали клиенты на грязном маршрутном такси.

«Меридиан» оказался почти пустым, война напугала туристов и лишила это место притягательности. Раньше здесь кипела жизнь, белые люди купались в бассейне и гуляли по роскошному тропическому саду, где по ночам орут дикие коты. А сегодня я обедала в большом ресторане совершенно одна.

«Меридиан» расположен на берегу Киву, самого красивого озера в Африке. Это единственный африканский водоем, где не водятся крокодилы и который не заражен опасными для человека организмами. Такая исключительная чистота объясняется большим количеством природных газов, содержащихся в воде. Я вспомнила трагический случай, произошедший в соседней Бурунди. Жену завхоза русского посольства съел крокодил из озера Танганьика. Несмотря на запрет купаться в этом озере, ночью компания русских из пяти человек отправилась туда тайком. Люди вошли в воду только по колено. У крокодила, как известно, молниеносная хватка. Он утащил за ногу несчастную женщину так быстро, что она даже не успела вскрикнуть. Крокодилы никогда не едят жертву сразу — они приберегают удовольствие на потом. Обычно они топят добычу и оставляют ее где-нибудь в тростнике — это у них нечто вроде холодильника, куда можно залезть в любой момент. Там и нашли через три дня обглоданную жену завхоза с улыбкой на устах — она смеялась в тот момент, когда ее схватил крокодил, и даже не успела испугаться.

Все эти страшные рассказы тревожили мое воображение, но поздно вечером я все равно отправилась купаться на озеро — ведь Киву совершенно безопасно. В лунном свете прохладная вода приобрела аметистовый цвет. Я немного поплавала, стараясь разогреть тело энергичными движениями, потом перевернулась на спину и улыбнулась ярким звездам. Я думала о том, как это красиво и странно — я, бледная северная женщина из далекой холодной страны, плаваю в африканском озере в полном одиночестве мартовской ночью. Звезды подмигивали мне, делая тайны Вселенной свойскими, почти домашними. И мне на минуту показалось, что вот-вот мне откроется какая-то загадка, тело мое изогнулось, с губ сорвался легкий стон, но холод воды и тишина внезапно отрезвили меня. Вечность не дается в руки смертным.

12 марта. В Руанде умеют ценить радость мести, ничего не забывают и делают пометки в душе. Искусство отравления доведено до совершенства. Когда рождается ребенок, ему делают надрез на груди и засыпают в ранку противоядие — обычай, могущий предотвратить смерть от руки врага. Ни один руандиец не прикоснется к оставленному стакану с пивом, даже если он сидит в компании близких друзей и ему пришлось выйти всего на несколько минут. Всегда могут подсыпать яд в минуту грусти хотя бы по тому поводу, что у соседской коровы рога длиннее. Из разнообразных африканских трав можно приготовить медленные яды, убивающие через месяц. Посредственность и злодейство процветают, зависть сочится из сердец. Руандийцы обвиняют в этом войну и развращающее влияние белых.

Все тайные любовные драмы Африки находят завязку в зелье, приготовленном руками колдуний, и развязку в смертоносной траве, уводящей человека в мир иной. Ворожба очень популярна, и только ею объясняют странные браки между респектабельными белыми мужчинами и уродливыми черными женщинами, которые холодно смотрят на мир огромными, как блюдца, глазами. Вот, например, последний скандал в Гисеньи, связанный с колдовскими травами. Одна руандийка, озабоченная ежевечерними отлучками мужа, стала регулярно подсыпать ему в еду травку, тормозящую нервную деятельность. Отрава подействовала. Муж действительно перестал посещать пивной бар, он вернулся в семью и затосковал. По-видимому, доза оказалась слишком большой, мир больше не радовал его, он часами сидел в молчаливой тоске и совершенно не обращал внимания на молодую жену, которая делала тщетные попытки заинтересовать его сексом. Перепуганная дама подняла на ноги весь город, пытаясь найти противоядие. Таким образом эта история выплыла на свет Божий.

Нежные ароматные травы растут на горных лугах. Меня отвезли туда на джипе военные наблюдатели ООН — Саша из России и Франц из Германии. Мы поднялись высоко в горы и вышли из машины в пустынном месте, чтобы вдохнуть чудесный смешанный запах цветущих трав. Мы стояли всего минут пять, потом я оглянулась и увидела, что за нами уже собралась целая толпа местных крестьян. Саша рассмеялся, видя мое изумление, и сказал: «Вот они, последствия повышенной плотности населения. Здесь невозможно уединиться или спрятаться». Я как-то слышала, как руандийцы сами про себя говорят: «У нас под каждым банановым листом сидит по человеку».

«А хочешь посмотреть настоящие пещеры?» — спросил Саша. «Еще бы! — воскликнула я. — Конечно, хочу». Он посмотрел на часы, и лицо его омрачилось. «Боюсь, что сегодня мы уже не успеем, — сказал он. — Примерно через час стемнеет, а мы раньше чем через полтора часа не доберемся до места. Не хочется мне идти через руандийскую деревню ночью. Опасно». «Ну пожалуйста, Саша. Ведь я завтра уезжаю», — умоляющим голосом попросила я. «Ну, ладно, — решился он. — Рискнем».

Мы приехали в деревушку, когда ночь уже окутала черным покрывалом землю. Саша сунул за пазуху нож, взял электрический фонарь, и мы отправились в путь, оставив Франца сторожить джип. Трава шуршала под нашими ногами, и мы слышали писк неведомых ночных тварей. Однажды луч света выхватил из темноты молчаливую группу черных людей — блеснуло несколько пар огромных внимательных глаз, и их тут же поглотила ночь. Наконец мы подошли к тучным зарослям трав, и Саша сказал: «Я пойду первым. Ты спускайся следом за мной». «Прямо сквозь траву?» — удивилась я. — Но я ничего не вижу. Где же пещера?» «Под ногами», — ответил он и врезался грудью в густую поросль. Он ушел в глубь земли, показывая мне четкую траекторию пути. Я ринулась за ним, ведомая тусклым одиноким лучом фонаря, и ветки царапали мне лицо и руки.

Внизу, под землей, было сухо и чисто и стояла пугающая тишина. Я содрогнулась — любое ограниченное пространство меня страшит. Над головой совсем низко нависал земляной потолок, из которого торчали ветвистые корни растений. Свет фонаря выхватывал впереди длинный черный тоннель. Мы были в холодном первобытном мире. Саша остановился и сказал: «Это место незнакомо туристам. Мы нашли его случайно, но еще полностью не обследовали. Здесь есть много пещер, куда я не рискнул зайти». «Тебе не страшно здесь?» — спросила я, удивляясь отчетливому звуку собственного голоса. «Мне здесь нравится, — ответил Саша с улыбкой. — Здесь спокойно, никто тебя не тревожит. Можно хорошенько поразмыслить над жизнью. Давай присядем и послушаем тишину». Мы сели на камни, и вскоре я услышала тихий жужжащий звук, доносившийся откуда-то издалека.

— Что это? — испуганно спросила я.

— Летучие мыши.

— Знаешь, мне не нравятся дикие пещеры, где нет трезвого голоса экскурсовода, табличек с разъяснениями и толпы туристов, — сказала я, поеживаясь от нервного озноба. — Сейчас мне кажется, как будто мы в гробнице. Я всегда плакала в детстве, когда читала про то, как Том Сойер и Бекки заблудились в пещере. А в Египте, когда мы спускались в гробницу фараона по длинному узкому пыльному коридору, в котором можно были идти только согнувшись пополам, у меня был приступ удушья, близкий к обмороку.

— А-а, так ты боишься! — весело воскликнул Саша. — Сейчас я устрою тебе испытание. — С этими словами он выключил свет.

Сердце у меня заколотилось, как у зайца, которого преследует лиса. Жужжащий звук приблизился, он несся прямо на нас, как скорый ночной поезд. Я вскрикнула, почувствовав на своей щеке свистящий ветер от крыльев. «Саша! Включи свет! Я умоляю!» — заверещала я, вся дрожа от страха. Одна мысль, что омерзительные животные могут коснуться моей кожи, наполняла меня ужасом. Я нашла в темноте Сашину руку и вцепилась в нее ногтями. Он включил фонарик и с оттенком презрения сказал: «Вот уж не думал, что ты трусиха!» «Что за идиотские шутки! — заорала я. — Я до смерти боюсь летучих мышей. Пошли отсюда».

Мы молча выбрались из пещеры и зашагали к машине, где нас ждал верный Франц. Саша сел за руль, нажал на газ, джип взревел, рванулся изо всех сил, но не смог двинуться с места. Саша сделал вторую попытку, машина зарычала, словно раненое животное, напрягая все свои мускулы, но безрезультатно. «Застряли, — безнадежно сказал Саша и задал мне вопрос: — Ты умеешь водить машину?» Я покачала головой. «Тогда выходи и толкай вместе с Францем джип, — велел он мне. Потом добавил, окидывая снисходительным взглядом мою хрупкую фигурку: — Хотя толку от тебя немного». Я не понимала серьезности положения, воспринимая все как веселое приключение. Я немножко потолкала автомобиль, и меня отогнали за ненадобностью. Над моей головой сверкала великая небесная книга, в которой звездными буквами были написаны и наши судьбы.

Я удивлялась, почему Саша так нервничает, и предложила ему позвать на помощь крестьян. «Ты в своем уме? — набросился он на меня. — Мы как раз торопимся улизнуть отсюда, пока они не пришли с топорами и мачете». «А мне они показались довольно дружелюбными», — заметила я. «Это только видимость, — объяснил Саша. — Если бы ты пожила здесь несколько месяцев, то научилась бы относиться к ним, как дрессировщик к тигру — он одной рукой гладит его, а в другой сжимает пистолет. Этим людям доверять нельзя». Я вспомнила, как однажды была свидетелем Сашиной вспышки в Кигали. Наша компания из четырех человек ехала ночью на одну из русских вилл выпить вина. Мы заблудились и попали в самый неблагонадежный район города. На узких трущобных дорогах нам приходилось останавливаться через каждые десять метров. Фары выхватывали из темноты толстые бревна, преграждавшие путь. К машине бежали люди с автоматами и прилипали носами к стеклу. Подвыпивший Владимир, который тоже был с нами, возмутился и заявил: «Да какое они имеют право останавливать машину ООН! Сейчас я выйду и разберусь с ними». «Не надо, — тоном приказа сказал Саша. — Никто не должен выходить». Каждый раз, когда мы тормозили около баррикад, он опускал стекло и с улыбкой, самым мягким голосом просил нас пропустить. Я видела, что он страшно нервничает. Мне все это казалось не более чем ночным недоразумением. «Знаешь, я, наверное, слишком устал от напряженной жизни в Гисеньи, — сказал потом Саша, когда блуждания остались позади. — Там все время боишься угодить в ловушку. А бревна укладывают на горных дорогах ночью, машины на всей скорости врезаются в них и срываются в пропасть».

Течение моих мыслей прервал Франц, вернувшийся с большим камнем, который он подложил под завязшее колесо автомобиля. Саша нажал на газ, джип взбрыкнулся, как Конек-Горбунок, и выскочил из ямы.

Поздно вечером в Гисеньи мы пошли в ресторанчик отеля, где оказались единственными посетителями. Нам сжарили бифштексы с кровью — мы с аппетитом уминали их, ведя ночные разговоры обо всем и ни о чем. Коты давали в саду концерт, озеро Киву светилось за окном, как лунный камень, и жизнь показалась нам полной умиротворения, как насытившийся пес.

13 марта. В обратный путь, в Кигали, меня повез на старом раздолбанном «Фольксвагене» руандиец Клод, когда-то учившийся в России. Из всех русских слов он хорошо знал только два: «авось» и «небось». «Не бойся, Даша, — весело кричал он мне. — Небось машина дотянет до Кигали. Хотя старушка вот-вот копыта отбросит». (Из таких живописных выражений состояла речь Клода.) Первый раз автомобиль сломался, еще не выезжая из Гисеньи. Проведя час в ремонтной мастерской, мы смогли наконец покинуть город. Вместе с нами выехал автобус с футболистами, спешащими на матч в Кигали.

Кто-то пустил слух, что по дороге из Гисеньи 13 марта готовится военное наступление на Кигали. Всех автомобилистов как ветром сдуло. По пустынному шоссе двигались только мы на фырчащем и сопящем «Фольксвагене» да футболисты.

«Главное, не останавливаться, — твердил Клод. — Авось машина сдюжит». Первым сломался автобус с футболистами. Мы объехали его, издав победный гудок. Дорога пошла в гору, и «Фольксваген» задышал, как астматик, поднимающийся на седьмой этаж пешком. В городке Рухенгери нам пришлось остановиться, чтобы заправиться бензином. Из-под капота автомобиля валил дым. В «Фольксваген» залили холодной воды, из него поднялось облако горячего пара, и он встал, как упрямый осел. К починке машины присоединилась половина населения городка. Люди копались в ее внутренностях и заключали пари, сдвинется ли она с места. Все это мне порядком надоело, и я вышла на дорогу ловить «попутку». Я стояла больше получаса, мимо проехали лишь маршрутное такси, битком набитое народом, и обретший второе дыхание «футбольный» автобус. Наконец общими усилиями машину разогнали, и она завелась. «Господи, только бы нас не остановил патруль!» — молился Клод. Поднимаясь на очередной холм, мы встретили нашего старого знакомца — вновь сломавшийся автобус с футболистами. Спортсмены в ярких майках сидели на обочине и уныло смотрели нам вслед.

Все шло неплохо. Мы успешно проскакивали дорожные посты и не обращали внимания на горевшие в автомобиле тревожные красные кнопочки и дымившийся капот. «Авось!» — весело кричал Клод. Когда до Кигали остался всего час пусти, нас остановил патруль для проверки документов. Далее спектакль повторился. Сбежалось все население деревушки, в раскаленный «Фольксваген» залили воды, и он встал намертво, на этот раз надолго. У меня началась истерика. «Клод, черт бы побрал твою машину! — кричала я. — Мне сегодня нужно быть в Кигали, я завтра улетаю в Бельгию. Если б я знала, что так получится, я бы уехала ранним утром на маршрутке!» «Небось, Даша, доедем», — орал веселый руандиец.

Перспектива ночевки в грязной деревушке и опоздания на самолет меня не устраивала. Я вышла на дорогу в надежде поймать машину. Женщины и дети окружили меня потным черным кольцом и молча рассматривали, как неведомую зверушку. В их глазах не было теплых человеческих чувств — любопытства, привета, радости или сочувствия. Они смотрели холодно и бесстрастно. Я кусала губы, чтобы не разреветься от злости. За полчаса мимо проехали только торжествующие футболисты.

Вскоре я услышала ликующие крики Клода. Местные мальчишки раскачали «Фольксваген», и он уверенно зафырчал. Мы снова тронулись в путь, прихватив с собой двух пацанов, торопящихся на футбольный матч в Кигали.

Не доехав до столицы несколько километров, на подъеме в гору, почти у самой вершины машина встала. «Авось дотянем, — успокоил меня Клод. — Это говорю тебе я, великий гонщик». Тут нам пригодилась помощь мальчишек. Они дотолкали автомобиль до вершины холма, а вниз он покатился сам и завелся на ходу. Мальчики очень переживали, что опоздают на матч. Они страшно обрадовались, когда при въезде в Кигали увидели злополучный автобус с футболистами, вновь застрявший на дороге. «Значит, успеем на матч», — сделали вывод ребята.

Клод довез меня до отеля «Дипломат». Я пожала ему руку и заверила его, что он самый знатный автомобилист всех времен и народов. «Главный мой секрет, — сказал Клод, подмигивая, — состоит в великих русских словах «авось» и «небось».

15 марта. Сегодня в шесть утра прилетела в Брюссель самолетом бельгийской авиакомпании. В час дня я должна была сесть на рейс «Аэрофлота» до Москвы. Меня мучил страх, что мои вещи потеряются между двумя рейсами разных компаний. В аэропорту я вцепилась в проходившую мимо бельгийскую стюардессу и высказала ей терзавшие меня сомнения. Она попыталась успокоить меня на английском, но я не поняла ни слова. Сбежались еще несколько стюардесс и стали совещаться между собой, как врачи при осмотре тяжелобольного. Наконец одна из них решительно взяла меня за руку и повела вниз по лестнице к выходу на летное поле. Там мы сели в служебную машину и проехали к соседнему зданию. Меня провели в комнату, где на полу на мягком ковре играли дети всех цветов кожи. Меня сдали с рук на руки служащей бельгийской компании и велели ей присмотреть за мной. Оказалось, что я попала в детскую комнату, где мамаши оставляют своих отпрысков, чтобы без помех прошвырнуться по магазинам. Меня усадили вместе с малышами смотреть диснеевские мультики. Девушка, работающая в детской, сказала мне, что через час придет стюардесса, знающая русский язык, а пока я должна быть здесь — так всем спокойнее. Служащие компании боятся, что я потеряюсь.

Русскоговорящая стюардесса явилась, когда я уже досматривала «Маугли». Она заговорила со мной ласково и нежно, как с душевнобольной. Сказала, что лично проверит, чтобы мой багаж погрузили в московский самолет, дала мне карту аэропорта, просила быть в детской комнате за час до отправки моего рейса. «Я сама посажу вас в самолет», — любезно пообещала она.

Каждый международный аэропорт — это маленький Вавилон, смешение языков, обычаев, стилей. Я познакомилась в кафе с бельгийской монахиней, которая недавно вернулась из Руанды и собиралась лететь сегодня в Лондон. Ее звали Элизабет. Она выпила со мной бокал красного вина, сказав, что это полезно для здоровья. Элизабет работала в Кигали в лагерях для беженцев (жуткое место, источник всякой заразы), лечила там больных. Она говорила о своей работе восторженно, и я поняла, что Элизабет, как Христова невеста, влюблена в болезни, страдания и несчастья. Напротив нас темноволосая молодая женщина упоенно целовала равнодушного лысого мужчину. Он отстранял ее, а она впивалась в его губы. Я уже двадцать дней не была в постели с мужчиной, и мне страстно захотелось увидеть мужа.

Андрей встретил меня в Шереметьеве с цветами, и я увидела, что он хромает. («Разбил машину», — торопливо объяснил он.) Мы сладко поцеловались, и он сказал с сожалением: «Извини, зайчик, у нас всего один вечер. Завтра утром я улетаю в Лондон».

14 апреля. Мы в Амстердаме, городе каналов, плавучих домиков, цветочных выставок и прелестной архитектуры. Каждый день мы любуемся дивным скоплением старинных зданий, покупаем тюльпаны всех цветов радуги, катаемся по каналам на водных велосипедах, объедаемся блюдами национальной кухни — знаменитым гороховым супом, капустой с копчеными колбасками и овощным рагу. По вечерам мы гуляем по улице красных фонарей, где в прозрачных витринах изгибаются в похотливых позах пышнотелые проститутки, в основном азиатского происхождения, с решительно загримированными лицами. Мужчины всех национальностей и цветов кожи прогуливаются медленной выжидающей походкой, высматривая подходящий товар. Кто-нибудь из них подходит к понравившейся женщине из этого своеобразного «магазина любви», та открывает клиенту дверь, впускает его, опускает шторы на витрине и удовлетворяет разнообразные желания покупателя. Когда насытившийся мужчина уходит, шторы снова поднимаются, показывая, что постель свободна. Непосредственная чувственность сияет на этой улице, как полуденное южное солнце.

Вчера мы видели в здешних местах потрясающее эротическое шоу. Сначала для затравки были довольно нудные танцы лесбиянок — две потрепанные жизнью бабы неубедительно исполняли сцену страстной любви. Публика явно ожидала чего-нибудь погорячее.

Наконец под музыку «Болеро» Равеля (вечно меня преследует эта мелодия) занавес поднялся, и мы увидели на сцене женщину лет тридцати с задорно-дерзким лицом и восхитительными контурами тела, настоящего чувственного демона, и крепкого мужчину с широкими мясистыми плечами быка, пышущего здоровьем и силой. Они двигались медленно, подчиняясь гипнотизирующему ритму одурманивающей мелодии. Волосы женщины пенились в свете ламп, блестя, как шерсть породистой собаки, а ее фигура воодушевила бы даже импотента. В ней была привлекательность зрелой женщины, которая знает, чего она хочет, и которой известны пути, ведущие ее к вожделенной цели.

Пара вела древнюю игру — женщина-бесовка старалась расшевелить молодого медведя. Она сладострастно поглаживала свое тело, таящее массу обещаний, встряхивала копной волос, посылала ему зазывные улыбки, пробуждая в нем чувство мужского превосходства и желание подчинить себе дерзкую самку. Она расточала перед ним все богатство своей женственности, а он смотрел на нее взором охотника. Они сошлись вместе на небольшом деревянном круге, который начал медленно вращаться. Женщина освободила спящий член мужчины из кожаных черных трусов и взяла его в рот. Зал напрягся. Юнцы, сидевшие в первом ряду, подзадоривали ее криками и спорили, встанет ли у ее партнера член при таком собрании публики или нет. Фаллос поднялся во всей своей красе, и публика охнула. Огромный багровый член натянулся, как кожура сосиски, я сидела у самой сцены и почувствовала, как в крови вспыхнуло веселое пламя. Смелый воин любви вошел в свою партнершу точно в ритм музыки, и она застонала под ударами разгоряченного жеребца. Господи, как он ее трахал! Он обожал ее тело и осквернял, снисходя до нее как Бог во всем своем олимпийском величии. Это был фаллический триумф, пламенное соединение, первобытная форма эротики, не ведающей стыда. Мужчина двигал свое большое тело с необыкновенной легкостью, как танцовщик. Эта пара представляла собой благородную скульптурную композицию, эмблему страсти, полную своеобразной одухотворенности, настоящее произведение искусства. Мужчина кончил в последний такт «Болеро», и все зааплодировали. «Тебе понравилось?» — спросил Андрей, беря меня за руку, и я почувствовала, как весь он дрожит от возбуждения. Мое сердце колотилось от волнения, и я ответила неожиданно хриплым голосом: «Это было прекрасно!»

2 мая. Кипр. Мы сидим в небольшом ресторанчике в городе Ларнака. На море шторм, ветер вздувает серо-синие волны, переворачивает и гонит вдоль набережной столики и стулья уличных кафе. Официанты в панике, размахивая руками, несутся им вслед. Кажется, их сейчас тоже подхватит ветер, закрутит в один плотный вихрь вместе со столами и стульями, унесет в далекую страну, опустит где-нибудь на берегу моря, и там они с прежней ретивостью будут выполнять свой официантский долг.

Мы наслаждаемся королевскими креветками, жаренными в оливковом масле с чесноком. Я макаю хлеб в горячее масло, смешанное с лимонным соком, и запиваю его холодным легким розовым вином. Андрей просит счет, нам подносят на посошок две рюмочки местного сладкого ликера (таков обычай), мы расплачиваемся и выходим на улицу, сопротивляясь порывам ветра.

Кажется, что мы на Кипре уже целую вечность. На Пасху мы съездили на корабле в Израиль, в Иерусалим, и вернулись в Ларнаку, к размеренному образу жизни. Я нежусь в лучах улыбающейся судьбы. Один безоблачно счастливый день сменяется другим, кто-то верно сказал, что о счастье нечего сказать, оно неспешно и неярко, его лучи греют мягко и ровно. Нет испепеляющего зноя, нет жгучего холода. Только о несчастье люди могут рассказывать часами.

Но у меня не проходит ощущение тоски и неудовлетворенности. Чего-то не хватает. Я словно стою на перекрестке судьбы и озираюсь в растерянности, какую из дорог выбрать. Все они в равной степени заманчивы, сулят приключения, удачную карьеру, новых мужчин, но только все эти карты уже были в игре. Меня одолевает скука и чувство легкого пресыщения. Я хочу пойти с единственной неиспользованной карты.

4 мая. Ночью снился безумный сон: Советов превратился в хохломскую игрушку и лежит передо мной — маленький, хорошенький, деревянный и расписной. И даже крохотный членик в цветочек приделан там, где полагается. Я беру его в рот, согреваю своим дыханием, облизываю его главную поверхность — деревянный фаллос оживает от моих губ, теплеет, увеличивается в размерах и забивается мне в горло. Я проснулась от собственного надсадного кашля. Горло саднило после трех двойных порций мороженого, съеденных накануне. Я протянула в темноте руку и коснулась теплого тела спящего Андрея. «Ты настоящий?» — пробормотала я, выбираясь из пут сна. «А как же!» — бодро ответил он во сне и повернулся на другой бок.

Сегодня праздновали отъезд на Родину в компании двух русских — Дениса и Игоря, мужчин, наделенных наиприятнейшим нравом. Когда фиолетовый вечер сгустился, мы начали попойку в маленьком кипрском баре, откуда, как ни странно, доносилась лихая русская песня «Картинка-Зинка нравится солдатам». Первым делом мы осушили по стаканчику текилы, соблюдая все правила, — потереть руку лимоном, посыпать солью, лизнуть эту смесь и запить огнедышащей жидкостью.

После трех порций текилы во мне ярко вспыхнула жизнь. Бармен поднес нам за счет заведения еще по стаканчику водки. Мы откланялись и перешли в следующий бар, где были бильярдные столы. Я в жизни не держала в руках кий, но сразу оценила преимущества этой игры. На мне было предельно короткое, облегающее, как вторая кожа, черное платье — бильярд позволял мне принимать суперэффектные позы и демонстрировать свои длинные ноги. Если шар откатывался чересчур далеко, можно было лечь грудью на зеленое сукно и закинуть ножку на стол. Безумно сексуальная игра. Мы выпили много пива и вина, и все это, смешанное с выпитой водкой, дало сногсшибательный эффект. Деньги у нас заканчивались, но в этом баре тоже действовала добрая традиция — регулярно подносить на посошок.

Мы уже не вязали лыка, когда вернулись в бар с русской музыкой. Каждый говорил о чем-то своем и не слушал соседа. Я внезапно почувствовала необыкновенную ясность мыслей и поняла, что именно сейчас должна нарисовать картину своего будущего — такое ощущение иногда приходит после пяти рюмок водки. Я возмечтала построить настоящее гнездо, натаскать для него перышек и родить ребенка. Я так избалована судьбой и заласкана мужем, что дитя — этот баснословный подарок, благодеяние и чудо, которое я хочу попросить у неба. Мы вступили в полосу довольства и можем позволить себе эту роскошь.

Я имею все необходимое для равномерной температуры счастья — любовь, семейное счастье, уютный дом, путешествия, удачную карьеру. Но ребенок — это единственная возможная форма бессмертия. Человечество изобрело столько способов убивать и всего лишь один, чтобы дать жизнь. Время уходит. Красота моя так непрочна, надо поторопиться передать ее будущему. Я представила себе, как будет выглядеть это дитя, зачатое в любви. Если это девочка, то я бы подарила ей свои карие выразительные глаза, длинные ноги, тонкую талию, изящные кисти рук, длинные ресницы, густые волосы, обаятельную улыбку, прямой носик. Если будет мальчик, то я хотела бы, чтобы он пошел внешностью и характером в отца. Ребенок станет самым важным звеном в той цепи, что сковывает меня с Андреем.

Я целиком погрузилась в мечты. Я представила себе ту новую красоту, которую сформирует во мне материнство, — как нальются молоком груди и округлятся бедра, отягченные приплодом, и подивилась тому, как сильна во мне женщина. Сколько лет я играла с жизнью, не желая принимать ее всерьез и страшась любой ответственности! Ребенок казался мне несносной обузой. Но пора юношеских причуд прошла, настало время осуществить свое женское призвание.

25 мая. Почему человечество до сих не выучилось управлять таинственными случайностями зачатия? Андрей говорит, что я слишком нетерпелива, но мне хочется сделать ребенка как можно быстрее, именно в этом месяце. Я пытаюсь вычислить точное время для самого важного творческого акта на свете — читаю массу книг и рисую температурные графики, советуюсь с подругами, кормлю мужа грецкими орехами с медом, чтобы он с честью выполнил свой супружеский долг. Нежнейшую возможность земного наслаждения я превращаю в деловое предприятие.

Андрей страшно злится. Сначала я его десять дней держала на «голодном пайке» (не подпускала к себе, чтобы он накопил побольше спермы), зато теперь ему приходится каждый день в определенное время убегать с работы, чтобы заняться со мной любовью. Вернее, не любовью, а серьезным делом — производством ребенка. «У меня не получается по расписанию!» — кричит разъяренный муж. «Ах не получается! — ору я в ответ. — Смотрите, какая цаца! Нечего распускать нюни! Сосредоточься». Вчера после выполнения ответственного любовного задания я отдыхала в постели в немыслимой позе, боясь расплескать драгоценную семенную жидкость. Андрей встал с мрачным видом и сказал: «Я пойду на балкон покурю, а ты лежи беременей».

Каждое утро я ощупываю свое тело, пытаясь определить, пробудилась во мне плодоносящая сила или нет. Мне кажется, что я уже ношу в себе замечательную тайну. Ах, почему нельзя вмешаться в темное, неразгаданное таинство и установить в нем свои законы!

15 июня. Мой ребенок не родится. Кусочек живой, трепетной плоти внутри меня должен быть уничтожен. Искорка жизни в моем чреве скоро погаснет, так и не разгоревшись в маленькое пламя. Этот бессознательный росток, который сейчас вслепую, с неслыханным упорством пробивается к свету, не ведает того, что обречен, что еще несколько дней, и он превратится в кусочек окровавленного мяса. Каждое утро он напоминает о себе легкой тошнотой, и я сначала испытываю острую радость от сознания, что чудо свершилось, и сразу же жгучую боль при мысли о его неизбежной гибели.

Радостную новость о том, что я беременна, и трагическую весть о своей болезни я услышала в один и тот же день. Почти две недели я мучилась от сильнейшего цистита и пила безобидные травяные таблетки, оттягивая визит к врачу. Я предчувствовала и свою беременность, и серьезность заболевания. Я уже не могла вставать с постели, и вчера меня отвезли к урологу. «Болезнь требует срочного вмешательства, — заявил мне врач, получив результаты анализов. — Две недели попьете хороших антибиотиков, и все как рукой снимет». «Но я не могу принимать лекарства, — дрожащим голосом ответила я, чувствуя, как подступают к горлу слезы. — Я на первом месяце беременности». «Вот как! — воскликнул он, хмуря брови. — Это осложняет дело». «Доктор, мне нужны сильные антибиотики?» — спросила я, уже зная ответ. «В том-то и дело, милочка, — сказал он мрачно. — Будь у вас срок три месяца, все было бы проще. Но на первом месяце любые антибиотики могут дать необратимые последствия. Вот что, возьмите мой платок и утрите слезы. Посидите пока в коридоре, а я посоветуюсь со своей коллегой».

Я сидела в официальном кожаном кресле, ожидая своей участи. Уролог ушел и вскоре вернулся с женщиной средних лет в белом халате. Они заперлись в кабинете минут на десять, а потом позвали меня. Женщина посмотрела на меня с грустью и сочувствием и сказала: «Боюсь, Дарья, мне нечем вас обрадовать. Я видела ваши анализы и могу сказать только одно — если через день-два вы не начнете пить антибиотики, инфекция поднимется выше, перекинется на почки и вы вообще не сможете рожать детей». «Но как же мне быть?! — выкрикнула я, захлебываясь слезами. — Что мне делать с ребенком?!» «Это решать только вам», — уклончиво сказала врач. То же самое я услышала в ответ от гинеколога, к которой пришла на прием в тот же день.

Вечером Андрей мягким голосом сказал: «Не стоит так отчаиваться. У нас еще будут дети. Ты ведь не хочешь, чтобы наш ребенок родился уродом или с какими-нибудь отклонениями». Я изнемогала под тяжестью этой задачи, зная, что решать ее предстоит мне одной. Только мать может вынести приговор. Все во мне кричало: «Нет! Жизнь не может нанести такой удар той, которая так ее любит!» Но я уже услышала злой смех, который раздался сверху. И я приняла решение — предать смерти то крохотное существо, за которое я несу ответственность, которое находится под моей защитой.

Мое тело, которое напоминает бутон, не распустится за девять месяцев в цветок. Мне не суждено пережить изумительный период созревания плода, почувствовать неизреченную прелесть этого состояния. Андрей твердит, что все будет хорошо, что у нас еще будут дети, но мне трудно поверить этим необходимым словам. Пищей в эти дни крушения моих надежд мне служит отчаяние. Кто ты, малыш, слепо доверяющий мне и рассчитывающий на мое покровительство, — кто ты, мальчик или девочка? Этот вопрос еще сочится теплой кровью, а я уже знаю, что его надо раздавить. Думать сейчас — это слишком больно.

25 июня. Ну вот и все, жребий брошен. От существа, чье зачатие я так торопила, не осталось даже имени. Аборт я перенесла до странности спокойно. Может быть, оттого, что мысленно я уже вычеркнула своего ребенка из списка живых еще несколько дней назад. А может, просто мои эмоциональные ресурсы истощились и я перешла предел горя. Я, несостоявшаяся мадонна, добросовестно отстрадала положенный срок, и сердце мое окаменело. Чудо прошло мимо, едва коснувшись меня. Я попыталась лететь и тут же упала на землю, как неуклюжая курица. Никто не в силах мне помочь. Милосердие Андрея действенно, он готов оказать любую реальную помощь, а мне нужны нежные, утешительные слова, но не поступки. Он не умеет выражать свои эмоции. Он закармливает меня фруктами, дарит подарки, таскает по ресторанам, но все это лишь суррогат утешения. Одна моя подруга уверяет меня, что это карма, плата за прошлые грехи. Но не верю я в карающего, беспощадного Бога, который способен отомстить жалкой грешнице, лишив права на жизнь ее дитя. Мои груди еще болят, будто верят, что скоро наполнятся молоком. Но жизнь несет меня дальше, как исхлестанное штормом, утлое суденышко, и безжалостно швыряет по волнам.

2 июля. Я с мамой в Турции, в Анталии, на берегу моря, в прелестном пятизвездочном отеле. Я приехала сюда с целью восстановить пошатнувшееся здоровье и набраться сил для дальнейших схваток. Солнце здесь так и пышет жаром, словно сдобный круглый пирог, только что вынутый из печки. Моя кожа уже оценила титанические солнечные труды, покрывшись легким румяно-коричневым загаром. Каждое утро я хожу в гости к обезьяньему семейству — оно живет в большой клетке в саду. Там вечно толпятся дети, умиляясь ужимкам обаятельных ловких животных и восхищаясь их прыжками. Недавно в семействе появилось прибавление — родился крохотный малыш, обезьяний ребенок. Я подолгу стою у клетки, рассматривая, как мама-обезьяна кормит свое дитя, ласкает его или журит за проделки.

К настоящему я отношусь с опаской, но заглядывать вперед тоже не тороплюсь. Я повисаю между прошлым и будущим, в бездумном временном промежутке — скольжу по жизни, как по зеркальной поверхности воды.

3 июля. Мне страшно, мне действительно страшно. Сегодня загорала под лучами ослепительного жестокого солнца и внезапно почувствовала неладное. Какой-то толчок изнутри. Я поднялась с лежака и увидела, как на белом пляжном полотенце расплывается кровавое пятно. В висках застучало: «Не может быть!» Я торопливо собрала вещи и побежала в номер, под спасительную прохладу кондиционера. Я залезла под душ, чтобы смыть кровь, и зеркало в ванной отразило мое бледное испуганное лицо, которое показалось мне совершенно чужим.

Кровь выходила из меня толчками. Я легла в постель, твердя себе, что я просто перегрелась на солнце, что это нелепая случайность, а не грозные последствия неудачного аборта. Меня бил озноб. Я натянула на себя одеяло, чтобы согреться, и через некоторое время забылась неспокойным сном.

Очнулась я под вечер, когда жара пошла на спад. Мне хотелось пить, я испытывала странную сладкую слабость. Я приподнялась на локтях и увидела, что, несмотря на все предосторожности, постель испачкана кровью. Меня охватила паника. Надо срочно лететь на Родину, в больницу, я не могу оставаться в Турции, под безжалостным великолепием ее солнца.

Вечером мама позвонила нашему гиду и выяснила, что никакой возможности улететь в Москву нет. Все рейсы уходят заполненными. Мы можем уехать только по нашим билетам, через неделю.

4 июля. Мне все время хочется спать от слабости. Кровь вытекает из меня медленно, капля за каплей. Сегодня руководительница нашей туристической группы Наташа повела меня к местному врачу. Я шла под палящим солнцем и боялась, что потеряю сознание и упаду прямо на улице. Я слышала свирепое дыхание огненных легких солнца и чувствовала, как одежда облепляет мое потное тело. Кровь испачкала платье, и я даже видела, как одна капелька, сорвавшись, упала в песок. Но мне уже было все равно.

У частного врача Мухамеда в его чистеньком элегантном кабинете я перепачкала кровью все стулья. Меня отправили в ванную, но и там я оставила кровавые пятна. Мухамед оказался очень приятным улыбчивым человеком, по-восточному красивым. Он работал в этом маленьком курортном местечке под Анталией как семейный врач, то есть являлся специалистом широкого профиля. В гинекологии он смыслил ровно столько, сколько должен понимать в этой области обычный врач-неспециалист. Он вколол мне лекарство, сокращающее мышцы матки, и объяснил, что сейчас кровь пойдет обильнее, но к завтрашнему утру она должна остановиться. «Если кровотечение не прекратится, — сказала Мухамед, — завтра я повезу тебя в Анталию к частному гинекологу, и он будет решать — делать тебе повторную чистку или нет». Мысль, что мне придется лечь на вторичный аборт в чужой стране, привела меня в ужас. Может быть, это объяснялось моей общей слабостью, но я не смогла сдержать слезы. Никогда в жизни я не была так близка к отчаянию.

5 июля. Ночью мне снился тоскливый сон — как будто кровь из меня хлынула мощным потоком, заполнила всю комнату и вытекла множеством ручейков на улицу. Я проснулась и села на кровати. Часы показывали три. Простыня подо мной увлажнилась от крови. Я решила, что умру на рассвете, капля за каплей из меня вытечет жизнь. Ночь все драматизирует и возводит любое событие в кубическую степень. Я зарыдала от жалости к себе и разбудила плачем маму. Она испуганно спросила: «Что случилось?» Всхлипывая, я объяснила, что боюсь к утру истечь кровью и незаметно, во сне умереть. «Это тебе так кажется, — успокоила меня мама. — Просто ночью приходит страх. Давай померяем, сколько из тебя вытекает крови». «Как это?» — заинтересованно спросила я. «Стаканом, — ответила она. — Поставим его между ног и посмотрим, сколько набежит за час. Тогда будет ясно — вызывать нам врача сейчас или можно подождать до утра».

Сложность измерительного процесса отвлекла меня от черных мыслей. Через час в стакане было две чайных ложечки крови. «Значит, не умру», — сделала я вывод и легла спать со спокойным сердцем. Но утром кровотечение усилилось. Осмотрев меня, Мухамед нахмурился и сказал, что надо ехать в Анталию. У меня упало сердце. Он повез меня в город и всю дорогу пытался развлекать легкими беседами, но я не нашла в себе сил поддерживать разговор. Меня сопровождали мама и русская переводчица Лариса, милая толстушка с простонародным лицом, вышедшая замуж за турка и живущая в Анталии, сама беременная на шестом месяце.

В приемной у гинеколога было чисто и прохладно, везде стояли кадки с деревьями. Напротив нас сидели турецкие женщины, закутанные до самых ушей, — живые комья из тряпок и шалей. Они мне напоминали узлы с бельем, которые сдают в прачечную.

Вскоре меня вызвали к врачу, молодому мужчине в очках, весьма интеллигентного вида, с правильным лицом и жестким ртом. Он осмотрел мое чрево с помощью ультразвукового прибора и сказал, что, по его мнению, внутри ничего не осталось, может быть, это кровоточат крошки детского места. Надо осмотреть на кресле.

Гинекологическое кресло — это тот крест, на котором распинают несчастных женщин в течение всей их жизни. Старуха турчанка привязала мои ноги и руки к креслу, чтобы я не дергалась. Это наполнило меня страхом, мне показалось, что сейчас без наркоза, не обращая внимания на мои крики и протесты, гинеколог хладнокровно сделает аборт. Лариса стояла рядом, я вцепилась в ее руку и закричала, чтобы она перевела врачу — я не согласна на чистку. «Никто не будет тебя чистить, — успокоила она меня. — Тебя просто осмотрят».

Я почувствовала отвратительный холод инструментов внутри себя и увидела, как гинеколог запускает в меня руки в резиновых перчатках с длинными пальцами. Я взвыла от боли и дернулась, турчанка вцепилась в меня железной хваткой и удержала на кресле. Мама потом рассказывала, что от первого моего крика содрогнулись все женщины в приемной, ожидающие своей очереди.

Мне казалось, что гинеколог засунул в меня руки по локоть. Не обращая внимания на месиво моих стонов, он безжалостно давил на матку изнутри и сверху. У меня сложилось ощущение, что он хочет выжать матку пальцами, как мешочек с кровью. Я орала от адской боли, как зверь, попавший в капкан, и слезы градом бежали по моему лицу. Все кости в моем теле перемешались. Наконец пытка кончилась. Гинеколог извлек из меня инструменты, содрал с рук перчатки и сказал, что, может быть, все обойдется. «Ты будешь пить гормональные таблетки в течение десяти дней, — велел он. — Если кровь не остановится через два дня, будем делать повторный аборт».

На дрожащих ногах я встала с кресла и увидела лужу крови под собой — результат маленькой медицинской бойни. Шатаясь и трясясь как в ознобе, я вышла в приемную в перепачканном кровью платье. Мухамед усадил меня в машину, я показала ему, что могу оставить кровавые следы на сиденье. «Пустяки, — радостно заявил он, чуть ли не приплясывая. — Главное, что прогноз благоприятен. Вот увидишь, все обойдется. Как я рад!»

Мухамед высадил Ларису, маму и меня около нашего отеля и велел нам позвонить ему на следующий день. Нетвердой походкой я добралась до номера и упала на свою кровать. К вечеру кровотечение остановилось. Кошмар кончился.

15 августа. Я пытаюсь склеить разбитые куски и вырваться из серых сумерек безнадежности. Сила моего сопротивления горю велика, я хочу быть счастливой, но пока не могу. Люди уверяют, что это благо — пройти через очистительное пламя страдания и пафос разбитых иллюзий, что вместе с болью приходит зрелость. Может быть. Боль переварилась в котле подсознания, изменив химию моего существа. Я сама себе напоминаю зимнее солнце, которое светит, но не греет.

Я знаю, что всегда нужно быть готовой начать все сначала, но бесплодный самоанализ, которому я предаюсь, и мертвящее дыхание недавней беды мешают мне двигаться вперед, минуя страдания. Я упорно ищу секрет утешения и все время твержу про себя испанскую пословицу: «Бери, что хочешь, но плати за это — так велит Бог». Может быть, я уже расплатилась?

По пути от душевной расплесканности к полному молчанию и внутреннему монологу я потеряла часть своего очарования, и мне стоит большого труда поддерживать в обществе свой имидж веселой, распутной и блестящей женщины. Я совершенно разучилась болтать на светские темы. Я сама и кукловод, и кукла, усилием воли дергаю себя за веревочки, чтобы на один вечер загореться энтузиазмом, открыть рот и включиться в беседу. На людях я больше молчу и улыбаюсь.

Вышла моя первая книга, и теперь я нахожусь в эпицентре общественного любопытства. Когда ко мне приходят с вопросами, меня начинает мучить страх разочаровать людей, не дотянуть до планки их интереса. Меня пугает не злость, которая брызжет из многих газетных статей (она лишь придает мне силы), а любовь и восхищение, которое я вызываю у разных читателей. Я боюсь оказаться хуже той придуманной читательским воображением Даши, которой я не всегда соответствую в жизни. Весь мой хваленый опыт рассеялся как дым.

Я иду по тонким мосткам через пропасть неуверенности — от детского самомнения, от юношеского «я все могу» к истинной уверенности в себе взрослого человека. Мне страшно смотреть вниз, там клубится туман сомнений. А вдруг я упаду в бездну душевной пустоты и страха жить? Но все ярче разгорается огонек в мире мрака, и я слышу, как где-то там, в вышине, играют серебряные скрипки надежды.

СОДЕРЖАНИЕ

Литературно-художественное издание

Асламова Дарья Михайловна
ПРИКЛЮЧЕНИЯ ДРЯННОЙ ДЕВЧОНКИ

Издано в авторской редакции
Художественный редактор *Е. Савченко*
Технические редакторы *Н. Носова, Г. Дегтяренко*
Корректор *З. Харитонова*

Изд. лиц. № 065377 от 22.08.97.

Налоговая льгота — общероссийский классификатор
продукции ОК-005-93, том 2; 953000 — книги, брошюры.

Подписано в печать с готовых монтажей 21.07.99.
Формат 84×108 $^1/_{32}$. Гарнитура «Таймс».
Печать офсетная. Усл. печ. л. 26,9. Уч.-изд. л. 26,2.
Доп. тираж II 7100 экз. Заказ 177

ЗАО «Издательство «ЭКСМО-Пресс»,
123298, Москва, ул. Народного Ополчения, 38.

Отпечатано в полном соответствии
с качеством предоставленных диапозитивов
в ОАО «Можайский полиграфический комбинат».
143200, г. Можайск, ул. Мира, 93.